DE GAULLE

**

La Solitude du Combattant

DE GAULLE

DU MÊME AUTEUR

voir en fin de volume

MAX GALLO

DE GAULLE

**

La Solitude du Combattant

ROBERT LAFFONT

*En hommage aux patriotes combattants,
oubliés en ces temps gris
de « repentance ».*

Nous avons choisi la voie la plus dure, mais aussi la plus habile : la voie droite.

Charles de Gaulle, 18 juin 1942.

Le général de Gaulle entouré de ceux qui l'ont suivi est un symbole. Le symbole de la fidélité de la France à elle-même, concentrée un moment en lui presque seul, et surtout le symbole de tout ce qui dans l'homme refuse la basse adoration de la force.

Simone Weil, *L'Enracinement*.

Le général de Gaulle était jeune et énergique. J'ai eu l'impression que dans son attitude paisible et impénétrable il était d'une surprenante sensibilité à la douleur. Cette impression se confirma au cours des contacts avec ce grand homme flegmatique et je pensais : voilà le Connétable de France.

Sir Winston Churchill, *La Deuxième Guerre mondiale*.

Première partie

17 juin 1940 – 28 septembre 1940

À quarante-neuf ans, j'entrai dans l'aventure, comme un homme que le destin jetait hors de toutes les séries.

Charles de Gaulle, *Mémoires de guerre*,
tome I, *L'Appel*

1.

« C'est à moi d'assumer la France », murmure de Gaulle. Il traverse la petite chambre de l'hôtel Rubens. Il jette un coup d'œil au lieutenant Geoffroy de Courcel, son aide de camp. Il s'approche de la fenêtre. La circulation sur Buckingham Road en ce début d'après-midi du lundi 17 juin 1940 est dense. Les voitures, dont de nombreux taxis, roulent lentement, comme si Londres sous ce soleil radieux sans un nuage ne redoutait pas l'invasion allemande et profitait de la clémence du printemps.

Voilà une nation. Et la France ?

Il se tourne vers Courcel.

« La France n'est réellement elle-même qu'au premier rang », dit-il.

Et elle est à genoux.

Il se penche. Il regarde les passants qui se dirigent vers Buckingham Palace ou vers Victoria Station. Devant la gare il aperçoit des sacs de sable et une batterie antiaérienne. Des soldats casqués vont et viennent, d'autres sont à leur poste de tir. Ils sont raides dans une tenue irréprochable.

Il se souvient.

Il y a quelques heures, sur l'aéroport de Bordeaux-Mérignac, c'était le spectacle du chaos, du laisser-aller. Dans les rues de la ville, la pagaille, la foule des réfugiés. Et dans les salons de l'hôtel Splendid, les hommes politiques, les généraux, leurs femmes et leurs maîtresses, manœuvrant, complotant, avec sur presque tous les visages le désarroi, la peur, l'angoisse, la jalousie et la haine. Et, pire encore : l'indifférence aux malheurs de la patrie. Et comme pour symboliser cette France qui accepte la défaite, Pétain, président du Conseil, Weygand, ministre de la Défense nationale. Et la voix chevrotante du Maréchal qui prononce les mots de la vanité et de l'abandon : « Je fais à la France le don de ma personne pour atténuer ses malheurs... C'est le cœur serré que je vous dis aujourd'hui qu'il faut cesser le combat. »

Aujourd'hui, 17 juin 1940.

De Gaulle se tourne. Cette chambre modeste d'un petit hôtel londonien est à la mesure de ses moyens.

– À mes côtés pas l'ombre d'une force ni d'une organisation, dit-il. En France, aucun répondant et aucune notoriété. À l'étranger, ni crédit, ni justification.

Il fait quelques pas.

– Mais ce dénuement même me trace ma ligne de conduite.

Il doit être le « champion inflexible de la nation et de l'État ». Il doit « épouser, sans ménager rien, la cause du salut national » et trouver ainsi l'autorité.

Mais tout tenter encore une dernière fois, même s'il a rompu, même s'il n'a aucune confiance en Weygand, même si déjà l'ambassade de France et les missions françaises à Londres, interrogées par Courcel, se sont montrées méfiantes, hostiles. Puisque le gouvernement Paul Reynaud a été remplacé par le gouvernement Pétain, elles n'ont plus à aider un général de brigade à titre temporaire qui a cessé d'être sous-secrétaire d'État à la Guerre et à la Défense nationale.

De Gaulle fait un signe de tête à Courcel. Il faut placer ces gens devant leurs responsabilités et ne laisser aucun prétexte à Weygand. Il commence à dicter un message que l'ambassadeur de France sera chargé de transmettre au ministre de la Défense nationale.

« 17 juin 1940.

« I) Suis à Londres. Ai négocié hier avec ministre Guerre britannique, sur instruction de M. Paul Reynaud, au sujet des points suivant :

« 1) Tous matériels d'armement remis aux alliés par le gouvernement des États-Unis... seront entreposés en territoire anglais...

« 2) Prisonniers allemands actuellement en France seront livrés à Bordeaux aux autorités militaires anglaises. Première urgence officiers...

« II) En ce qui concerne concours de tonnage britannique aux transports de personnel et de matériel entre France et Afrique du Nord ai demandé cinq cent mille tonnes de tonnage anglais pour une période de trois semaines à partir du 19 juin... »

Il s'interrompt. Où en seront-ils, Pétain et Weygand, le 19 juin ? Mais s'il y a une seule chance de faire un môle de résistance de l'Afrique du Nord où le général Noguès, commandant en chef, semble vouloir continuer le combat, il ne faut pas la laisser s'échapper. Une chance.

Il allume une nouvelle cigarette au mégot de la précédente. Il reprend :

« Me trouve dorénavant sans pouvoir. Dois-je poursuivre négociation ? Me tiens à vos ordres par ambassade ou par mission de coopération. Je tiens au courant l'ambassadeur.

Général de Gaulle. »

Ils ne pourront pas dire que jusqu'à l'extrême limite, il n'a pas essayé de remplir sa mission de secrétaire d'État qui veut poursuivre la guerre. Mais ils ont choisi de « cesser le combat ». Il sait donc ce que sera leur réponse.

Il s'agit « de servir et de sauver la nation et l'État ».

Et dans ce but, malgré eux, « la première chose à faire est de hisser les couleurs ».

Il sort en compagnie de Geoffroy de Courcel et marche le long de Buckingham Road. Il doit retrouver à déjeuner, au Royal Automobile Club, le général Spears, le conseiller de Churchill qui est arrivé avec eux de Bordeaux ce matin. Spears est l'intermédiaire nécessaire pour accéder dès cet après-midi au Premier ministre, et obtenir de celui-ci la possibilité de s'adresser à la France en parlant au micro de la BBC. Il faut que la France sache, vite, avant que l'irrémédiable ne soit accompli et les armes déposées, qu'à Londres un général français continue le combat.

De Gaulle avance à grands pas. Il fume. Il constate l'étonnement des passants qui malgré leur discrétion marquent leur surprise devant ces deux silhouettes inattendues. De Gaulle, en képi de général de brigade à larges feuilles de chêne et à sommet rouge, porte un dolman kaki, à la manche duquel brillent deux étoiles. Il y a accroché ses trois barrettes de décoration – légion d'honneur, croix de guerre 14-18, et croix de participation aux combats de Pologne. Des culottes de cheval gris clair et des jambières en cuir verni brun complètent cet uniforme. Le lieutenant de Courcel est habillé à l'identique. De Gaulle tient à la main ses gants de peau blancs.

Rarement les passants se retournent, mais parfois quelqu'un lance un encouragement, un « vive la France ! ».

De Gaulle maîtrise son émotion. Et cependant elle est là, à fleur de peau.

Jamais comme depuis qu'il a quitté Bordeaux, il n'a eu le sentiment d'être habité par « une certaine idée de la France », et d'être celui qui doit porter l'oriflamme de cette patrie qu'il imagine comme « la princesse des contes ou la madone aux fresques des murs ». Jamais comme depuis qu'il a rompu avec toutes ses vies antérieures, il n'a eu la conviction qu'il obéissait à un impérieux destin, une nécessité intérieure qui est en même temps un devoir historique. À lui de ramasser le « tronçon du glaive » et de se battre, de rassembler le peuple. Il faut « viser haut et se tenir droit ». Car « la France ne peut être la France sans la grandeur ».

Il écoute Spears. Les nouvelles de France sont accablantes. Toutes les villes de plus de vingt mille habitants ont été déclarées villes ouvertes. Autant dire que le pays, avant même que l'armistice ne soit signé, est entièrement livré aux Allemands qui avancent de plusieurs dizaines de kilomètres, et quelquefois plus de cent, par jour. On compte les prisonniers par centaines de milliers. Ils seraient déjà plus d'un million. Voilà ce que Pétain a permis en invitant à « cesser le combat » !

Il a un instant d'angoisse en pensant aux siens : Yvonne de Gaulle, les enfants, Philippe en âge de se battre, peut-être capturé. La pauvre petite Anne emportée dans cette tourmente dont elle ne comprend pas le sens.

Il se lève. L'action est le seul moyen de lutter contre le désespoir, de refouler l'inquiétude.

On marche vers le 10, Downing Street. L'air est doux, le ciel d'un bleu léger. Le contraste est si grand entre ce que de Gaulle ressent et ce printemps ensoleillé que la souffrance s'en trouve avivée et plus forte encore l'impression de solitude. À chaque pas qu'il fait, il perçoit mieux la pente qu'il va falloir gravir. « Il y aura la montagne des objections, imputations, calomnies, opposées... par les sceptiques et les peureux pour couvrir leur passivité. » Il y aura sans doute des manœuvres, des rivaux, des divisions. Et il y aura « la tendance des grands États à profiter de notre affaiblissement pour pousser leurs intérêts au détriment de la France ».

Il entre au 10, Downing Street, il s'avance dans le jardin de la résidence du Premier ministre. Il voit Churchill, souriant, se lever de son fauteuil, venir vers lui, le cigare au coin de la bouche. De Gaulle a le sentiment à la fois de n'être rien, de ne posséder aucun moyen pour accomplir la tâche qu'il s'est fixée, et, en même temps, d'être l'égal de cet homme qui est à la tête de l'Empire britannique préservé et uni pour continuer la guerre.

Churchill lui tend la main, parle avec chaleur et amitié.

Voilà l'allié.

« Naufragé de la désolation sur les rivages de l'Angleterre », que pourrais-je faire sans son concours ?

Churchill le donne. Les micros de la BBC seront ouverts demain au général de Gaulle.

Déjà en de Gaulle les mots se bousculent. Il faudra en quelques phrases secouer le pays, prendre date. Montrer l'horizon.

« Bref, tout limité et solitaire que je fusse, et justement parce que je l'étais, il me fallait gagner les sommets et n'en descendre plus jamais. »

Et maintenant, ne plus penser qu'à ce discours de demain.

Il dîne chez Jean Monnet. Il observe cet homme fin et rusé, déterminé à la résistance mais qui déjà condamne l'idée de constituer, à Londres, un « Comité » français. De Gaulle l'observe, jauge René Pleven, un collaborateur de Monnet qui participe au dîner. Pleven est silencieux, réfléchi. Il ne semble pas partager les sentiments de son chef. De Gaulle parle. Il faut convaincre. Chaque homme compte, chaque Français doit être arraché à la passivité, conduit à s'engager dans la voie juste. Ici, autour de moi.

– Pétain a trahi, répète de Gaulle.

On ne peut lui pardonner de couvrir de sa gloire la capitulation. Rien ne l'excuse d'avoir dit : « Il faut cesser le combat » avant de connaître les conditions de l'ennemi. Rien.

Monnet demeure réservé, comme s'il voulait ne pas trancher avec ce gouvernement Pétain. Se battre contre les Allemands, certes, mais sans condamner le Maréchal. Pourtant le moment n'est plus celui du compromis. L'intransigeance est la seule politique pensable.

De Gaulle rentre à l'hôtel Rubens. C'est sa première nuit d'homme qui a rompu les amarres. Le dîner avec Monnet le laisse songeur. Il y aura donc ceux, sans doute nombreux, qui ne voudront pas aller jusqu'au bout de leur choix et voudront rester aux côtés de Pétain, parce que le Maréchal représente le pouvoir régulier. Et ils diront légitime.

De Gaulle ne peut dormir. Il fume cigarette sur cigarette. Il attend l'aube. Il commence à écrire. Il rature son texte, le recommence.

Au matin, il s'installe au premier étage à gauche, 8 Seamore Grove, dans l'appartement de Jean Laurent qui fut son directeur de cabinet. Le bureau est petit. Il écrit, froisse les pages, les réécrit, donne les feuillets à Geoffroy de Courcel. Celui-ci, dans une autre pièce de l'appartement, les lit à Élisabeth de Miribel, une amie qui, employée de la mission économique française dirigée par l'écrivain-diplomate Paul Morand, a accepté de jouer les secrétaires bénévoles.

De Gaulle entre dans la pièce, la cigarette allumée pendant à sa bouche. Il tend de nouveaux feuillets, relit ce qui a été tapé, corrige encore.

Et pourtant il a le sentiment qu'il dit ce qu'il répète depuis plus de dix ans. Il a employé les mêmes mots, il s'en souvient, pendant la bataille, à Savigny-sur-Ardres, le 21 mai, dans la cour de son PC, à l'ombre de huit immenses tilleuls. Mais il veut que chaque mot devienne une arme acérée. Pas d'imprécision. Pas d'accusation vague, des faits. Pas de mise en cause du « peuple » ou de la « nation ». Il a vu le peuple démuni, abandonné sur les routes de l'exode. Et il a vu les combattants capables de se sacrifier, de bousculer les Panzerdivisionen dès lors qu'ils étaient armés et commandés. Les coupables sont les chefs.

Il attend, il relit. La matinée du 18 juin passe.

Il déjeune avec Duff Cooper, le ministre de l'Information de Churchill. Il lui communique le texte du message qu'il compte prononcer. Il guette les réactions de Duff Cooper. L'homme est convaincu, mais il veut montrer le texte aux membres du cabinet anglais. Il ne faut pas aller trop vite, et trop loin, dit-il, avant que l'armistice soit conclu. Il ne faut pas condamner le gouvernement Pétain qui détient cet atout maître, la flotte française.

Soit. Attendre encore dans l'appartement de Seamore Grove. Reprendre le texte. Puis, à la fin de la journée, se rendre en taxi à Oxford Circus, à la BBC, en compagnie de Courcel et d'Élisabeth de Miribel, qu'on dépose chez elle, Brompton Square.

Il entre dans l'immeuble de la BBC avec Courcel. Partout des sentinelles en armes, derrière des petites casemates et des guérites blindées. On craint une attaque des parachutistes allemands. Sur un palier, derrière une meurtrière, un fusil-mitrailleur prend l'escalier en enfilade.

De Gaulle salue distraitement le directeur des Informations et ses collaborateurs, qui l'accueillent, puis, dans le studio B2, le speaker français Maurice Thierry. Il pose son képi. Il va être 22 heures. Il a placé ses feuillets devant lui. On lui demande un essai de voix. « La France », dit-il.

Puis il entend Maurice Thierry annoncer : « Ici Londres, la BBC parle à la France. Dans notre studio, ce soir, se trouve le général de Gaulle, sous-secrétaire d'État à la Défense nationale du gouvernement de Paul Reynaud, président du Conseil... Et maintenant, voici le général de Gaulle. »

De Gaulle n'a pas besoin de lire les feuillets. Il veut parler d'une voix forte et sereine. Il veut que toute son énergie, toute l'expérience de sa vie, toute sa vision de l avenir passent dans ces phrases :

« Les chefs qui, depuis de nombreuses années, sont à la tête des armées françaises ont formé un gouvernement.

« Ce gouvernement, alléguant la défaite de nos armées, s'est mis en rapport avec l'ennemi pour cesser le combat [1].

« Certes, nous avons été, nous sommes submergés par la force mécanique, terrestre et aérienne de l'ennemi.

« Infiniment plus que leur nombre, ce sont les chars, les avions, la tactique des Allemands qui nous font reculer. Ce sont les chars, les avions, la tactique des Allemands qui ont surpris nos chefs au point de les amener là où ils en sont aujourd'hui.

« Mais le dernier mot est-il dit ? L'espérance doit-elle disparaître ? La défaite est-elle définitive ? Non ! »

Il hausse la voix. Ces mots qu'il prononce il a l'impression qu'il les grave à jamais dans le marbre de l'histoire nationale. Il sent en lui une force qu'il ne soupçonnait pas. Il est porté par une certitude qui vient des origines mêmes de sa vie. Il est à l'instant majeur de son destin. Ce 18 juin, dans cette capitale étrangère, il sait, de tout son être, qu'il entre dans l'histoire. Il faut qu'il fasse partager à tous ceux qui l'entendent sa conviction.

« Croyez-moi, moi qui vous parle en connaissance de cause et vous dis que rien n'est perdu pour la France. Les mêmes moyens qui nous ont vaincus peuvent faire venir un jour la victoire.

« Car la France n'est pas seule ! Elle n'est pas seule ! Elle n'est pas seule ! Elle a un vaste Empire derrière elle. Elle peut faire bloc avec l'Empire britannique qui tient la mer et continue la lutte. Elle peut, comme l'Angleterre, utiliser sans limites l'immense industrie des États-Unis.

« Cette guerre n'est pas limitée au territoire malheureux de notre pays. Cette guerre n'est pas tranchée par la bataille de France. Cette guerre est une guerre mondiale, toutes les fautes, tous les retards, toutes les souffrances n'empêchent pas qu'il y a, dans l'univers, tous les moyens pour écraser un jour nos ennemis. Foudroyés aujourd'hui par la force mécanique, nous pourrons vaincre dans

---

1. Ces deux premières phrases – la version officielle, reproduite le 19 juin par le *Times* et le *Daily Express* – n'auraient pas été diffusées parce que trop tranchantes. À l'antenne, à la demande des Anglais, de Gaulle se serait contenté de dire : « Le gouvernement français a demandé à l'ennemi à quelles conditions pourrait cesser le combat. Il a déclaré que, si ces conditions étaient contraires à l'honneur, la lutte devrait continuer. » De Gaulle ne croit évidemment pas à cette possibilité, mais les Anglais se soucient du sort de la flotte française et veulent donc encore ménager le gouvernement Pétain.

l'avenir par une force mécanique supérieure. Le destin du monde est là. »

Il reprend sa respiration. Il voit ce qu'il dit. Il est envahi, à cet instant, par une telle confiance en l'avenir, il a en lui une telle énergie qu'il a le sentiment qu'il va pouvoir renverser tous les obstacles.

Il reprend.

« Moi, général de Gaulle, actuellement à Londres, j'invite les officiers et les soldats français qui se trouvent en territoire britannique ou qui viendraient à s'y trouver avec leurs armes ou sans leurs armes. J'invite les ingénieurs et les ouvriers spécialistes des industries d'armement qui se trouvent en territoire britannique, ou qui viendraient à s'y trouver, à se mettre en rapport avec moi. »

Il parle.

Il s'entend. Il mesure le pas qu'il accomplit. Le destin dont il se charge et dont il est pour toute la nation, devant l'histoire, l'instrument. Il est enfin à la hauteur espérée de sa vie. Il relève le défi que depuis l'enfance il s'est lancé à lui-même.

« Quoi qu'il arrive, s'écrie-t-il d'une voix tendue comme si tout son être vibrait, la flamme de la résistance française ne doit pas s'éteindre et ne s'éteindra pas. »

D'une voix plus basse, il ajoute :

« Demain comme aujourd'hui je parlerai à la radio de Londres. »

Tout est dit, sa vie l'a conduit à ce moment. Elle a bien, comme il l'a toujours cru, un sens. Servir la France.

Il sort du studio avec Geoffroy de Courcel.

Un mot remplit toute sa poitrine, « résistance ». Voilà ce qu'il doit incarner, « la résistance française ». Voilà l'expression qu'il a forgée. Voilà les mots qui doivent se répandre, qui doivent devenir l'âme de chaque Français. C'est ce qu'il doit répéter, *symboliser*. Lui, qui va devoir s'opposer à « la puissance de l'ennemi » à laquelle « l'appareil officiel français » prêtera son concours pour empêcher « le redressement guerrier de la France ».

Alors, la lutte sera longue et « les difficultés morales et matérielles » immenses.

Mais il est prêt à accepter s'il le faut d'être traité comme un « paria ».

Il s'installe avec Courcel à une table du restaurant de l'hôtel Langham, proche du siège de la BBC.

Il regarde autour de lui les dîneurs paisibles qui jettent de temps à autre un coup d'œil dans la direction de ces deux officiers français aux uniformes étranges.

Personne ne se doute ici que pour lui « vient de se terminer une vie », celle qu'il avait menée « dans le cadre d'une France solide et d'une indivisible armée ». Il l'a ressenti à mesure qu'il parlait dans le studio et que « s'envolaient les mots irrévocables ».

Il pourrait dire à Courcel : « À quarante-neuf ans, j'entre dans l'aventure, comme un homme que le destin jette hors de toutes les séries. »

Mais un chef ne confie pas ce qu'il ressent. Et un homme doit garder pour lui ses émotions. Question de pudeur et de dignité.

C'est le 19 juin 1940. Dans le petit appartement de Seamore Grove, il feuillette les journaux anglais. En page trois du *Times*, il découvre sous le titre « La France n'est pas perdue » le texte de son intervention de la veille. Et le *Daily Express* la reproduit aussi.

Mais quel sera l'écho en France ? L'a-t-on même entendu ?

Il faut continuer. Il écarte les journaux. Il faut commencer à creuser un sillon. Et d'abord tenter de sauver ce qui peut l'être. Et donc essayer de faire basculer l'Afrique du Nord dans la résistance, en télégraphiant au général Noguès, commandant en chef en Afrique du Nord et aussi résident général au Maroc, et qui a manifesté sa volonté de combattre.

De Gaulle dicte un télégramme :

« Suis à Londres en contact officieux et direct avec gouvernement britannique. Me tiens à votre disposition soit pour combattre sous vos ordres, soit pour toutes démarches qui pourraient vous paraître utiles. »

On télégraphiera ensuite à tous les chefs qui commandent des troupes dans l'Empire, aux résidents généraux, aux gouverneurs des colonies françaises d'Afrique-Occidentale et Équatoriale. Il y a un Empire français. Il faut qu'il choisisse la résistance.

La porte s'ouvre. Élisabeth de Miribel introduit le lieutenant Hettier de Boislambert, qui a servi comme officier de liaison auprès de la 4e division cuirassée près d'Abbeville.

Premier ralliement ?

– Alors, Boislambert, vous voilà en Angleterre. Que venez-vous faire ? demande de Gaulle.

– La guerre si possible, mon général.

– Connaissez-vous mon appel ?

Boislambert secoue la tête.

– Non, mon général, c'est parce que je vous ai vu commander sur le front de France que je viens à vous.

De Gaulle écoute Boislambert expliquer qu'il est à la tête d'un détachement dont une bonne partie veut continuer de combattre sous l'uniforme français. Ne pas tromper Boislambert. Lui expliquer quels sont les buts de ce qui est né, hier.

Boislambert est enthousiaste. Il est le premier officier qui le rejoint.

De Gaulle marche à grands pas dans cette pièce qui lui sert de bureau. Par la fenêtre il aperçoit les frondaisons de Hyde Park.

Cette adhésion d'Hettier de Boislambert, dans les premières heures de ce 19 juin, l'émeut, compense le sentiment de solitude qui l'étreint.

Le chef de la mission militaire française a transmis deux messages du général Colson, ministre de la Guerre du gouvernement de Pétain et de ce fait rattaché à Weygand, ministre de la Défense nationale. Colson intime l'ordre à de Gaulle d'avoir à regagner immédiatement la France.

Pour s'y faire arrêter, comme Mandel l'a été quelques heures dans la matinée du 17 juin ?

D'ailleurs, le ton est déjà menaçant. Il lit le communiqué qu'a diffusé la Radiodiffusion nationale française :

« Le général de Gaulle qui a pris la parole à la radio de Londres, indique le ministre de l'Intérieur, ne fait plus partie du gouvernement et n'a aucune qualité pour faire des communications au public. Il a été rappelé de Londres et a reçu l'ordre de rentrer en France et de se tenir aux ordres de ses chefs. Ses déclarations doivent être considérées comme non avenues. »

Et pendant ce temps, les cadets de l'école d'officiers de Saumur se font tuer en gants blancs ! Et le cuirassé *Jean-Bart* réussit à s'évader de Saint-Nazaire. Et le gouvernement traite, prêt à accepter toutes les conditions allemandes. Et ceux-ci, pour achever de créer la panique, bombardent Bordeaux.

De Gaulle se sent, dans cet appartement, comme une force entravée.

Courcel entre, annonce d'autres adhésions : un mécanicien d'Hispano-Suiza, des professeurs, deux journalistes, un avocat de la gauche socialiste, André Weil-Curiel, et Georges Boris, rédacteur en chef de l'hebdomadaire *La Lumière* et proche collaborateur de Léon Blum ; Christian Fouchet, élève observateur de l'armée de l'air qui a réussi à quitter Bordeaux-Mérignac dans un avion anglais. De Gaulle reçoit Fouchet. Le jeune aviateur paraît intimidé.

— Croyez-moi, c'est vous qui jouez la bonne carte, dit de Gaulle, la carte de la France. On a toujours raison de jouer sur la France.

C'est l'heure de déjeuner. Qui restera pour « garder la boutique » ?

Il croise Georges Boris. « Vous tombez bien, pendant notre absence, si des gens se présentent, on ne sait jamais, vous noterez leur nom et leur adresse, qu'on puisse les contacter. »

Il sent Boris gêné. Est-il le mieux placé pour recevoir ici d'éventuelles recrues ? Il a dirigé *La Lumière*, il est juif, n'est-ce pas ? De Gaulle le toise.

— Monsieur Boris, je ne connais que deux sortes d'hommes : ceux qui se couchent et ceux qui veulent se battre. Vous appartenez à la seconde, donc attendez-moi et gardez la boutique.

Qui s'est présenté ? demande-t-il plus tard.

Une poignée d'hommes. Des inconnus, des aristocrates, des juifs, des jeunes gens, des hommes de gauche, mais pas un notable ! Des individus, qui réagissent en conscience et non parce qu'ils sont membres de tel ou tel groupe. Et des personnalités inattendues comme Étienne Bellenger, le directeur londonien de la joaillerie Cartier, qui met sa voiture et un chauffeur à la disposition de De Gaulle. Sa grande maison, à Putney Hill, dans le sud-ouest de Londres, sera ouverte à tous les Français qui choisiront la résistance.

De Gaulle est ému. Il se sent investi d'une responsabilité

immense, à la dimension de l'histoire et du destin de la France et de l'engagement de ces hommes qui choisissent eux aussi, parce qu'ils ont « une certaine idée de la France », de prendre tous les risques. Mais la responsabilité, « elle pèse sur moi seul. Moi seul aurai à en rendre compte à Dieu. »

Il regagne l'appartement de Seamore Grove. Il fait entrer Georges Boris dans son bureau. Il parle lentement, d'une voix calme. Tout lui paraît parfois déjà joué. Certes, il sait qu'il sera surpris par l'incertain et l'inattendu des circonstances, mais ce seront des péripéties. L'essentiel est dessiné. Il est lui-même étonné tout en parlant, de la vision qui s'impose à lui. Il regarde au loin les arbres de Hyde Park. Les bruits de la rue montent assourdis.

– Si le débarquement allemand en Angleterre est repoussé, dit-il, et c'est possible, la situation sera d'abord stabilisée, pour être ensuite renversée, grâce aux ressources de l'arsenal américain.

Qui peut douter de cela ?

Il s'isole. Hier, 18 juin, il a forcé la main aux Anglais de la BBC en annonçant à l'antenne qu'il prendrait la parole aujourd'hui. Il faut bousculer les usages. Il doit parler, convaincre. Il commence à écrire un texte qu'il veut fort et bref.

Il rejoint le studio de la BBC. Il s'installe. Il ne s'est jamais senti aussi déterminé. Maintenant, les jeux sont faits.

Il commence d'une voix claire et résolue.

« À l'heure où nous sommes, tous les Français comprennent que les formes ordinaires du pouvoir ont disparu.

« Devant la confusion des âmes françaises, devant la liquéfaction du gouvernement tombé dans la servitude ennemie, devant l'impossibilité de faire jouer nos institutions, moi, général de Gaulle, soldat et chef français, j'ai conscience de parler au nom de la France. »

Il s'arrête quelques fractions de seconde. Jamais plus il ne pourra redescendre de ce sommet. Y demeurer, agir en conséquence, être en permanence à la hauteur de ce destin, voilà quelle est son obligation, son avenir.

« Au nom de la France, reprend-il, je déclare formellement ce qui suit :

« Tout Français qui porte encore des armes a le devoir absolu de continuer la résistance.

« Déposer les armes... ce serait un crime contre la patrie.

« À l'heure qu'il est je parle avant tout pour l'Afrique du Nord française, pour l'Afrique du Nord intacte.

« ...

« Dans l'Afrique de Clauzel, de Bugeaud, de Lyautey, de Noguès, tout ce qui a de l'honneur a le strict devoir de refuser les conditions ennemies.

« Il ne serait pas tolérable que la panique de Bordeaux ait pu traverser la mer.

« Soldats de France, où que vous soyez, debout ! »

Il quitte le studio, se rend dans les bureaux du directeur de la BBC, Frederick Ogilvy, qui organise une réception en son honneur.

De Gaulle l'interroge : a-t-on un enregistrement de son discours d'hier, 18 juin ? Les Anglais s'excusent. Rien de ce qu'il a dit le 18 juin n'a pu être enregistré. Tous les moyens techniques étaient mobilisés pour le discours de Winston Churchill aux Communes.

Il s'emporte. Qui sait même si son intervention de ce soir sera diffusée ?

Il quitte rapidement la réception. Quel peut être le bien le plus précieux, pour un homme, un pays, sinon l'indépendance et la liberté ?

Ce qu'il veut fonder, c'est la France libre et souveraine.

Et personne contre sa volonté ne devra pouvoir limiter ses droits ni l'empêcher d'agir.

Il répète la phrase qu'il vient de prononcer : « J'ai conscience de parler au nom de la France ».

2.

De Gaulle repousse brutalement sa chaise, va jusqu'à la fenêtre de son bureau de Seamore Grove. C'est la fin de la journée du jeudi 20 juin 1940. Peut-être l'une des plus longues, des plus difficiles qu'il ait vécues. Plus morne que ces heures interminables passées au fort d'Ingolstadt. Il attend. Impuissant.

Quelques hommes se sont présentés pour s'engager. Comme si cela suffisait ! Les panzers viennent de franchir la Loire. Les dépêches décrivent ces milliers de Français qui jettent leurs armes, sous l'œil goguenard des tankistes du Reich. Et les fusils s'entassent pendant que les soldats aux vareuses déboutonnées s'en vont comme un troupeau soumis vers la captivité !

Et il est là, à attendre !

Les Anglais semblent même se dérober. Ils ont envoyé des émissaires à Bordeaux. Ils veulent obtenir du maréchal Pétain et de l'amiral Darlan – grand amiral de la Flotte – l'assurance que les navires français ne seront pas livrés aux Allemands. Ils veulent aussi, sans doute, prendre contact avec des personnalités politiques plus influentes, s'imaginent-ils, qu'un général de brigade. Et l'on dit que des dizaines de parlementaires, quelques ministres, dont Georges Mandel, ont embarqué à bord d'un paquebot, le *Massilia*, qui, ancré dans la Gironde, s'apprête à lever l'ancre pour le Maroc.

Il est seul. Il cherche parmi les dépêches et les télégrammes celui qui, en quelques lignes, le remet à la disposition du général commandant en chef ! Et puis, voici cet extrait d'un article de Fran-

25

çois Mauriac, publié dans *Le Figaro* du 19 juin, un coup de griffe :
« Le 17 juin, après que le maréchal Pétain eut donné à son pays
cette suprême preuve d'amour, écrit l'académicien, les Français
entendirent à la radio une voix qui leur assurait que jamais la
France n'avait été plus glorieuse. Eh bien, non ! Il ne nous reste
d'autre chance de salut que de ne plus jamais nous mentir à nous-
mêmes. »

De Gaulle est partagé entre le mépris et la colère. Ne savent-ils
pas lire, ne voient-ils pas où on les mène ?

Il reprend le discours que Pétain vient de prononcer et dont Courcel lui a remis, il y a quelques minutes, le texte. Il le saisit du bout
des doigts. C'est comme si cette feuille suintait tout ce qu'il rejette :
le mensonge et le défaitisme, une manière de faire porter par le
peuple et la patrie les responsabilités des chefs.

« J'ai demandé à nos adversaires de mettre fin aux hostilités, a
déclaré Pétain. J'ai pris cette décision, dure au cœur d'un soldat,
parce que la situation militaire l'exigeait... Moins forts qu'il y a
vingt-deux ans, nous avions aussi moins d'amis, trop peu d'enfants,
trop peu d'armes, trop peu d'alliés. Voilà les causes de notre
défaite. »

Non !

De Gaulle s'emporte, se lève, va jusqu'à la fenêtre. Le ciel
impassible est immuablement bleu. Que cette journée s'achève !
Que la vague à nouveau se lève et remplisse le vide de l'attente de
sa fureur bruyante !

Il retourne à sa table. Il faudra répondre à Pétain, qui ose écrire,
lui qui se prétend un chef : « Le peuple français ne conteste pas ses
échecs... Nous tirerons la leçon des batailles perdues. Depuis la victoire, l'esprit de jouissance l'a emporté sur l'esprit de sacrifice. On
a revendiqué plus qu'on n'a servi. On a voulu épargner l'effort ; on
rencontre aujourd'hui le malheur. »

Lui, Pétain, qui préfaçait un livre dans lequel le général Chauvi-
neau prétendait que l'invasion était impossible, lui, le Maréchal,
ose dire cela !

Mais à quoi bon cette colère, s'il demeure seul ? Les quelques
personnalités qui refusent l'armistice – le député Henri de Kérillis,
l'écrivain André Maurois, une gloire aussi célébrée en France

qu'en Angleterre pour ses *Silences du colonel Bramble* – ont annoncé leur intention de gagner les États-Unis. Maurois a refusé d'être le porte-parole de la France Libre ! Quant aux membres des ambassades, de Corbin l'ambassadeur à Paul Morand le chef de la mission économique, dès que l'armistice sera signé, ils démissionneront ou regagneront la France !

Partout, peut-être pour des mois encore, et qui sait, des années, l'emportera « l'immense concours de la peur, de l'intérêt et du désespoir ».

Assez pour cette journée !

Il quitte son bureau pour l'hôtel Rubens.

Il marche à grands pas aux côtés de Geoffroy de Courcel dans le crépuscule de cette interminable journée d'attente.

Tout à coup, dans le hall de l'hôtel Rubens, cette silhouette maigre qui se dresse, s'avance, Philippe, son fils, et cette joie, cette légèreté soudain, comme si un poids invisible mais écrasant cessait brusquement de l'étouffer. Philippe, qu'il prend aux épaules, qu'il embrasse, puis écarte, parce que la pudeur et le contrôle de soi doivent reprendre la barre.

Ils sont donc tous là, Yvonne de Gaulle, les enfants, la petite Anne et Marguerite Potel, la gouvernante, échappés de Brest sur un navire transportant des soldats britanniques. Ils ont débarqué à Falmouth. Et Philippe a découvert dans un journal l'appel du 18 juin. Il s'est présenté à la police et a réussi à la convaincre de son identité. Il a obtenu l'adresse du général de Gaulle et ils viennent d'y arriver, après avoir débarqué à Victoria Station.

De Gaulle monte lentement à l'étage où sont installés les siens. Il ne peut s'empêcher, dans sa joie, de penser à sa mère, restée à Paimpont, à sa sœur, à toute la famille d'Yvonne de Gaulle, à tous ceux qui risquent de subir, dans leur chair, les conséquences de sa résistance à l'abandon. Car, il le sait, rien ne leur sera épargné, ni à lui, ni à ses proches, ni à ceux qui s'engageront à ses côtés. La lutte entre la lâcheté et le courage est toujours impitoyable et les couards ne pardonnent pas la bravoure des autres. Ils veulent que tous abdiquent pour être justifiés de leur démission.

Mais pour quelques instants, il veut vivre la joie des retrouvailles. Écouter le récit d'Yvonne de Gaulle et des enfants, leur

27

trajet vers Brest, au milieu des troupes britanniques, les Anglais détruisant sur les quais du port de Brest le matériel qu'ils ne pouvaient embarquer, le jetant à la mer. Pouvoir enfin prendre Anne sur ses genoux, la bercer, la calmer et retrouver à son contact la mesure des choses humaines. Se trouver renforcé dans sa résolution par cette souffrance. Puis s'attacher à résoudre les problèmes matériels : Anne ne peut rester enfermée dans une chambre d'hôtel où, compte tenu de son état, elle doit prendre tous ses repas. Il faudra donc les installer dans une maison de la banlieue sud de Londres, 41, Bichwood Road, à Petts Wood, proche des aérodromes de Croydon et de Biggin Hill.

En quittant, le lendemain matin, l'hôtel Rubens pour rejoindre l'appartement de Seamore Grove, il se sent plus serein qu'il n'a été depuis longtemps. C'est comme si Dieu, en permettant à Yvonne de Gaulle et aux enfants de rejoindre Londres, avait voulu lui permettre d'être libre de tout autre souci que de ceux qui naissent du destin de la France.

Il est révolté quand il prend connaissance, le 22 juin, des conditions de l'armistice. Est-il possible qu'un gouvernement français accepte une telle humiliation, un tel abaissement ?

Il se rend avec Philippe et Geoffroy de Courcel à la BBC. Il a obtenu des Anglais de pouvoir à nouveau s'exprimer, pour tenter une fois de plus d'arracher ces hommes à leur défaitisme et à leur lâcheté, à leurs erreurs de perspective. Mais comment croire cela possible ?

Il vient, ce samedi 22 juin, de recevoir une dépêche annonçant que sa promotion au grade de général de brigade est annulée et que le président de la République, Lebrun, s'apprête à signer un décret le mettant à la retraite d'office par mesure de discipline.

Qui peut se faire encore des illusions ?

Les Anglais, après quarante-huit heures de réserve prudente – et c'est pourquoi on ne l'a pas laissé parler durant ces deux derniers jours et c'est humiliant et intolérable ! –, semblent enfin avoir compris qu'ils ont affaire, comme dit leur ambassadeur de Bordeaux, à un « crook » – un escroc –, Baudoin, le ministre des Affaires étrangères, et à un « dotard » – un radoteur –, Pétain.

Churchill est même intervenu à la radio pour dire « sa douleur et sa stupéfaction » lorsqu'il a appris que le gouvernement français se disposait à accepter les conditions d'armistice. « Le gouvernement de Sa Majesté..., a-t-il dit, ne peut croire que ces conditions ou d'autres similaires aient été acceptées par n'importe quel gouvernement en possession de sa liberté, de son indépendance et de l'autorité constitutionnelle... La France et l'Empire français tout entier seraient à la merci et au pouvoir des dictateurs allemands et italiens. »

De Gaulle entre dans le studio. Il voit Philippe et Courcel qui s'installent dans un petit salon voisin.

La lampe rouge s'allume. Il parle.

« ... Cet armistice serait non seulement une capitulation mais encore un asservissement. Or beaucoup de Français n'acceptent pas la capitulation ni la servitude pour des raisons qui s'appellent : l'honneur, le bon sens, l'intérêt supérieur de la patrie... »

L'indignation et la résolution montent en lui.

« Je dis l'honneur ! Car la France ne s'est engagée à déposer les armes que d'accord avec les Alliés... Je dis le bon sens ! Car il est absurde de considérer la lutte comme perdue. Je dis l'intérêt supérieur de la patrie ! Car cette guerre n'est pas une guerre franco-allemande qu'une bataille puisse décider. Cette guerre est une nouvelle guerre mondiale. Nul ne peut prévoir si les peuples qui sont neutres aujourd'hui le resteront demain... Il est par conséquent nécessaire de grouper partout où cela se peut une force française aussi grande que possible.

Et c'est sa mission.

« Moi, général de Gaulle, j'entreprends ici, en Angleterre, cette tâche nationale !

« J'invite tous les Français qui veulent rester libres à m'écouter et à me suivre.

« Vive la France Libre dans l'honneur et dans l'indépendance ! »

Voilà, le vent s'est à nouveau levé. Finie l'attente. Les masques des « escrocs » et des « radoteurs » tombent. Et ils ont peur. De Gaulle lit le nouveau message de Pétain, qui répond au Premier ministre anglais. Il y sent percer l'inquiétude, la crainte de la France libre.

« M. Churchill est juge des intérêts de son pays, commence Pétain : il ne l'est pas des intérêts du nôtre. Il l'est encore moins de l'honneur français. »

Bien sûr, Pétain, Weygand, et naturellement l'amiral Darlan vont exciter l'anglophobie, si forte dans la marine et l'armée mais aussi dans le peuple. De Gaulle se souvient de ses colères d'enfant au temps de Fachoda ! Darlan, Pétain vont pouvoir faire renaître ce temps-là. Ils vont sûrement évoquer Jeanne d'Arc ! Mais il y a aussi cette phrase de Pétain – ou de son valet de plume ! – qui vise de Gaulle. Et de Gaulle en est fier : « Nul ne parviendra à diviser les Français au moment où leur pays souffre », a dit Pétain.

Ils ne sont pas sûrs d'eux. Ils ont misé sur la capitulation de l'Angleterre et ils commencent à en douter. Ils ont cru faire taire toutes les voix françaises, et de Gaulle parle et se renforce.

Le dimanche 23 juin, il visite les bureaux que le gouvernement anglais vient de lui attribuer dans une grande maison noire, un bloc impersonnel au-dessus des quais de la Tamise, à Victoria Embankment, à Saint-Stephen's House, non loin de la Chambre des communes. L'immeuble est vétuste, l'appartement dit « d'affaires » qui lui est attribué au quatrième étage est poussiéreux, sale même. Mais les trois bureaux en façade possèdent de larges baies vitrées, et l'on aperçoit l'horloge de Westminster. Et il sera possible d'utiliser quelques bureaux au quatrième étage.

De Gaulle choisit une grande pièce triangulaire qui dispose de deux baies. Dans les autres bureaux s'installent Geoffroy de Courcel et Hettier de Boislambert. Au bout du couloir, dans des pièces sombres, prendra place le secrétariat.

De Gaulle regarde la Tamise. Il a le sentiment que, en quelques jours, il a parcouru déjà un immense chemin. Il fait accrocher une carte de France au mur. On apporte une table de bois blanc et quatre chaises. Peu importe le mobilier. Ce n'est pas le décor qui fait la force d'un chef.

Courcel fait entrer dans le bureau le capitaine Dewavrin, un homme jeune à la silhouette élancée, presque maigre, qui a combattu en Norvège dans la division du général Béthouart.

De Gaulle se lève. Béthouart, dit-il, a été son camarade à Saint-Cyr.

– Êtes-vous d'active ou de réserve ? interroge-t-il.

– Active, mon général, répond Dewavrin.

– Votre origine ?

– École polytechnique, professeur de fortification à l'école spéciale de Saint-Cyr.

Quelques questions encore. Il faut juger rapidement un homme. Dewavrin parle anglais et est licencié en droit. Il a combattu en Norvège aux côtés du capitaine Tissier qui, rallié depuis deux jours, fait fonction de chef d'état-major.

– Bien, conclut de Gaulle. Vous serez chef des 2ᵉ et 3ᵉ bureaux de mon état-major. Au revoir, à bientôt.

Il regarde Dewavrin saluer, quitter le bureau.

Si peu d'hommes autour de lui encore, mais quand il pense à chacun d'eux, moins d'une dizaine, il mesure leur valeur, leur courage. Rompre est toujours difficile.

Mais pour autant, il doit rester le chef distant et inflexible. La France exige tout de lui. Il peut tout exiger d'eux au nom de la Patrie.

La nouvelle tombe en fin de matinée : ils ont signé l'armistice, le 22 juin, dans la clairière de Rethondes, dans le wagon même où avait été conclu le 11 novembre 1918 l'arrêt des combats. Et Hitler a esquissé un pas de danse entre Goering et Ribbentrop.

Maintenant il faut agir vite. De Gaulle se rend chez Churchill. Le Premier ministre le reçoit immédiatement. Il faut, dit de Gaulle, constituer sur-le-champ un Comité national français. Et le gouvernement britannique devrait dans une déclaration publique le reconnaître.

Churchill mâchonne son cigare. Il faudrait essayer, dit-il, de faire venir en Angleterre Paul Reynaud dont on dit qu'il doit être nommé par Pétain ambassadeur de France à Washington, Mandel qui est à bord du *Massilia*, ou bien les anciens ministres Delbos et Campinchi.

Pourquoi pas ?

Mais avancer, avancer rapidement.

À 22 heures, de Gaulle entre à nouveau dans les studios de la BBC. Il annonce la création du Conseil national, puis conclut : « La guerre n'est pas perdue, le pays n'est pas mort, l'espoir n'est pas éteint. Vive la France. »

Il s'attarde quelques instants dans le studio quand on lui apporte une lettre. Elle est de Jean Monnet.

Il la lit debout, faisant les cent pas dans le couloir devant le studio.

« Mon cher général, écrit Monnet,

« Je considère que ce serait une grande faute que d'essayer de constituer en Angleterre une organisation qui pourrait apparaître en France comme une autorité créée à l'étranger sous la protection de l'Angleterre. Je partage complètement votre volonté d'empêcher la France d'abandonner la lutte... Mais ce n'est pas de Londres qu'en ce moment-ci peut partir l'effort de résurrection. Il apparaîtrait aux Français, sous cette forme, comme un mouvement protégé par l'Angleterre, inspiré par ses intérêts et à cause de cela condamné à un échec qui rendrait encore plus difficiles les efforts ultérieurs de ressaisissement... J'ai voulu que vous connaissiez complètement ma pensée... Je vous prie d'agréer, mon cher général, l'expression de mes sentiments les plus distingués.

Jean Monnet. »

De Gaulle s'arrête, plie la lettre.

Il ne pourra donc compter, pour ce Comité national dont il a le projet, ni sur Monnet, ni sur l'ambassadeur Corbin, ni sur André Maurois, ni sur Alexis Léger, plus connu sous le pseudonyme littéraire de Saint-John Perse, ce personnage clé du Quai d'Orsay et qui, lui aussi, comme tous les autres et comme Henri de Kérillis, préfère gagner les États-Unis.

De Gaulle marche maintenant dans la nuit londonienne. Des projecteurs balaient le ciel clair. La ville attend d'une heure à l'autre les premières attaques aériennes. Peut-être une tentative de débarquement. Le capitaine André Dewavrin a expliqué que toutes les plaques signalétiques dans la campagne anglaise ont été changées de façon à empêcher d'éventuels parachutistes ou des troupes ennemies de reconnaître leurs itinéraires. Ce pays va se battre jusqu'au bout.

Et il faudrait quitter Londres parce que les notables de Bordeaux, les défaitistes, vont affirmer que la France libre est à la solde de l'Angleterre ! Et pour aller où ? Aux États-Unis, pays toujours neutre et qui va le rester jusqu'à ce que ses intérêts nationaux soient menacés ! Ou bien pour se rendre en Afrique du Nord, ou dans l'Empire ! Mais en cette fin juin, tous les gouverneurs, tous les commandants en chef ont après quelque hésitation fait acte d'allégeance à Pétain. Et le général Noguès, le plus résolu, semblait-il, à continuer le combat, a fait arrêter Georges Mandel à Casablanca afin de l'empêcher de prendre contact avec des émissaires anglais. Quant aux parlementaires embarqués à bord du *Massilia*, il leur est interdit de descendre à terre. Et le navire va sans doute quitter le port marocain pour regagner Bordeaux !

Alors, si l'on veut se battre, il faut bien en prendre les moyens, accepter les accusations et les soupçons !

Et agir habilement pour ne pas se couper de ceux qui, malgré tout, comme Monnet, veulent poursuivre la guerre, mais prudemment, loin d'Europe, en forgeant aux États-Unis l'arsenal de la guerre.

Mais moi, de Gaulle, « je dois d'abord assurer la garde du drapeau » !

Il répond à Monnet :

« Mon cher ami,

« Dans de telles heures, il serait absurde que nous nous contrariions mutuellement, puisqu'au fond nous voulons la même chose et que, l'un et l'autre, nous pouvons peut-être beaucoup.

« Venez me voir, là où vous voudrez. Nous serons d'accord.

Général de Gaulle. »

Il rentre dans son bureau. Il faut que, sur les murs des villes anglaises et plus tard sur les murs de France, une affiche proclame sa volonté. Il l'écrit. Elle sera imprimée dans quelques jours, sans doute au début du mois de juillet.

À TOUS LES FRANÇAIS
La France a perdu une bataille !
Mais la France n'a pas perdu la guerre !
Des gouvernants de rencontre ont pu capituler, cédant à la panique, oubliant l'honneur, livrant le pays à la servitude. Cependant rien n'est perdu !...
Voilà pourquoi je convie tous les Français, où qu'ils se trouvent, à s'unir à moi dans l'action, dans le sacrifice et dans l'espérance.

La solitude du combattant

Notre patrie est en péril de mort.
Luttons tous pour la sauver!
Vive la France!
                                          Général de Gaulle.

Il est ému. Des officiers en poste aux antipodes, en Afrique, télégraphient. Ils veulent se battre. Des jeunes gens arrivent sur de petites embarcations, des voiliers après avoir bravé des vedettes allemandes. Les 133 marins pêcheurs de l'île de Sein débarquent parce qu'ils ne peuvent accepter d'être sous la botte du Reich. Ce sont mille ruisseaux qui apportent la preuve que des Français de toutes conditions, jeunes et anonymes pour la plupart, refusent la défaite. Et cela le conforte.

Il se sent investi davantage à chaque heure qui passe par une responsabilité historique. Et peu importe alors qu'il reçoive une dépêche lui indiquant qu'il est rayé des cadres de l'armée.

Est-ce que cela compte, quand les Allemands sont à Poitiers et que, le 25 juin, l'armistice avec l'Allemagne et l'Italie entre en vigueur à 0 h 35 ? Et Pétain ose dire : « Du moins l'honneur est-il sauf ! » Et, parce que le Maréchal ne peut plus ignorer l'existence de la France Libre, il ajoute déjà : « Je n'ai placé hors du sol de France ni ma personne, ni mon espoir. » Et encore : « Ce n'est pas moi qui vous bernerai par des paroles trompeuses. Je hais les mensonges qui vous ont fait tant de mal ! »

Mépris pour ces hommes qui trahissent et affirment pour masquer leur incompétence et leur lâcheté : « Notre défaite est venue de nos relâchements. L'esprit de jouissance détruit ce que l'esprit de sacrifice a édifié. »

Il faut répondre.

« Monsieur le Maréchal, hier j'ai entendu votre voix que je connais bien et, non sans émotion, j'ai écouté ce que vous disiez aux Français pour justifier ce que vous avez fait.

« Monsieur le Maréchal, dans ces heures de honte et de colère pour la Patrie, il faut qu'une voix vous réponde. Ce soir, cette voix sera la mienne. »

La voix de De Gaulle vibre de colère.

« Vous avez joué, perdu, jeté nos cartes, fait vider nos poches, comme s'il ne nous restait aucun atout. Il y a là l'effet d'une sorte de découragement profond, de scepticisme morose qui a été pour beaucoup dans la liquéfaction des suprêmes résistances de nos forces métropolitaines.

« Et c'est du même ton, Monsieur le Maréchal, que vous conviez la France livrée, la France pillée, la France asservie, à reprendre son labeur, à se refaire, à se relever ? Mais dans quelle atmosphère, par quels moyens, au nom de quoi voulez-vous qu'elle se relève sous la botte allemande et l'escarpin italien ? »

Il reprend son souffle.

« Oui, la France se relèvera. Elle se relèvera dans la liberté. Elle se relèvera dans la victoire ! »

Mais parler ne suffit pas. Il faut s'organiser. 146 jeunes arrivent, accompagnés de 75 officiers presque tous aviateurs. Ils se sont embarqués à Saint-Jean-de-Luz sur des navires polonais.

Il le dit à Churchill : « Il est urgent de me donner les moyens de constituer une Légion française volontaire. » Il y a dans les ports anglais dix-sept navires de guerre français. Il faut qu'ils soient à la disposition de la France Libre. Une grande partie de la flotte commerciale française se trouve aussi dans les ports britanniques : il vaudrait mieux qu'ils dépendent de moi.

Churchill comprendra-t-il ?

Autour du Premier ministre au Foreign Office, on continue d'hésiter, d'entretenir des rapports avec le gouvernement de Bordeaux. On espère toujours obtenir des garanties concernant la flotte française. Et ces Anglais-là s'en vont dans les camps où se trouvent des soldats français pour leur expliquer que s'ils rejoignent la France Libre, ils seront considérés comme déserteurs et rebelles par leur gouvernement.

Ou pire encore, des officiers anglais refusent aux envoyés de la France Libre le droit de venir exposer les buts de guerre de De Gaulle. Alors, troublés, ces hommes rejoignent en majeure partie la France.

De Gaulle reçoit le général Béthouart. Il a de l'estime pour son vieux camarade de Saint-Cyr, valeureux combattant en Norvège, mais qui hésite à rompre avec la France de Pétain. Il espère continuer le combat sans avoir à se dresser contre elle.

De Gaulle est debout devant la fenêtre. Il regarde la Tamise. Il devine à la voix cassée de Béthouart que celui-ci a décidé de regagner la France.

— Tu verras, dit de Gaulle, c'est une bande de vieux dégonflés ! Et ils ne te laisseront pas repartir.

De Gaulle appelle Boislambert, ignore Béthouart qui a les larmes aux yeux.

— Boislambert, reconduisez le général Béthouart, dit de Gaulle. Il va retourner vers l'Afrique avec ceux de ses hommes qui ne voudront pas rester en Angleterre. Il y attendra la possibilité de reprendre la lutte. Il ne reste pas avec nous.

Déception. Il se rend à Trentham Park où les troupes de Béthouart sont cantonnées. Il sent les hommes réservés, hésitants, parfois hostiles. Ils sont attachés à la France. Ils n'aiment pas l'exil. Croient-ils qu'il s'y est résolu sans souffrance ? Il leur parle. Il serre la main du capitaine Kœnig, d'autres officiers et de quelques dizaines de chasseurs alpins et de légionnaires qui choisissent de rester en Angleterre.

Mais la majorité préfère rentrer au « pays ». Si difficile de se dresser seul, avec sa foi et ses paroles pour seules armes, contre les institutions, les gloires établies, le gouvernement, les circonstances et les préoccupations individuelles de ces hommes qui veulent revoir leurs familles. Et qui craignent pour leur avenir, leur solde, leur retraite.

Telle est la pâte humaine, et c'est pourtant avec elle qu'on pétrit l'Histoire.

Et il a tout à coup le sentiment que l'Histoire, en cette fin du jeudi 27 juin, joue en sa faveur. Cette suite d'événements contre lesquels il se dresse, si démuni, seul, voici qu'enfin il réussit à en modifier le cours. Churchill vient de le convoquer.

Il entre au 10, Downing Street. Les fenêtres sont ouvertes sur le jardin. Churchill fait quelques pas, les bras écartés, accueillant.

Accepterait-il enfin d'appuyer ouvertement la France Libre, bien qu'aucune des personnalités espérées ne l'ait rejointe ?

De Gaulle le sait : bien des responsables anglais sont sceptiques, hostiles même, à son entreprise.

« Qu'ai-je comme Français autour de moi, confie de Gaulle, des juifs lucides, une poignée d'aristocrates, tous les braves pêcheurs de l'île de Sein. »

Et pourtant, il en est persuadé, il incarne la France, et cette petite troupe si disparate sera un jour l'armée victorieuse de toute la nation.

Churchill a le visage grave.

– Vous êtes tout seul, dit-il, eh bien, je vous reconnais tout seul.

C'est la première victoire de la France Libre. La preuve que l'obstination peut renverser les obstacles.

Churchill tend à de Gaulle le communiqué qui sera diffusé demain, vendredi 28 juin : « Le gouvernement de Sa Majesté reconnaît le général de Gaulle comme chef de tous les Français Libres, où qu'ils se trouvent, qui se rallient à lui pour la défense d la cause alliée. »

Voilà enfin l'action de la France Libre acceptée, soutenue.

Il faut que les Français le sachent.

Il se rend à nouveau au siège de la BBC. Il sent qu'on l'y accueille chaque fois avec plus de chaleur. Le directeur le conduit jusqu'au studio, et lui montre les résultats des enquêtes de *Mass Observation*. Le général de Gaulle est la seule personnalité étrangère applaudie dans les salles de cinéma quand elle apparaît sur les écrans ! C'est une certaine idée de la France que l'on salue, dit de Gaulle.

Il s'assied. Le studio et son rituel lui sont devenus familiers déjà.

Seulement un peu plus d'un mois depuis sa première intervention à la radio, un 21 mai à Savigny-sur-Ardres ! Et maintenant, il est de l'autre côté de sa vie. Comme si la première face n'avait été qu'une lente préparation à ces moments qu'il vit.

La lampe rouge s'allume. Il commence à parler.

« L'engagement que vient de prendre le gouvernement britannique en reconnaissant dans ma personne le chef des Français Libres, dit-il, a une grande importance et une profonde signification.

« Cet engagement permet aux Français Libres de s'organiser pour continuer la guerre aux côtés de nos alliés.

« Je décide ce qui suit...

« Il sera formé immédiatement une force française terrestre, aérienne et navale...

« Tous les officiers soldats, marins, aviateurs, français, où qu'ils se trouvent, ont le devoir absolu de résister à l'ennemi...

« Malgré les capitulations... la France Libre n'a pas fini de vivre. Nous le prouverons par les armes. »

Dans la voiture, en compagnie de Courcel, il reste silencieux. Ce dernier discours est un appel aux armes. Son acte le plus clair de rébellion contre l'armistice et contre les chefs qui l'ont signé. Si on se saisit de lui, on le fusillera.

Il allume une cigarette avec nonchalance.

Et pourtant il découvre que les autorités anglaises ne sont pas unanimes dans leur soutien. Il veut visiter les camps d'Aintree et de Haydock, où se trouvent regroupés plusieurs milliers de marins français. Il rencontre l'amiral anglais qui commande à Liverpool et qui, avec hauteur, refuse de l'y autoriser.

Cela est-il tolérable ?

Il doit défendre la souveraineté et l'indépendance de la France, contre les Anglais aussi. « Un homme peut avoir des amis ! Une nation, jamais. »

Il rentre à Saint-Stephen's House.

Il éprouve une bouffée de joie qu'il doit maîtriser afin de rester impassible, en découvrant les escaliers encombrés de marins, de volontaires dont la tenue porte la trace de leurs aventures. Il reconnaît cette atmosphère. On se croirait dans un centre de mobilisation.

Au troisième étage, il pousse la porte de verre dépoli sur laquelle se détache le n° 130. Voilà la France Libre. Il aperçoit Élisabeth de Miribel et Mme Durand, les deux secrétaires. Il entre dans le bureau de Courcel dont la table est surchargée de lettres. On écrit du monde entier. Il faut répondre d'urgence, par télégramme, à chacun de ces hommes – Monod le consul général à Bangkok, le général Catroux en Indochine, Luizet l'attaché militaire à Tanger, le consul général à Pondichéry – qui, prenant tous les risques, donnent leur adhésion.

Il fait entrer dans son bureau Maurice Schumann, un homme jeune au visage émacié, au nez busqué, qui se présente comme journaliste à *L'Aube*. Il a réussi à gagner l'Angleterre en s'embarquant à Saint-Jean-de-Luz.

De Gaulle commence à parler tout en marchant. Il fume sans interruption, regardant à peine Schumann, s'arrêtant parfois devant la baie vitrée et laissant son regard se perdre au long de la Tamise.

Il parle de l'Olympia Hall où se rendent les volontaires français. Son fils, Philippe, s'y est présenté puisqu'il veut s'engager dans la Marine. Mais dans les galeries de l'Olympia Hall, qui résonnent des accents de *La Marseillaise* entonnée par ces jeunes gens souvent en espadrilles, aux uniformes dépareillés, combien sont-ils ?

– Notre force actuelle, dit de Gaulle, la cigarette pendant au coin des lèvres, les yeux lourds, plissés, se limite à une brigade au grand maximum. Il est souhaitable que cette force soit rapidement étoffée, mais c'est secondaire...

Il jette un coup d'œil à Schumann, puis regarde à nouveau vers le fleuve.

– L'essentiel, reprend-il, c'est que Hitler ne soit pas venu à Londres et que désormais il n'y viendra pas. S'il avait dû y venir, il y serait déjà. Il sera donc amené, vous avez lu *Mein Kampf*, à attaquer l'Union Soviétique, et il se perdra dans une nouvelle campagne de Russie, et la guerre germano-soviétique donnera à cette guerre sa dimension planétaire, comme ce fut le cas pour la précédente. Je veux dire que l'Amérique entrera dans la guerre, la seule différence fondamentale étant que cette fois le Japon ne sera pas dans notre camp.

Il s'assied.

– Puisque la guerre est un problème terrible mais résolu, dit-il en commençant à compulser ses papiers, il ne reste plus qu'à ramener du bon côté, « celui de la liberté et de la victoire », non pas des Français, mais la France.

C'est le samedi 29 juin. Il reste quelques instants seul. Tout est joué déjà, comme il vient de le dire. L'avenir est sans surprise. Il faut simplement y tailler pour la France une place à sa mesure.

Il lève la tête. Courcel fait entrer un nouveau visiteur, un professeur de droit, René Cassin.

– Vous tombez à pic, dit de Gaulle. Maintenant que Churchill m'a reconnu, vous pourrez m'aider à faire la charte des forces françaises que je vais créer et qui sera une charte interalliée. Croyez-vous que vous pourrez m'aider là-dessus ?

Il observe Cassin, un homme au regard vif, au visage intelligent et sensible.

– Il n'y a pas de précédent connu à votre cas, dit Cassin. Nos amis tchèques et polonais qui ont eu des traités analogues sont des membres du gouvernement et vous êtes général. Mais je le ferai, continue Cassin, parce que je suis sûr que nous avons raison. Mais c'est samedi matin, 11 heures, les bureaux anglais ferment à midi et je vais devoir faire quelques petites recherches... Je n'ai d'instruction à vous demander que sur un seul point : nous ne sommes pas une Légion étrangère dans l'armée anglaise, nous sommes l'armée française ?

De Gaulle se lève.

– Nous sommes la France.

Il lit dans les yeux de Cassin un étonnement admiratif, l'enthousiasme aussi, devant cette « folie ». Oser dire ici, dans ces bureaux poussiéreux, alors qu'on n'est à la tête que de quelques centaines d'hommes : « Nous sommes la France », a de quoi surprendre ! Mais c'est ainsi que de Gaulle le ressent, ainsi qu'on est à la hauteur de son destin et des circonstances.

Puis il faut revenir à l'organisation méticuleuse de cette France Libre qui naît. Recevoir un personnage étrange, moustachu, au type méridional accentué, vêtu d'un bleu de chauffe et qui dit : « Je suis l'amiral Muselier, j'emmène avec moi une partie importante de la flotte française. »

L'homme exagère, mais parmi les quelques cargos qu'il a réussi à entraîner, l'un d'eux est chargé de 1 250 tonnes de cuivre, dont la valeur peut servir à gager les premières dépenses de la France Libre. Et puis Muselier, même si sa réputation est sulfureuse dans la marine, est réellement un officier supérieur, vice-amiral ! Il sera commandant des forces navales françaises libres, et même commandant provisoire des forces aériennes ! Et chaque navire, chaque avion arborera un insigne distinctif, afin qu'il soit identifié comme appartenant à la France Libre. De Gaulle approuve cette proposition du capitaine de corvette Thierry d'Argenlieu, qui vient de s'enfuir de Cherbourg où il était prisonnier. Cet insigne est nécessaire pour qu'il n'y ait aucune confusion avec les troupes ayant accepté l'armistice, insiste-t-il. Il suggère la croix de Lorraine.

De Gaulle se souvient. À Metz, lorsqu'il commandait le 507ᵉ régiment de chars, il avait fait peindre sur ses blindés cette croix.

À compter du 1ᵉʳ juillet, dit-il, elle sera arborée partout.

Il appelle Élizabeth de Miribel, il dicte une note de service :

« Les bureaux seront ouverts dans tous les services de 10 h à 13 h et de 14 h 30 à 19 h.

« Une permanence devra toujours être assurée au téléphone...

« D'ordre du général de Gaulle, aucune dépense d'aucune sorte ne peut être engagée que par son ordre ou avec son autorisation. »

Faire l'histoire, c'est aussi cela, ne négliger aucun détail.

Puis il se met au travail. Il veut que le discours qu'il doit prononcer le 2 juillet 1940 exprime l'essentiel de ce qui est en jeu. Deux manières de vivre la France.

« Après l'effondrement moral du commandement et du gouvernement, écrit-il, deux voies se sont ouvertes...

« L'une était la voie de l'abandon et du désespoir.

« L'autre voie est celle de l'honneur et de l'espérance. C'est cette voie-là qu'ont choisie mes compagnons et moi-même. »

Les noms surgissent de l'histoire et viennent sous sa plume :

« Jeanne d'Arc, Richelieu, Louis XIV, Carnot, Napoléon, Gambetta, Poincaré, Clemenceau, le maréchal Foch, auraient-ils jamais consenti à livrer toutes les armées de la France à ses ennemis pour qu'ils puissent s'en servir contre ses alliés ? Duquesne, Tourville, Suffren, Courbet, Guépratte, auraient-ils jamais consenti à mettre à la discrétion de l'ennemi une flotte française intacte ?

« L'âme de la France, elle est avec ceux qui continuent le combat... Avec ceux qui ne renoncent pas, avec ceux qui, un jour, seront présents à la victoire... »

Hettier de Boislambert entre, lui remet un pli qui vient de parvenir de l'ambassade de France à Londres. C'est une communication de M. de Castellane, représentant le gouvernement de Pétain, qui, depuis le 1ᵉʳ juillet, s'est installé à Vichy. Le diplomate prie le général de Gaulle d'accuser réception du message que l'ambassade vient de recevoir.

De Gaulle lit.

« Le général de brigade de Gaulle (Charles, André, Joseph, Marie) est informé qu'il est renvoyé devant le tribunal militaire de la 17ᵉ région pour crimes de refus d'obéissance en présence de l'ennemi et délit d'excitation de militaire à la désobéissance. Il doit se constituer en état d'arrestation. »

De Gaulle fait une moue de mépris. Ne l'avait-on pas rayé des cadres de l'armée ?

Puis il prend une feuille, écrit rapidement à M. de Castellane.

« Je vous retourne ci-joint le document que vous m'avez adressé. Je vous serais obligé de faire savoir à ceux qui vous ont chargé de leur communication qu'elle ne présente à mes yeux aucune espèce d'intérêt. »

C'est le mercredi 3 juillet 1940.

3.

De Gaulle écoute. Chacun des mots que prononce lentement l'officier de liaison de l'amirauté anglaise le blesse. Il se sent outragé, trahi. Il fixe l'officier qui balbutie, livide. D'un mouvement méprisant de la main, de Gaulle le fait taire.

Il s'adresse à Hettier de Boislambert qui a accompagné l'officier anglais jusqu'à cette maison de Petts Wood, au milieu de la nuit du mercredi 3 au 4 juillet 1940. Qu'on l'attende, dit-il, il veut voir immédiatement Lord Alexander, le Premier Lord de l'Amirauté.

Il entrouvre la porte de la salle de séjour. Philippe de Gaulle dort sur un divan. Dans quelques jours, Philippe devait passer le concours de l'École navale des Forces navales françaises libres, organisées par l'amiral Muselier. De Gaulle referme la porte. Cela existera-t-il encore ? Il monte lentement au premier étage. Il lui semble qu'il peut à peine porter son corps tant il se sent écrasé. L'officier anglais vient d'annoncer l'attaque de la flotte anglaise contre les navires français au mouillage dans la rade de Mers el-Kébir, la base navale proche d'Oran. Les Anglais ont aussi pris d'assaut les navires français amarrés dans les ports britanniques. À Alexandrie, un accord serait intervenu entre l'amiral français Godfroy commandant l'escadre à l'ancre dans le port égyptien et l'amiral anglais Cunningham, et aucune attaque n'aurait donc eu lieu.

De Gaulle est arrivé sur le palier du premier étage. Tout est calme. Élisabeth, Anne et sa gouvernante Marguerite Potel occupent deux des cinq chambres. Yvonne de Gaulle est réveillée.

Il la regarde. Il sait qu'elle devine qu'un drame se joue. Elle ne pose pas de question.

Il dit : « C'est un terrible coup de hache dans nos espoirs. »

Il s'habille rapidement puis il descend et s'en va dans la voiture de l'amirauté britannique.

Il veut tout savoir, tout, dit-il à Lord Alexander. Il parle d'une voix tranchante. Plusieurs centaines, sans doute plus d'un millier de marins tués, 1 297, disent les sources françaises, concède Lord Alexander.

Il justifie l'attaque anglaise. L'article 8 de la convention d'Armistice signée par le gouvernement français prévoit que « les navires français doivent rallier leurs ports d'attache pour y être désarmés sous contrôle des Allemands, à l'exception de ceux mis à leurs ordres pour le dragage des mines ».

Peut-on faire confiance au gouvernement Pétain ?

En outre, l'amiral Gensoul, commandant à Mers el-Kébir, a refusé toutes les propositions de l'amiral anglais Sommerville. Lord Alexander énumère les pertes infligées à l'escadre française. Tous les cuirassés, le *Provence*, le *Dunkerque*, le *Bretagne*, le *Strasbourg*, ont été touchés.

De Gaulle hausse le ton.

– Les navires d'Oran, dit-il, étaient en réalité hors d'état de se battre. Épargnez-nous, épargnez-vous à vous-mêmes toute représentation de cette odieuse tragédie comme un succès naval direct. Ce serait injuste et déplacé !

Il quitte Lord Alexander après quelques minutes. Il comprend la position anglaise dans sa brutale efficacité. C'est manière aussi pour Churchill de montrer au monde qu'il est décidé à la lutte à outrance ! Mais c'est du sang français qu'il se sert pour en administrer la preuve ! Et à aucun moment il n'a pensé à ce qui allait en résulter pour la France Libre ! Comment endiguer maintenant le déluge d'anglophobie qui va déferler, alimenté par Pétain et les siens ?

De Gaulle retrouve à Saint-Stephen's House son état-major. Il perçoit leur anxiété, leur colère, leur indignation.

Il lance à l'amiral Muselier : « Dites à l'amirauté britannique que si elle ne fait pas cesser le feu immédiatement, tous les volontaires français partiront pour Pondichéry ou Saint-Pierre-et-Miquelon ! »

Il dit à Dewavrin : « Ces imbéciles d'Anglais, ces criminels ! Ils font couler le sang français. Et ils trouvent encore le moyen d'apporter de l'eau au moulin de la capitulation ! ».

Il va jusqu'à la baie vitrée. Le jour se lève sur la Tamise. Il reste longuement silencieux.

Il comprend Churchill, tout entier soumis aux nécessités de l'intérêt national. Et malheur à ceux qui y font obstacle. De Gaulle se tourne vers Dewavrin. Le chef du 2e et du 3e bureau, qui vient de choisir pour nom de guerre Passy, et qui a été élevé au grade de colonel, paraît lui aussi accablé.

— Les Anglais, dit de Gaulle d'un ton amer, ne peuvent pas résister à l'envie d'abaisser la puissance maritime de la France.

Il fait quelques pas. Il est plein de douleur et de colère. Il ne faudra jamais oublier que, sans souveraineté et indépendance à l'égard de toutes les puissances, une nation n'est rien. Ses intérêts et son honneur peuvent être bafoués. Ses marins tués.

Il se tait durant plusieurs minutes puis dit d'une voix grave :

— Il faut considérer le fond des choses du seul point de vue qui doive finalement compter, c'est-à-dire du point de vue de la victoire et de la délivrance.

Mais il doit protester. Est-il oui ou non un allié que l'on respecte, que l'on consulte dès lors que les intérêts de la France sont en jeu ?

Il reçoit le général Spears. Il faut parler durement au conseiller de Churchill parce que jamais on ne doit céder sur les principes. Il jette un coup d'œil à Hettier de Boislambert qui prend des notes, tête baissée.

Il dit à Spears qu'il va avoir besoin d'un ou deux jours de réflexion avant de savoir quel parti il choisira. Il murmure qu'il envisage de se « retirer au Canada pour y vivre comme un simple particulier ».

Les Anglais doivent comprendre que tout manquement à la solidarité avec la France Libre suscitera une réponse.

Dans la journée, il apprend que Churchill a qualifié l'opération d'attaque préventive nécessaire compte tenu des conditions de l'armistice mais en même temps qu'il s'agit d'un « tragique et lamentable épisode ».

Près de 1 300 marins tués ! Et la presse française qui se déchaîne, Vichy qui rompt ses relations diplomatiques avec Londres. Et Mauriac qui, sous le titre « Le dernier coup », écrit dans *Le Figaro* : « Tout à coup le malheur, le seul auquel nous ne nous fussions pas attendus, les corps de ces marins que chacun de nous veille dans son cœur ! M. Winston Churchill a dressé, et pour combien d'années, contre l'Angleterre une France unanime ! »

Mais qui rappellera qu'il aurait suffi que le gouvernement de Pétain décide de soustraire la flotte aux exigences allemandes, et autrement que par des chuchotements, pour que ce drame n'ait pas lieu ?

De Gaulle s'isole. Il se sent plus déterminé que jamais. Le colonel Passy lui apporte une dépêche annonçant que le tribunal militaire de la 17ᵉ région a condamné « le colonel de Gaulle à quatre ans de prison et cent francs d'amende pour refus d'obéissance ». Et le gouvernement de Vichy a décidé d'engager une nouvelle procédure parce que la peine est trop légère.

De Gaulle plisse les yeux.

Ils veulent l'écraser maintenant, profitant de l'effet sur l'opinion de l'attaque de Mers el-Kébir, et de la détermination des Anglais qui poursuivent le *Strasbourg*, qui a réussi à quitter la rade d'Oran, qui s'apprêtent à bombarder le *Richelieu* à Dakar.

En cet instant, tout peut être perdu de ce qu'il a entrepris. C'est donc maintenant qu'il faut se montrer inflexible.

– Je tiens l'acte des hommes de Vichy comme nul et non avenu, dit-il en pesant la dépêche. Eux et moi, nous nous expliquerons après la victoire.

Il a pris sa décision. Il va parler à la BBC. Il fera face.

Il commence d'une voix sourde et résolue.

– Un épisode particulièrement cruel a eu lieu le 3 juillet, dit-il. J'en parlerai nettement sans détour car, dans un drame où chaque peuple joue sa vie, il faut que tous les hommes de cœur aient le courage de voir les choses en face et de les dire avec franchise.

Il dit : « Douleur, colère. » Il ajoute : « odieuse tragédie », « drame déplorable et détestable ».

Puis, haussant le ton, il lance :

« J'aime mieux savoir, même le *Dunkerque*, notre cher, notre puissant *Dunkerque*, échoué devant Mers el-Kébir, que de le voir un jour, monté par des Allemands, bombarder les ports anglais ou bien Alger, Casablanca, Dakar. »

Il dit : « canonnade fratricide ».

Mais il ajoute :

« Les Français dignes de ce nom ne peuvent méconnaître que la défaite anglaise scellerait pour toujours leur asservissement... Nos deux vieux peuples, nos deux grands peuples demeurent liés l'un à l'autre. Ils succomberont tous les deux ou bien ils gagneront ensemble.

« Quant à ceux des Français qui demeurent encore libres d'agir suivant l'honneur et l'intérêt de la France, je déclare en leur nom qu'ils ont une fois pour toutes pris leur dure résolution... La résolution de combattre. »

Il faut d'abord rassembler ces combattants car la France n'existera qu'autant qu'elle pourra brandir un glaive.

Il va d'un camp de regroupement de soldats français à l'autre. Il regarde ces hommes, pour la plupart blessés dans les combats de Norvège. Il devine les réticences. Presque tous préfèrent regagner la France. Il entend murmurer « Mers el-Kébir ». Et ce sont près de vingt mille marins et soldats de tous grades qui s'embarquent sur plus de dix paquebots à destination du Maroc. L'un d'eux, le *Meknès*, est torpillé. Mais rien n'y fait. Dans leur majorité, ces hommes veulent rentrer. Leurs blessures sont autant morales que physiques.

Il lui faut arracher chaque conscience à un doute, à une irrésolution, à l'attrait de l'abandon.

Il parle, les poings sur les hanches, la tête levée. Il ne veut pas séduire. Il veut convaincre. Il ne flatte pas. Il ne dissimule rien. Il s'adresse à des hommes qu'il respecte.

« Tout à l'heure, dit-il, vous aurez à choisir dans votre conscience de Français. Ou bien rentrer si tant est que l'ennemi ne coule pas les navires du retour comme il l'a fait avant-hier du *Meknès*, qui ramenait 1 300 marins. Ou bien continuer la guerre... sous les ordres du général de Gaulle qui vous parle. Je ne vous en dirai pas plus. Encore une fois, chacun jugera en conscience. »

Il tourne le dos brusquement. Il s'éloigne à grands pas.

Là, il obtient l'adhésion de la 13e demi-brigade de la Légion étrangère : ils sont 900 derrière le capitaine Kœnig et le lieutenant-colonel Magrin-Verneret, dit Monclar. Ici, on se détourne. Mers el-Kébir a bien été un « coup de hache ». Cependant la blessure en lui s'est refermée. La cicatrice est là mais la douleur est étouffée par l'espérance et la nécessité de l'action. Il dicte à Passy et Boislambert les télégrammes qu'il adresse à tous ceux qui, d'un bout à l'autre du monde, se rallient. Général Legentilhomme, à Djibouti. Colonel de Larminat, au Caire. Lapierre, agent consulaire à Larnaka, Chypre. Capitaine Hackin à Kaboul. Colonel Cozy à Madagascar. Capitaine Bouillon en Gold Coast. Lieutenant Soustelle, attaché militaire à Mexico, baron de Benoist au Caire... Henri Sautot, commissaire résident aux Nouvelles-Hébrides, qui annonce : « adhésion population et administration française ». Télégramme pour saluer le ralliement de Tahiti.

Il allume un cigare. Il commence à prendre l'habitude de cette saveur un peu sucrée du tabac de La Havane, de ces gros cigares qui lui donnent après les repas cette quiétude de quelques minutes comme un voyage bref dans un ailleurs, loin de ce présent qui, tout au long de la journée et de la nuit, le presse.

Il feuillette les messages reçus. Il compte les hommes un à un. Il énumère les navires – là un contre-torpilleur endommagé, le *Triomphant*, ici deux sous-marins, le *Rubis* et le *Narval*, là des pilotes.

Il s'interrompt pour écrire au ministre de l'Air britannique.

« Il y a grand intérêt à utiliser tout de suite pour le combat les aviateurs français qui en sont capables et qui tous le désirent ardemment... », souligne-t-il.

Il faut qu'il puisse proclamer que « le combat continue entre les forces françaises et l'ennemi. Il a repris le 21 juillet dans les airs au-dessus du territoire allemand ».

Il n'est pas une seconde où il ne pense qu'il doit tout faire pour que la France soit présente partout. Il doit rassembler tous ceux qui le veulent.

Il écoute Pierre Cot, l'ancien ministre de l'Air du Front populaire, qui, avec éloquence, lui demande de l'employer « même à balayer l'escalier ».

Il faut cependant l'écarter. Cot symbolise trop, aux yeux de beaucoup, ces élites politiques qui ont laissé le pays se défaire. C'est sans doute difficile pour lui. Mais le combat a ses exigences. Ce n'est point affaire de gauche ou de droite, dit de Gaulle, mais seulement d'efficacité.

Il écrit à Marceau Pivert, l'un des socialistes les plus extrêmes : « Je note avec attention votre volonté de combattre Hitler et Mussolini... ce sont aujourd'hui les exploiteurs et les tyrans des classes laborieuses. »

Et il faudra sans doute un jour rassembler aussi ceux des communistes qui feront passer l'intérêt national avant leur préoccupation de parti.

Il approuve Passy qui met en place le BCRA – Bureau central de renseignements et d'action – et lui propose l'envoi de premiers agents secrets en France occupée. Il faut en effet reprendre pied en France. Passy annonce que, ici et là, des premiers actes de résistance sont signalés.

Des groupes se forment autour de quelques individualités. À Chartres, un préfet, Jean Moulin, a tenté de se suicider plutôt que d'exécuter les ordres des Allemands. Dans le Puy-de-Dôme, un commandant d'aviation, le général Cochet, rassemble ses cadres. À Bordeaux, un communiste, Charles Tillon, édite des tracts antiallemands. Des réseaux commencent à se constituer, ainsi au musée de l'Homme, autour des ethnologues Boris Vildé et Germaine Tillon. Ou bien le réseau Notre-Dame qu'anime Castille de Gilbert Renault, qui se fait appeler colonel Rémy.

Ce n'est encore qu'un frémissement, il le sait. Et quand il fait le total des forces dont il dispose ici, en Angleterre, il atteint à peine 7 000 hommes.

Mais il en est sûr, un mouvement a commencé. Il a continué, malgré Mers el-Kébir. Il faut l'amplifier. Et c'est lui qui l'incarne. Il faut qu'on sache que la France reste dans la guerre. Il veut qu'on célèbre avec éclat le 14 juillet.

Ce jour-là, il passe en revue, en compagnie de l'amiral Muselier, les soldats qu'on a pu rassembler pour cette parade de la volonté, de l'espoir, de la colère et de l'amertume. Trois cents hommes. Il marche lentement sur le front des troupes. Il entend les applaudissements d'une foule chaleureuse. Elle crie son enthousiasme. Il aperçoit Mme Churchill debout dans une voiture découverte. À côté d'elle, Mme Spears. Et des milliers d'Anglais qui se figent quand retentit la sonnerie aux morts. Deux clairons, deux seuls clairons ! Leur maigre mais claire sonnerie est, il le ressent ainsi au moment où il dépose une gerbe devant le cénotaphe de White Hall, puis devant la statue de Foch, la réaffirmation d'un serment qu'il tiendra, il le sait, jusqu'à sa mort.

« Eh bien, dit-il, puisque ceux qui avaient le devoir de manier l'épée de la France l'ont laissée tomber, brisée, moi, j'ai ramassé le tronçon du glaive. »

Il écrit quelques lignes pour le premier numéro d'une publication de la France Libre, *Quatorze Juillet* : « Il n'y a plus de fête pour un grand peuple abattu... mais le 14 juillet 40 ne marque pas seulement la grande douleur de la patrie. C'est aussi le jour d'une promesse que doivent se faire les Français. »

Résister. Vaincre.

Il est seul. Il a devant lui ce journal *Quatorze Juillet*. Il porte en sous-titre la devise de la République : *Liberté, Égalité, Fraternité*. Il pense à Pétain, vieillard dont les politiciens, et Léon Blum à leur tête, vantaient la fidélité aux institutions de la République, et qui, le 10 juillet 1940, vient à Vichy de se faire accorder les pleins pouvoirs constitutionnels. Seuls 80 parlementaires ont refusé cet abandon. Et Pétain décrète la fin de la République, la naissance de l'État français, dont la devise est *Travail, Famille, Patrie*.

De Gaulle regarde, comme il le fait souvent, le fleuve.

Étrange destin que le sien qui lui fait incarner la France, toute la France, contre ceux qui se réclament de valeurs qu'autrefois son père eût proclamées. Mais jamais au prix de la capitulation et du déshonneur.

Et ces hommes-là, Pétain, Weygand, Laval, ont dénaturé les principes qu'ils prétendent représenter, car il n'y a pas de gouvernement possible sans indépendance.

Il pose devant lui cette photographie qui représente la tombe de sa mère dans le cimetière de Paimpont. Le jeune Breton qui vient de la lui apporter a refermé la porte après avoir fait le récit de cette inhumation dans la ferveur et le patriotisme.

Mère morte le 16 juillet 1940.

Mère dont il est sûr qu'elle a communié avec lui dans le combat pour la patrie.

Mère pour laquelle il prie quelques instants. Mais quelle que soit la consolation de la foi, il gardera cette douleur de ne pas avoir pu être à son chevet, pour les derniers instants.

Et dans le désespoir de ce deuil, il sent monter la colère, contre ces gens de Vichy qui se sont emparés de ces mots nobles, *Travail, Famille, Patrie*, qui inspiraient aussi sa mère et qu'ils ont volés, souillés en effet.

Et pour cela aussi, il faut qu'ils soient vaincus, chassés et condamnés.

Il se rend dans la maison de Petts Wood pour retrouver les siens en ces heures de deuil. Yvonne de Gaulle lui montre le dessous de l'escalier où ils se sont réfugiés lors de la première attaque aérienne sur les aéroports voisins.

Il sort dans le jardin. Dans le ciel, des avions de la chasse anglaise passent.

Ces *Spitfire*, ces *Hurricane* vont devoir affronter la Luftwaffe qui a commencé de sonder la défense anglaise et d'attaquer les convois dans la Manche et les ports.

Bientôt, ce seront les installations militaires, les villes, Londres sans doute qui seront visées. Il faudra qu'Yvonne de Gaulle et les enfants déménagent. Loin de ces bruits de bombes et de canons. La pauvre petite Anne ne supporterait pas ces fracas de guerre, alors qu'elle porte en elle l'immense rumeur de la maladie.

Il rentre à Londres, grave, assombri, avec une telle fatigue que lorsqu'il voit passer dans les yeux d'un officier qu'il croise sur l'un des paliers de Saint-Stephen's House un tel étonnement angoissé, il se redresse aussitôt, redevient cet homme minéral qu'il doit être, parce qu'une figure de proue se doit de briser les vagues, de résister à toutes les tempêtes sans se laisser entamer.

Il rencontre Churchill aux Chequers, la résidence de campagne du Premier ministre. Churchill vient vers lui, chaleureux.

Depuis Mers el-Kébir, de Gaulle constate chez le Premier

ministre un élan, une confiance renouvelée, comme si désormais l'alliance était scellée par cette « canonnade fratricide », ce « drame lamentable ».

Churchill vient d'ailleurs d'attribuer à la France Libre un immeuble entier, au 4, Carlton Gardens, sur l'emplacement de l'hôtel particulier de Palmerston, dans les beaux quartiers, entre le Mall et le Pall Mall, près des clubs illustres du quartier Saint James. Il comporte sept étages, dont trois au sous-sol, et au moins soixante-dix bureaux.

Lorsqu'il a visité cet immeuble de briques blanches, de Gaulle a eu la certitude qu'une nouvelle étape était franchie. Il a choisi un bureau d'angle au troisième étage. La pièce est vaste et claire. Quatre fauteuils de cuir confortables font face au bureau. Il a fait placer une statue équestre de Foch sur la cheminée. Des cartes – de la France et du monde – sont accrochées au mur. La pièce donne une impression d'aisance et presque de luxe avec ce grand lustre à pendeloques de cristal.

Le geste que les Anglais font en lui louant cet immeuble pour 850 livres par mois est un signe politique. Mais on les remboursera ! Car la France Libre ne doit pas vivre d'aumône. Elle est souveraine et il lui semble que Churchill l'admet. Peut-être parce que, pour l'instant, les intérêts britanniques coïncident avec ceux de la France Libre. Qu'en sera-t-il demain ? Churchill a été l'homme de Mers el-Kébir, un Anglais implacable. Mais il faut sans arrière-pensée vivre ce moment d'accord.

Mme Churchill monte les étages de Carlton Gardens pour déposer une corbeille de fleurs « pour le général ». Et l'inviter à passer le week-end aux Chequers.

Il voit Churchill qui, dans le jardin ensoleillé, tend les poings vers le ciel en criant :

– Ils ne viendront donc pas !

De Gaulle s'approche. Il est tête nue, en uniforme. Il ne porte ni ses bottes ni sa culotte de cheval, mais un pantalon.

– Êtes-vous si pressé de voir vos villes fracassées ? demande-t-il.

Churchill mâchonne son cigare. De Gaulle tire lentement sur le sien.

– Comprenez, reprend Churchill, que le bombardement d'Oxford, de Coventry, de Canterbury, provoquera aux États-Unis une telle vague d'indignation qu'ils entreront dans la guerre !

De Gaulle secoue la tête. Les États-Unis ne sortiront de leur neutralité que s'ils y ont intérêt. Et seulement à ce moment-là.

« L'Amérique est un autre monde », murmure-t-il.

Et les Américains ont à Vichy, auprès de Pétain, de nombreux diplomates. On évoque la nomination comme ambassadeur auprès de lui de l'amiral Leahy. D'ailleurs, même le consul général du Canada est resté en poste aux côtés du Maréchal ! Comme l'ambassadeur soviétique, Bogomolov. Et Mgr Valerio Valeri, nonce du pape. Sans compter les Suisses et les autres.

Voilà ce qu'est le comportement des puissances !

De Gaulle hausse les épaules. Son visage exprime un mépris hautain.

Comment, dans ces conditions, tous ceux qui pensent à leur carrière, tous les prudents qui peuplent les administrations, la justice, l'armée, tous ces hauts fonctionnaires qui composent les grands corps de l'État, choisiraient-ils la France Libre ?

Le gouvernement de Pétain a toutes les apparences du pouvoir légal. Cet État français est pourtant né de deux coups de force, l'un accompli à Bordeaux, sous la pression de l'ennemi, et l'autre le 10 juillet 40, à Vichy, au terme d'un véritable coup de main constitutionnel. Mais c'est à cet État qu'ils vont tous se rallier.

De Gaulle fait quelques pas.

– Savez-vous ? demande-t-il.

Churchill secoue la tête. Il a appris.

– Ce tribunal militaire qui m'a jugé, reprend de Gaulle.

Il énumère le nom des généraux qui le composent : La Laurencie, La Porte du Theil, Frère. Il les a tous connus. Et pourtant, lorsqu'ils se sont rassemblés à Clermont-Ferrand, le 3 août, ils ont rendu la sentence suivante : « Le colonel d'infanterie breveté d'état-major en retraite de Gaulle.... pour trahison, atteinte à la sûreté extérieure de l'État, désertion à l'étranger en temps de guerre, sur un territoire en état de guerre et de siège, est condamné à mort, à la dégradation militaire et à la confiscation des biens meubles et immeubles. »

Et *Paris-Soir*, le quotidien allemand, a titré sur toute sa première page : « Le général de Gaulle condamné à mort par un nouveau tribunal militaire ».

De Gaulle, le premier condamné à mort du gouvernement de Vichy. Un paria. Qui le rejoindrait ?

Il s'éloigne dans le jardin.

– Les vieillards qui se soignent à Vichy, dit-il, emploient leur temps et leur passion à faire condamner ceux qui sont coupables de continuer à combattre pour la France.

Il murmure :

– Maintenant, la France est à reconquérir.

Puis, d'une voix haute, il ajoute :

– Il n'y a pas de France sans épée. Je suis un soldat français, à qui pour l'instant incombe le grand devoir de parler seul au nom de la France.

4.

De Gaulle sort de l'hôtel Connaught. Il est un peu plus de 15 heures. Il commence à se diriger d'un bon pas vers Berkeley Square, puis il traversera Piccadilly et Saint James, et au bout d'une vingtaine de minutes il aura rejoint son bureau du 4, Carlton Gardens.

Des passants se retournent. Certains, timidement, le saluent. De Gaulle, sans tourner la tête vers son aide de camp qui, lui aussi en uniforme, marche à ses côtés, dit d'une voix railleuse :

– Churchill veut me lancer comme une savonnette.

Depuis qu'un accord a été conclu le 7 août avec lui, le Premier ministre anglais multiplie les gestes. Des comptes ont été ouverts dans différents ministères pour assurer le financement des activités de la France Libre, reconnue comme garante de la souveraineté de la France.

De Gaulle a un haussement des épaules. Ces Anglais sont extraordinaires. Churchill, dans des lettres secrètes qui accompagnent l'accord, a été moins affirmatif quant à la possibilité pour la France et son Empire de retrouver leurs frontières d'avant la guerre. Alors que précisément, ce 7 août, les Allemands ont incorporé au Reich l'Alsace et la Lorraine. Mais l'accord est bon. Churchill a même, dans un discours à la Chambre des communes, exalté ses « héroïques compagnons ».

« Les Français libres ont été condamnés à mort par Vichy, a-t-il dit, mais le jour viendra, aussi sûrement que le soleil se lèvera demain, où leurs noms seront glorifiés et gravés sur la pierre dans les rues et les villages d'une France qui aura retrouvé sa liberté et sa gloire d'antan au sein d'une Europe libérée. »

Bien. Et l'accord se donne comme objectif « la restauration intégrale de l'indépendance et de la grandeur de la France ».

Pourtant, murmure de Gaulle, il faudra veiller à rembourser les prêts dès que possible, car il ne doit s'agir que d'avances. Une grande maison ne vit pas d'aumônes.

– Ce Richmond Temple..., reprend de Gaulle.

Lors du déjeuner qui vient de s'achever à l'hôtel Connaught, où de Gaulle prend ses repas presque chaque jour en compagnie d'un ou plusieurs convives, Richmond Temple, un publicitaire, a expliqué la mission dont il était chargé par le Premier ministre : faire connaître de Gaulle et la France Libre.

« Me lancer comme une savonnette », répète de Gaulle.

Richmond Temple veut organiser une séance de photos dans la maison de Petts Wood. Il faut montrer la vie familiale du général de Gaulle. Le public anglais doit découvrir un général sympathique, familier, humain, et connaître son épouse. Et – Richmond Temple a hésité avant de poursuivre – il faut effacer l'image d'un officier d'extrême droite entouré de militaires maurrassiens et d'anciens membres de la Cagoule et des Ligues fascistes.

De Gaulle s'est contenu. Il sait que certains Français, à Londres, colportent ces ragots, récusent son autorité, l'accusent de gouverner dictatorialement la France Libre.

La colère le gagne. Est-ce que René Cassin, qui a négocié l'accord du 7 août avec Churchill, est-ce que Georges Boris, qui a participé à la rédaction d'une brochure de propagande anglaise décrivant la France Libre et son chef, sont des hommes de droite ?

Mais certains confondent autorité et ordre nécessaires avec dictature.

Il accélère le pas. Il acceptera la séance de photographie à Petts Wood. Il a brusquement, à cette évocation de la maison des siens, une bouffée d'inquiétude. Les bombardements sur les aérodromes voisins de Petts Wood se sont multipliés. Chaque fin de semaine, quand il rejoint Yvonne de Gaulle – alors que du lundi au vendredi ou au samedi il dort à l'hôtel Connaught –, il mesure les effets de ces attaques sur la santé d'Anne. Elle est plus nerveuse, plus affolée. Des bombes sont tombées à proximité de la maison. Un cottage a été soufflé au bout de la rue. Et Philippe qui, matelot sans spécialité, a été admis à l'École navale, tout en étant pour l'instant sans solde et sans affectation, passe ses journées dans un arbre avec un jeune Anglais pour assister aux combats aériens que livrent les *Spitfire* et les *Hurricane* aux avions allemands.

Le déménagement s'impose. Il faut trouver une maison d'un loyer modéré, dans une région qui ne serait pas visée par les bombardements. Mais elle serait éloignée de Londres. Et il ne verrait plus les siens, la pauvre petite Anne, chaque semaine.

Il s'assombrit. La responsabilité qu'il porte, le choix qu'il a fait, sont si pesants parfois.

Il dit tout à coup à son aide de camp d'une voix rêveuse :

– Le plus beau métier du monde, c'est d'être bibliothécaire dans une petite ville de Bretagne. Quand arrive la soixantaine, on se met à écrire une monographie de quatre-vingts pages : « Madame de Sévigné est-elle passée par Pontivy ? » Alors on devient frénétique, on envoie des lettres cinglantes au chanoine qui chicane sur une date...

Il s'interrompt. On arrive à Carlton Gardens. Il se redresse. Les minutes de détente s'achèvent. Il gagne son bureau. Au travail.

Richmond Temple lui a demandé un texte court, une sorte de profession de foi.

Il prend une feuille et, de son écriture penchée, il trace quelques lignes :

« Je suis un Français Libre.

« Je crois en Dieu et en l'avenir de ma patrie.

« Je suis l'homme de personne. J'ai une mission et je n'en ai qu'une seule : celle de poursuivre la lutte pour la libération de mon pays.

« Je déclare solennellement que je ne suis attaché à aucun parti politique, ni lié à aucun politicien quel qu'il soit, ni de la droite, ni du centre, ni de la gauche.

« Je n'ai qu'un seul but :

Délivrer la France. »

Il trouve sur son bureau une liste qu'il relit plusieurs fois. Les mots s'alignent : une bague, des alliances, un collier, un bracelet, une perle. Des Anglais anonymes, lui explique-t-on, sont venus déposer leurs bijoux à Richmond Temple en apprenant la condamnation à mort de De Gaulle et la confiscation de ses biens. Ils veulent contribuer à la lutte de la France Libre.

Tous ces gestes, cet élan vers lui, ces volontaires français qui bravent tant de périls pour parvenir jusqu'à Londres, il les ressent comme l'obligation d'être toujours au-dessus de lui-même. De ne jamais décevoir. Il doit être exemplaire. Il parle pour la France. Il la représente.

Il passe en revue aux côtés du roi George VI les troupes rassemblées au camp de Morval et de Delville.

Ces hommes sont des volontaires. Ces hommes veulent se battre. Cette petite troupe, ce « tronçon du glaive », est « fortement trempé ». « Mais mon Dieu, qu'il est court ! »

Et pourtant c'est avec cette armée-là, naissante, qu'il faut agir.

Il fait entrer dans son bureau un jeune officier de cavalerie. Il jauge vite cet homme de trente-sept ans au regard brillant, dont le crâne rasé est enveloppé en partie par un pansement. Il l'interroge tout en l'observant. L'homme a des réponses brèves. Il a été reçu premier à l'École de guerre. Il s'est évadé deux fois, a traversé malgré une blessure la France à bicyclette et réussi à gagner Londres par l'Espagne et le Portugal. Il se nomme Philippe de Hauteclocque. Il veut continuer le combat.

De Gaulle le fixe. Les mots sont inutiles. Il sent entre lui et Hauteclocque une entente immédiate, une identité de vue, la même résolution, la même foi. Il suffit de quelques minutes. Il salue le capitaine de Hauteclocque, appelle Hettier de Boislambert.

– Le commandant de Hauteclocque, dit-il, qui, pour des raisons de sécurité, prendra désormais le nom de Leclerc, ira en Afrique avec vous. René Pleven fera partie de la mission et s'occupera de tous les problèmes économiques et financiers posés par l'entrée éventuelle de nos territoires dans la guerre. Préparez l'ordre de mission.

De Gaulle reste seul, s'approche de la carte de l'Empire français qu'il a fait accrocher sur l'un des murs de son bureau.

Voilà des semaines, depuis les succès de l'offensive allemande, qu'il pense à ces ressources en hommes, en matières premières que recèle l'Empire. Il faut que Leclerc, Pleven, Boislambert réussissent, avec l'aide des colonies anglaises voisines, à obtenir le ralliement à la France Libre du Cameroun, du Tchad, de l'Oubangui-Chari, du Congo.

De nombreuses dépêches signalent que les autorités françaises locales sont hésitantes, ou même décidées à rompre avec Vichy, comme le gouverneur général Éboué, au Tchad. Le colonel de Larminat, rallié dès le premier jour, est déjà en route pour Brazzaville, clé de l'Afrique-Équatoriale.

Le colonel Passy entre dans le bureau. De Gaulle lui montre la carte d'un mouvement lent de la main.

– La géographie, dit-il, oppose aux Allemands deux fossés antichars vers le sud, la Méditerranée et le Sahara.

Il répète cette phrase à Churchill qui va et vient « dans cette grande pièce du 10, Downing Street qui, de par la tradition, sert à la fois de bureau au Premier ministre et de salle de réunion au gouvernement de Sa Majesté ».

Il suit des yeux Churchill qui fait déployer des cartes sur « l'immense table qui remplit la pièce ». Le Premier ministre parle avec de plus en plus de vivacité.

– Il faut, dit-il, que nous nous assurions ensemble de Dakar, c'est capital pour vous. Car si l'affaire réussit, voilà de grands moyens français qui rentrent dans la guerre. C'est très important pour nous. Car la possibilité d'utiliser Dakar comme base nous faciliterait beaucoup les choses dans la dure bataille de l'Atlantique.

De Gaulle s'avance. Bien sûr, Dakar. Il a déjà soumis un plan à Churchill : débarquer à Konakry, en Guinée, au sud du Sénégal, et remonter vers Dakar, à travers la brousse.

– J'ai autre chose à vous proposer, reprend Churchill.

Il s'anime davantage, agite son cigare.

– Dakar s'éveille un matin, triste et incertaine, commence-t-il d'une voix inspirée. Or, sous le soleil levant, voici que les habitants aperçoivent la mer couverte au loin de navires. Une flotte immense... Ceux-ci s'approchent lentement en adressant par radio à la ville, à la marine, à la garnison, des messages d'amitié. Certains arborent le pavillon tricolore, les autres naviguent sous les couleurs britanniques, hollandaises, polonaises, belges. De cette escadre alliée se détache un inoffensif petit bateau portant le drapeau blanc des parlementaires. Il entre au port et débarque les envoyés du général de Gaulle...

Churchill continue de parler, imagine des avions de la France Libre lançant des tracts sur Dakar.

– Le soir, conclut-il, le gouverneur dînera avec vous en buvant à la victoire finale.

De Gaulle hésite. Le plan est aventureux. Les marins du *Richelieu*, ancré dans la rade de Dakar et qui ont subi il y a quelques semaines les attaques anglaises, se rallieront-ils ? Mais comment ne pas participer à cette opération dès lors que Churchill la prépare ? La présence de Français Libres est sans doute le seul moyen d'éviter une effusion de sang.

Mais il faut en discuter pied à pied les détails.

Il y aura trois avisos et quatre cargos français ainsi que deux mille Français Libres. Avec les pilotes de deux escadrilles.

Les Anglais veulent pouvoir disposer d'un stock d'or appartenant à la Banque de France et aux banques belges et polonaises et qui est entreposé à Bamako.

Refus. L'or français servira « à gager la part d'achats que l'Angleterre aurait à faire en Amérique pour le compte de la France combattante ».

De Gaulle écoute sans même y répondre les arguments du général Spears, qui menace, tempête et finalement cède.

On partira donc en embarquant à bord d'un vaisseau hollandais, le *Westernland*.

Semaines d'août 40. Semaines d'attente et de préparation anxieuses.

Chaque jour dans le ciel des combats aériens. De Gaulle pense aux siens, à Anne, qui vit dans le fracas des bombes. À Philippe, qui bientôt sera un combattant. À toutes ces épreuves. Et à tous ces dévouements, aux risques pris par ces hommes courageux et à la mort qui les guette. Et sa colère, sa fureur, sa haine même contre ce

« soi-disant gouvernement de Vichy », ces hommes qui ont désho-noré la France et qui osent organiser à Riom un procès pour juger les responsables de la défaite, sont décuplées. Ce sont eux les cou-pables !

Il répète ces accusations aux diplomates et hommes politiques anglais avec qui il déjeune à l'hôtel Connaught ou à l'Automobile Club, au Ritz ou à Grovesnor House.

– Le maréchal Pétain, dit-il, porte la terrible responsabilité d'avoir sollicité et accepté les abominables armistices. Le crime de l'armistice, ajoute-t-il, c'est d'avoir méconnu les forces immenses et intactes que nous gardions dans l'Empire. Ces hommes ne sont plus des soldats, ces Français ne sont plus des Français, ces hommes ne sont plus des hommes.

Il se tait, coupe l'extrémité de son cigare. Il devine que sa vio-lence choque et étonne ses interlocuteurs. Il commence à fumer. Ces Anglais peuvent-ils seulement imaginer ce qu'il ressent à être ici, dans une capitale étrangère, à dépendre du bon vouloir d'un gouvernement certes allié, mais étranger, qui pense d'abord à ses intérêts nationaux. S'il n'était pas intransigeant, que resterait-il de la dignité de la France, dont il est le garant ?

Il a l'impression que l'étau qui sans cesse lui serre le cœur s'entrouvre un peu quand une série de messages lui annoncent que le Tchad puis l'Afrique-Équatoriale française – à l'exception du Gabon – ont rallié la France Libre. Leclerc, Pleven, Boislam-bert, Larminat ont réussi ce coup d'audace en prenant tous les risques.

Il monte dans la Renault Primaquatre noire qui va le conduire au siège de la BBC puis chez les siens à Petts Wood.

Il a eu raison d'insister pour que l'on trouve à Londres une voi-ture française. Il a la conviction que, dans cette période, chaque détail peut devenir un symbole.

D'autant plus qu'il est désormais le chef d'un territoire français.

Il répète les phrases qu'il va prononcer au micro : « J'appelle au devoir chaque terre française pour l'œuvre de défense nationale... Nous ne périrons pas, nous sortirons de là, nous gagnerons la guerre. France, France nouvelle, grande France, en avant ! »

Il arrive à Petts Wood. Dans l'entrée de la maison, il aperçoit aussitôt l'empilement des équipements coloniaux qui ont été livrés. Il y a là ses uniformes de toile, un lit de camp pliable et une moustiquaire, ainsi qu'un casque de liège.

Il regarde Yvonne de Gaulle et ses enfants. Il ne peut rien dire. Même si, à Londres, la rumeur annonce le départ d'une expédition alliée pour Dakar, il doit garder sa destination secrète. Et se contenter de serrer les siens contre lui, et dire seulement qu'il sera peut-être absent pour plusieurs mois.

Cette froideur maintenue alors que l'émotion l'envahit, c'est la dignité de celui qui a choisi d'incarner le destin d'une nation.

Il embarque demain 31 août 1940 sur le *Westernland*.

5.

De Gaulle est sur le pont du *Westernland*. Le vent se fait plus vif et plus fort au fur et à mesure que le navire s'éloigne des quais de Liverpool. De Gaulle enfonce jusqu'aux sourcils le béret noir des chasseurs qu'il à préféré à son képi de général. Il s'appuie au bastingage.

Il entend les sirènes qui depuis plusieurs minuites hurlent, annonçant une attaque aérienne. Et le capitaine hollandais Plagaay a fait rapidement larguer les amarres pour gagner le large. Les canons de la défense antiaérienne commencent à tirer, mêlant leurs détonations au bruit des premières explosions. Puis, peu à peu, la rumeur s'estompe, étouffée par le ronronnement des machines, le sifflement du vent, le froissement de la houle déchirée par l'étrave.

C'est la nuit la plus noire. Les sous-marins allemands rôdent. Tous les feux sont éteints et cependant, dans l'obscurité, de Gaulle distingue les silhouettes de l'escadre anglaise de l'amiral Cunningham rassemblée pour cette action à Dakar : deux cuirassés, quatre croiseurs, et la masse du porte-avions *Ark Royal*.

Il reste ainsi immobile dans la nuit.

Il se sent comme « écrasé par la dimension du devoir ». Il laisse – et pour combien de temps ? – Yvonne de Gaulle et les enfants sous ce déluge de bombes qui s'abat sur les villes anglaises. Les ports ne sont plus seuls visés. Hitler veut terroriser. Bientôt, tout l'annonce, ce seront les attaques de nuit, le *Blitz*.

De Gaulle se tasse dans l'obscurité. Il est seul. Il peut s'abandonner quelques instants à l'inquiétude.

Il y a aussi la France Libre, Carlton Gardens et les deux cents personnes qui y travaillent. Bien sûr, Muselier, Passy, bientôt le général Catroux qui doit arriver d'Indochine assureront la continuité du commandement. Mais sauront-ils faire face « aux querelles du dedans et aux intrigues du dehors » ? Il a écrit avant d'embarquer sur le *Westernland* une lettre à Catroux : « J'ai pleine confiance dans la victoire finale. Les Anglais s'y sont mis à fond et, heureusement pour nous et pour eux, M. Winston Churchill est intégralement " l'homme de la guerre ". La partie se joue entre Hitler et lui. »

Et pourtant, sur ce navire, alors que des messages apportent de bonnes nouvelles – le ralliement à la France Libre de la Polynésie et des comptoirs français de l'Inde –, il est préoccupé. Il ne dispose que d'une « petite troupe », de « minuscules vaisseaux ». Un si grand devoir à accomplir et de si faibles moyens ! Il mesure l'immensité de la tâche et, quelle que soit sa certitude de la victoire, la vulnérabilité de la France Libre, dont le naufrage serait celui de la France.

Il entend la voix du capitaine hollandais, il aperçoit le général Spears qui a tenu à faire partie de l'expédition. C'est l'œil et l'oreille de Churchill.

De Gaulle regarde « la houle qui gonfle l'océan ». C'est « un pauvre navire étranger, sans canons, toutes lumières éteintes, [qui] emporte la fortune de la France ».

Lenteur des jours. Il va et vient sur le pont, échange quelques mots avec Spears. On se dirige vers Freetown, en Sierra Leone, au sud du Sénégal, mais en faisant un large détour loin à l'ouest pour éviter les sous-marins.

Tout à coup, le 13 septembre, il voit Spears s'avancer dans la coursive en agitant des radiogrammes.

Londres signale qu'une escadre française de six croiseurs a franchi le détroit de Gibraltar le 11 septembre. Elle fait route vers le sud, vers Dakar, et sans doute est-elle destinée à reprendre pour Vichy le contrôle de l'Afrique-Équatoriale française.

De Gaulle est partagé entre le pressentiment de difficultés et « une sourde espérance ». La Nouvelle-Calédonie est en passe elle aussi de se rallier à la France Libre. Pourquoi Dakar et l'Afrique-

Occidentale ne basculeraient-ils pas comme l'ont fait hier le Cameroun et le Tchad ?

Il voit Spears soucieux. Avec la présence d'une flotte française, dit le général anglais, Churchill envisage de renoncer à l'action contre Dakar.

De Gaulle proteste, rentre aussitôt dans sa cabine, dicte à Courcel un télégramme, qu'on portera par vedette au navire amiral afin qu'il soit expédié immédiatement au Premier ministre. « Je désire insister personnellement et formellement auprès de vous, dit-il, pour que le plan visant à la reconstitution de l'Afrique française par Dakar soit maintenu et exécuté... C'est d'une importance vitale du point de vue de la conduite générale de la guerre. »

Il regarde Courcel. Il ajoute qu'il demande, au cas où Churchill s'obstinerait dans son refus d'agir, « la coopération immédiate des forces britanniques... pour soutenir et couvrir une opération que je conduirai personnellement avec mes propres troupes contre Dakar, de l'intérieur... ».

Oui, il est prêt à cela. Affronter la brousse à la tête de ses soldats.

Il regarde la vedette s'éloigner vers le navire amiral. Au loin, la côte de la Sierra Leone.

Il reste sur le pont, enveloppé par une buée moite qui monte de la mer, pendant que le *Westernland* entre dans le baie de Freetown.

C'est le 17 septembre 1940.

Dans la résidence du gouverneur où l'on a mis à sa disposition un bureau, il prend connaissance avec un mélange d'anxiété et de colère des dernières nouvelles.

Comme on le prévoyait, les Allemands ont commencé leurs attaques de nuit sur les villes anglaises. Les dépêches parlent de quartiers entiers détruits par les incendies. Que deviennent Yvonne de Gaulle et les enfants ? Être loin d'eux alors qu'ils sont en péril est une souffrance de chaque instant.

Être loin de France aussi, quand les Allemands viennent de rattacher les départements du Nord et du Pas-de-Calais à l'administration militaire de Bruxelles, ce qui annonce leur volonté de démanteler le pays. Et aux antipodes, les Japonais adressent un ultimatum aux autorités françaises d'Indochine. Ils débarquent des troupes. Les Italiens, pour leur part, revendiquent la Tunisie, et leurs armées pénètrent en Égypte !

Il faut réussir à s'emparer de Dakar afin de donner à la France Libre une assise territoriale et des moyens en hommes, qui la placent au cœur de la guerre.

« Mauvaises nouvelles », dit le général Spears en entrant dans le bureau. La flotte française, grossie de deux croiseurs qui étaient ancrés à Dakar, a quitté ce port et fait route vers le sud. Il n'y a donc plus de doute : Vichy veut reconquérir l'Afrique-Équatoriale.

De Gaulle avertit l'amiral Cunningham afin que l'on intercepte les navires et les contraigne à gagner Casablanca. Ainsi, on protégera les Français Libres d'Afrique-Équatoriale.

Attente encore, dans la chaleur d'étuve de ces pièces malgré le brassage de l'air par les ventilateurs. Nuits étouffantes.

Moments d'espérance quand des radiogrammes apportent la nouvelle que les Français de Saint-Pierre-et-Miquelon veulent rejoindre la France Libre. Puis c'est l'amiral Cunningham qui annonce que, au vu de la flotte anglaise, les navires français ont rebroussé chemin, mais – l'amiral paraît soucieux – les deux plus grosses unités ont rejoint Dakar, deux croiseurs seulement se sont dirigés vers Casablanca. Si l'on ajoute à ces navires le *Richelieu*, toujours à Dakar, les batteries de l'île de Gorée et du Cap Manuel, qui balaient les accès du port, et si l'on tient compte de l'attitude du gouverneur général Boisson, qui, après avoir hésité, est devenu un vichyste résolu, l'entreprise paraît difficile.

Mais il faut conquérir Dakar. Et pourtant, de Gaulle a un doute. Il convoque Hettier de Boislambert, qui arrive de Douala.

Il a confiance en cet officier résolu qui vient, avec Leclerc, Pleven et Larminat, de réussir l'exploit de rallier tout un pan de l'Afrique à la France Libre. Il l'interroge, le félicite, puis, en quelques mots, lui expose le plan d'attaque contre Dakar : « l'opération Menace ».

Il est surpris par les réticences de Boislambert.

« Le *Richelieu* a été endommagé par une attaque anglaise au début du mois de juillet. L'état d'esprit des équipages du *Richelieu* et des croiseurs ne fait pas de doute, dit Boislambert. Ils sont réellement hostiles à tout ce qui est britannique ou associé à l'Angleterre. »

Boislambert propose plutôt de débarquer à Rufisque, d'isoler ainsi Dakar, de s'appuyer sur l'action à l'intérieur de la ville des adversaires de Vichy.

De Gaulle convoque l'amiral Cunningham et le général Irwing qui commande les troupes. Spears écoute aussi avec attention Boislambert exposer à nouveau les difficultés d'une attaque frontale.

– On nous a dérangés pour une opération qui ne nous plaît pas, dit Cunningham sèchement. Puisque nous y sommes, nous la réalisons et puis nous nous en allons.

De Gaulle se tait. Il observe Boislambert qui paraît consterné, demande à partir avec quelques hommes pour tenter d'agir dans la ville, de soutenir l'attaque frontale sur Dakar.

Spears lui-même paraît ébranlé. Il interroge Churchill en phonie. On entend la voix du Premier ministre qui explique en bougonnant que l'opération est lancée, qu'il faut la mener à bien.

C'est le milieu de la nuit. De Gaulle ne peut dormir. Demain, les navires lèveront l'ancre pour Dakar. Il attend Boislambert.

De Gaulle le reçoit en robe de chambre. En partant seul, cet homme prend des risques immenses. Est-ce nécessaire ?

– Il n'est pas question pour moi d'être ailleurs que dans Dakar au moment de l'opération, ce serait une lâcheté, répond Boislambert.

Voilà un Français Libre.

– La voie de l'honneur est rude, mais droite, dit de Gaulle.

20 septembre 1940.

De Gaulle, les yeux masqués par le bord du casque colonial, monte sur la passerelle du *Westernland*. Le soleil voilé brûle la rade et le port de Freetown. Les troupes sont rassemblées sur le pont. De Gaulle scrute les visages. Les hommes sont graves.

« Nous partons demain, comme vous le savez, commence-t-il.

« Je veux vous dire quelques mots avant le départ. »

Il sent sur lui tous ces regards, toute cette attente.

« Si je ne prends pas plus souvent contact avec vous, continue-t-il, c'est que les devoirs de ma tâche m'en empêchent, et je le regrette. »

Les visages ne bougent pas.

« Je veux vous parler de trois choses.

« Premièrement. Vous savez le but de notre expédition. Nous sommes la France. Nous devons avoir de l'ordre et de la discipline...

« Deuxièmement. Vous êtes mes soldats, mes amis, mes compagnons. Si je ne vous parle pas souvent, pourtant je vous connais. Je sais d'où vous venez et ce que vous voulez. J'ai confiance en vous et je vous aime bien. »

Il voit les sourires. Il se redresse.

« Troisièmement, dit-il d'une voix plus forte. Actuellement, nous sommes les seuls à représenter la France. Ce qu'elle a comme armes, ce sont nos armes. Ses succès seront ceux de nos armes.

« La France de demain sera en grande partie ce que nous la ferons. Son sort est entre nos mains. Aussi, ceux qui se mettraient en travers de notre route, quels qu'ils pourraient être, se mettraient en travers de la route de la France. »

Il fait un pas en avant.

« À mon commandement ! Garde à vous !

« Au revoir ! »

Il s'éloigne.

Ce discours, ces visages tendus lui ont donné un surcroît d'énergie. Il est responsable devant ces hommes qui vont risquer leur vie. Il écoute avec impatience l'amiral Cunningham qui exige de prendre sous son commandement tous les Français Libres. En compensation, Cunningham offre l'hospitalité sur son cuirassé amiral *Barham*.

Qu'imagine-t-il, cet Anglais ? De Gaulle répond avec hauteur. Et finalement, l'amiral s'incline. Mais la leçon est claire : il faut veiller à chaque instant, défendre contre tous, même les alliés, l'indépendance et la souveraineté.

Le 23 septembre à l'aube, de Gaulle est sur la passerelle. Mais la mer est recouverte par un épais brouillard qui dissimule Dakar. De la ville, on ne peut sûrement pas voir la flotte. Il le pressent : rien ne s'annonce comme prévu. Mais il faut maintenant aller jusqu'au bout.

Il voit décoller les deux avions qui doivent déposer une équipe de

Français Libres afin qu'ils s'emparent de l'aérodrome d'Ouakam. Puis décollent des appareils qui sont chargés de lancer des tracts sur Dakar. Et tout à coup, c'est le bruit des canons antiaériens du *Richelieu* qui les prend à partie.

Pourtant, il semble que ce soit un canonnage hésitant. Il donne donc l'ordre à Thierry d'Argenlieu et à quatre autres officiers de se rendre sur le port en arborant un drapeau blanc et un drapeau tricolore. Le brouillard s'est un peu levé.

De Gaulle, à la jumelle, suit les bateaux. Il les voit s'amarrer au môle n° 2. D'Argenlieu parlemente avec un officier du *Richelieu*. Il y a une bousculade. D'Argenlieu et les plénipotentiaires regagnent leurs embarcations qui doublent le môle du port, et, brusquement, des rafales de mitrailleuses. D'Argenlieu, touché.

Le *Richelieu* commence à tirer avec des pièces lourdes.

La brume s'épaissit à nouveau. L'échange de coups de canon se poursuit.

De Gaulle se penche. Il voit d'Argenlieu qu'on hisse à bord par l'échelle de coupée. Il est gravement blessé à la jambe.

De Gaulle s'approche, se penche. D'Argenlieu tente de se redresser.

Voilà le résultat de la politique de Vichy. Les valeurs de la discipline militaire, de l'obéissance aux ordres reçus conduisant à ce crime : des Français tirent sur des Français. Il faut poursuivre cependant, tenter de débarquer à Rufisque pour isoler Dakar. Mais là aussi, de Gaulle voit les canots pris sous le feu, des hommes tomber. Pendant ce temps, les navires de Cunningham continuent de bombarder le port de Dakar. Amère journée. Dure leçon.

De Gaulle se rend dans la nuit tombante à bord du navire amiral.

Il faut arrêter cette opération, dit-il : « Pas d'effusion de sang entre Français. »

Lorsqu'il regagne le *Westernland*, « l'état-major et l'équipage rangés le long des rambardes lui rendent tristement les honneurs ».

La nuit est courte. Au matin, le brouillard s'est dissipé.

De Gaulle entend le roulement sourd des batteries des cuirassés anglais auquel répondent les canons de l'escadre française et des forts protégeant Dakar. Au même moment, il reçoit un message de l'amiral Cunningham qui explique que Churchill exige que l'attaque reprenne. « Maintenant qu'on a commencé, il faut aller jusqu'au bout. Que rien ne vous arrête », a ordonné le Premier ministre à 22 heures.

Chaque coup de canon est comme un choc sur une blessure ouverte. Et cela dure, dure toute la journée du 24, puis la matinée du 25 septembre.

Il ne peut rien faire. Ah, cette impuissance dans la dépendance ! Il n'est pire situation. Il voit sombrer trois sous-marins et un croiseur français, puis trois croiseurs anglais sont endommagés, ainsi que le *Barham*, le navire amiral. Des morts par dizaines.

Que cela s'arrête ! Il le sait, un aveugle le verrait : le débarquement, le ralliement de Dakar sont désormais impossibles. Et Hettier de Boislambert doit avoir été arrêté.

À 13 h 30, enfin, Churchill donne l'ordre de cesser le combat. Et de regagner Freetown.

De Gaulle reste dans son « étroite cabine au fond d'une rade écrasée de chaleur ». Il « éprouve les sensations d'un homme dont un séisme secoue brutalement la maison et qui reçoit sur la tête la pluie des tuiles tombant du toit ».

Il se rend auprès de Thierry d'Argenlieu, blessé. Il demeure un long moment silencieux auprès de sa couchette. Il a en lui tant de mots lancinants qu'il voudrait dire : l'horreur de ce combat fratricide, l'amertume devant cet échec qui, il le sait, va servir de prétexte à tous ceux – ennemis ou alliés – que gênent l'existence de la France Libre et l'intransigeance de son chef.

Il dit seulement, d'une voix sourde comme une plainte :

– Si vous saviez, commandant, comme je me sens seul.

Il marche dans les coursives. Les soldats s'effacent pour le laisser passer et le saluent. Il sent chez eux de la colère et non du désespoir, et même la rage d'être réduits à l'inaction. Il dit : « Les hommes de Vichy, qui ne veulent pas faire la guerre aux envahisseurs de la patrie, ont préféré combattre ceux des Français qui veulent délivrer la France. »

Il ne peut pas se permettre de céder à cette tentation du désespoir qui, alors que la canonnade se poursuivait, l'a quelquefois habité.

Il retourne dans sa cabine, écrit rapidement quelques lignes qu'il veut faire parvenir à Londres afin qu'elles soient diffusées :

« Le redressement de la France dans la guerre est une partie en plusieurs manches.

« En ralliant douze millions d'hommes dans l'Empire, les Français Libres ont gagné la première.

« En forçant Vichy à se battre à Dakar, les Allemands ont gagné la seconde. La partie continue. Nous verrons la suite. »

Mais il est à nouveau saisi par l'amertume et la tristesse quand il prend connaissance des pertes : plus de 150 tués dans la troupe et la population de Dakar ; une douzaine de Français Libres capturés, dont Boislambert, qui risque la peine de mort.

Il écoute le général Spears qui, « la mine longue », lit les télégrammes d'information qui lui parviennent de Londres ou de Washington.

De Gaulle essaie de ne laisser transparaître aucun sentiment. Mais, à Vichy et à Paris, la radio et les journaux déversent des torrents d'injures. Et on triomphe. À Londres, les quotidiens multiplient les critiques. Le *News Chronicle* va jusqu'à écrire : « Nous pouvons répudier le général de Gaulle avec la même rapidité et le même cynisme dont son pays a fait preuve pour nous répudier. Nous ne pouvons risquer la cause de la liberté pour une poignée d'hommes. »

Et le journal interroge : « Sur quelles bases le gouvernement a-t-il accepté les assurances d'un général de grande expérience militaire mais qui n'est pas un politique ? »

Là, on murmure que ce sont les indiscrétions des Français qui ont conduit le gouvernement de Vichy à renforcer son escadre à Dakar. Ici, on suggère à Churchill, attaqué lui aussi, de remplacer de Gaulle par l'amiral Muselier ou ce général Catroux, qui est d'ailleurs plus élevé dans la hiérarchie militaire que de Gaulle. Aux États-Unis, la presse est encore plus sévère.

De Gaulle rend une nouvelle fois visite à d'Argenlieu. Il murmure : « Croyez-vous vraiment que je doive continuer ? »

Mais ce n'est qu'une façon d'entendre par la voix d'un autre ce qui est sa propre réponse.

Oui, il doit poursuivre.

Il va et vient sur le pont imbibé par l'humidité équatoriale.

Dans quelques jours, il va gagner les territoires de la France Libre, le Cameroun, le Tchad. L'expédition aura au moins servi à les protéger d'une incursion des troupes de Vichy. Et puis, l'échec est toujours une leçon utile.

Il « achève d'apprendre ce que peuvent être les réactions de la peur, tant chez les adversaires qui se vengent de l'avoir ressentie, que chez les alliés effrayés soudain par l'échec ».

Dans sa cabine, en rade de Freetown, il écrit, ce 28 septembre 1940 :

« Ma chère petite femme chérie,

« Comme tu l'as vu, l'affaire de Dakar n'a pas été un succès... Pour le moment, tous les plâtras me tombent sur la tête. Mais mes fidèles me restent fidèles et je garde bon espoir pour la suite...

« Je ne compte pas revenir à Londres avant quelque temps. Il faut patienter et être ferme.

« Combien j'ai pensé à toi et pense toujours à toi et aux babies dans tous ces bombardements... Que fait Philippe ? Cette fille, Élisabeth, a-t-elle gagné le Sacré-Cœur ? Et ce tout petit ? »

Il s'interrompt. Et c'est un flot de souvenirs et d'émotions qu'il faut endiguer. Donc écrire, penser.

« Je considère, reprend-il, que la "bataille d'Angleterre" est maintenant gagnée. Mais je m'attends à la descente en Afrique des Allemands, Italiens et Espagnols. L'intervention américaine me semble désormais certaine.

« C'est le plus grand drame de l'Histoire et ton pauvre mari y est jeté au premier plan avec toutes les férocités inévitables contre ceux qui tiennent la scène. Tenons bon !

« Aucune tempête ne dure indéfiniment. »

Deuxième partie

29 septembre 1940 – 23 juin 1941

Plus m'étreint le chagrin et plus je m'affermis dans la volonté d'en finir.

Charles de Gaulle, *Mémoires de guerre*,
tome I, *L'Appel*.

6.

De Gaulle lève la tête. Sur les passerelles et les dunettes jusqu'au faîte des superstructures de l'aviso *Commandant-Duboc* – où il a embarqué, quittant le *Westernland* – les soldats en uniforme kaki, coiffés du casque colonial, forment une sorte de pyramide humaine.

De Gaulle avance vers l'échelle de coupée. L'aviso, à vitesse réduite, approche des quais du port de Douala. De Gaulle distingue une foule qui agite des drapeaux et, au-devant d'elle, des tirailleurs noirs en short kaki, ceinture et chéchia rouges. Les silhouettes blanches sont celles des officiers, et il devine au premier rang, tenant l'épée qui brille dans ce soleil de la fin de la matinée du 8 octobre 1940, le colonel Leclerc. Il se rapproche encore de l'échelle. Il reconnaît parmi ces hommes qui lui présentent les armes, les capitaines Simon et Paris de Bollardière, le lieutenant Messmer.

Il a reçu il y a quelques jours, à bord du *Westernland*, Simon et Messmer. Ces deux jeunes officiers ont réussi à quitter la France en s'emparant d'un cargo italien de 82 000 tonnes, le *Capo d'Olmo* qui, depuis qu'il avait été saisi à la déclaration de guerre, était ancré à Marseille. Ils sont arrivés à Liverpool le 18 juillet 1940, et la cargaison du *Capo d'Olmo* sert encore à payer les soldes des personnels de la France Libre.

Simon et Messmer lui ont parlé de leur camarade Scamaroni, qui a été fait prisonnier par les vichystes de Dakar et qui risque la peine de mort, comme Boislambert. Il ne les a pas rassurés sur le sort de leur camarade. Mais Dakar, a-t-il dit, n'est qu'une péripétie, cruelle, amère. Puis il a ajouté : « Nous portons sur nos épaules l'honneur de la France, et je compte sur vous pour que cette affaire ne change rien dans votre comportement. »

Messmer et Simon, comme tous ces hommes alignés sur le *Commandant-Duboc*, sont déterminés. Il le voit à la manière dont ils se tiennent au garde-à-vous sous le soleil brûlant. Il l'a compris quand, dans la rade de Freetown, spontanément, ces soldats ont ouvert le feu sur un avion venu de Dakar, comme pour exprimer leur colère, leur dégoût, leur volonté de revanche. Ce sont ces hommes-là que, dans quelques jours, il lancera à l'assaut du Gabon, le dernier bastion vichyste en Afrique-Équatoriale. Et il décidera seul de l'attaque. Enfin ! La flotte anglaise s'est retirée à l'entrée de l'estuaire du Wouri, laissant les vaisseaux français se diriger seuls vers Douala. Les Anglais, il le sent bien, ont en fait après Dakar choisi la prudence. Que les Français Libres se débrouillent !

Des cris commencent à monter des quais. De Gaulle se tient à la coupée pendant qu'on lance les amarres. Il descend lentement l'échelle. Les clairons sonnent. Il s'approche de Leclerc qui salue, faisant tournoyer son épée. De Gaulle lui donne l'accolade. Alors les cris, avant *La Marseillaise*, et la revue. De Gaulle s'avance vers le drapeau, salue. Il entend une voix qui crie : « Vous êtes chez vous, maintenant ! On a plein de vin rouge à vous offrir ! »

Il marche à côté de Leclerc. C'est comme s'il renaissait. Cet enthousiasme, cette fête qui commence, ces personnalités qui, à la queue leu leu, viennent se présenter, sont la preuve que la France Libre a désormais un territoire. Quand le Gabon sera arraché aux vichystes, il formera un ensemble de six millions d'habitants s'étendant sur trois mille kilomètres. Cette zone est à la jonction du Nigeria, du Congo belge et du Soudan anglo-égyptien. Les marchandises vont pouvoir transiter par le continent africain de l'Atlantique à l'Égypte. Les avions, débarqués en caisses, seront montés en Gold Coast, s'envoleront, feront escale à Fort-Lamy, au Tchad français libre, et de là gagneront l'Égypte.

De Gaulle serre les mains, s'incline devant les femmes aux robes multicolores.

— Ce ne sont pas seulement des sympathisants que vous trouverez, murmure Leclerc, mais beaucoup de gens résolus à agir.

À Yaoundé, à Brazzaville, c'est le même accueil. Et après l'amertume de Dakar, c'est comme un « lavage d'âme ».

Mais cet enthousiasme, de Gaulle le ressent aussi comme l'obligation de ne jamais décevoir. Il doit être celui qui exprime la résolution, « la figure d'une France indomptable au milieu des épreuves ». Parce qu'il incarne la France Libre, lui, il n'est plus libre du choix de son comportement. Son devoir est d'être à la hauteur de son destin et de ce qu'on attend de lui. Il regarde la foule de ces hommes et de ces femmes qui l'acclament dans la nuit africaine, il sent que cela lui impose : « Sans relâche une forte tutelle intérieure en même temps qu'un joug bien lourd. »

Il va leur parler, leur dire « l'émotion et le réconfort », la certitude de la victoire. « Je vous le prédis, l'Empire, la France seront sauvés. »

Et il ajoute : « Pour l'homme à qui les événements ont imposé le devoir de diriger les bons Français qui veulent tout simplement la victoire de la Patrie, pour l'homme qui porte cette charge très noble mais aussi très lourde, si vous saviez à quel point sa foi et son espérance sont soutenues par des spectacles tels que ceux que vous avez su lui offrir. »

Il ne ressent ni la fatigue, ni la chaleur. Et pourtant, sous le casque colonial et l'uniforme de toile, la sueur ruisselle. Mais il veut tout voir : les quelques chars et avions dont Leclerc dispose. Il le convoque, lui montre la carte. Vers le nord, à des centaines de kilomètres au-delà de Fort-Lamy, il désigne le Sahara italien !

« Il faut organiser l'action directe contre l'ennemi, dit-il, dans le plus bref délai possible, en territoire italien, suivant la direction générale de Koufra et de Mourzouk. »

Il pose son doigt sur ces oasis, qu'il faudra conquérir, et de là, les troupes françaises rejoindront les unités anglaises engagées en Cyrénaïque, en Égypte. La France Libre doit être dans la guerre, partout. Et d'autant plus qu'elle dispose d'« une terre française, libre du contrôle de l'ennemi ».

Il veut la parcourir en tous sens, fouler les rues de Brazzaville, se rendre à Fort-Lamy.

Il monte dans l'avion surchauffé, dont les tôles sont brûlantes. Il regarde défiler la forêt camerounaise, puis la savane, et tout à coup, après quelques vibrations plus fortes du Potez 540, le silence du moteur. L'avion chute brutalement.

Dommage. Peut-être tout va-t-il se terminer ici.

Il ne ferme pas les yeux. Il lui semble impossible que son destin se brise sur cette terre qui se rapproche si vite. Tant d'événements, de choix dramatiques, tant d'énergie déployée, tant d'espoir, et ce miracle de la survie, le 15 août 1914, pour finir ainsi en un lieu inconnu d'Afrique, victime d'une panne mécanique. Il ne peut, il ne veut pas le croire. Dieu le destin ne le permettraient pas.

Un choc. L'avion vient de se poser dans un marécage. On en sort difficilement. Mais vivant ! Il avait donc raison.

Avec quelques heures de retard, voici Fort-Lamy, écrasé sous la lumière incandescente. De Gaulle reconnaît aussitôt le général Catroux, qui le salue le premier, lui le général cinq étoiles de soixante-trois ans, lui qui fut chef du camp de prisonniers de Würzburg, en mai 1918, lui son aîné qui, ainsi, par ce geste admet qu'il ne s'agit plus entre eux de hiérarchie militaire ou d'ancienneté, mais bien de la suprématie d'un destin.

De Gaulle parcourt avec Catroux les rues de Fort-Lamy. Il est touché par l'enthousiasme des colons, du gouverneur Éboué et des officiers des compagnies sahariennes, ce capitaine Massu qui présente ces hommes. Les applaudissements sont interminables, il dit quelques mots puis la foule entonne *La Marseillaise*, mais au moment où les ovations vont reprendre, il commande : « Garde à vous ! »

Au palais du gouverneur, il voit en face de lui Catroux se lever pour porter un toast. Catroux rappelle les souvenirs de captivité en Allemagne, il lève son verre et lance : « À celui que nous appelions le Connétable de France, je rends hommage. »

L'émotion le submerge. Catroux fait allégeance comme tant d'autres qu'il ne faut pas décevoir. Dans le parc qui entoure le palais du gouverneur, il interroge Catroux. Sur ordre de Churchill, le général a quitté Londres il y a peu, pour Le Caire, et de là a rejoint Fort-Lamy.

Catroux évoque le climat de Londres, les critiques contre la France Libre, les manœuvres anglaises, celles du Foreign Office surtout, favorable au maintien des liens avec Vichy. On ne doit pas attaquer Pétain, répètent les Anglais. On doit tenter de séduire Weygand qui est maintenant le commandant en chef en Afrique du Nord. Il est même question d'une mission secrète d'un envoyé de Pétain auprès de Churchill, le professeur Rougier.

De Gaulle marche, tête levée. La nuit au-dessus du désert est un scintillement infini d'étoiles. Tout paraît vain sous cette voûte. Mais c'est ici que l'on se bat. Ici, qu'il faut être homme.

Catroux s'arrête. Il détache chaque mot. Lors du dernier entretien, Churchill lui a dit : « En définitive, en ce moment, c'est à Londres que je crois que vous seriez le plus utile. Le mouvement de la France Libre a besoin d'être conduit et je pense que vous devriez en prendre la direction. »

Catroux a naturellement refusé.

Mais d'autres, peut-être...

De Gaulle ne commente pas. Il rentre à Brazzaville. Les Anglais jouent leur jeu. Il faut que la France Libre se renforce. Il faut constituer ici, en Afrique, une force navale française. Il propose l'envoi d'un bataillon de la Légion étrangère au général anglais Wavell, au Caire. Se battre partout où l'on peut ! Brandir le tronçon du glaive au moment où Pétain rencontre Hitler, voilà l'essentiel.

Il donne des ordres, dicte des télégrammes mais il est indigné, déchiré, amer. À cause de la résistance des troupes vichystes au Gabon, contre lesquelles ses officiers Leclerc, Messmer, Paris de Bollardière doivent engager le combat pour s'emparer enfin de Libreville et de Port-Gentil.

Gâchis, saccage.

Thierry d'Argenlieu qui commande le *Savorgnan-de-Brazza* répond aux attaques du *Bougainville*, un navire vichyste.

Seule consolation, tout cela a lieu sans la présence anglaise. Londres a laissé faire, mais sa flotte est restée au large, et l'amiral a déconseillé l'opération. Le Gabon, désormais, est à la France Libre.

Que de morts inutiles pourtant : un capitaine de corvette, Saussine, saborde son sous-marin et « coule bravement à bord » après avoir lancé une torpille contre un croiseur anglais ! Le gouverneur du Gabon, Masson, hésitant, rallié puis à nouveau vichyste, se pend ! Des officiers et la plupart de leurs hommes refusent de s'enrôler dans la France Libre.

Et ces rumeurs qui arrivent de Londres. Cette réaction de l'un des diplomates les plus en vue du Foreign Office à la réception d'un message : « Télégramme ridicule en provenance de Brazzaville, indiquant que ce con de De Gaulle envisage de sommer Weygand de prendre parti. C'est exactement ce qu'il ne faut pas faire. »

Du point de vue anglais, peut-être ! Mais du point de vue de la France ? S'il avait écouté les Anglais, il n'aurait pas lancé les Français Libres à la reconquête du Gabon ! Et le jour où Pétain déclare : « C'est dans l'honneur que j'entre aujourd'hui dans la voie de la collaboration », il faudrait rester sur la réserve ?

Il confie à Leclerc et aux quelques officiers qui l'entourent :

— Les jours que nous vivons sont les plus terriblement graves de notre histoire. En ce moment même, les malheureux ou les misérables qui prétendent à Vichy constituer le gouvernement français sont engagés de force avec l'ennemi dans d'infâmes négociations.

Il fait quelques pas, ajoute d'une voix forte :

— C'est que la servitude n'enfante qu'une plus grande servitude. Quand on s'y est jeté, il faut aller jusqu'au bout !

Il s'éloigne, revient :

— Français Libres, à présent la France c'est nous. L'honneur de la France est entre nos mains.

Mais il faut l'organiser, bousculer les réticences, les calculs, les oppositions anglaises, ou bien les intrigues de ceux qui, à l'intérieur de la France Libre, se laissent entraîner par leur ambition ou les séductions anglaises.

Il dicte un télégramme pour l'amiral Muselier.

« Votre attitude actuelle ne me donne aucunement satisfaction. Durant un mois après mon départ, vous avez servi comme il convient. Il n'en est plus de même. Je vous prescris de ne vous occuper que de questions militaires. Vous tenez à Londres des propos sans mesure et énoncez des critiques qui font le plus mauvais effet... Il est absolument nécessaire que vous adoptiez immédiatement une attitude plus disciplinée et plus pondérée. »

Il demande à Courcel de relire, puis il ajoute :

« Ceci est écrit en pesant mes termes et en connaissance de cause. »

Il s'isole, écrit, consulte aussi le capitaine Pierre Tissier, un maître des requêtes au Conseil d'État, l'un des premiers à avoir rallié Londres. Il s'agit d'affirmer dans un *Manifeste*, puis dans une *Déclaration organique*, qu'« un pouvoir nouveau » existe : la France Libre, que « l'organisme sis à Vichy et qui prétend porter le nom de gouvernement français est inconstitutionnel et soumis à l'ennemi ».

Dans la chaleur étouffante et humide de Brazzaville, de Gaulle travaille, écoute, corrige, dicte. Le 27 octobre, le *Manifeste* est prêt. Le 16 novembre, ce sera le tour de la *Déclaration organique*.

De Gaulle, debout, présente les textes. Il n'a pas besoin de lire les feuillets qu'il tient à la main. Il parle avec solennité. La transpiration colle à son front les cheveux très noirs. Il incarne le « nouveau pouvoir français ». Il dénonce le « pseudo-État de Vichy ».

« J'exercerai mes pouvoirs au nom de la France et uniquement pour la défendre », dit-il.

Il lève un peu la main comme s'il s'apprêtait à prononcer un serment :

« Et je prends l'engagement solennel de rendre compte de mes actes aux représentants du peuple français, dès qu'il aura été possible d'en désigner librement. Pour m'assister dans ma tâche, je constitue un Conseil de défense de l'Empire. »

Il regarde l'assistance, figée, les regards tendus vers lui. Il reprend, détachant chaque mot :

« J'appelle à la guerre, c'est-à-dire au combat et au sacrifice, tous les hommes et toutes les femmes des terres françaises qui se sont ralliés à moi. »

Puis il ajoute qu'il va instituer par ordonnance un *Ordre de la Libération*, composé de *Compagnons*, et qui distinguera ceux qui se sont voués à la tâche de la libération de la Patrie.

Il attend les réactions anglaises. Il pressent que Londres, et surtout le Foreign Office, n'apprécieront guère cet acte et cette affirmation de souveraineté qui fondent réellement la France Libre. Mais désormais, il n'est plus le général qui ne disposait que de quelques pièces dans un immeuble loué sur les bords de la Tamise. Il est le chef d'une terre française.

Il n'est pas surpris quand il lit la lettre que lui adresse Churchill le 10 novembre. « Je désire vivement m'entretenir avec vous, écrit le Premier ministre. Nous nous efforçons de parvenir à un modus vivendi avec Vichy... Vous voyez combien il est important que vous soyez ici. »

Un compromis avec Vichy ! Les Anglais imaginent-ils qu'il va accepter ce que Churchill appelle un « modus vivendi » ? !

Il télégraphie au colonel Fontaine qui, à Carlton Gardens, est chargé de la diffusion des messages politiques :

« Il n'y a pas de gouvernement français digne de ce nom, écrit-il. Les gens qui ont pris le pouvoir sont sous la dépendance de l'ennemi... La désobéissance à un tel gouvernement est donc un devoir national. Que chacun sache que telle est la conviction des Français Libres... »

Mais il doit rentrer à Londres. Il faut affirmer cette position face au gouvernement britannique et au monde. Et puis, il y pense comme une douleur lancinante, il ignore tout du sort des siens.

Il écrit à Yvonne de Gaulle.

« Je n'ai pas encore reçu de toi un seul mot depuis mon départ et cela m'est très pénible. Je voudrais tout savoir de toi et des babies. »

Londres, Coventry ont été écrasés sous les bombes incendiaires. Les dépêches parlent de milliers de victimes.

Que sont les miens devenus ?

Il se reprend. Il faut faire face. Oublier ses angoisses personnelles pour ne penser qu'à la guerre.

« Je t'écris d'ici, après un grand tour en avion dans tous les points importants du Cameroun et du Tchad, explique-t-il à Yvonne de Gaulle. L'esprit est excellent... Tout va bien. Mais la tâche est lourde matériellement et moralement. Il faut accepter – je les accepte – toutes les conséquences de ce drame dont les événements ont fait de moi l'un des principaux acteurs. Celui qui saura vouloir le plus fermement l'emportera en définitive non seulement en fait, mais encore dans l'esprit des foules moutonnières. »

7.

De Gaulle se penche. Il regarde par le hublot la large aile droite de l'hydravion *Sunderland* qui rase l'océan de si près que les hélices des moteurs paraissent toucher la crête des vagues.

La mer est grise sous la pluie d'automne. L'hydravion a quitté l'Afrique après avoir fait escale à Lagos, Freetown, Bathurst. En se tournant un peu, de Gaulle aperçoit le rocher de Gibraltar, dernière étape avant l'Angleterre, la côte d'Espagne. Le quadrimoteur pointe vers l'ouest afin d'éviter les patrouilles de la chasse allemande qui décollent de Bordeaux ou de Biscarosse. Bientôt Londres, après les semaines africaines, les morts français de Dakar et du Gabon, et l'enthousiasme de Douala, de Fort-Lamy ou de Brazzaville. « Incroyables détours par où dans cette guerre étrange doivent désormais passer les Français combattants pour atteindre l'Allemand et l'Italien. »

De Gaulle pense à ces vichystes obstinés, aveuglés. À ces hommes qui se dressent devant les Français Libres en criant eux aussi « Vive la France ». Alors que les ralliements de l'Afrique-Occidentale et de l'Afrique du Nord, de la flotte, changeraient la donne mondiale. Il suffirait pour cela que Weygand, commandant en chef en Afrique du Nord, se décide à reprendre le combat et que l'amiral de Laborde fasse le même choix.

De Gaulle commence à écrire les brouillons des lettres qu'il veut adresser à l'un et à l'autre.

« Pour quelques jours encore, vous êtes en mesure de jouer encore un grand rôle international, écrit-il à Weygand. Après, il sera trop tard... Si votre réponse est oui : je vous assure de mes respects. »

Il faut essayer, mais comment espérer en des hommes qui l'ont fait condamner à mort ? Quant à l'amiral de Laborde, à Brest en juin 40, il s'était déjà montré hostile à l'idée de refuser l'armistice. Mais l'enjeu est si important qu'il doit tenter de le convaincre.

« Amiral,

« Je vous écris comme d'un Français à un Français, d'un soldat à un marin, d'un chef à un chef.

« Il n'est pas possible que la marine ne veuille pas jouer contre l'envahisseur de la France le grand rôle national qui lui revient... Il n'est pas possible que la marine s'hypnotise sur la perte du *Dunkerque* quand Paris, Bordeaux, Brest, Strasbourg sont aux mains de l'ennemi... »

Il pense à Darlan, dont on assure qu'il va occuper dans le gouvernement de Vichy une place éminente. De Laborde est peut-être un rival de Darlan.

« Amiral, reprend de Gaulle, tel ou tel de vos pairs peut poursuivre de médiocres plans pour satisfaire son ambition médiocre. Vous, vous avez autre chose à faire... »

Il s'arrête d'écrire. La raison lui commande de tenter de rallier ces hommes qui ont accepté l'armistice, mais à les imaginer il n'éprouve que tristesse et souvent du mépris. Ils trahissent et se trompent. Heureusement, il y a les Leclerc, les de Larminat, les Messmer, tous ces soldats si ardents à servir la cause nationale. Et c'est pour eux une « aventure aux dimensions de la terre ».

Il ouvre le dossier qui concerne l'organisation de l'Ordre de la Libération. Il voulait appeler ses membres des *Croisés*, mais autour de lui on a jugé qu'il valait mieux retenir *Compagnons*. Et pourtant, c'est une croisade pour la France qu'ils conduisent avec lui.

Il relit l'article 3 des statuts.

« L'insigne de l'Ordre de la Libération consistera dans un écu, portant un glaive surchargé d'une croix de Lorraine ;

« avec au revers cet exergue :
Patriam Servando Victoriam Tulit

« Le ruban de moire noire et verte symbolisera le deuil et l'espérance de la Patrie. »

C'est bien ce qu'il ressent à chaque seconde : le deuil et l'espérance, le noir et le vert.

Il est debout dans le canot qui le conduit de l'hydravion aux quais de la Tamise. L'air est humide et froid. Des fumées d'incendie – sans doute les bombardements de la nuit – donnent à la brume une couleur noirâtre.

Il aperçoit Gaston Palewski qui se tient au débarcadère. Il apprécie cet ancien collaborateur de Paul Reynaud qui l'a toujours soutenu depuis la publication de *Vers l'armée de métier*. Palewski a rejoint Londres à la fin d'août 40. De Gaulle envisage d'en faire le directeur des Affaires politiques de la France Libre. Parce qu'il faudra reprendre en main et réorganiser le mouvement, maintenant qu'il a une assise territoriale.

Il interroge Palewski. Les villes anglaises sont détruites, mais le moral est intact, dit Palewski. Seulement l'inquiétude est profonde devant les conséquences de la guerre sous-marine, continue Palewski. Les Anglais sont obsédés par le « shipping », le tonnage disponible. Les États-Unis bien sûr sont demeurés neutres, malgré le terrorisme des attaques aériennes. Palewski parle longtemps.

« Les Anglais sont assiégés, murmure de Gaulle. Ils se sentent au plus noir du tunnel. »

Palewski reprend :

– Pour le gouvernement de Londres, nos problèmes particuliers sont intempestifs. D'autant plus...

De Gaulle le fixe, l'incite à poursuivre.

Palewski explique. Londres ne cesse d'avoir des contacts avec les hommes de Vichy. Il y a eu la mission à Londres du professeur Rougier, envoyé officieux de Pétain, les contacts à Madrid de l'ambassadeur britannique Samuel Hoare avec l'ambassadeur de France, de La Baume. À Vichy même, les Américains ont encore augmenté le nombre de leurs diplomates en attendant l'arrivée de l'ambassadeur, l'amiral Leahy. Quant à Churchill, il est en relation constante avec M. Dupuy, le représentant du Canada à Vichy, qui voit fréquemment le maréchal Pétain.

– Churchill dit que M. Dupuy est sa petite fenêtre sur l'Allier, conclut Palewski.

On approche de Carlton Gardens. De Gaulle lève la tête, regarde le bâtiment. La France Libre est devenue une force, et il a la certitude qu'on ne pourra plus l'étouffer. Trop tard. On essaiera. Mais elle n'est plus cette petite cohorte de volontaires. Elle a un territoire, un journal officiel, une administration qui se crée.

Il questionne à nouveau Palewski. Celui-ci, comme à regret, met l'accent sur les faiblesses, les intrigues, les divisions, les jalousies qui affaiblissent la France Libre.

– Un tumulte d'aigreurs, murmure de Gaulle.

Palewski poursuit sa description du désordre et des conflits.

De Gaulle s'arrête, rend le salut à la sentinelle qui présente les armes.

– Mon cher ami, dit-il, vous avez raison : c'est mal, c'est très mal, c'est même encore pire que ce que vous dites, mais je vais vous dire une chose : c'est que si je n'avais pas été là, il n'y aurait rien eu, et si je n'étais plus là, ça s'écroulerait tout d'un coup !

Il retrouve son bureau et il se sent aussitôt comme écrasé par les tâches diverses qui l'assaillent.

D'abord, la France Libre doit se battre, et donc obtenir des Anglais pour les troupes de Leclerc et de Larminat, au Tchad, en Afrique-Équatoriale, des avions, des camions, de l'armement anti-aérien. Il faut répéter au général Ismay, chef d'état-major britannique : « Il importe que ces besoins soient satisfaits. » Il faut multiplier les interventions auprès du major Norton, chef de cabinet de Winston Churchill. Il faut exiger que soit reconnue l'autonomie de décision de la France Libre. Il faut veiller à rassembler tous ces Français d'opinions différentes.

De Gaulle découvre la lettre que lui adresse de Larminat. Le général de Larminat s'étonne que la revue *La France Libre*, fondée par un jeune professeur, Raymond Aron, et un scientifique, André Labarthe, porte en exergue la devise de la République : « Liberté, Égalité, Fraternité ».

De Larminat est incroyable, s'exclame de Gaulle. « Quelles que puissent être les opinions personnelles, nous ne pouvons prétendre interdire l'impression de la devise inscrite depuis cent cinquante ans sur tous nos monuments publics ! »

Il est irrité par ces tendances qui renaissent sans fin, ces soupçons qu'il devine contre tel ou tel de ses collaborateurs, accusé d'avoir appartenu à l'extrême droite, voire à la « Cagoule ».

Il sait que se constitue autour du quotidien *France* un petit groupe de gauche – Gombault, Lévy, Labarthe, et quelques proches de Muselier – qui s'intitule Cercle Jean-Jaurès.

Pourquoi pas ? Mais que devient l'unité ? Et pourquoi ces rumeurs, insinuations que reprennent les journaux anglais et le parti travailliste, selon lesquelles « de Gaulle aspire à la dictature » ?

Il allume son cigare. Il est amer. Il suffit de vouloir agir pour être suspecté ! Il suffit de préférer l'ordre au désordre et à l'impuissance pour être accusé.

Eh bien, oui, dit-il, il a vu fonctionner la IIIe République et il en a vu les tares. Tant pis si cela choque ceux qui songent à ce passé avec nostalgie.

Il se tient devant la fenêtre de son bureau. Il parle sans regarder André Labarthe, venu solliciter une interview pour sa revue *La France Libre* sur les événements de mai et juin 40.

– Ce n'est pas le moment d'ouvrir des procès, dit de Gaulle.

Il se tourne.

Il conserve toute son estime à Paul Reynaud. « Mon chef et mon ami. Cet homme lucide et courageux n'a pas une minute, je l'atteste, cessé de travailler et d'agir pour l'honneur et l'intérêt de la France. On ne jette pas la pierre au nageur que ses forces trahissent avant qu'il ait atteint le rivage. »

Il fait quelques pas, ajoute à mi-voix :

– Les abus du régime parlementaire, devenus intolérables, avaient eu pour conséquence un grave fléchissement de l'autorité dans l'État et dans les administrations.

Il ne veut pas que cela se reproduise ici, dans la France Libre. Et demain, que sera la France ? Devra-t-elle souffrir des mêmes maux qu'avant guerre ? Poser la question, est-ce aspirer à la dictature ?

Il descend dans la grande salle de réunion de Carlton Gardens. Il reconnaît la plupart de ces visages tournés vers lui. Les Français Libres ont décidé de lui offrir une épée.

« Je suis profondément touché », commence-t-il. Puis aussitôt il ajoute : « Comme nous sommes Français, il y a entre nous nécessairement des différences et des nuances. Mais notre intérêt, notre devoir consistent à être solidaires et unis. »

Il lève un peu la tête.

– Je vous demanderai de ne pas croire, dit-il d'une voix plus sourde, que l'éloignement physique qui m'est, vous le comprenez, imposé soit le moins du monde un éloignement moral. Puisque vous voulez bien me considérer comme votre chef, je vous dirai bien simplement qu'aucun chef ne fut plus attaché et plus reconnaissant à ceux qui dépendent de lui que je ne le suis moi-même.

Il serre quelques mains, puis il regagne son bureau. Il reçoit Maurice Schumann qui assure une chronique quotidienne à la BBC. Il ne lui donne aucune consigne. Il a une totale confiance en Schumann, qui, à la différence des journalistes du journal *France* ou de la revue *La France Libre*, est un fidèle sans arrière-pensées.

– On est avec moi ou on est contre moi, murmure de Gaulle.

C'est la pierre de touche. Non par orgueil ou par ambition personnelle, mais, il le ressent ainsi, parce que le destin et les circonstances ont fait qu'il incarne la France Libre. Et « la France Libre, c'est la France ».

Après quelques jours, il peut enfin quitter Londres.

Il regarde défiler la campagne anglaise sous la bruine de cette fin du mois de novembre 1940. Dans la voiture qui roule lentement car parfois des nappes de brouillard réduisent la visibilité à quelques mètres, il prend connaissance des dossiers que lui a remis Passy concernant la situation en France. Les premiers agents du BCRA commencent à transmettre des renseignements.

Il imagine en lisant ces lignes ces étudiants qui, le 11 novembre, ont manifesté place de l'Étoile et contre lesquels les troupes allemandes ont ouvert le feu à la mitrailleuse.

Il sent une bouffée d'orgueil et de fierté d'appartenir à cette nation qui, malgré des « chefs indignes » qui ont brisé son épée, « ne se soumet pas au désastre ».

Les rapports indiquent que la BBC est écoutée. Les rues se vident à l'heure où la radio anglaise diffuse les chroniques de Maurice Schumann, Jean Marin ou Jean Oberlé. Il faut donc que lui-même s'exprime le plus souvent possible, qu'il répète qu'il faut « d'abord combattre ».

Il ferme les yeux. Cette tension de la volonté lui est si forte que parfois il a l'impression que tout son corps se raidit. Il voudrait que les mots qu'il prononce, la foi qui l'habite soient partagés par tous, qu'ils deviennent le levain de tout le peuple.

Il va, dans un prochain discours, demander que le 1ᵉʳ janvier 1941, de 14 heures à 15 heures dans la France occupée, et de 15 heures à 16 heures dans la France non occupée, tous les Français demeurent chez eux. « Ce sera l'heure de l'espérance. » Une « protestation muette de la patrie écrasée ».

La voiture ralentit encore. Il ouvre les yeux, c'est Ellesmere. Depuis le 4 octobre, Yvonne de Gaulle s'y est installée avec Anne. Ce comité du Shropshire est éloigné des zones visées par les bombardiers allemands. Et Ellesmere n'est pas éloigné du couvent d'Acton Burnell, qui est le correspondant anglais de Notre-Dame-de-Sion. Élisabeth va pouvoir y poursuivre ses études.

Il descend de voiture devant une maison de campagne, *Gadlas*. Il entre dans le parc, découvre de petits pavillons et un étang miniature sur lequel est amarré un bateau plat. Il ressent aussitôt une inquiétude. Anne, si elle échappe à la surveillance de sa mère ou de Marguerite Potel, peut y tomber, s'y noyer. Et c'est comme si, à cette pensée, toutes les émotions éprouvées depuis des mois, après l'échec de Dakar, devant la foule enthousiaste de Douala ou à l'annonce des combats du Gabon, déferlaient.

Il aperçoit tout à coup Philippe en uniforme de matelot. Il a donc obtenu une permission de l'École navale de Portsmouth. Voici Élisabeth venue de son couvent. Et enfin, Yvonne de Gaulle et Anne. Tous réunis, pour la première fois après tant de semaines de séparation.

Il serre les siens contre lui, et durant quelques instants tout s'efface. Ils sont tous vivants et rassemblés. Que Dieu soit loué !

Il interroge Élisabeth, Philippe, Yvonne de Gaulle. Anne a grandi mais demeure enfermée dans la gangue de sa nuit intime où on ne peut que si difficilement la rejoindre. Il retrouve les mots, les refrains qu'il lui chantonnait, et il sent qu'elle se souvient, qu'elle échappe pour quelques instants à l'obscurité, avant de s'enliser.

Il fait quelques pas dans le parc avec son fils. Il est à nouveau tendu. Il ne peut sourire à Élisabeth qui veut le photographier en compagnie de Philippe. Il s'immobilise quelques secondes, le temps d'un cliché, puis il poursuit la promenade.

Il se souvient de son propre père, de tout ce qu'il doit à cet homme qui expliquait, racontait, évoquait, tirant de chaque moment une réflexion, une leçon de morale ou d'histoire. Il sait qu'il ne donne pas autant aux siens. Il a été pris dans la grande tourmente de l'action. Toute son énergie y est consacrée. C'est son destin.

Mais si ses actes sont exemplaires, alors ils le seront pour ses enfants aussi.

Il ne raconte pas l'Histoire mais il s'y mêle, et peut-être la fait-il.

Il doit profiter de ces quelques instants privilégiés pour parler en tête à tête à cet homme qu'est devenu son fils, ce combattant qui a participé lors du Blitz sur Londres à la lutte contre les incendies, qui maintenant apprend son métier de marin à Portsmouth, malgré les bombardements. Il lui parle de l'évolution de la guerre, de la poignée de main de Pétain à Hitler, à Montoire.

— Je ne croyais pas que Pétain en arriverait là aussi vite, dit de Gaulle.

Et l'indignation l'emporte contre ces puissances qui ont accrédité leurs ambassadeurs auprès du gouvernement de Vichy.

— Pour les Soviets, je comprends encore ! s'écrie-t-il. Staline est complice de Hitler, en attendant qu'ils ne se disputent un jour ou l'autre. Mais les États-Unis ? Leurs bonnes œuvres aux vaincus n'ont pas besoin de donner leur aval officiel au séide d'un tel système qui continue à étendre ces exactions.

Il a une expression de mépris.

— Il est vrai que la Grèce vient d'être attaquée par les Italiens, le 28 octobre, sans protestation de personne, sauf des Anglais !

À nouveau Londres, l'avalanche des nouvelles, l'obligation des réactions, la défense pied à pied des droits de la France Libre. Les Anglais reconnaissent le Conseil de Défense de l'Empire, mais en même temps ils semblent regarder d'un œil bienveillant ce qui se passe à Vichy. Pétain destitue Laval, nomme l'amiral Darlan qui déclare : « Mon choix est fait, je suis pour la collaboration. »

De Gaulle a le sentiment qu'à chaque instant tout change et qu'il doit tenir la barre sur l'« océan de la guerre » et au milieu des récifs.

Il faut à la fois n'avoir aucune illusion, et pourtant tenter toujours de détacher de Vichy des portions de l'Empire, l'Afrique du Nord et peut-être le Levant. À Beyrouth, à Damas, il y a des hommes qui n'acceptent pas l'armistice et que révolte l'arrivée d'une mission allemande chargée de préparer l'atterrissage d'avions de la Luftwaffe capables d'attaquer à revers les troupes anglaises.

Il faut fustiger cette « cour du sultan de Vichy » d'où une révolution de palais a chassé le grand vizir Laval. Il paraît, ajoute de Gaulle en ricanant, que Vichy a demandé l'investiture pour un successeur. Mais ces sortes de changements n'intéressent que la cour de Vichy, ses chambellans, ses valets, ses espions et ses eunuques.

Il faut dénoncer ces « hommes de Vichy qui souhaiteraient pouvoir prolonger l'équivoque, feindre de se consacrer à cette soi-disant révolution nationale par quoi ils s'efforcent de donner le change au pays. Quelques-uns des hommes de Vichy voudraient maintenir l'opinion et peut-être se maintenir eux-mêmes dans l'illusion qu'ils travaillent pour la France et non pour l'ennemi ».

Passy lui apporte une lettre en provenance de Vichy et qui est parvenue à Londres au terme d'un long périple par des pays neutres. Il la décachette. Elle est écrite sur du papier à lettres du buffet de Vichy. Il s'étonne quand il découvre la signature du commandant Loustaunau-Lacau, ce camarade de l'École de Guerre qui fut membre du cabinet du maréchal Pétain et dont on sait qu'il est un patriote farouche qui avait créé au sein de l'armée le « réseau Corvignoles » pour débusquer les communistes.

Il parcourt rapidement la lettre : « Bravo ! Continuez ! écrit Loustaunau-Lacau. Ici, nous faisons ce que nous pouvons avec le Maréchal. Nous montons notre résistance. Nous essayons de tirer parti de la situation comme nous le pouvons ? »

Il se lève. Comment ! Au moment où Pétain et Darlan – et Laval, déjà revenu sous la pression allemande – célèbrent la « collaboration ». Comment ! Au moment où des troupes françaises, à Tobrouk, à Sidi Barrani, à Mourzouk, combattent les Italiens aux côtés des Anglais du général Wavell, en Érythrée, en Cyrénaïque, et font des dizaines de milliers de prisonniers ! Comment, au moment où l'on vient d'apprendre – par les services de renseignements – que les Allemands s'apprêtent, en cas de victoire, à coloniser l'Alsace et la Lorraine, une partie du Doubs, de la

Haute-Savoie, du Nord et du Pas-de-Calais, de la Somme, de l'Aisne, des Ardennes, de la Meuse, de la Meurthe-et-Moselle, il faudrait rester auprès de Pétain pour résister ? ! Quel aveugle Loustaunau-Lacau !

De Gaulle se rassied, commence à écrire :

« Mon cher ami,

« Ni moi ni ma famille – qui est maintenant *la plus nombreuse* de France – n'acceptons ce qui s'est passé ni ce qui se passe. Nous voulons que l'on fasse son devoir, quelles qu'en puissent être les conséquences, et il n'y a qu'un seul devoir. Toutes les finasseries, tergiversations, cotes mal taillées sont, pour nous, odieuses et condamnables.

« Ce que *Philippe* [1] a été autrefois ne change rien à la façon dont nous jugeons ce qu'est *Philippe* dans le présent.

« Nous aiderons tous ceux qui voudront faire ce qu'ils doivent faire. Nous laissons tomber (et ils tombent très bas) ceux qui ne font pas ce qu'ils doivent. Mes meilleurs souvenirs. »

Mais combien de Français sont-ils résolus à l'action ? Il sait bien, quoi qu'il écrive, que cette question l'angoisse.

Il est assis dans une salle où l'on projette un film des visites du maréchal Pétain dans plusieurs villes de France. Il ressent comme une douleur en voyant ces milliers d'hommes et de femmes, d'enfants conduits par leurs instituteurs, acclamer ce *Philippe* qu'il vient une nouvelle fois de condamner.

Il murmure avec amertume : « Foules moutonnières. »

Comment les réveiller ? Par le combat des Français Libres, par ses discours, les chroniques quotidiennes de Maurice Schumann. Mais ce sera long, très long. Et il a besoin d'échapper à la morosité qui l'oppresse. Il lui faut rencontrer des Français Libres.

Il se rend à Plymouth et à Portsmouth. Les marins des Forces navales françaises libres lui présentent les armes. Il reconnaît parmi eux Philippe. Il est fier de ce fils au garde-à-vous, combattant parmi les combattants. Il visite les goélettes *Étoile* et *Belle-Poule*, sur lesquelles Philippe apprend la navigation, montant dans les grée-

---

1. Pétain.

ments. Il parcourt le pont du *Président-Théodore-Tissier*, le navire-école.

L'air froid, salé, fait voleter les cols des marins, les pavillons à la croix de Lorraine. Les clairons sonnent. Il parle à ces jeunes hommes, puis il dit à l'amiral Muselier : « Ce début de regroupement de la Marine française dans la guerre vous fait grand honneur. Je vous en félicite... »

Il rentre à Londres. Il est sûr que c'est par la présence dans la guerre que la France peut renaître, reprendre sa place au premier rang des nations.

Mais quel effort de chaque instant.

Il soupire.

« Il faut toujours porter sur son dos la montagne », dit-il à Élisabeth de Miribel. Et parce qu'il doit sans cesse arracher aux Anglais un appui, les empêcher, à la BBC ou en France – avec leurs agents qui concurrencent ceux du BCRA –, d'empiéter sur les prérogatives de la France Libre, il confie : « Les Anglais sont des alliés vaillants et solides, mais bien fatigants. »

Tout à coup, il prend conscience qu'enfoui dans le travail il n'a même pas eu le temps de donner de ses nouvelles à Yvonne de Gaulle.

« Ma chère petite femme chérie, commence-t-il,

« Je suis honteux de ne t'avoir pas encore écrit. Ma semaine a été une terrible bousculade... Vendredi à Portsmouth j'ai vu notre Philippe. Il était très bien. On l'avait mis comme l'homme de droite (le plus grand) de la garde d'honneur qui me présentait les armes sur le *Théodore-Tissier*. J'ai pu lui parler ensuite quelques minutes. L'École m'a fait bon effet. Le milieu est bon et je vois que Philippe y réussit. C'est tout de même un choix hasardeux que d'entrer en ce moment dans la marine française ! Mais quoi ? Que ferait-il de mieux ?

« J'espère pouvoir venir samedi en week-end... »

Un mot aussi pour Philippe qui vient de lui écrire.

« Ton papa ne t'oublie certes pas et je pense souvent à la vie courageuse et intéressante dans laquelle tu t'es engagé... Je crois que l'équivoque Pétain-Vichy est en train de se dissiper... Bientôt les fantômes et les rêves auront disparu et l'on verra partout même en

Angleterre (!) qu'entre la France vraie et nous les " gaullistes " il n'y a que l'ennemi... »

Il pose la plume. Il reste un long moment les mains croisées, comme s'il priait, la tête un peu penchée. Il se rend compte qu'il passe d'un moment à l'autre d'accès de pessimisme à des affirmations, pour lui-même et les autres, optimistes.

Il est ainsi. Il le sait. Il voit les foules moutonnières et il annonce la victoire des hommes qui se battent. Il sait, pour en avoir fait sa ligne de vie, que pour concilier ces deux manières d'être – le pessimisme et l'espérance, le noir et le vert – il n'y a qu'une voie, dure, exigeante, incertaine mais nécessaire : l'action, et la mise en œuvre de la volonté au service de l'espérance.

Dans la maison de Gadlas, à Ellesmere, il pense à Philippe ce 1er janvier 1941. Il est tard.

Marguerite Potel a couché la petite Anne. Yvonne de Gaulle coud devant la cheminée. Il la regarde. Il est fier des siens. Personne n'a imaginé qu'il eût pu demander au commandant de l'École navale une permission exceptionnelle pour Philippe. Le nom que porte l'aspirant Philippe de Gaulle n'est pas un passe-droit. Il impose des devoirs supplémentaires : c'est tout.

Le téléphone sonne. Peut-être s'agit-il d'un nouvel appel de Carlton Gardens, qui a sans doute obtenu des renseignements sur *l'Heure de l'Espérance*. En fin d'après-midi, les premiers messages indiquaient qu'en effet, en France autour de 15 heures, les rues des villes et des villages étaient quasi désertes. Les consignes données à la BBC semblaient être suivies.

Il prend l'appareil. C'est le Foreign Office. Le ministre – Anthony Eden depuis deux semaines seulement – demande à le voir d'urgence.

Nuit lourde de pressentiments. Au Foreign Office, le lendemain matin, de Gaulle est surpris par le visage grave d'Eden. Le ministre paraît gêné, alors qu'il est habituellement affable, amical même.

Sinistre début d'année !

Eden agite une liasse de documents qu'il repose sur son bureau, puis, le visage baissé comme s'il n'osait pas le regarder, il parle d'une voix émue.

– L'Intelligence Service, commence-t-il, dispose de cinq documents provenant du consulat de Vichy à Londres.

Il s'interrompt, puis se reprend après avoir toussoté.

– Nous venons d'avoir la preuve que l'amiral Muselier est secrètement en rapport avec Vichy, qu'il trahit la France Libre.

Maintenant Eden parle vite. Muselier a communiqué les plans de l'expédition de Dakar. Il s'apprête à livrer le sous-marin *Surcouf*. Et pour 2 000 livres, il sabote le recrutement du personnel des Forces navales françaises libres.

Ne pas laisser voir son émotion, attendre la suite, être prêt à recevoir un nouveau coup, le visage tendu. Chaque mot prononcé par Eden se grave comme un stigmate brûlant dans sa mémoire.

– Le Premier ministre, sitôt informé, a donné l'ordre d'arrêter l'amiral, poursuit Eden. Il a été approuvé par le Cabinet. Muselier est donc incarcéré.

Eden murmure d'une voix basse :

– Le Premier ministre voulait le faire pendre sur-le-champ.

Puis il ajoute sur un ton grave :

– Nous ne nous dissimulons pas quelle impression va faire chez vous et chez nous cette affreuse histoire, mais il nous était impossible de ne pas agir sans délai.

De Gaulle tend la main. Il veut les documents. Il a l'impression que sa main tremble tant il est indigné. Ces Anglais, une fois de plus, n'ont pas respecté les règles qui eussent exigé d'informer d'abord le chef de la France Libre.

Il feuillette les documents. Dès le premier coup d'œil, tout lui paraît invraisemblable. Il s'agit d'une machination de Vichy ou de l'Intelligence Service.

Quarante-huit heures plus tard, de Gaulle est persuadé de l'innocence de Muselier.

Il s'avance vers Eden qui le reçoit à nouveau.

– Les documents sont ultra-suspects..., dit-il, en tout cas, ce ne sont pas des preuves. Rien ne justifie l'outrageante arrestation d'un amiral français. Celui-ci n'a d'ailleurs pas été entendu. Moi-même n'ai pas la possibilité de le voir. Tout cela est injustifiable.

Il est habité par une colère froide. L'attitude des Anglais est révélatrice. Ils frappent d'abord, soucieux avant tout de leurs intérêts. Leurs journaux, en ce moment même, publient de grandes photos sur l'attaque de Mers el-Kébir ! Et qu'importe l'effet sur l'opinion française ! Peut-être s'agit-il d'une campagne concertée cherchant à affaiblir, sinon à détruire, la France Libre pour laisser se développer une autre politique, de rapprochement, avec Vichy. Tout est possible.

Il faut empêcher cela. Rompre avec Londres si Muselier n'est pas libéré, alors qu'il apparaît, dès le 5 janvier, que ce sont deux agents anglais – Howard et Collin, introduits à Carlton Gardens – qui ont fabriqué les documents. Pour seulement nuire à Muselier, à des fins de vengeance personnelle ? De Gaulle ricane. C'est ce que prétendent les Anglais maintenant !

Le 8 janvier, il peut enfin écouter d'un air méprisant les excuses du général Spears. Le 9, il entre dans la grande pièce du 10, Downing Street. Il voit Churchill écarter les bras, s'avancer vers lui : « Je suis absolument navré, général. »

De Gaulle ne dit que quelques mots.

« Il aurait mieux valu que je sois consulté. »

Churchill s'excuse.

« Vous étiez absent de Londres, général, Muselier risquait de s'échapper. »

Puis Churchill invoque la lourdeur de sa tâche.

« Vous savez ce qu'est une coalition, eh bien, le cabinet britannique en est une... Des poursuites seront intentées contre Howard et Collin, bien sûr. »

De Gaulle hausse les épaules. Il se désintéresse complètement de leur sort.

Churchill s'approche.

De Gaulle l'observe. Le Premier ministre est enjoué, amical, sincère et roué. Mais son regard est celui d'un homme qui peut être impitoyable.

– Votre attitude, général, dit-il, dans cette affaire comme dans toutes les autres, me donne le sentiment d'une amitié et d'une camaraderie que j'apprécie au plus haut point. Il faut, n'est-ce pas, considérer ce regrettable incident comme terminé.

De Gaulle, d'un simple hochement de tête, approuve.

Il rentre à Carlton Gardens. Il repense à cette semaine qu'il vient de vivre, se battant pour obtenir le droit de voir en tête à tête Muselier emprisonné, puis arrachant sa libération, faisant reconnaître aux Anglais leurs fautes, obtenant leurs excuses.

Il va et vient dans son bureau. Il sait que ce scénario se reproduira : les Anglais tentant toujours d'imposer leurs vues. Ils le font en ce moment même sur la Côte des Somalis, peut-être veulent-ils s'emparer, pour le garder après la guerre, de Djibouti. Et ne cherchent-ils pas à arracher la Syrie et le Liban au mandat que la France exerce sur ces États du Levant ?

Il s'en persuade. Il lui faudra mener dans la guerre cette lutte-là, contre l'allié anglais, pour préserver les droits de la France.

Il s'assied. Il devra dire non, menacer de rompre et peut-être un jour le faire s'il le faut.

Mais même ici, à Carlton Gardens, il ne pourra s'appuyer que sur un petit nombre d'hommes. Les autres s'interrogeront avec inquiétude : « Où veut-il donc aller ? » diront-ils. Il y a déjà ceux pour qui la fermeté signifie tendance à la dictature !

Il sera donc souvent seul. Il y est prêt. Et il ne devra laisser à personne d'autre qu'à lui-même le soin de décider de sa politique. Il faut ainsi, malgré toute la confiance qu'il a dans le général Catroux qui se trouve au Levant, qu'il aille apprécier sur place la situation.

Il s'apprête au départ.

Et tout à coup cette nouvelle, le 1ᵉʳ mars. Les troupes de Leclerc se sont emparées de l'oasis de Koufra, à près de mille kilomètres de leurs bases. Les Italiens ont capitulé ! Après les combats de Mourzouk en janvier, c'est une nouvelle victoire. Des hommes héroïques – comme le lieutenant-colonel d'Ornano – sont tombés dans ces combats. Mais ils ont ouvert la porte du Fezzan. Et l'on va garder pour la France ces oasis qui furent jadis rattachées au Soudan anglo-égyptien. Prise de gages que l'on changera plus tard, peut-être, contre le Fezzan italien. Il vibre d'orgueil et de joie en écrivant : « Les cœurs de tous les Français sont avec vous et avec vos troupes. Colonel Leclerc, je vous félicite en leur nom du magnifique succès de Koufra. » Leclerc sera Compagnon de la Libération. La réponse de Leclerc le touche. Ce combattant impétueux est modeste. « Tant de récompense n'était pas nécessaire, écrit-il, car je vous affirme que j'avais été bien payé de ma peine en voyant nos couleurs monter au grand mât du fort du Tadj devant notre petit corps expéditionnaire très ému. »

De Gaulle imagine. Il envie Leclerc qui raconte : « Tout fut passionnant dans notre expédition, d'abord cette navigation saharienne, les pelotons auto largement déployés, naviguant au cap comme des bateaux... »

Lorsqu'il s'assied pour dîner, en face de Churchill, dans la résidence des Chequers où le Premier ministre l'a invité pour le week-end, il se sent fort d'être le porte-drapeau d'hommes comme Leclerc.

– Il y a un pacte vingt fois séculaire entre la grandeur de la France et la liberté du monde, dit-il.

Churchill est amical, joyeux.

« Je vous demande instamment de garder Spears auprès de vous, dit-il, et de l'emmener en Orient. C'est un service personnel que vous me rendrez. »

Comment refuser, même si le général Spears va chercher à intervenir dans la politique de la France Libre et d'autant plus que Spears est l'un des spécialistes anglais du monde arabe ?

Le lendemain, à l'aube, de Gaulle est dans sa chambre quand la porte s'ouvre. Churchill s'avance. Il danse, gesticule.

Ce 9 mars 1941, dit-il, le Congrès américain vient de voter la loi de Prêt-Bail, qui fait des États-Unis, comme le dit Roosevelt, « l'arsenal des démocraties », à crédit. C'est un pas décisif vers l'entrée en guerre des États-Unis. L'Allemagne est donc perdue.

De Gaulle approuve Churchill, rayonnant, assuré, puis serre la main que lui tend le Premier ministre. Il faut plus que jamais penser à préserver les intérêts de la France. Même contre Churchill.

Le 13 mars 1941, de Gaulle s'apprête à quitter Carlton Gardens pour l'Orient. Il écrit :

« Ma chère petite femme chérie,

« Avant de partir (dans une heure), je t'envoie toutes mes profondes tendresses.

« Je pense que quand je reviendrai, il y aura eu beaucoup de nouveau. En tout cas, il fera beau autour de ta maison de Gadlas.

« J'ai rendu l'appartement de Grosvenor Square. Toutes celles de mes affaires que je n'emporte pas seront mises en malles et Sereulles les fera garder à Carlton Gardens...

« Que Philippe travaille avant de retourner à l'École navale. Tout le monde me dit qu'il fera un bon officier de marine.

« Je t'embrasse de tout mon cœur... ma chère petite femme chérie, et aussi mon amie, ma compagne si brave et bonne, à travers une vie qui est une tourmente.

« Embrasse bien Philippe, Élisabeth et Anne. Bien des choses à Mademoiselle.

Ton mari. »

8.

De Gaulle se baisse pour franchir la porte de l'avion. Il reçoit la chaleur comme un souffle qui enveloppe son corps, fouette le visage. Malgré le casque dont la visière protège, il est ébloui. La terre jaune des pistes de Fort-Lamy fait rebondir la lumière qui semble composée de mille aiguilles, s'enfonçant dans la peau et les yeux. Il aperçoit, à gauche de l'escabeau fait de quatre planches qu'on a poussé contre la carlingue, un civil en short kaki et chemise blanche, portant un casque colonial. L'homme tient à la main un fly-tox.

De Gaulle se souvient tout à coup de la réponse qu'il a faite à sa voisine il y a quelques mois à Brazzaville lors d'un dîner. Elle s'étonnait de ne pas le voir incommodé par les moustiques. « Madame, les moustiques ne piquent pas le général de Gaulle. »

Il descend les marches, courbé, puis se redresse. Il voit le colonel Leclerc qui s'avance, une canne à la main, et le salue.

Il éprouve en découvrant le visage ascétique et rayonnant de Leclerc un instant de joie. C'est si rare, un homme de métal pur, dont chaque geste diffuse de l'énergie, dont le regard bleu et gris est éclatant de franchise. Il lui rend son salut.

On passe en revue les soldats, vainqueurs de Koufra. Là, des légionnaires, ici, des compagnies sahariennes, puis des aviateurs. Il se fait présenter quelques-uns de ces pilotes qui ont volé dans des conditions difficiles, sans radio, sans repère, et ont réussi à démoraliser par le survol de Koufra les Italiens surarmés. Voici les aviateurs Romain Gary, Pierre de Saint-Péreuse. Et voici le

100

commandant Jacques de Guillebon, qui a dirigé la colonne d'assaut.

Il se sent bien parmi ces combattants. Il entraîne Leclerc à l'écart. Il veut que le colonel lui raconte l'attaque, la reddition des Italiens, la cérémonie, après la victoire.

« J'ai dit, après le lever des couleurs, explique Leclerc, Koufra, c'est capital pour le Tchad, mais pour la France c'est très peu. Ne croyez pas que ça va s'arrêter là, au fond nous ne déposerons les armes que quand nos couleurs, nos belles couleurs, flotteront sur Metz et sur Strasbourg. »

Il voudrait donner l'accolade à Leclerc. Mais il se contente d'écouter, d'interroger Leclerc sur les combats de Mourzouk et de Kub-Kub, en Érythrée. Il lui serre la main.

– Je tiens à vous dire, mon cher Leclerc, et vous prie d'exprimer aux troupes et aux services, ma profonde satisfaction.

Puis il se dirige vers Pierre-Olivier Lapie, cet ancien député de gauche qu'il a nommé gouverneur au Tchad.

– Vous avez des Anglais, ici ? demande-t-il.

– Oui, mon général.

– Combien ?

– Dix-sept.

– C'est trop.

Il observe Lapie qui paraît étonné.

– J'arrive, reprend-il, décidé à ne ménager rien, d'une part pour étendre l'action, d'autre part pour sauvegarder ce qui peut l'être de la situation de la France.

Depuis qu'il a quitté Londres, et durant ce long vol, l'escale à Gibraltar puis cette traversée du désert, il n'a pas un instant cessé de réfléchir à la stratégie des Anglais.

« Vers l'Orient compliqué je volais avec des idées simples », dit-il.

Les Anglais continuent de ménager les troupes de Vichy, en Syrie et au Liban. Ils se refusent à faire le blocus de ces pays du Levant, où pourtant le général Dentz, un fidèle de Pétain, accueille une mission militaire allemande. Ils ne font rien non plus pour étouffer Djibouti.

Que veulent-ils ? Sans doute, à l'occasion de la guerre, remplacer les Français sur la mer Rouge et au Levant. Et au moment où les troupes allemandes de Rommel ont réussi à traverser la Méditerranée avec la complicité de Vichy et avancent en Libye, au moment où d'autres soldats de Hitler pénètrent en Yougoslavie et en Grèce, s'approchant déjà d'Athènes, les Anglais ne favorisent pas les Forces françaises libres.

Et pourtant, la situation est périlleuse. En Irak, le pouvoir vient de tomber aux mains d'un proallemand. Si des avions de la Luftwaffe se posent sur les aérodromes de Syrie et d'Irak, le canal de Suez sera à leur portée. Et qui sait si les peuples arabes ne feront pas cause commune avec les Allemands contre leurs colonisateurs anglais et français ?

Il quitte Fort-Lamy et se rend à Khartoum. Avant que l'avion ne s'immobilise, il voit par les hublots la petite troupe des officiels anglais qui l'attend. Il descend, salue, se découvre devant Mme Huddleston, l'épouse du gouverneur du Soudan. Elle se protège du soleil avec une ombrelle blanche. On papote dans le salon surchauffé de la résidence.

Il observe et admire ces Anglais qui, au milieu du désert du Soudan, gardent cette réserve sereine et affichent avec flegme leurs certitudes. Qu'est-ce que la France Libre pour eux ? Une alliée certes, mais c'est aussi le retour d'une vieille rivale qu'il faut définitivement écarter puisqu'elle est faible.

Et donc, il doit être sur ses gardes, intransigeant.

Il est seul dans la chambre de la résidence du gouverneur du Soudan.

Il rentre de Keren où il a rencontré les hommes de la brigade Monclar, qui, sur un champ de bataille difficile, ont bousculé les Italiens. Les Français Libres vont bientôt partir à l'assaut de Massaoua et Asmara, la capitale de l'Érythrée. Il a échangé quelques mots avec le lieutenant-colonel Génin qui s'est enfui d'Alger pour participer aux combats de la France Libre.

— Vous avez vu maintenant, Génin ? a-t-il demandé. Qu'en pensez-vous ?

— Ah, si tous de l'autre côté pouvaient voir, il n'y aurait pas de question !

Il pense à tous ces soldats, en France, dans l'Empire, qui restent inactifs, entravés par Vichy, leurs illusions, retenus par leur prudence, leur respect étroit de la discipline. Ou leur souci de faire carrière. Il s'approche de la terrasse. La nuit est tombée sur Khartoum. Il fait un froid aigu. Il ne réussit pas à dormir tant il ressent la pression des événements. Il faut qu'il agisse, qu'il rassemble tous les patriotes. Il commence à écrire à Roland de Margerie, consul de Vichy à Shanghai, un proche de Paul Reynaud qui a été un adversaire résolu de l'armistice. Il doit tenter de le convaincre.

« La tournure prise par les événements et l'opinion réveillée en France ne permettent plus l'abstention d'un homme comme vous. Les affaires extérieures de la France Libre sont celles de la France. J'ai besoin de vous et je vous demande de me rejoindre à Londres sans délai... Nous devons faire une équipe de gérants des droits et intérêts de la France appuyés sur une action militaire navale et aérienne qui s'étend, et sur une propagande nationale qui a déjà un immense retentissement.

« Venez, mon ami. »

De Margerie viendra-t-il ? Et se rallieront-ils, ces soldats qui, sous les ordres du général Dentz, vont voir se poser des avions allemands en Syrie, au Liban, et découvrir que Dentz expédie à l'Irak, hostile à l'Angleterre, des caisses d'armes et de munitions ? Il faudrait qu'au plus vite l'autorité de la France Libre s'étende à Beyrouth et à Damas.

Il retrouve le général Catroux au Caire. Dans la ville bruyante et tumultueuse, il écoute cet homme qu'il estime et qui l'un de ceux qui connaissent le mieux sans doute les affaires du Levant. Catroux, calmement, lui fait part de son scepticisme. Le général Dentz tient ses troupes. Il arrête et fait même condamner à mort les « gaullistes ». Il les renvoie en France, et les Anglais laissent passer le paquebot *Providence* où l'on a embarqué tous les suspects.

La colère saisit de Gaulle. Il rend visite au général Wavell, le commandant en chef, mais son irritation tombe. L'officier est face à une situation difficile. Rommel vient de prendre Benghazi. Wavell reçoit à chaque instant des directives de Londres. Churchill intervient personnellement. L'Orient est la chasse gardée des Britanniques.

De Gaulle répète d'une voix forte qu'il faudrait lancer une offensive des Forces Françaises Libres vers le Levant, avant que les Allemands ne s'y installent.

Le silence de Wavell ne l'étonne pas. Ce sont les politiques qui décident. Eden, le secrétaire d'État au Foreign Office, est au Caire. De Gaulle le rencontre, mais Eden se dérobe.

Il faut donc agir par soi-même. De Gaulle retrouve Catroux.

– Il est essentiel, dit-il, que les Français ne courbent plus la tête.

Que tous les militaires français qui ont pu s'engager dans les troupes britanniques rejoignent les Forces françaises libres.

Il serre le poing.

– L'incorporation des militaires français devient obligatoire. J'ai décidé que cette disposition devait être réalisée le 25 avril au plus tard.

Il n'est qu'une issue pour la France Libre, se renforcer à tout prix.

La situation exige une action et les tergiversations anglaises pleines d'arrière-pensées l'irritent. Et puis, il y a toutes ces énergies qui montent vers lui et qui font autant d'obligations.

Au Caire, il entre dans le Ewart Memorial Hall. Il voit ces milliers de Français d'Égypte rassemblés pour l'écouter. On l'acclame. Voilà les Français qu'il faut enrôler ! Et ne plus se tourner vers Vichy, vers Weygand qui répète qu'« il faudrait que de Gaulle fût fusillé » ou bien qu'il ne peut agir parce qu'il est trop vieux ou surveillé par les espions de l'amiral Darlan !

Pitoyable, détestable, humiliant pour la France.

Il traverse la rade d'Alexandrie pour rendre visite à l'amiral Cunningham.

Il entend les sifflets et les ordres qui retentissent sur les navires britanniques prêts à appareiller pour affronter les restes de la flotte italienne, déjà vaincue plusieurs fois. Et il voit à l'autre extrémité de la rade, dans la brume de chaleur, ce cuirassé, ces croiseurs, ces contre-torpilleurs français, ce sous-marin, coque contre coque, « somnolents et inutiles », la flotte française de l'amiral Godfroy, « neutralisée ». Elle échappe au sort des navires de Mers el-Kébir, mais elle est quand même « hors de combat » alors que la patrie est occupée, que les Allemands avancent dans le Péloponnèse, s'emparent d'Athènes, menacent la Crète où les Anglais se sont fortifiés. De Gaulle se sent offensé, blessé par cette situation. Et révolté.

Il va se rendre à Brazzaville pour inspecter le territoire de la France Libre, accélérer la mise sur pied de nouvelles forces militaires.

– Nous sommes les gérants provisoires et résolus du patrimoine français, dit-il à Catroux.

Il hésite, puis il ajoute :

– En ce qui concerne Vichy, j'estime que l'équivoque nationale et internationale est en train de prendre fin.

Il s'interrompt. Et s'il n'en était pas ainsi ? Si les Anglais et les Américains continuaient de négocier avec Vichy, car c'est peut-être pour eux le meilleur moyen de prendre barre sur la France et ses possessions ? Mais il faut négliger cette hypothèse. Croire et faire croire au rejet de Vichy. À un bouleversement proche de la situation internationale. Et il faut donc que la France soit présente au moment où les chars chargent.

– Je crois que la Russie, murmure-t-il, est moins éloignée qu'on ne le pense de comprendre la cause des Alliés.

L'avance des Allemands dans les Balkans doit inquiéter Moscou.

– Nous devons donc parler plus fort et plus ferme que jamais, dit-il avec conviction. Car il est évident que nous sommes le seul recours de l'Indépendance française.

Il s'éloigne, revient sur ses pas.

– Je vais à Brazzaville, qui sera mon centre pendant quelques semaines.

Puis, au moment de se diriger vers la voiture qui le conduira à l'aéroport, il ajoute :

– Marchons droit et bien d'accord.

9.

Enfin un moment !

De Gaulle repousse les télégrammes, les dossiers, les brouillons de lettres. Il y a là tout ce qui le préoccupe à chaque instant depuis qu'il a quitté le Caire. Ces Anglais qui continuent de traiter en « gentlemen » – comme ils disent – les représentants de Vichy, que ce soit ceux du Levant ou ceux de Djibouti.

Et il ne s'est pas passé de jours sans qu'il ait harcelé Churchill, le général Wavell, Spears, Eden, pour les convaincre qu'il faut laisser les Forces Françaises Libres intervenir au Levant et que c'est là l'intérêt des Alliés, et, bien sûr, l'intérêt de la France.

Il a même convenu, sur les instances de Catroux, qui connaît bien la situation en Syrie et au Liban, qui recense toutes les manifestations de l'opinion arabe – et il y a eu des marches de la faim, à Damas, à Beyrouth, des violences, attisées par les agents allemands – d'admettre le principe de l'indépendance de ces deux États. Mais les réponses des Anglais qu'il reçoit ici, à Brazzaville, sont des faux-fuyants. Il cherche dans la liasse des télégrammes celui qu'il vient de recevoir du général Spears. Il relit et sa colère est aussi vive qu'à la réception.

« En raison des événements, il va être impossible d'assurer le transport des troupes françaises libres avant un mois au plus tôt, écrit Spears. Ceci veut dire qu'aucune opération n'est envisagée pour elles actuellement... »

Il se souvient des dernières phrases comme s'il s'agissait d'injures. « Le commandant en chef, continue Spears, me charge de vous dire que, bien qu'il soit personnellement toujours heureux de vous voir, il ne voit pas la nécessité que vous veniez au Caire maintenant ou prochainement. Il y aurait même pour vous quelque désavantage à le faire. L'ambassadeur partage cette manière de voir. »

Insultant. Significatif de la politique anglaise qui se refuse à maintenir le blocus de Djibouti, seule manière de faire tomber le territoire du côté de la France Libre, même chose avec le Levant. Et en arrière-plan, il y a les ambitions anglaises toujours présentes.

Et leur prétention !

Il dicte d'une voix rageuse un télégramme pour Catroux. Les Anglais maintenant s'inquiètent de savoir si les Forces françaises libres traitent avec tous les égards nécessaires leurs prisonniers italiens.

« Veuillez faire remarquer à vos alliés, dit de Gaulle, que l'armée française fait des prisonniers depuis la bataille de Tolbiac ! »

S'il faut leur rappeler Clovis, il le fera !

Quand l'irritation et la colère s'apaisent, il ressent la fatigue. La chaleur humide imprègne l'uniforme de toile qui colle à sa peau, le rend fébrile. Le matin, lorsqu'il se rase, il aperçoit dans le miroir ces cernes profonds sous les yeux, cette peau blafarde. Il prend de la quinine contre le paludisme. Mais il se redresse. Le corps doit se mettre en route, de gré ou de force.

Il appelle son nouvel aide de camp, François Coulet. Il apprécie ce jeune diplomate qui va remplacer Geoffroy de Courcel qui a demandé à servir dans une unité combattante. Coulet a animé, à Haïfa, Radio Levant France Libre. À leur première rencontre, il a posé cette question naïve et inquiète, dont de Gaulle se souvient : « Mon général, est-ce que, oui ou non, nous avons raison à Haïfa, à Radio Levant France Libre, de traiter Pétain comme nous le traitons ? » Et de Gaulle a crié : « Pétain est un traître ! »

Ils le sont tous : Darlan qui vient de rencontrer Hitler à Berchtesgaden, et qui a concédé aux Allemands la possibilité d'utiliser les bases aériennes de Tunisie et de Syrie. Et les premiers avions se posent déjà !

Il faut peut-être profiter de cela.

Il dicte un télégramme pour Catroux : « Si les circonstances viennent à nous offrir l'occasion de régler la question nous-mêmes, fût-ce en employant la force, en profitant d'une secousse morale des troupes françaises de Syrie, nous devons immédiatement et sans hésiter saisir cette occasion. »

Mais il y a bien sûr les Anglais, leurs atermoiements, leurs accords avec les troupes de Dentz.

Il quitte Brazzaville. Il passe de la chaleur humide de Douala, de Yaoundé, de Port-Gentil, de Libreville ou de Pointe-Noire, à la chaleur étouffante et sèche de Fort-Lamy, de Fort-Archambault ou de Bangui.

Il faut que cette Afrique Libre s'organise. Il faut qu'elle fournisse des hommes à Leclerc, au général Legentilhomme, qui crée une Division française libre en vue d'une action en Syrie.

Ces voyages l'épuisent. Et il faut encore prononcer des discours, à Radio Brazzaville, inviter les Français à se rassembler en *une heure de silence*, le 11 mai, fête nationale de Jeanne d'Arc.

Sa voix est assurée. Qui pourrait imaginer sa fatigue ? Mais la nécessité et le devoir de convaincre la font se dissoudre. Il décrit la France. « Le pays aux trois quarts conquis, ces hommes en place collaborant avec l'ennemi ; ce régime ignoble de terreur et de délation. » Il s'interrompt quelques secondes, sa voix se fait plus sourde : « Telle était en surface la France, il y a cinq cent douze ans, quand Jeanne d'Arc parut pour remplir sa mission. Telle est en surface la France d'aujourd'hui. »

Il sait bien que ce que certains murmurent à Londres, ou bien à New York, chez ces Français qui se méfient du « général » ! « Il se prend pour Jeanne d'Arc. »

Il est indifférent à ces aigreurs, à ces critiques. Il fait et dit ce qu'il croit bon pour la nation. Il est celui qui incarne la France Libre, c'est ainsi. À chacun de juger ce qu'il représente dans l'histoire. Il brandit l'oriflamme à la croix de Lorraine. Et s'il peut être aussi utile à la patrie que Jeanne d'Arc, tant mieux.

Et tant pis pour les Anglais.

Il convoque le consul général de Grande-Bretagne à Brazzaville. Il sent le regard perçant de cet homme qui, dans son costume blanc, reste calmement les jambes croisées, en face de lui.

Dans la moiteur de cette fin de journée, la fatigue enveloppe de Gaulle.

– C'est sur moi seul, dit-il, que retombe toute la responsabilité d'être le garant de la France. Et ce fardeau est écrasant, il me devient insupportable.

Il a lâché ce mot. Il s'en veut.

Il ne comprend pas, dit-il, l'attitude du gouvernement de Sa Majesté envers Pétain et Weygand, dont l'égoïsme, la trahison, la déchéance morale et l'indignité sont si notoires que personne ne peut les ignorer.

Il s'interrompt. Il semble se ramasser sur lui-même, reprend :

– Étant donné la politique négative que le gouvernement de Sa Majesté a cru devoir adopter en Orient, dit-il d'une voix solennelle, j'estime que la présence au Caire d'une personnalité aussi considérable que celle du général Catroux et d'un haut-commissaire pour y représenter la France Libre n'est plus nécessaire. Je vais prier Catroux de quitter Le Caire dès que possible.

Il raccompagne l'ambassadeur anglais et l'assure du respect et de l'amitié qu'il porte au Premier ministre.

– L'un des hommes, murmure-t-il, qui se rend compte de l'importance du mouvement de la France Libre.

Il consulte les dernières dépêches. Il est de plus en plus persuadé que l'on approche d'un tournant de la guerre.

Rudolf Hess, le successeur désigné de Hitler, vient de se poser en Angleterre. Dans quel but ? Quel compromis a-t-il pu proposer ? Au nom de qui ? Est-il fou ?

Et la pression allemande s'accentue en Orient. La Crète va tomber d'un jour à l'autre. Les rotations d'appareils allemands vers l'Irak, avec escale en Syrie, s'accélèrent. Et pourtant Catroux assure que, parmi les 30 000 hommes dont dispose le général Dentz, il n'y a aucune secousse morale. Ces troupes sont prêtes à se battre contre les Anglais et les Français Libres !

Catroux s'est rendu en Palestine. Il a rencontré le colonel Collet, l'un des soldats les plus glorieux de cette armée de Syrie. Collet s'est illustré dans les combats du Djebel Druze. Il vient de passer chez les alliés, avec plus de quatre cents hommes, officiers et cavaliers tcherkesses. Les troupes de Dentz résisteront, a affirmé Collet.

De Gaulle a un moment d'abattement. Ce sera donc, si on intervient, un combat Français contre Français. Cela ne cessera donc jamais ? Et pourtant il n'y a pas d'autre issue.

Il reste longtemps éveillé, puis, s'installant sous la lampe autour de laquelle tournent des insectes, il commence à écrire :

« Ma chère petite femme chérie,

« Je t'aime et dans la dure mission que je me suis donnée, je pense bien, bien, bien souvent à toi. Mais je n'ai aucune nouvelle depuis mon départ et cela m'est cruel.

« Je penserai beaucoup à Yvonne le jour de sa fête. Sache-le, même si cette lettre t'arrive après.

« Ici, les affaires vont bien pour notre bloc combattant d'Afrique. Mais en Orient, la partie devient très rude.

« Où en sont Philippe, Élisabeth et notre tout petit ?

« Je ne crois pas pouvoir rentrer à Londres avant quelque temps... »

Quand les reverra-t-il ? Quand donc pourra-t-il déposer ce fardeau ?

Ici, à Brazzaville, il se sent si loin du cœur de l'action alors que, il en est sûr, des secousses décisives se préparent.

Tout à coup, les télégrammes en provenance de Londres se succèdent. Le premier développe les instructions qui viennent d'être données au général Wavell : il doit transporter les Forces Françaises Libres jusqu'à la proximité de la frontière syrienne. Et leur apporter toute l'aide possible.

Enfin ! C'est comme si un souffle frais venait de balayer la pièce.

Un deuxième télégramme est signé de Winston Churchill. De Gaulle le parcourt en hâte puis le relit attentivement.

« La question de Djibouti a été discutée à une réunion du Comité de Défense que nous avons tenue cet après-midi. Nous y avons décidé :

« 1° – De maintenir le blocus complet de Djibouti.

« 2° – De vous demander de ne pas retirer le général Catroux de Palestine. Peut-être y est-il déjà en train d'agir.

« 3° – De vous inviter cordialement à vous rendre au Caire, si vous l'estimez compatible avec la sécurité des territoires français libres. »

De Gaulle va et vient à grands pas. Churchill s'est enfin rallié à l'idée d'agir en Syrie ou bien a-t-il réussi à faire céder son entourage, imposant sa décision au général Wavell.

De Gaulle exulte. Il prend sa plume. Il écrit vite.

« 1° – *Thank you.*

« 2° – *Catroux remains in Palestine.*

« 3° – *I shall go to Cairo soon.*

« 4° – *You will win the war.* »

Il relit le texte. Il n'a jamais écrit à Churchill en anglais. Mais le Premier ministre mérite bien ce signe d'amitié !

Il va donc partir pour Le Caire.

Il est joyeux. Il a emporté la décision.

Que ne peut-on avec la foi et la volonté ?

Au moment où il quitte la résidence pour l'aéroport, on lui tend un télégramme de Catroux.

« Les cadres et les troupes du général Dentz obéissent à l'ordre de résister...

« L'opération doit donc être montée en force avec l'appoint des forces britanniques... Vous devez dès maintenant considérer que la tentative de gagner l'armée par un choc psychologique a échoué. »

De Gaulle s'assombrit. La joie n'est jamais qu'un mirage.

Ce sera donc, en Syrie, la guerre fratricide.

Soit.

10.

De Gaulle se tait. C'est l'aube du 24 mai 1941, et la cabine de l'avion qui vole vers Le Caire est souvent envahie par un soleil aveuglant. Au loin, dans la lumière brûlante, il aperçoit Khartoum où il a passé la nuit, dans la même chambre qu'il y a quelques semaines. Il a de nouveau échangé des phrases polies et anodines avec le gouverneur Huddleston et Madame. Puis, une partie de la nuit, il a lu et relu les messages reçus à Brazzaville dans les minutes qui ont précédé son départ.

Il se tourne vers François Coulet, son aide de camp, assis non loin de lui.

— Il y a rarement concordance, dit-il, entre mes propres télégrammes et ceux que la Mission Spears m'envoie.

Il demande des avions à Londres. Il réclame des camions. Il veut que les parachutistes de la France Libre rejoignent au camp de Qastinah en Palestine la 1re division française libre, et il a le sentiment que le général Spears ou ses adjoints filtrent ses messages. On ne lui répond pas ou bien on propose de lui envoyer seulement quelques hommes. Il bougonne.

— Pas de petits paquets qui ne répondent qu'à de petites combinaisons. Le résultat serait l'emploi en détail et la perte inutile de parachutistes.

Il se tasse, croise les doigts. Il va y avoir au Levant, si les troupes de Dentz livrent combat, des pertes.

— Horrible gaspillage, murmure-t-il.

Il regarde par le hublot. Le désert se déroule comme un immense tapis ocre.

– Si les Anglais sont bousculés, l'Égypte envahie, dit-il sans se tourner vers Coulet, alors le front sera ici, ou plus au sud, sur l'équateur peut-être.

Il jette un coup d'œil à Coulet, qui paraît étonné, effrayé.

– Mais à ce moment-là, les Américains seront entrés en guerre, ajoute-t-il avec une sorte de rire caverneux.

– Vous verrez, nous serons vainqueurs.

Mais d'abord, de si nombreux morts, et sans doute des Français tués par d'autres Français, « alors que l'ennemi tient Paris sous sa botte ».

Il fixe Coulet. Il n'y a pas d'autre issue.

– Je suis convaincu, depuis le premier jour, dit-il, que nous n'atteindrons pas Paris sans nous frayer de force le chemin de Dakar, Beyrouth et Alger.

Il ressent, dès qu'il rencontre au Caire dans la journée du 24 mai le général Wavell, puis l'ambassadeur Sir Miles Lampson, un malaise. Il observe ces deux Anglais qui affichent un soutien sans réserve à l'action des Forces françaises libres. Mais à certains silences il devine des réticences, l'intention de rafler la mise au profit de l'Angleterre.

Et pourtant, la menace allemande est plus forte que jamais. Les troupes aéroportées nazies ont conquis la Crète. Les blindés de Rommel avancent vers le Nil. Mais l'Angleterre joue son jeu oriental. Elle a réussi à chasser d'Irak le gouvernement proallemand de Rachid Ali, et peut-être, dès lors, est-elle moins enthousiaste pour une attaque contre le Levant vichyste.

Il présente aux diplomates anglais la proclamation d'indépendance qu'il a rédigée au nom de la France pour les États du Levant : « La France par ma voix vous déclare indépendants, la France qui lutte pour sa vie et la liberté du monde. »

Les Anglais approuvent, mais veulent s'y associer, offrir leur garantie. Au nom de quoi ? C'est la France qui détient le mandat de la SDN en Syrie et au Liban !

Après deux jours, il éprouve déjà le besoin de s'échapper de l'atmosphère tendue des bureaux du Caire, de ce climat de

113

manœuvres et d'arrière-pensées. Il veut fuir cette ville surchauffée et bruyante.

Il respire mieux quand il marche sur le plateau caillouteux de cette région de Palestine, où se dresse le camp de Qastinah dans lequel sont regroupés les quelque six mille hommes de la 1re division française libre. Il retrouve sous le commandement du général Legentilhomme les légionnaires de la 13e demi-brigade, ceux du Gabon avec Messmer et Paris de Bollardière, une compagnie de chars, des troupes sénégalaises, des engagés volontaires évadés de France qui n'ont jamais combattu.

Il passe lentement devant leurs rangs. Le vent sec et chaud de Palestine frappe les visages. Les hommes sont au garde-à-vous, « sous ce même soleil qui fit bourdonner le cœur de Samson attaché à la meule ».

Il s'avance. Il va procéder aux premières remises de la croix de l'ordre de la Libération.

Puis il parle. Il faut que ces hommes sachent pourquoi ils se battent.

« Voyez, commence-t-il, la manœuvre en tenaille des Allemands... Il faut tenir Suez et l'Éthiopie. De Damas, de Beyrouth, les avions allemands pourront bombarder sans difficulté le canal. Si les Allemands prennent pied en Syrie, avec la complicité de Vichy, tout tombera... »

Les officiers sont groupés autour de lui, et derrière eux ces soldats qui vont risquer leur vie, ici, contre d'autres Français.

Il lève la tête, les poings sur les hanches. Il regarde le ciel blanchi par le soleil.

— Dans l'armée de Dentz, reprend-il, nos camarades vont-ils livrer à l'ennemi le terrain que la France leur a confié ? Perdront-ils l'honneur sans avoir tiré, de toute la guerre, un seul coup de feu sur les Allemands ?

Il fait quelques pas au milieu du cercle. Il sent tous les regards fixés sur lui.

— Crions-leur « Aux armes ! Tirons sur les Boches ! », lance-t-il.

Puis, d'une voix sourde :

— Je n'oblige personne à se battre contre des Français dans de telles conditions, ajoute-t-il, et je laisse à vos consciences le soin de décider. Un choix très pénible s'impose à nous. Réfléchissez et dites-moi votre décision.

Deux officiers et quelques hommes quittent les rangs. Il ne les regarde pas. Le colonel Monclar s'approche. Pourquoi veut-il s'expliquer ?

– Je regrette, je ne marche pas, dit Monclar. L'engagement que j'ai souscrit précise que nous ne serons pas engagés contre la France.

De Gaulle le fixe. Comment lui faire comprendre ?

– La France, c'est moi, dit-il d'une voix rageuse.

Il gagne Haïfa. C'est une nuit d'encre que le couvre-feu épaissit encore. Des patrouilles anglaises circulent en ville, tirent si une lumière apparaît.

Dans l'hôtel où il s'installe, toutes les lampes sont peintes en bleu. La chambre est plongée dans la pénombre.

Il reste là, immobile. Coulet fait entrer ce lieutenant, Georges Buis, qui vient de passer de l'armée de Dentz à la France Libre. Il distingue à peine son visage dans cette clarté bleutée.

– Les uns disent qu'on nous attend les bras ouverts, commence de Gaulle en se penchant vers l'officier. Les autres, moins nombreux, qu'on nous tirera dessus si on y va. Qu'est-ce que vous en pensez ?

– Tout le monde vous tirera dessus, dit Buis.

De Gaulle baisse la tête. En lui, « chagrin et dégoût d'avoir à combattre des Français », indignation contre ces hommes qui, à Vichy, placent des soldats dans la contradiction d'avoir à respecter la discipline et donc à soutenir l'ennemi allemand. Il sait que des avions de Vichy sont arrivés sur les aéroports du Levant et qu'ils ont été ravitaillés à Athènes, par les Allemands !

Il murmure : « Plus m'étreint le chagrin et plus je m'affermis dans la volonté d'en finir. »

Mais il est inquiet. Les forces françaises et britanniques qui vont s'engager dans la bataille sont inférieures à celles dont dispose Dentz. Le général anglais Maitland Wilson a des troupes disparates, et ni lui ni Wavell ne paraissent vraiment décidés à mener une guerre offensive. Il ne faut donc compter que sur soi, sur les hommes de Legentilhomme, mais ils ne disposent que de 8 canons et de 10 tanks face aux 120 pièces et aux 90 tanks de Dentz.

Le pari est risqué et c'est précisément la première vraie bataille qu'engage la France Libre avec la quasi-totalité de ses forces. Et de plus, contre des Français !

Il vit cette situation comme une déchirure et une source d'anxiété. L'enjeu est crucial. Il faut que tous les Français Libres le comprennent et soient unis.

Il dicte un télégramme pour René Cassin qui, à Londres, en l'absence de Pleven, assure la coordination.

« Chacun mesure, dit-il, l'importance exceptionnelle des heures présentes pour l'avenir de la France Libre, c'est-à-dire de la France. Les oppositions, les rivalités, les chicaneries seraient indignes de nous tous. »

Il sent bien que de toutes parts on le guette. Les ennemis comme les alliés.

Des informations font état d'une attaque possible des troupes de Weygand contre l'Afrique française libre. Quant aux Anglais, ils ne s'engagent pas sur la question, décisive, de l'après-bataille, lorsque Damas et Beyrouth seront tombées. Il faut déjà prévoir cela ? ! Qui aura l'autorité au Levant ? Français, comme il se doit, ou Anglais ? Que fera-t-on des troupes de Dentz ? De Gaulle insiste : on ne devra pas les rapatrier mais leur proposer de rejoindre la France Libre. Il sent les réticences des Anglais. Ont-ils vraiment envie de voir les Forces Françaises Libres se renforcer ?

Voilà dix fois qu'il demande à ce que les Français enrôlés dans l'armée britannique soient invités à rejoindre les troupes françaises. Et le général Spears auquel il s'adresse fait la sourde oreille ! « Ce sont des déserteurs, lance de Gaulle. Et ils seront dans le présent et dans l'avenir traités comme tels ! »

Épuisant d'avoir ainsi à lutter sur tous les fronts !

Il reçoit le 6 juin un message de Churchill, plein d'amitié certes.

« À cette heure où Vichy atteint à nouveau le fond de l'ignominie, écrit le Premier ministre, la loyauté et le courage des Français Libres sauvent la gloire de la France ! »

Bien, dit de Gaulle en brandissant le message. Mais Churchill donne aussi des leçons, « évoque les aspirations et les susceptibilités arabes » qu'il faut satisfaire. Qu'est-ce que cela signifie ? Chasser la France du Levant ?

Il dicte en réponse un télégramme, s'arrêtant à chaque mot. Il veut être le plus clair possible :

« Je proclamerai et respecterai l'indépendance des États du Levant moyennant un traité avec eux, consacrant droits et intérêts particuliers de la France, dit-il à Churchill.

« Toute politique qui paraîtrait sacrifier actuellement ses droits et intérêts serait mauvaise et dangereuse au point de vue opinion française.

« Plus vous frappez Vichy, plus vous devez montrer ce souci de ménager les intérêts et les sentiments de la France. »

Il cherche un instant une phrase qui résume ce qu'il éprouve lui-même :

« Le désespoir est un redoutable conseiller », dicte-t-il enfin.

Mais le désespoir et le chagrin ne le quittent plus.

La guerre a commencé le 8 juin. Il s'installe à Jérusalem, il gagne chaque jour les avant-postes. Il voit les tombes creusées où l'on couche les Français des deux camps « morts pour la France ».

Il écoute les blessés faire le récit de ces combats.

« Je pars agitant un drapeau tricolore, et criant de toutes mes forces " Français ! ", dit l'un, et j'entends une voix bien française qui crie : " Tirez sur cet idiot avec son drapeau, tirez, tirez donc... " »

Le général Legentilhomme est grièvement atteint. Là, des soldats se sont élancés aux accents du *Chant du Départ* et on a répondu par *Maréchal nous voilà*. Seuls les légionnaires s'épargnent en criant : « La Légion ne combattra pas la Légion. » Un officier valeureux, le capitaine de corvette Détroyat, commandant les fusiliers marins de la France Libre, qui a fait prisonnière une patrouille de Vichy et leur a laissé leurs armes, est abattu d'une rafale dans le dos. Le capitaine des FFL Boissoudy, qui s'avançait en parlementaire, est fauché par un feu de salve.

De Gaulle est pâle, tendu. Cette haine qui s'exprime entre Français est une plaie en lui. Il dit : « Cette douloureuse bataille est une des plus horribles réussites de Hitler. »

Il est comme écorché, sa voix tremble de colère lorsque, le 18 juin 1941, il parle devant les Français rassemblés au Caire pour le premier anniversaire de son appel de Londres.

« La route est dure et sanglante », dit-il. Puis il raconte ce qu'il a vécu le 17 juin 1940. « L'équipe mixte du défaitisme et de la trahison s'emparait du pouvoir dans un pronunciamiento de panique. »

Les mots se bousculent, maculés par le sang des hommes qui tombent en ce moment dans les jardins de Damas.

« Une clique de politiciens tarés, reprend-il, d'affairistes sans honneur, de fonctionnaires arrivistes et de mauvais généraux, se ruait à l'usurpation en même temps qu'à la servitude. Un vieillard de quatre-vingt-quatre ans, triste enveloppe d'une gloire passée, était hissé sur le pavois de la défaite pour endosser la capitulation et tromper le peuple stupéfait. »

« Le lendemain naissait la France Libre ! »

Il est tendu, amer et plein d'énergie et d'espoir cependant. Mais que la charge est lourde ! Certes, tout annonce une victoire alliée : Roosevelt vient de geler tous les avoirs allemands et italiens aux États-Unis. L'entrée en guerre de Washington est maintenant certaine. Mais d'ici là ? Qu'exigera Hitler des hommes qui, à Vichy, lui sont soumis ? Ici, au Levant, ils livrent combat, pour lui ! En France, ils viennent de prendre de nouvelles mesures contre les citoyens français d'origine juive !

De Gaulle, la bouche à demi fermée, méprisante, dit : « Il est de l'essence même de ce diabolique génie d'utiliser pour sa guerre la dégradation des autres ! »

Le lendemain, 19 juin, il apprend que, par l'intermédiaire du consul des États-Unis à Beyrouth, le gouvernement de Vichy s'enquiert des conditions d'armistice. Enfin, la cessation des combats est en vue !

De Gaulle se rend aussitôt dans le bureau du général Wavell où se trouvent déjà Catroux et l'ambassadeur Miles Lampson. Il fait chaud. La pièce est bruyante, petite. On discute point par point des heures durant. De Gaulle ne cède pas, exige que la représentation de la France au Levant soit assurée par les autorités françaises libres, que le matériel de guerre soit conservé, que les troupes ne soient pas rapatriées. Il relit le texte de l'accord auquel on parvient enfin avant qu'il soit expédié au Foreign Office, et de là à Washington pour être communiqué à Vichy.

118

Il regagne sa résidence. Le crépuscule au-dessus du Caire est pourpre, la chaleur étouffante, comme si l'on respirait un air mêlé de sable chaud.

Dans la matinée du 20 juin, il reçoit la copie des conditions d'armistice telles qu'elles ont été transmises par Londres à Washington. Ce n'est pas le texte de l'accord d'hier ! Il n'est plus fait mention de la France Libre ! C'est le général Wilson, cet incapable, qui négociera !

Il hurle de colère. Il convoque le général Spears.

– Je crois que je ne pourrai jamais m'entendre avec les Anglais ! crie-t-il. Vous êtes tous les mêmes, uniquement attachés à vos propres intérêts, sans aucun égard pour les besoins des autres... Je m'en tiens aux conditions acceptées le 19 juin, sans en reconnaître d'autres.

Le 21 juin, les Français Libres sont entrés dans Damas, après de durs combats. Des pertes encore !

Il ne veut pas se laisser emporter par la rancune contre les soldats de Vichy aveuglés. Il a pour eux « des sentiments confondus d'estime et de commisération ».

Il veut quitter Le Caire pour se rendre à Damas au milieu des Français Libres. Les journalistes l'entourent. Il s'arrête.

« Comme Français, dit-il, je dirai que les combats de Syrie, pour lamentables qu'ils soient, fournissent une preuve de plus du courage des hommes de mon pays, quelle que soit la cause qu'ils servent. »

Il ajoute : « trahison de gouvernants déshonorés ». Puis, en s'éloignant : « Je suis sûr qu'un jour viendra où tous ces hommes seront ensemble pour chasser l'envahisseur de la France. »

On le retient, on lui transmet un message du général Spears : qui lui déconseille de s'installer à Damas. Il ne regarde même pas l'officier anglais, il lance : « La capitale de la France est Paris. Jusqu'à ce que Paris soit délivré, si Dieu le permet, je me tiendrai là où je le jugerai le plus utile pour la conduite de la guerre. »

En traversant les rues de Damas, ce 23 juin, il voit les impacts de balles sur les murs d'un château d'eau, sur les façades des maisons basses. Des croix ici et là signalent un soldat mort qu'on n'a pas encore eu le temps d'inhumer au cimetière. Qui est-il, Français Libre ou Français de Vichy ? Il répète : « Horrible gaspillage ».

Il pénètre dans le bureau de Catroux qui s'est déjà installé dans la ville. Le général lui tend une dépêche qui vient d'arriver. De Gaulle la lit, va vers la fenêtre.

Les troupes de Hitler ont envahi hier l'URSS. Le sort de la guerre semble définitivement scellé.

Il s'assied. « On ne met pas la guerre en formule », murmure-t-il. Mais ce qu'il avait prévu se produit. La victoire alliée est certaine. Il faut que la France en soit partie prenante. Et c'est pourquoi ces Français sont couchés morts dans les jardins de Damas.

Catroux s'approche. La résistance des vichystes est encore forte dans le nord de la Syrie. Ils ne donnent pas l'impression de vouloir cesser le combat.

Ils nous haïssent, explique Catroux. Comme a dit l'un de leurs officiers en parlant de nous, les Français Libres : « Ces salauds-là ne nous laisseront pas finir la guerre en paix. »

De Gaulle se lève. « Triste vocation », dit-il avec mépris. Il hausse les épaules. Est-ce vivre que ne pas combattre ?

Dans la nuit qui couvre d'un seul coup Damas, il entend une rumeur sourde comme un roulement de tonnerre lointain. Il reconnaît le bruit des bombardiers. Les avions nazis ont sans doute décollé de Grèce et viennent apporter leur soutien aux troupes de Vichy.

La rage et le mépris l'envahissent pendant qu'éclatent les premières explosions dans le quartier chrétien qui semble visé. Il assiste au bombardement, les poings serrés.

Voilà ce que peut faire pour des années encore cette Allemagne qui, il en est sûr, ce 24 juin 1941, a déjà perdu la guerre.

Troisième partie

24 juin 1941 – 31 décembre 1941

Il faut en fait une âme de fer tant les événements sont cruels et les responsabilités lourdes.

Charles de Gaulle à Yvonne de Gaulle,
2 juillet 1941.

11.

De Gaulle s'approche de la fenêtre. Les toits en terrasse de Damas semblent s'emboîter les uns dans les autres pour former une succession de grandes marches inégales. Au-dessus du quartier chrétien, les fumées des incendies achèvent de se dissiper, voilant à peine le ciel d'un bleu transparent. Il écoute. La ville a retrouvé malgré les centaines de morts de la nuit cette animation bruyante qui l'avait tant frappé lorsqu'il avait séjourné pour la première fois au Levant.

Il reste un long moment immobile.

C'était il y a dix ans. Il rédigeait alors une *Histoire des troupes du Levant*. Il se souvient de ce voyage avec Yvonne de Gaulle à Jérusalem et Bethléem, de la maladie de Philippe, une rougeole suivie d'une double congestion pulmonaire, sans compter le paludisme. De cette inquiétude qu'il avait eu alors tant de peine à maîtriser, à cacher, et de l'angoisse qu'il ressent lorsqu'il pense à ses enfants, à Yvonne de Gaulle, à leurs nouvelles si rares.

Il fait quelques pas dans ce bureau qui a été occupé par des hommes de Vichy. Il s'accorde encore quelques instants pour se souvenir de ces moments passés en famille il y a dix ans, à Beyrouth, où les troupes du général Dentz résistent encore. Aurait-il pu imaginer alors, il y a dix ans, qu'un jour il serait le chef d'une France Libre et qu'il enverrait ses soldats combattre, aux côtés d'Anglais, d'autres Français?! Et que Paris serait occupé par l'Allemand? Tout cela incroyable, il y a dix ans.

Il se rassied. Il faut organiser l'avenir, dans ces États du Levant où la France doit rester présente malgré les ambitions anglaises.

Il écrit au général Catroux.

« Damas, le 24 juin 1941

« Mon général,

« Par décrets, en date de ce jour, je vous ai nommé Délégué général et plénipotentiaire et Commandant en chef au Levant... »

Il faut aussi que ces soldats français contre lesquels on vient de se battre puissent rallier la France Libre, malgré les Anglais qui déjà s'efforcent d'empêcher tout contact avec eux, comme s'ils craignaient que la France Libre ne se renforce. Ce qu'ils ne veulent pas, pour pouvoir prendre ici la place de la France.

Il reçoit quelques officiers de la 1re division française libre. Il les sent émus, indignés. Ils se sont rendus dans les casernements où sont cantonnés après les combats les soldats de Vichy. Les Anglais semblent plus attentifs et plus courtois avec ces adversaires qu'avec les Français Libres ! Quant aux soldats de Dentz, ils refusent pour la plus grande partie d'entre eux de se joindre à la 1re division française libre. Et d'ailleurs, les troupes de Dentz résistent encore durement dans le nord du pays.

– Les soldats qui, aujourd'hui, tirent sur vous sont nos camarades de demain, dit de Gaulle. Il faut traiter chaque homme avec honneur et avec bonne humeur, séparer les officiers de la troupe.

Il allume une cigarette.

– Sauf exceptions, vite discernées, il n'y a rien à attendre des officiers généraux et supérieurs... mais tout doit être fait pour obtenir des engagements parmi les jeunes officiers et aspirants.

De Gaulle est inquiet. Les Anglais mettent partout des obstacles à ces ralliements. Il se rend à Jérusalem, puis au Caire. À mille signes, il mesure que la situation est grave. Les généraux anglais, ainsi Wilson, et surtout John Bagot, converti à l'islam, dit-on, commandant sous le nom de Glubb Pacha la légion arabe de Transjordanie, rêvent de profiter des circonstances pour évincer la France de la région et unifier le monde arabe sous direction britannique.

Il ne peut y avoir là qu'une source de conflit. Il télégraphie à Winston Churchill :

« La manière dont procédera la politique britannique à propos de la Syrie sera un critérium d'une très grande importance. »

Mais Churchill comprendra-t-il ou réussira-t-il à se dégager de l'influence des spécialistes des affaires arabes ?

Et quelles seraient les conséquences pour la France Libre d'un conflit avec Londres alors que l'Angleterre est son seul soutien ?

Il se sent fiévreux, peut-être un accès de paludisme. Ou bien la tension si forte en ce moment de choix, de guerre entre Français, d'enjeux politiques majeurs.

Il suit l'avance des troupes allemandes en Russie. Il télégraphie à Carlton Gardens : « Sans accepter de discuter actuellement des vices et même des crimes du régime soviétique, nous devons proclamer, comme Churchill, que nous sommes très franchement avec les Russes, puisqu'ils combattent les Allemands. »

Plus il y a d'alliés dans la guerre, plus les chances d'une victoire rapide sont grandes, et surtout les possibilités d'action de la France Libre sont accrues. Il faut qu'elle ait plusieurs partenaires.

Au Caire, il peut enfin examiner le courrier de Londres. Il découvre Philippe sur une photo de la parade des troupes françaises organisée par l'amiral Muselier pour la fête de Jeanne d'Arc, le 11 mai, au premier rang de l'École navale.

Émotion. Besoin d'écrire.

« Ma chère petite femme chérie,

« J'espère que ce mot te parviendra sans trop de délai. Je te l'envoie au milieu de l'épreuve décisive. Si pénible qu'elle soit, elle était nécessaire et je crois que maintenant la fin est en vue. Mais quel drame !

« J'espère que tu vas bien et nos babies aussi... Quant à moi, j'ai honte de t'avoir si peu écrit depuis mon départ... En tout cas, tout va aussi bien que cela peut aller. Mais il faut en fait une âme de fer, tant les événements sont cruels et les responsabilités lourdes.

« J'ai reçu une magnifique photo de défilé de Jeanne d'Arc à Londres, avec Philippe superbe au premier rang de l'École navale ! Je pense beaucoup à lui, comme à ma fille Élisabeth et au tout petit.

« Impossible de préciser au juste quand je pourrai rentrer à Londres. Peut-être dans quelques semaines.

Ton mari. »

« Rien n'est étonnant et réconfortant comme l'esprit, l'ardeur, le courage de tous nos gens ici, militaires et civils. Les religieuses sont les plus " gaullistes ". »

Cette confiance qu'on lui accorde, ces hommes et ces femmes qui prennent tous les risques pour s'affirmer « gaullistes », résistants, il ne peut pas les décevoir.

Dans l'un des rapports reçus de Londres, il lit que le 11 mai, comme il l'avait demandé, des centaines de Parisiens ont manifesté devant la statue de Jeanne d'Arc, sifflant, huant les voitures allemandes. Devant l'église Saint-Roch, on a crié : « Vive de Gaulle ! » Boulevard Saint-Marcel, on a brandi la croix de Lorraine. Une cinquantaine de personnes ont été arrêtées et le préfet de police de Paris a été destitué, remplacé par un homme de Darlan.

Il se sent en charge de cette volonté de combattre. Il représente la France face aux ennemis et face aux Anglais aussi.

Or, à chaque instant, il reçoit « d'inquiétantes nouvelles quant au comportement britannique ». Beyrouth tombe le 7 juillet, et déjà les Anglais négocient avec les vichystes sans les Français Libres.

Il faut ne pas être prisonnier de leur jeu. Prendre du champ. Les laisser agir et puis revenir, condamner leurs accords avec les vichystes.

Le 8 juillet, il décide de quitter Le Caire pour Brazzaville. Il sera loin comme s'il gagnait « quelque nuage » d'où il pourra « fondre » sur un accord anglo-vichyste qui ne l'engagera pas.

Il retrouve la chaleur humide de l'Afrique-Équatoriale. La fièvre et la tension ne le quittent pas. À chaque nouvelle qui arrive du Caire ou du Levant, il voit mieux la manœuvre britannique. Écarter la France du Levant.

– Je ne puis accorder aucune confiance au commandement britannique actuel, dit-il. Il est inapte à la guerre moderne.

Et puis :

– Le général Wilson parle comme si c'était la France que lui et ses troupes avaient combattue en Syrie. J'espérais que le général Wilson avait remarqué que c'était au contraire la France, je parle de la France réelle, qui combattait en Syrie à côté de ses propres troupes...

Il se sent plus que jamais déterminé à ne rien céder.

Il faut d'abord renforcer la France Libre, convoquer peut-être un congrès des Français Libres avant la fin de l'année, réaffirmer que « c'est au peuple français qu'il appartient de décider de ses institutions et il ne peut le faire qu'en liberté et en sécurité. C'est-à-dire une fois l'ennemi chassé de son sol et une fois détruite l'usurpation commise par les collaborateurs de l'ennemi... ».

Il reçoit le 14 juillet 1941 les Français de Brazzaville. Dans la résidence du gouverneur, ils sont tous là à se presser autour de lui. Il parle d'une voix que la fatigue rend plus rauque.

« Le jeu des traîtres est un mauvais jeu, dit-il. La campagne de Russie dont l'ennemi s'imaginait qu'elle serait facile et rapide prend au contraire l'allure d'un de ces romans russes, qu'on croit à chaque chapitre sur le point de finir et qui recommencent toujours. Dans l'Atlantique, les États-Unis ont commencé la marche d'approche. »

En face, qu'y a-t-il ? « Une tyrannie totale, esclavage physique, esclavage économique, esclavage moral. »

Il hausse la voix : c'est le deuxième 14 juillet après l'armistice, dit-il.

Puis, encore plus fort, il ajoute :

« Au bout de nos peines, il y a la plus grande gloire du monde, celle des hommes qui n'ont pas cédé. »

Il se sent épuisé après l'exaltation de ces moments intenses de communion entre Français.

Sur son bureau, des dépêches. Il parcourt le texte de la Convention d'armistice qui a été signée ce jour, 14 juillet, à Saint-Jean-d'Acre, entre le général Wilson et le général de Verdilhac représentant les vichystes du général Dentz !

La colère l'emporte. C'est pire encore que ce qu'il craignait. Les Anglais ont tout cédé aux vichystes. D'abord, le droit au rapatriement en unités des troupes de Dentz. Et les vichystes ont abandonné la Syrie et le Liban aux Anglais ! Plus de France Libre dans le jeu ! C'est le contraire de ce qu'il avait demandé. Pourquoi Catroux a-t-il accepté d'assister à la signature d'un texte inacceptable ?

Il télégraphie à Londres, au professeur Cassin : « Les Britanniques ont procédé unilatéralement. Nous en tirons les conclusions... Je compte être au Caire vendredi. Larminat m'accompagne. »

Car peut-être faudra-t-il remplacer Catroux.

Durant tout le vol, il se tait, concentré, ramassé comme un homme avant l'attaque.

Aux étapes, à Khartoum, à Kampala, il marche raide et glacial vers les gouverneurs anglais qui l'accueillent. Il prononce quelques phrases cinglantes, hostiles. Il les observe, déconcertés, pâles. Il les imagine se précipitant pour câbler au Caire au ministre d'État anglais, le capitaine Oliver Lyttelton, que le général de Gaulle est prêt à rompre avec Londres.

Il faut ces « télégrammes alarmants » pour affaiblir par avance la résistance de Lyttelton. Il faut être craint comme la foudre qu'annonce le roulement du tonnerre.

Disparaître, puis revenir, surprendre, précédé par la rumeur et le fracas. Il médite sur cette manière d'agir au moment où, le 20 juillet 1941, l'avion se pose sur l'aéroport du Caire que recouvre une brume de chaleur rousse.

De Gaulle se penche, dit à son aide de camp :

– Nous faisons la guerre de la Révolution et de l'Empire.

12.

De Gaulle va et vient dans la pièce, les pouces passés dans son ceinturon qui serre sa vareuse d'uniforme de toile kaki. Il sent que la chaleur déjà étouffante en ce début de matinée du 21 juillet 1941 colle ses cheveux à son front.

Des rues du Caire monte une rumeur incessante.

De Gaulle se tourne vers son aide de camp, François Coulet.

– L'opposition des points de vue des Français Libres et des Britanniques au Levant risque d'avoir des suites graves, dit-il.

Il va vers le bureau, saisit le texte de la convention d'armistice de Saint-Jean-d'Acre. Et la colère l'empoigne à nouveau. Inadmissible, inacceptable, murmure-t-il.

Il relit la note qu'il compte remettre à 10 heures au capitaine Oliver Lyttelton, le ministre d'État anglais au Caire. S'il faut aller jusqu'à la rupture, il y est prêt.

– Nous refusons d'accepter la convention, dit-il.

Puis, d'une voix que le défi et la rage froide enflent, il ajoute :

– À dater du 24 juillet à midi, la France Libre ne consentira plus à subordonner ses troupes du Levant au commandement britannique.

Il fait deux ou trois pas, allume une cigarette.

– Je réglerai moi-même avec Lyttelton les conditions ultérieures de notre collaboration militaire.

Il aspire longuement la fumée.

– En outre, ajoute-t-il, leurs agents, appuyés par leurs troupes,

129

font une propagande ouverte contre la France dans certaines régions.

Dans le Djebel Druze, au Hauran et à Djézireh.

La seule réponse c'est l'intransigeance.

— Pour pouvoir compter sur nous, on doit compter avec nous, conclut-il.

C'est l'heure de se rendre chez le capitaine Lyttelton.

Il entre dans le bureau de Lyttelton à grands pas. Il dévisage le ministre britannique qui semble gêné.

Il faut être intraitable, glacial, dur, à la mesure de l'affront subi et de cette violation des intérêts de la France.

— L'accord que vous venez de conclure avec Dentz est, je dois vous le dire, inacceptable. En Syrie et au Liban, l'autorité de la France ne saurait passer de la France à l'Angleterre. C'est à la France Libre et à elle seulement qu'il appartient de l'exercer. Elle en doit compte à la France.

De Gaulle parle d'une voix tranchante. Les mots qu'il a tant de fois affûtés durant le voyage entre Brazzaville et Le Caire frappent avec force.

— Après tout, notre cause est commune, dit Lyttelton.

De Gaulle le fixe. L'homme est pondéré. Sans doute n'approuve-t-il pas les termes de l'armistice. Il faut le faire reculer, plier, afin qu'il admette une révision de la convention de Saint-Jean-d'Acre.

— Oui, reprend de Gaulle, notre cause est commune. Mais notre position ne l'est pas et notre action pourrait cesser de l'être.

De Gaulle élève encore la voix. Il y a ces troupes vichystes que les Anglais acceptent de laisser en unités constituées repartir vers la France. Et des fanfares viennent jouer sur les quais *La Marseillaise* au moment où elles s'embarquent ! Qui sont donc les alliés de Londres ? Pourquoi ces officiers vichystes traités en amis ? et les Français libres empêchés de venir expliquer aux troupes les raisons du combat de la France Libre ? Pourquoi les Anglais ont-ils pris sous leur contrôle les forces syro-libanaises, qui étaient commandées par des Français ?

— Cette convention n'engage pas la France Libre, conclut de Gaulle.

Il perçoit chez Lyttelton de l'inquiétude et de l'émotion.

– Alors que comptez-vous faire ? demande le ministre.

– Dans trois jours, commence de Gaulle, le 24 juillet...

Il tend à Lyttelton la note qu'il a rédigée. Les Forces françaises libres ne seront plus sous le commandement britannique.

– Je prescris au général Catroux de prendre immédiatement en main l'autorité sur toute l'étendue du territoire de la Syrie et du Liban.

Il observe Lyttelton, qui lit la note, balbutie : c'est un ultimatum.

– Général, je dois considérer ce document comme non avenu, et je ne peux l'accepter, dit Lyttelton.

Il déchire le document.

De Gaulle ne veut pas résister à l'indignation et à la colère.

Il n'a fait qu'énoncer les faits, dit-il. Le ministre peut les interpréter comme il veut ! Et considérer le document comme un ultimatum. Pourquoi pas ?

– Je n'ai aucune confiance dans le haut commandement britannique qui a mené cette campagne de façon dilatoire et maladroite, lance-t-il.

Il faut attaquer encore. Lyttelton recule, puisqu'il propose de reprendre la discussion à 18 heures.

Soit.

Des heures, des jours de tension. De Gaulle écoute sans ciller son aide de camp lui rapporter les bruits qui courent. Les Anglais envisageraient de le mettre aux arrêts ou bien de le destituer et de le remplacer par Catroux !

Il faut donc prendre des précautions, télégraphier à Félix Éboué pour l'alerter. Qu'il ne laisse plus entrer aucune troupe étrangère dans le territoire de l'Afrique Française Libre ; qu'il fasse garder le poste de radio de Brazzaville. « Nous sommes engagés ici avec les Britanniques dans une négociation décisive. » Et les Anglais sont capables d'un coup de force. Le général Wilson n'évoque-t-il pas la possibilité d'établir la loi martiale au Levant ? Les Anglais n'occupent-ils pas la Maison de France à Souayda, dans le Djebel Druze ? Il faut réagir, envoyer un détachement des Forces Françaises Libres commandé par le colonel Monclar pour la leur reprendre. Et puisque l'officier anglais parle de résister par les armes, eh bien, il faut être prêt à se battre contre les Anglais.

Il ne peut pas céder, quels que soient la pression et les risques. Il faut que Churchill comprenne ce qui est en jeu. Il lui écrit.

« Je suis obligé de vous dire que moi-même et tous les Français Libres considérons cette convention comme opposée dans son fond aux intérêts militaires et politiques de la France Libre, c'est-à-dire de la France, et dans sa forme comme extrêmement pénible pour notre dignité. »

Il s'emporte lorsqu'il reçoit un télégramme de Carlton Gardens. Là-bas, les Français Libres de Londres comprennent, disent-ils, mais ils cèdent à la panique. « Il nous paraît inconcevable que l'on puisse parler d'une rupture avec la Grande-Bretagne », écrivent-ils.

Serait-il donc seul à être prêt à *vouloir* ? Pourquoi même parmi les Français Libres y a-t-il ce désir de céder, cette crainte de devoir aller jusqu'au bout, cet aveuglement qui empêche de sentir que l'on peut faire reculer, si l'on s'obstine, si l'on est décidé, n'importe qui ?

« Je vous invite à vous affermir et à ne pas donner l'impression que ma représentation ne suit pas exactement ma politique, répond-il. Notre grandeur et notre force consistent uniquement dans l'intransigeance pour ce qui concerne les droits de la France. Nous aurons besoin de cette intransigeance jusqu'au Rhin inclusivement. »

Le 24, il devine dès qu'il retrouve Lyttelton que celui-ci est prêt à « interpréter » la convention d'armistice. Et le 25, le ministre le confirme. « Nous reconnaissons les intérêts historiques de la France au Levant. La Grande-Bretagne n'a aucun intérêt en Syrie et au Liban, excepté de gagner la guerre. »

De Gaulle allume une cigarette en lisant ces lignes de Lyttelton. Ce ne sont que des mots, certes. Et les ambitions et les manœuvres anglaises ne vont pas disparaître. Mais il a gagné. Il dit au général Legentilhomme : « Avec les Anglais, il faut taper sur la table, ils s'aplatissent. »

Il peut partir pour Damas et Beyrouth.

Il voit, en entrant dans la capitale syrienne, la foule enthousiaste, bariolée, qui tente de forcer les barrages des troupes de la France Libre. Il entend les cris de « vive la France, vive de Gaulle ». Et ce sont les mêmes scènes qui se reproduisent, place des Canons à Beyrouth. Il parle aux Libanais. « Messieurs, nous faisons la guerre... C'est une guerre mondiale, c'est une guerre morale... C'est la liberté qui se bat contre la tyrannie. »

Il parle aux Français. Il regarde ces hommes et ces femmes dont la plupart ont servi Vichy, qui souhaitaient sans doute la victoire de Dentz. « Nous n'avons de haine pour personne, lance-t-il, excepté pour l'ennemi... Nous n'avons pas d'ambition, excepté celle de sauver la Patrie. »

Il attend quelques secondes, puis il crie : « La France, avec nous ! »

Il doit aller partout. Dans le nord de la Syrie, à Homs, Hama, Alep, à Lattaquié.

Il baisse la tête, il se tasse pour entrer dans un avion brinquebalant, qui décolle en cahotant de l'aéroport de Beyrouth, cherche la vallée de l'Euphrate en rasant les collines, naviguant à vue, avec cet air glacé qui souffle dans la carlingue.

On se pose enfin sur la piste de Dier el-Zor. De Gaulle sort difficilement de l'avion mais la foule est encore là, venue de tout le Djézireh. Il s'approche. Il faut qu'on le voie, qu'on l'entende, parce qu'ainsi il rassemble autour de la France ces populations que les Anglais ont tenté de conquérir. Glubb Pacha, dans le Djebel Druze, a distribué promesses et livres sterling. Alors il faut se rendre à Souayda, saluer dans la Maison de France les soldats du colonel Monclar, puis aller jusqu'à Tripoli avant de revenir à Damas, à Beyrouth.

Et découvrir les résistances des officiers britanniques à l'application de l'accord conclu avec Lyttelton. Ils laissent s'embarquer pour Marseille des milliers d'hommes de Dentz : « C'est une pure absurdité », s'exclame de Gaulle.

On lui tend un tract antigaulliste, imprimé sur les presses du 6ᵉ régiment étranger et distribué à toute l'armée de Dentz.

Il lit lentement, son visage n'exprimant que de l'ennui, la bouche marquant seule le mépris :

« Je ne suis pas gaulliste... Pourquoi ?

« Parce que le gaullisme signifie dissidence, insurrection, révolte contre des pouvoirs légitimement constitués.

« Parce que le gaullisme se réclame à outrance des principes de 89 et du Front populaire de 1936.

« Parce que le gaullisme ne fait qu'un avec la juiverie et la franc-maçonnerie ; parce que les gaullistes sont les faux frères à la solde de l'Angleterre, ils ont comme Caïn les mains teintées du sang d'Abel. »

Il repose le tract. Et les officiers anglais semblent approuver ces propos ! Ils laissent insulter le général de Larminat que le gouvernement de Vichy vient de condamner à mort par contumace ! De Gaulle examine les derniers chiffres : 30 000 militaires ont choisi de se faire rapatrier et seulement 5 500 de rejoindre les troupes de la France Libre. Échec.

Il le sait. Les Anglais n'ont laissé aucune possibilité aux Français Libres de convaincre ces hommes. Au contraire. Il écoute, il lit les rapports. Les Anglais multiplient les critiques contre la France Libre.

Il rencontre le général Spears, qui s'empourpre aussitôt ; le vieil allié est devenu un ennemi que la colère empêche même de parler. Il reçoit de Londres, en cette fin du mois d'août, des nouvelles inquiétantes. Eden, Churchill, Morton dénoncent l'attitude des Français Libres. « De Gaulle est fou », « C'est une sorte de Jeanne d'Arc masculin », colporte-t-on.

De Gaulle hausse les épaules. Il lui semble que l'attitude anglaise est la preuve même qu'il défend les intérêts français. Ce qu'aucune nation, et surtout pas l'Angleterre en Orient, ne peut accepter : « Les nations n'ont pas d'amis », murmure-t-il lors de cette réception qu'on lui donne la veille de son départ du Caire pour Brazzaville, et de là il gagnera Londres.

Il a revêtu un uniforme blanc. Il se fraie difficilement un passage parmi les membres de la colonie française du Caire. Il dit quelques mots à cette jeune femme brune au corps un peu lourd qu'on lui présente comme originaire du Djebel Druze et qui, sous le nom de Asmahan, est devenue l'une des plus populaires chanteuses arabes. Il se penche. Elle soutient son regard. Ses yeux en amande, cerclés d'un trait noir, le fixent d'une manière provocante, impudique.

Il reste un instant comme saisi.

C'est comme si une autre vie passait à portée de lui, dans laquelle il pourrait s'engouffrer.

Il s'incline. Il s'éloigne.

On vient vers lui, on l'entoure.

« Force est restée à la France, dit-il... Ni les mirages, ni le bâillon, ni l'idolâtrie ne sauraient prévaloir contre l'âme de la patrie. »

Il aperçoit le capitaine Lyttelton. L'homme a tenté de faire appliquer l'accord, il a voulu éviter la rupture, mais peut-être n'avait-il pas l'autorité et l'énergie nécessaires pour contenir l'hostilité de ses subordonnés à l'égard de la France ?

Lyttelton s'approche.

Ces rapatriements des troupes vichystes..., commence de Gaulle, puis il s'interrompt, dit simplement une nouvelle fois : « Quelle absurdité ». Lyttelton approuve, révèle que Dentz a fait partir pour la France 52 officiers britanniques faits prisonniers ! De Gaulle s'éloigne de quelques pas, revient vers Lyttelton.

« Le monde arabe est plus concerné par la question juive en Palestine que par les négociations syriennes », dit-il d'une voix sourde.

Là sera dans le futur la source de conflit.

Il arrive à Brazzaville. Les télégrammes en provenance de Londres sont déjà entassés sur le bureau après être passés au déchiffrement. Tous rapportent le climat anti-de Gaulle qui règne à Londres, dans l'entourage de Winston Churchill. Les proches du Premier ministre parlent d'« arrogance », d'anglophobie, de « déséquilibre mental » du « général », de son « remplacement » nécessaire. On multiplie les difficultés afin d'empêcher les missions que le BCRA du colonel Passy envoie en France.

La colère empoigne de Gaulle.

« Si M. Eden parle de confiance, lance de Gaulle, il faut qu'il sache qu'après ces événements il n'y a de confiance possible que sous condition. »

Il est blessé par l'attitude anglaise. Il prend une liasse de télégrammes et de rapports, les montre à son aide de camp. C'est au moment où le peuple de France se redresse que Londres veut isoler la France Libre !

Ces Anglais croient-ils que ce soit par hasard que Pétain déclare, dans ses derniers discours, qu'« un vent mauvais souffle sur le pays », ou encore que « long sera le délai nécessaire à abattre la

135

résistance de tous les adversaires de l'ordre nouveau, mais dès à présent nous devons mettre fin à leur activité en frappant leurs chefs ».

De Gaulle rugit. Mais ce sont les Allemands qui viennent de fusiller le lieutenant de vaisseau d'Estienne d'Orves, un Français libre, envoyé d'Angleterre en France pour monter un réseau de renseignements !

Ce drame français qui s'approfondit est comme une souffrance personnelle.

Premier attentat antiallemand à Paris, le 21 août. Sans doute une action communiste. Attentat à Versailles quelques jours plus tard contre Laval et Marcel Déat, qui sont blessés. Puis d'Estienne d'Orves, et bientôt des otages. Et ces Anglais qui laissent partir de Syrie plus de vingt mille hommes qui auraient pu renforcer la France Libre ! Il est hors de lui.

Il reçoit quelques heures plus tard un journaliste américain, George Weller, du *Chicago Daily News*. De Gaulle allume un cigare, plisse les yeux, dévisage le journaliste, écoute ses questions, d'abord sans répondre. Puis il se lève, réfléchit quelques instants. Pourquoi ne pas chercher appui sur l'opinion publique américaine ? Et dire par l'intermédiaire de ce journaliste quelques vérités ?

De Gaulle commence à parler.

Il a offert des bases en Afrique aux Américains, rappelle-t-il. Puis, la tête un peu penchée, il ajoute : « Je n'ai demandé aucun destroyer en retour. » Ce qu'a fait Churchill quand l'Angleterre a ouvert ses bases aux États-Unis.

Il reprend en bougonnant : « En fait, l'Angleterre a conclu avec Hitler une sorte de marché pour la durée de la guerre, dans lequel Vichy sert d'intermédiaire... L'Angleterre exploite Vichy de la même manière que l'Allemagne, la seule différence est dans leurs intentions. »

Il parle. Il a besoin de dire la vérité, et aussi que la vérité produise un choc dans l'opinion.

Il quitte Brazzaville pour Londres le lendemain. À nouveau ces paysages de dunes, cette mer grise, ces escales, Freetown, Bathurst, Gibraltar.

Peut-être est-il allé trop loin dans ses propos avec le journaliste américain ? Il hausse les épaules, murmure en se tournant vers François Coulet : « Je suis résolu à mettre les pieds dans le plat, dès mon arrivée au Londres. »

Tout à coup, les télégrammes qui se succèdent, qu'on lui apporte dans la cabine. L'interview déclenche aux États-Unis et à Londres une véritable bourrasque. Il en relit le texte pour la première fois. Weller a ajouté des phrases entières, ramassant les rumeurs et les ragots qui traînent à Brazzaville. Et l'on a laissé partir sa dépêche sans la censurer ?

– Vous êtes un sot, dit-il à Coulet.

Il ne se souvient pas d'avoir dit : « L'Angleterre a peur de la flotte de Darlan. » Il faut réagir. Il dicte à Coulet un message pour Pleven en mission aux États-Unis. « Interview Weller doit être énergiquement démenti... tissu de bruits qui courent à Léopoldville et à Brazzaville... Je fais expulser Weller. »

Il reste silencieux jusqu'à ce que l'hydravion se pose.

Puis il aperçoit sur le quai de Poole les membres du Comité National venus l'accueillir. Voilà plus de cinq mois qu'il ne les a vus. Ils ont des mines défaites, leur visage exprime l'accablement et le désarroi. Trembleraient-ils parce que Churchill fronce les sourcils ?

Au fond, il n'est pas mécontent des exagérations de ce journaliste, puisqu'elles obligent les Français Libres à affronter une nouvelle tempête.

Qu'est-elle, si l'on pense au sort de d'Estienne d'Orves ou aux malheurs de tant de Français ?

Ce 1er septembre 1941, en serrant les mains des membres du Comité National et alors que le brouillard tombe sur Londres, de Gaulle se sent calme, sûr de lui.

Tant d'épreuves à venir, mais la victoire au bout du chemin.

13.

De Gaulle allume une nouvelle cigarette, jette un coup d'œil par la fenêtre. Londres est si calme sous la pluie grise de septembre.

Il se tourne vers Passy, assis dans le fauteuil en face du bureau. D'un signe, il invite le chef du BCRA à continuer son analyse de la situation. Mais il écoute distraitement. Ses autres collaborateurs l'ont déjà averti. Dans tous les ministères britanniques, sans doute à la suite d'une consigne donnée par Churchill hors de lui lorsqu'il a lu l'interview de Weller, les interlocuteurs habituels des services de la France Libre ne répondent plus.

Les journaux, précise Passy, ont reçu l'ordre de ne plus mentionner le nom de De Gaulle. La BBC ne diffusera aucun de ses discours.

Dans une lettre à Anthony Eden, Churchill aurait même écrit : « Si cette interview est authentique, il est évident que de Gaulle a perdu la tête. Ce serait vraiment un bon débarras, et cela nous simplifiera les choses à l'avenir. »

De Gaulle fixe Passy. Est-ce tout ? Passy reprend.

Certains Français de Londres – regroupés autour de l'amiral Muselier –, appuyés par les Britanniques, ne seraient pas fâchés de pouvoir « encadrer », « contrôler » sinon remplacer le chef de la France Libre.

De Gaulle se lève. Rester calme, attendre de rencontrer Churchill, pour lui expliquer sans céder d'un pouce ce qu'ont été les manœuvres anglaises en Syrie et au Liban.

Quant aux autres...

De Gaulle hausse les épaules. « Muselier est un insupportable touche-à-tout. » Ce qui compte, c'est la France et le sentiment des combattants. Et ceux-là reconnaissent de Gaulle.

Près de deux cents d'entre eux, des officiers évadés d'Allemagne, comme Billotte, de Boissieu, des héros de la campagne de France longtemps internés en Russie, après leur évasion viennent de rejoindre Londres. Ils ont traversé la ville en chantant :

Pour combattre avec de Gaulle
Souviens-toi, souviens-toi
Qu'il faut se taper pas mal de tôles.

Ils veulent s'engager dans les Forces Françaises Libres. Ceux-là ne sont pas des intrigants.

Passy hoche la tête. Raymond Aron, qui dirige toujours la revue *La France Libre*, a conseillé à l'un d'eux, de Boissieu, de rejoindre les Britanniques : « De Gaulle et la France Libre, croyez-moi, n'ont aucun avenir politique », a-t-il dit à l'officier.

Rester serein. De Gaulle regarde ce paysage de toits londoniens qui s'estompent sous la pluie.

Il a encore dans les yeux les grands espaces d'Afrique, les terres jaunes du désert ou du Levant. Il se souvient des rencontres avec les foules de Damas ou de Beyrouth. De ses colères quand il a vu appareiller dans les ports du Levant les navires chargés de troupes vichystes qui s'en retournaient en France à la satisfaction des Anglais. Toute cette atmosphère de combats et d'affrontements. Il pense à ces hommes qui sont morts. Et à ceux qui subissent en France « le plus atroce système d'oppression que le pays ait connu dans son histoire ». Combien sont dérisoires ces luttes politiciennes de quelques-uns ici !

Maintenant, il est seul dans le bureau.

Il relit la lettre que lui a adressée Churchill :

« Jusqu'à ce que je reçoive toutes explications que vous trouveriez bon de me donner, écrit le Premier ministre, il m'est impossible de juger si notre rencontre pourrait présenter quelque utilité. » Monsieur Churchill veut lui faire demander pardon et grâce. Nous verrons bien ! S'il faut patienter avant de le rencontrer, on attendra !

De Gaulle hésite quelques minutes, puis il prend la plume et commence à répondre à Churchill :

« L'attitude des autorités britanniques locales a profondément affecté moi-même et tous les Français Libres... Nous avons été quelquefois portés au doute extrême... J'ai cru devoir venir à Londres pour régler avec vous-même les objectifs et les conditions de notre effort commun. »

Il relit.

Il ajoute qu'il a démenti « l'exagération sensationnelle » que le journaliste américain Weller a apportée à une « conversation rapide et impromptue ».

Il n'ira pas plus loin dans la contrition.

Il s'échappe quelques heures pour voir, enfin, après des mois, Yvonne de Gaulle, Élisabeth et Anne qui grandit toujours enfermée en elle-même. Philippe a été désigné pour un stage de transmissions et de codes aux environs de Portsmouth. Il est absent.

De Gaulle marche seul sous la pluie dans le parc de la maison de Gadlas. Tout est paisible, les bruits sont étouffés par l'humidité.

Il a eu si peu de temps depuis des mois pour échapper à l'étau des événements que, brusquement, dans ce silence, il prend conscience qu'il va bientôt avoir cinquante et un ans, que la vie l'emporte si souvent loin des siens. Que les années à venir, tant que la guerre durera, seront aussi exigeantes, qu'il n'aura même pas le loisir de rejoindre sa famille durant le week-end.

Il faut que les siens se rapprochent de la capitale. À une soixantaine de kilomètres de Londres, on lui a signalé un grand bâtiment clair de style tudorien à un étage, avec autour un parc vallonné, planté de fougères et de chênes. Anne pourra s'y promener. Les voisins sont situés à une centaine de mètres. Cette « gentilhommière » meublée est située à Rodinghead, dans le Hertfordshire. Yvonne de Gaulle organisera le déménagement. Il sait pouvoir compter sur elle, comme toujours. Et durant tout le voyage de retour à Londres, il pense à ce bonheur d'avoir rencontré une femme qui le soutient, une épouse qui tient la barre de la famille, cependant qu'il « guerroie ».

Mais n'est-ce pas cela d'abord, une femme ?

Il retrouve Londres et les rumeurs. Il doit rester serein.

Il lit le discours que Churchill a prononcé à la Chambre des Communes le 9 septembre. « Inquiétante déclaration », murmure-t-il. Le Premier ministre a répété qu'en Syrie, « il ne pouvait s'agir, même en temps de guerre, d'une simple substitution des intérêts français libres aux intérêts de Vichy ».

Que met-on à la place ? interroge de Gaulle. L'indépendance ? Nous en sommes d'accord, et le général Catroux doit la proclamer dans quelques jours. Il s'interrompt. Peut-il avoir confiance dans la fermeté de Catroux qui ne donne plus de ses nouvelles ? De Gaulle dicte aussitôt : « Me télégraphier au moins tous les deux jours... Votre silence est inexplicable. »

Mais Catroux est un homme noble et droit, alors que tant d'autres...

Il a une grimace de dégoût quand on lui rapporte les propos de certains Français de Londres, qui évoquent son « fanatisme qui confine au déséquilibre ». Il a déjà entendu cela avant guerre, quand il défendait ses idées de réforme militaire.

Il lance, méprisant : « Ce ne sont que les troubles de l'émigration. »

Quelques jours d'attente encore, puis il a le sentiment en rencontrant le major Morton, le chef de cabinet de Churchill, que la situation commence à se détendre.

Le Premier ministre accepte enfin de le recevoir le 12 septembre à 15 heures.

Il est calme. Il devine à la manière dont John Colville, le secrétaire de Churchill, l'accueille au 10, Downing Street puis lui ouvre la porte de la grande salle du cabinet que le Premier ministre a dû donner des consignes de réserve. Il aperçoit Churchill, assis au centre de la longue table du cabinet. Churchill se lève, s'incline légèrement, désigne la chaise en face de lui. Il ne tend pas la main.

Bien.

De Gaulle s'assoit. Il regarde fixement Churchill et il se tait. Que Churchill commence.

— Général de Gaulle, *I have asked you to come here this afternoon...*

De Gaulle écoute, observe. Churchill a un regard féroce. Il interrompt Colville qui traduit, exige un autre traducteur, le rejette à son tour.

Il choisit donc le tête-à-tête. L'explication sera plus dure mais plus franche. Tant mieux.

— J'ai été affligé d'assister à la dégradation de votre attitude envers le gouvernement de Sa Majesté, reprend Churchill. Il me semble maintenant que je n'ai plus affaire à un ami.

De Gaulle ne bouge pas, les mains à plat sur la table. Churchill continue, parle de propos hostiles à l'Angleterre. « C'est une affaire extrêmement grave. »

Répondre maintenant, évoquer la France vaincue et humiliée et les vexations répétées et inutiles subies par les Français Libres en Syrie.

Churchill se calme. Son visage rouge retrouve peu à peu une couleur normale.

— La France Libre aurait intérêt, dit-il, à créer un conseil...

De Gaulle hoche la tête, écoute Churchill reconnaître que la politique britannique ne vise en aucun cas à minimiser la contribution des Français Libres à la guerre, au contraire.

Le Premier ministre sort un cigare, en tend un à de Gaulle.

— Certaines personnalités britanniques vous soupçonnent d'ores et déjà d'être devenu hostile à la Grande-Bretagne et d'avoir adopté certaines idées fascistes peu compatibles avec une collaboration dans l'intérêt commun.

Rire de ces propos tout en les récusant.

— Les membres du mouvement des Français Libres ont forcément un caractère assez difficile, dit de Gaulle, sinon ils ne seraient pas là où ils sont.

Churchill commence à parler en français d'une voix chaleureuse. Il se lève, tend la main.

— Je serai heureux de vous voir à l'avenir, dit-il en raccompagnant de Gaulle.

De Gaulle surprend le regard étonné de John Colville. Ces deux fous ne se sont pas battus, doit-il penser.

De Gaulle s'interroge en sortant du 10, Downing Street. Pourquoi pas un Comité national de la France Libre ? Le cigare de Churchill encore entre ses dents, il le compose tout en marchant vers Carlton Gardens. Il faut qu'il en soit le président incontesté.

Et il imagine que les Français Libres qui trouvent ses méthodes trop autoritaires – les Muselier, les André Labarthe – vont vouloir se servir de ce comité pour le tenir, « l'encadrer » comme ils disent. Naturellement, les Anglais les soutiendront. Et c'est pour cela que Churchill a évoqué la création de ce comité.

Qu'ils s'avancent, qu'ils révèlent leurs intentions, qu'ils se démasquent ! Il se sent en position de force. Que pèsent un Muselier, un Labarthe et quelques officiers de marine proches de l'amiral ?

De Gaulle apprend par l'un de ses proches, Maurice Dejean, que ces « comploteurs » se sont réunis à l'hôtel Savoy, en présence du major Morton. Ils se sont déjà partagé les places du futur Comité National. À Muselier, la présidence, à de Gaulle la présidence d'honneur, à Labarthe les services secrets et l'action politique, etc. De Gaulle ricane. Il refuse. Et il apprend que Muselier déclare que dès lors « la Marine devient indépendante et continue la guerre ». Voilà la faute. Muselier s'est dévoilé. À l'attaque maintenant. De Gaulle dicte.

« Londres, 23 septembre 1941

« Amiral,

« ... Vous êtes sorti de votre droit et de votre devoir quand vous m'avez notifié votre décision de vous séparer de la France Libre et d'en séparer la Marine que j'ai placée sous vos ordres. Sur ce point, votre action constitue un abus intolérable du commandement militaire que je vous ai confié sur une Force Française Libre dont les officiers et les hommes sont engagés comme Français Libres et liés à mon autorité par un contrat d'engagement. En outre, vous portez atteinte à l'union dans un mouvement dont l'union fait toute la force... Vous détruisez par indiscipline un élément de la force militaire française...

« Je ne vous laisserai pas faire...

« Je vous laisse vingt-quatre heures pour revenir au bon sens et au devoir.

« J'attendrai votre réponse jusqu'à demain, 24 septembre à 16 heures. Passé ce délai, je prendrai les mesures nécessaires pour que vous soyez mis hors d'état de nuire et que votre conduite soit publiquement connue, c'est-à-dire stigmatisée...

« Je vous adresse mon salut. »

Ils vont plier. Il en est sûr.

Il n'est pas étonné quand il reçoit une lettre de Muselier qui prétend qu'on a mal compris ses intentions. Les Anglais, en fait, ont dû faire pression sur lui afin qu'il renonce puisque sa manœuvre a échoué.

De Gaulle sait qu'ils vont plaider pour que Muselier soit membre du Conseil national en tant que commissaire à la Marine. Voilà le major Morton, puis Anthony Eden, et même Churchill qui fixe un nouveau rendez-vous, insiste pour que l'unité de la France Libre soit préservée.

Que de prévenances ! De Gaulle écoute, se tait. Mais il faut savoir maîtriser sa victoire. Il se rend au Foreign Office.

Muselier est enfermé dans une pièce, lui dit-on. Le Premier Lord de l'Amirauté va servir de médiateur, aller d'un bureau à l'autre, de De Gaulle à Muselier.

Soit. Un jour viendra où personne ne se mêlera plus des affaires de la France. Mais le temps n'est pas encore venu. Et dans ce comité, Muselier ne pèsera rien. Les commissaires ne sont responsables que devant de Gaulle, qui peut prendre tous les décrets qu'il juge nécessaires.

De Gaulle regarde sa montre. Voilà des heures que les Anglais le pressent d'accepter. Il se lève. Muselier sera commissaire à la Marine, dit-il d'une voix dédaigneuse. Il annoncera la composition du Comité national de la France Libre, demain 25 septembre 1941 [1].

À pied, dans la nuit, il regagne l'hôtel Connaught. Il ne ressent aucune joie. Il a remporté une victoire sur les médiocres ambitions, sur l'esprit politicien. Alors que se joue le destin de la nation.

Il a besoin d'oublier ces manœuvres, ces intrigues, ces petitesses.

Il se rend à Camberley. Il passe en revue ces officiers et ces soldats qui arrivent d'URSS après cinq mois d'internement alors qu'ils avaient réussi à s'évader d'Allemagne. Voilà des Français

---

1. Pleven (Économie, Finances, Colonies), Cassin (Justice et Instruction publique), Dejean (Affaires étrangères), Legentilhomme (Guerre), Valin (Air), Diethelm (Action dans la métropole, Travail, Information). Le général Catroux et le capitaine de vaisseau (bientôt contre-amiral) Thierry d'Argenlieu – haut-commissaire dans le Pacifique depuis le 4 août 1941 – sont nommés commissaires sans département.

Libres. Il les décore. Et quelques jours plus tard, à l'hôtel Connaught, il écoute le lieutenant de Boissieu raconter ses évasions. Il murmure : « C'est égal, si Dieu vous prête vie, un jour vous commanderez Saint-Cyr, vous pourrez alors raconter ce genre d'aventures à vos élèves. »

Il croit à l'avenir. Il dit d'une voix forte à ces officiers : « D'innombrables preuves, et des preuves sanglantes, montrent que peu à peu l'union nationale, celle qui seconda la mission de Jeanne d'Arc, suscita l'effort guerrier de la Révolution et fut le soutien de Poincaré et de Clemenceau, se reforme dans la résistance. »

Il se laisse emporter par l'indignation. « Les traîtres de Vichy sont en lutte ouverte contre le peuple français », dit-il. Puis, après un instant de silence, il ajoute : « Quant à mon jugement sur Pétain, il fut toujours le même : Pétain fut un très grand homme qui mourut en 1925. »

Et aujourd'hui, ces traîtres, que font-ils subir au pays ? Sa voix s'enfle : « Leurs œuvres de terreur, leurs mensonges de propagande, leur justice rendue dans les caves, les bâillons qu'ils enfoncent dans les bouches, les chaînes qu'ils nouent autour des bras, les bâches qu'ils jettent sur les morts, n'empêchent pas le monde de savoir où sont les volontés de la France. »

Il se tait tout à coup. Il pense à ces dizaines d'otages – 12 à Châteaubriant, 50 au camp de Souge – fusillés en représailles des attentats perpétrés contre des officiers allemands, à Paris, à Nantes, à Bordeaux. Et pendant ce temps, la Légion des Volontaires Français contre le bolchevisme prête serment à Hitler.

Il a un sentiment de dégoût. Tant de sang versé héroïquement et tant d'infamie !

Il fait quelques pas sur le perron de l'hôtel Connaught, raccompagnant les officiers. L'obscurité est totale. La ville est silencieuse, comme recueillie.

Dans la journée, on a appris que les Allemands sont à quelques dizaines de kilomètres de Moscou et que Leningrad est encerclée. Les traîtres, à Vichy, s'imaginent qu'ils tiennent la victoire, et leur propagande se déploie, triomphante.

Les officiers le saluent.

– C'est le moment de serrer les dents, dit-il, de tenir ses nerfs et sa langue, et de redoubler d'efforts dans tous les domaines, comme nous l'avons fait naguère à l'appel de Clemenceau.

14.

De Gaulle voudrait pouvoir, le temps d'un dîner seulement, échapper à cette pression des événements, à ces pensées qui le hantent, à ces images des corps de dizaines d'otages abattus, victimes de la barbarie nazie et de la trahison de Vichy.

Il est assis en face de son fils dans la salle à manger de l'hôtel Connaught. Il regarde Philippe qui, malgré son uniforme d'aspirant, a le visage d'un adolescent et, en dépit de ses vingt ans, le regard transparent, émerveillé d'un enfant. Mais lui aussi, comme tant d'autres Français de son âge, va risquer sa vie.

Il y a parmi les fusillés de Châteaubriant un otage de seize ans, Guy Mocquet ! Et c'est le gouvernement de Vichy qui, en parlant des attentats antiallemands, ose dire : « La population qui, dans son ensemble, désapprouve les lâches assassinats ne manquera pas d'apporter son concours à la recherche des coupables. »

Infamie ! Il faut stigmatiser ces propos, dénoncer Pétain, ce « Père-la-Défaite » qui à Vichy, de « sa voix tremblante de vieillard, qualifie de " crime sans nom " l'exécution de deux des envahisseurs ! ».

Comment échapper à ces drames, même pour quelques instants, même en face de son fils, dans ce décor cossu et paisible de l'hôtel Connaught ?

De Gaulle écoute Philippe qui raconte comment il a été convoqué avec toute sa promotion par l'amiral Muselier qui désirait recevoir chaque aspirant dans sa résidence de Westminster House.

– Le hasard m'ayant placé en dernier, explique Philippe, l'amiral n'a pas eu le temps de me recevoir.

Il ajoute qu'il a été le seul dans ce cas. De Gaulle devine chez son fils une question, un doute.

Philippe, comme tous les jeunes combattants, est si loin des mesquineries et des manœuvres politiciennes. Comment pourrait-il imaginer que, faute d'avoir pu vaincre le père, Muselier se venge sur le fils ? Dérisoire.

De Gaulle hoche la tête.

– Entre nous, et à titre confidentiel, dit-il sur un ton qu'il veut indifférent, ton amiral n'est pas de bonne humeur en ce moment. Le 24 septembre dernier, je l'avais invité à faire partie du Comité national de la France Libre...

Il s'interrompt. Il ne veut pas entrer dans les détails de cette crise. Il conclut en quelques mots. À quoi bon inquiéter Philippe ? Ce combattant de vingt ans qui va risquer sa vie ne doit pas s'engluer dans les marécages. Mais lui, parce qu'il est le chef de la France Libre, sait bien qu'ils existent et qu'il doit les traverser.

Mais jamais il ne s'y laissera ensevelir, jamais.

Il réfléchit toute la nuit. Il faut qu'il donne un mot d'ordre. Il rédige le texte du discours qu'il doit prononcer à la BBC le 23 octobre.

« Il est absolument normal et il est absolument justifié que les Allemands soient tués par des Français, écrit-il. Si les Allemands ne voulaient pas recevoir la mort de nos mains, ils n'avaient qu'à rester chez eux et ne pas nous faire la guerre.

« Du moment qu'après deux ans et deux mois de bataille ils n'ont pas réussi à réduire l'univers, ils sont sûrs de devenir, chacun et bientôt, un cadavre ou au moins un prisonnier... »

Il s'interrompt. Voilà le plus difficile. Il a choisi, pour l'instant, de retenir le bras des combattants.

« Actuellement, la consigne que je donne pour le territoire occupé, c'est de ne pas y tuer d'Allemands. Cela, pour une seule mais très bonne raison, c'est qu'il est en ce moment trop facile à l'ennemi de riposter, par le massacre de nos combattants momentanément désarmés. Au contraire, dès que nous

147

serons en mesure de passer à l'attaque, vous recevrez les ordres voulus.

« Jusque-là, patience, préparation, résolution... »

Il n'est pas satisfait de ce choix. Mais peut-on laisser courir vers la mort des intrépides ? Et si c'était pourtant là, la voie nécessaire ? S'il s'était laissé convaincre par son entourage ?

À la BBC, il rencontre Maurice Schumann, qui approuve cette consigne d'attente, qui déplore les attentats, parce qu'ils entraînent des « représailles inutiles ».

Ces mots révulsent de Gaulle.

« Pas du tout ! s'écrie-t-il. C'est terrible, mais ce fossé de sang est nécessaire. »

Il va et vient. Il a eu tort, il en est sûr maintenant. Il faut frapper l'ennemi. Il a cédé à un réflexe de sa sensibilité. Il se reproche ce moment d'émotion.

– C'est dans ce fossé de sang que se noie la collaboration, reprend-il. Ces morts ont rendu un service immense à la France. Le monde entier sait que c'est le mécanisme de l'occupation qui joue en France, et non celui de la collaboration.

Mais il faudrait, dans ce combat impitoyable, une direction, un homme qui puisse coordonner les actions, faire que ces attentats entrent dans une tactique générale qui doit orienter la guerre, et grandir la France Libre.

Il convoque Passy, le rabroue. Que fait le BCRA ? Pourquoi les Anglais continuent-ils de recruter, de débaucher des Français pour les utiliser dans l'Intelligence Service, le SOE, tous ces services secrets britanniques qui envoient des agents en France ?

– Faites connaître aux services de l'Intelligence britannique que je ne puis accepter cette manière de faire.

Il examine rapidement une série de fiches. Elles évoquent le cas de marins pêcheurs auxquels les Britanniques proposent de piloter des bateaux pour transporter des agents de l'Intelligence Service.

Inadmissible. Il faut que les Anglais sachent que ces « détournements » ne seront pas tolérés.

– J'ai décidé de considérer comme déserteur, martèle de Gaulle, tout militaire qui, après avoir été pressenti, aura refusé de se rallier.

Il fixe Passy.

– Vous avertirez sans délai les services britanniques que nous cessons toute relation de quelque nature qu'elle soit avec eux jusqu'à ce que vous soient rendus les Français en question.

Il ne se fait guère d'illusion. Passy, de retour dans les bureaux du BCRA, 10, Duke Street, près de Dorset Square, à quelques pas d'Oxford Street, et après avoir conféré avec son adjoint le lieutenant Manuel, considérera qu'il est impossible au BCRA de rompre avec les services anglais. Le SOE parachute les agents, fournit le matériel ou bien, lorsque des Français s'évadent par l'Espagne, assure leur passage de Lisbonne à Londres. Mais à leur arrivée, au moment où on les interroge, au Royal Victorial Patriotic School, pour s'assurer de leur sincérité, on les sollicite, on leur propose d'entrer au service des Britanniques.

– Et Moulin ? demande de Gaulle.

Il s'impatiente. Voilà plusieurs jours déjà que cet ancien préfet est parvenu à gagner l'Angleterre après avoir quitté la France pour Lisbonne. De Gaulle a sur sa table le rapport que Moulin a rédigé. Texte remarquable venant d'un préfet héroïque. Moulin s'est tranché la gorge le 17 juin à Chartres plutôt que de signer un document rédigé par les Allemands. Ceux-ci affirmaient que les troupes noires françaises avaient exécuté des civils.

Y a-t-il un seul autre préfet qui ait accompli un acte équivalent de résistance en juin 40 ? Y en a-t-il un seul qui ait rallié Londres ?

Passy concède que les Anglais – le capitaine Piquet-Wicks – ont en effet retenu Moulin, qu'ils lui ont proposé de travailler pour eux. Mais l'ancien préfet a refusé avec force. Il est installé à l'hôtel de Vere. Il sera à Carlton Gardens demain samedi.

C'est la fin de la matinée, ce 25 octobre 1941. De Gaulle se lève. Passy s'efface. De Gaulle jauge cet homme, petit, mince, brun, le visage assez large, énergique, les yeux vifs, presque rieurs, qui entre dans son bureau. Il lui serre la main. Il y a de la force, de la netteté dans ces premières attitudes de Moulin, du naturel, quelque chose de direct, d'efficace. La voix est claire, les phrases brèves et précises.

De Gaulle s'assoit. Peut-être est-ce là l'homme qu'il attend.

Il écoute. Moulin commente son rapport. Il analyse la situation des trois principaux mouvements de résistance. Il a voulu, dit-il, avant de rejoindre Londres, évaluer la force de *Libération*, de *Franc-Tireur* et de *Combat*. Il a vu leurs chefs, Emmanuel d'Astier de La Vigerie, Jean-Pierre Lévy et le capitaine Henri Frenay. Ces hommes se sont réunis à Marseille en septembre pour unir leur action.

De Gaulle ne peut quitter Moulin des yeux. Enfin ! enfin ! Il pressent que sa marche si longtemps solitaire se termine.

— Des dizaines de milliers et même des centaines de milliers de Français ont aspiré à rejoindre les Forces Françaises Libres, dit Moulin. Il serait fou de ne pas utiliser, en cas d'action de grande envergure par des alliés sur le continent, des troupes prêtes aux sacrifices les plus grands, éparses et anarchiques aujourd'hui mais pouvant constituer demain une armée cohérente de parachutistes déjà en place...

Moulin se penche en avant.

— Rien ne peut être mis sur pied qu'après accord avec Londres et avec son concours. Il faut aux mouvements une approbation morale, des liaisons, de l'argent, des armes.

De Gaulle regarde sa montre. Voilà plus d'une heure que Moulin parle. Enfin un esprit méthodique, clair ! Enfin une volonté de combattre qui s'appuie sur une compréhension des données politiques ! Enfin quelqu'un qui vient de France avec une vision d'ensemble.

De Gaulle se lève. Il fait signe à Moulin de le suivre. Il veut prolonger le dialogue durant le déjeuner.

Ils parlent à voix basse dans la salle à manger de l'hôtel Connaught qui, ce samedi 25 octobre 1941, est déserte.

Il faut fédérer toutes les forces, dit Jean Moulin. Il s'agit de constituer en France un « réseau de commandement » qui créera un « véritable Parti de la Libération ». À l'intérieur de ce parti, la Légion de la Libération sera une cinquième colonne, précédant et préparant les opérations militaires.

— Une armée secrète, murmure de Gaulle.

Rarement il s'est senti si proche d'un homme, un patriote, un républicain, un homme d'expérience, un haut fonctionnaire.

Moulin reprend. Il précise qu'il a été directeur de cabinet de Pierre Cot.

De Gaulle se tait d'abord, puis, d'une voix sourde, explique qu'il a écarté Pierre Cot de la France Libre. Ce ministre de l'Air du Front populaire passe aux yeux de la plupart des volontaires de la France Libre « pour le naufrageur de l'aviation française, l'homme qui a pillé nos stocks en faveur des rouges espagnols et qui a vendu nos secrets de fabrication aux Soviets ».

— À mon avis, M. Pierre Cot a été l'homme le plus mal jugé de son époque, dit Jean Moulin fermement. Je lui conserve toute mon estime tant sur le plan politique que sur le plan intellectuel et moral...

De Gaulle fait un geste. Il interrompt Moulin. Ce n'est pas le passé qui compte, mais la part que l'on est capable d'accomplir au service de la France.

Ils restent un moment silencieux l'un en face de l'autre, sans baisser les yeux.

— Cette masse ardente de Français restés sous la botte ronge son frein et n'attend qu'une occasion pour secouer le joug..., dit Moulin. Si aucune organisation ne lui impose une discipline... on jettera dans les bras des communistes des milliers de Français qui brûlent du désir de servir, et cela d'autant plus facilement que les Allemands eux-mêmes se font les agents recruteurs du communisme en affublant du qualificatif de communistes toutes les manifestations de résistance du peuple français. L'idée antiallemande prime toute idée politique.

Du bout des doigts, Moulin martèle ses phrases.

— Il faut que dans ces six mois, l'organisation gaulliste en France dépasse en ampleur celle des communistes, ce qui entraînera dans ce mouvement de lutte contre l'Allemagne la fusion des communistes eux-mêmes, et le général de Gaulle continuera à symboliser l'unité nationale de la France réelle.

Dimanche 26 octobre 1941, de Gaulle marche dans Ashridge Park, ce terrain vallonné qui entoure la maison de Rodinghead à Buckhampstead.

Il a passé quelques instants devant la grande cheminée en compagnie d'Yvonne de Gaulle, de Philippe et d'Élisabeth, puis il a éprouvé le besoin de sortir, d'aller contre le vent violent et la pluie cinglante.

Il pense à chaque mot prononcé par Jean Moulin. Il retrouve les intonations de l'homme, ses expressions, ses silences mêmes. Voilà « un homme de foi et de calcul ne doutant de rien et se défiant de tout, apôtre en même temps que ministre... Pétri de la même pâte que les meilleurs de mes compagnons. Rempli jusqu'aux bords de l'âme de la passion de la France... ».

On peut lui faire toute confiance pour rassembler, pour faire crier « vive la France » à tous ceux « qui n'importe comment, n'importe où, auront donné leur vie pour elle ». Il contemple cette campagne anglaise noyée sous la pluie, ployée par le vent salé. C'est comme s'il voyait « le mouvement incessant du monde », comme s'il avait devant lui la preuve matérielle, par ce souffle du vent et cette pluie, que « toutes les doctrines, toutes les écoles, toutes les révoltes n'ont qu'un temps ».

Tout passera. Le communisme passera. « Mais la France ne passera pas. »

Il rentre à Londres le lundi matin 27 octobre. Il veut voir Maurice Schumann aussitôt. Il faut, lui dit-il, inviter les Français à protester contre les exécutions. « Vendredi prochain, 31 octobre, de 4 h à 4 h 05 du soir, pour toute la France, garde-à-vous », en l'honneur des otages fusillés. Que Maurice Schumann l'annonce. Lui-même interviendra à deux reprises à la BBC sur le thème.

Il faut maintenant aller vite. Il commence à écrire :

« Je désigne Jean Moulin comme mon représentant et comme délégué du Comité national français pour la zone non directement occupée... » Jean Moulin doit « piloter l'action civile et militaire ». « M. Moulin a pour mission de réaliser dans cette zone l'unité d'action de tous les mouvements qui résistent à l'ennemi et à ses collaborateurs. »

Il doit avertir Churchill pour que celui-ci accorde toute l'aide nécessaire à cette action.

Quelques jours plus tard il reçoit une lettre d'Eden. Le ministre anglais approuve l'initiative et l'assure de son appui.

De Gaulle va et vient dans son bureau. La lettre d'Eden est posée au centre de la table. Elle prouve qu'il vient de franchir une étape décisive : il n'est plus seulement le chef des Français Libres, mais il devient le rassembleur, le chef des résistants de l'intérieur. Voilà un grand pas d'accompli.

Maintenant, il faut que Jean Moulin réussisse sa mission.

Il va être parachuté en zone libre. Mais avant, il doit le revoir plusieurs fois, afin de fixer dans le détail avec lui les conditions matérielles de son action, choisir les deux hommes qui vont l'accompagner et, dès que l'entraînement au saut sera terminé, fixer la date du départ.

Il pense à d'Estienne d'Orves, premier fusillé de la France Libre.

Il sait que Jean Moulin est un homme qui a envisagé tous les aspects de sa mission : y compris la torture et la mort. De Gaulle s'assied. Les résistants, même les plus humbles, ont accepté les mêmes risques. Il prend la plume. Il veut que Moulin leur transmette et leur montre cette lettre manuscrite. Il écrit :

« Mes chers amis.

« ... Je sais ce que vous faites. Je sais ce que vous valez. Je connais votre grand courage et vos immenses difficultés. En dépit de tout, il faut poursuivre et vous étendre. Nous, qui avons la chance de pouvoir encore combattre par les armes, nous avons besoin de vous pour le présent et pour l'avenir.

« Soyons fiers et confiants ! La France gagnera la guerre et elle nous enterrera tous.

« De tout mon cœur. »

Il a la gorge nouée par l'émotion dès qu'il imagine les difficultés de ces hommes, les dangers qu'ils courent et les morts déjà si nombreuses et celles qui vont se multiplier. Il pense à Philippe. Il répond à la lettre que vient de lui adresser son fils.

« Mon cher Philippe,

« J'ai reçu ta lettre et je t'en remercie. Je pense que tu travailles. Ce que tu fais est, comme base, nécessaire pour devenir un bon officier de marine pour le présent et pour l'avenir. »

Il ferme à demi les yeux. Il revoit son fils, si déterminé et pourtant si fragile d'aspect malgré sa haute taille. Un adolescent trop vite poussé dans une guerre impitoyable.

« Sache te défendre contre un excès d'invitations (je ne parle pas naturellement de celles qui te sont faites par tes chefs).

« Les affaires de la France ne vont guère, poursuit-il... l'ignominie de Vichy dépasse tout ce qu'on peut imaginer. Et cependant, quelle occasion s'offre à l'Afrique du Nord!... »

Il demeure longuement pensif, la cigarette pendant au coin des lèvres. Toutes les occasions manquées, les lâchetés de ceux qui n'ont pas su où était leur devoir et dont le destin est brisé. Le général Huntziger, qui aurait pu, peut-être, remplacer Weygand en juin 1940, et qui a choisi plus tard de négocier l'armistice. Mort dans un accident d'avion il y a quelques jours. Weygand, l'un des plus coupables, mis à la retraite d'office par Pétain et Darlan! Sa pusillanimité et ses calculs n'auront servi à rien. Il y a plus docile, plus servile que lui : Pétain et Darlan s'en vont rencontrer Goering à Saint-Florentin!

Jusqu'où peuvent aller les hommes!

Il soupire. Il faut aussi s'occuper des détails.

Il prend une feuille de papier, écrit en son milieu :

Note de service

« Je rappelle à tout le personnel des Forces françaises libres et des divers commissariats que toute rémunération reçue par eux pour leur participation aux programmes en langue française de la BBC doit être intégralement reversée par eux à la France Libre. »

Il oublie cela, cette poussière de la vie quotidienne, quand il entre dans la soirée du 15 novembre 1941 dans « le vaste vaisseau de l'Albert Hall ». Il lève les bras. La foule des Français remplit les gradins de cette immense salle. L'assistance crie, chante spontanément *La Marseillaise*. Au premier rang, les membres du Conseil national, derrière eux un drapeau tricolore marqué de la croix de Lorraine, avec sa garde de soldats.

De Gaulle se sent soulevé par cette ardeur qui déferle, qui porte chacune des phrases qu'il prononce :

« Nous sommes des Français de toutes origines, de toutes conditions, de toutes opinions, qui avons décidé de nous unir dans la lutte pour notre pays... C'est à l'appel de la France que nous avons obéi... Il ne s'est pas passé un seul jour sans que nous ayons grandi. »

Tout en parlant, il saisit un regard, il fixe un visage.

« L'article premier de notre politique consiste à faire la guerre, lance-t-il. L'article deux de notre politique, c'est de rendre la parole au peuple dès que les événements lui permettront de faire connaître librement ce qu'il veut et ce qu'il ne veut pas. »

Il serre ses poings, les brandit : « Nous disons Honneur et Patrie... Nous disons Liberté, Égalité, Fraternité, et nous disons Libération, et nous disons cela dans la plus large acception du terme... Voilà l'article trois de notre politique. »

On l'applaudit.

« La route que le devoir nous impose est longue et dure... »

Il sent cette tension, la force de ce silence qui remplit tout à coup Albert Hall.

« Il n'y a plus maintenant pour nous d'autre raison, d'autre intérêt, d'autre honneur que de rester jusqu'au bout des Français dignes de la France. »

Alors ce chant, qui à chaque fois le bouleverse : « *Allons enfants de la patrie* », et que des milliers de voix entonnent.

Voilà pourquoi il faut vivre.

Il murmure en serrant les mains qui se tendent vers lui : « Aucun d'entre nous n'a le droit de se décourager. »

Mais c'est l'hiver, décembre 1941, la grisaille et le froid humide, Philippe qui prend la mer à bord de ces petites vedettes rapides qui vont jusqu'aux côtes de France se glisser entre les navires allemands. C'est comme une angoisse diffuse qui colle à la peau, dont il ne doit pas tenir compte. Il doit s'arracher à cette succession des jours, à l'inquiétude, et répéter chaque fois qu'il s'exprime : « Notre principe est de refaire l'unité française dans la guerre, c'est une nécessité absolue. » Il doit dire que, « pour la première fois depuis le premier jour de la guerre, les armées allemandes ont reculé ».

Devant Moscou, les Russes lancent une contre-offensive. En Libye, où les Anglais marchent vers Tobrouk.

Il dit d'une voix sourde : « L'issue de cet atroce combat ne fait pas le moindre doute. »

Atroce.

Il n'est pas d'autre mot. Il décerne la croix de la Libération à Nantes. Pour le « sang de ses enfants martyrs ».

Il revoit plusieurs fois Jean Moulin. Il observe et écoute cet

homme de quarante-deux ans qui poursuit avec la détermination
d'un homme jeune son entraînement de parachutiste afin d'être lar-
gué sur la France. Il lui serre longuement la main pour marquer
l'estime, à chaque rencontre plus profonde, qu'il voue à ce combattant dont il mesure l'intelligence et la volonté. Il est frappé par le
souci de Moulin de partir au plus tôt. De Gaulle approuve. Il faut
agir vite. La guerre, il le pressent, est à un tournant. Et la France
doit aussi le prendre. Le Comité national de la France Libre est déjà
reconnu par l'URSS, et par la Grande-Bretagne. Il faut aller plus
loin.

Il est en compagnie de Passy, ce dimanche 7 décembre 1941. Ils
rentrent d'une longue promenade dans le parc de la maison de
Buckhampstead. Dans le salon, de Gaulle s'installe dans un fauteuil
placé près de la radio. Il tourne le bouton. À intervalles réguliers, le
speaker répète l'information : l'aviation japonaise a attaqué la base
américaine de Pearl Harbor.

De Gaulle écoute quelques minutes, puis, d'un geste brusque, il
arrête la radio. Il faut refréner cet optimisme qui tout à coup l'envahit. Car les États-Unis, humiliés à Pearl Harbor, vont réagir, et leur
entrée dans la guerre, après celle de l'URSS, rend la victoire certaine. Le problème est donc résolu, ainsi qu'il l'avait pensé dès juillet 1940. Mais il faut voir au-delà, dès maintenant. Il reste
longtemps silencieux, les yeux mi-clos. Enfin il se met à parler lentement.

– Maintenant, la guerre est définitivement gagnée, dit-il. Et
l'avenir nous prépare deux phases : la première sera le sauvetage de
l'Allemagne par les alliés, quant à la seconde je crains que ce ne
soit une grande guerre entre les Russes et les Américains, et cette
guerre-là, les Américains risquent bien de la perdre s'ils ne savent
pas prendre à temps les mesures nécessaires.

Il fixe Passy. Il saisit cette expression d'étonnement, presque
d'ahurissement. Ses vues à longue distance ont toujours surpris. Il
se reproche presque de les formuler. Mais c'est ainsi, elles
s'imposent à lui, même s'il y a le moment présent qu'il faut vivre,
les choix qu'il faut faire, les données qui changent et la France
Libre qui doit intervenir sans hésiter.

Il convoque le Conseil national : la France Libre va s'engager dans la guerre aux côtés des États-Unis, dès le 8 décembre, dit-il. Il regarde l'un après l'autre les membres du Conseil, qui approuvent. Saisissent-ils les conséquences de cet élargissement du conflit ?

Il hoche la tête.

– Eh bien, cette guerre est finie, dit-il. Bien sûr, il y aura encore des opérations, des batailles et des combats, mais la guerre est finie puisque l'issue est dorénavant connue.

Il se lève. La réunion est terminée. Il commence à fumer.

– Dans cette guerre industrielle, rien ne peut résister à la puissance de l'industrie américaine, ajoute-t-il.

Il sort, revient sur ses pas.

– Dorénavant, les Anglais ne feront rien sans l'accord de Roosevelt, dit-il en détachant chaque mot.

Il veut méditer seul sur cette nouvelle donne. Quelle sera l'attitude de Roosevelt à l'égard de la France Libre ? L'ambassadeur des États-Unis à Vichy, l'amiral Leahy, n'a cessé de soutenir Pétain et Darlan. Et on murmure qu'aux Antilles un accord a été conclu entre les autorités vichystes et américaines. Il s'étendrait à Saint-Pierre-et-Miquelon. On laisserait les autorités de Vichy en place, en échange de concessions et de garanties.

Voilà le péril, voilà une figure possible de l'avenir : les traîtres maintenus à leurs postes par des alliés soucieux de s'assurer des avantages.

Impossible d'accepter cela. Il a depuis longtemps envisagé une action à Saint-Pierre-et-Miquelon. Trois corvettes françaises, avec à leur bord Muselier et l'enseigne de vaisseau Alain Savary, sont à Halifax, au Canada. Elles peuvent appareiller, obtenir le ralliement des îles, Savary y devenant commissaire de la France Libre. Et prendre ainsi de vitesse les Américains.

Il dicte un télégramme pour Muselier :

« Je vous prescris de procéder au ralliement de Saint-Pierre-et-Miquelon par vos propres moyens et sans rien dire aux étrangers. Je prends l'entière responsabilité de cette opération, devenue indispensable pour conserver à la France ces possessions françaises. »

Attendre.

Et le 24 décembre, enfin, on apporte une dépêche de Muselier :
« Miquelon a effectué ralliement unanime. Un plébiscite aura
lieu demain à Saint-Pierre. »

Joie d'un moment.

« Mes vives félicitations pour la façon dont vous avez réalisé
ce ralliement dans l'ordre et la dignité. Vive la France ! » câble-
t-il à Muselier.

C'est Noël 41. Il se rend à Rodinghead. Journée calme avec
les enfants et Yvonne de Gaulle, et puis ce coup de téléphone de
Carlton Gardens, la lecture de ce message arrivé de Washington.

Le secrétaire d'État américain Cordell Hull a interrompu ses
vacances pour condamner « l'action entreprise par les navires
soi-disant français libres à Saint-Pierre-et-Miquelon ». C'est une
action « arbitraire ». Et Cordell Hull demande au gouvernement
canadien de « restaurer le statu quo » dans les îles !

Comment vivre cette journée de Noël dans la sérénité, alors
que se déploie cette politique absurde qui conforte Vichy,
dénonce la France Libre !

Il rentre à Londres. Il faudrait, sur ce point, obtenir l'appui de
Churchill avant que le Premier ministre ne s'aligne sur la position américaine. Il écrit à Churchill :

« Il ne me paraît pas bon que, dans la guerre, le prix soit remis
aux apôtres du déshonneur. Je vous dis cela à vous parce que je
sais que vous le sentez et que vous êtes le seul à pouvoir le dire
comme il faut. »

Mais de toute façon, il ne faut pas céder. Les Français Libres
resteront à Saint-Pierre-et-Miquelon. Qu'on ose les déloger !

Il lit les journaux américains. Les articles sont hostiles à Cordell Hull. Et il sent que l'opinion, en Angleterre comme aux
États-Unis, est favorable à la France Libre. Voilà une arme. Cette
popularité, il la doit, il le sait, à ces otages fusillés qui ont
démasqué la nature de l'occupation en France.

Il dit : « Les fusillades de Nantes et de Bordeaux ont mis un
point final à la politique de collaboration. »

Mais en même temps il s'inquiète. Jean Moulin et ses deux
camarades – Fassin et Monjaret – n'ont pu encore quitter

l'Angleterre : météorologie défavorable, panne d'avion, prétend-on. Peut-être s'agit-il d'une de ces manœuvres de l'Intelligence Service, une manière de faire payer l'action à Saint-Pierre-et-Miquelon, de faire pression aussi sur lui. Et pourtant, Churchill a condamné durement Vichy lors d'un discours prononcé à Ottawa.

« Il n'y a plus de place maintenant dans cette guerre pour les dilettantes, les faibles, les embusqués ou les poltrons », a-t-il dit.

Il faut lui répondre : « Du fond de son malheur la vieille France espère d'abord dans la vieille Angleterre. »

« Vous pouvez être sûr que j'ai fortement plaidé votre cause auprès de nos amis des États-Unis », télégraphie Churchill.

Et cependant le doute est encore présent. Il déjeune avec un diplomate anglais de premier plan, Harold Nicholson, à l'hôtel Connaught. Il écoute Nicholson faire l'apologie de Weygand. Pourquoi pas de Pétain ? Ou bien, dire avec un ton prétentieux que « les Français en Angleterre devraient mettre un terme à leurs querelles ».

– J'ai été mécontent d'entendre un Français m'apprendre que de Gaulle était entouré de juifs et de francs-maçons, continue Nicholson, et un autre qu'il était entouré de jésuites et de cagoulards.

De Gaulle se tourne vers son aide de camp. François Coulet a rougi de colère. Il faut se contenir, intervenir auprès d'Eden qui vient, ce 30 décembre, de rentrer à Londres, et l'interroger sur les retards subis par l'opération Moulin.

C'est le 31 décembre 1941. De Gaulle fait entrer Jean Moulin dans le petit appartement proche de Carlton Gardens où parfois il reçoit ceux qui doivent rester anonymes.

– Demain, dit-il, dans la nuit du 1er janvier.

Il en a obtenu l'assurance par Eden. Ce sera un parachutage « blind », sans réception. En Provence, comme Moulin l'a demandé, afin qu'il puisse gagner sa maison de Saint-Andiol.

– Demain soir, répète de Gaulle.

Il voit le visage de Moulin s'épanouir. Oui, cet homme « aspire aux grandes entreprises ». Tout à coup, on sonne. De Gaulle se lève, ouvre à Philippe, qui a quelques minutes d'avance, puis s'efface pour laisser sortir Moulin. Il le suit des yeux.

– Naturellement, murmure-t-il à Philippe, tu n'as vu personne d'autre que moi, et pas un mot à quiconque de mon visiteur.

Philippe parti, il demeure seul, puis commence à écrire un message qui doit paraître dans *Volontaire*, une publication de la France Libre.

Il pense à d'Estienne d'Orves, à Moulin, aux otages et aussi à Philippe.

« " Ô mon Dieu, commence-t-il, donne à chacun sa propre mort... ", dit l'auteur du *Livre de la Pauvreté et de la Mort*.

« À ceux qui ont choisi de mourir pour la cause de la France, sans que nulle loi humaine ne les y contraigne.

« À ceux-là, Dieu a donné la mort qui leur était propre, la mort des martyrs. »

Quatrième partie

1er janvier 1942 – 11 novembre 1942

Et moi, pauvre homme! aurai-je assez de clairvoyance, de fermeté, d'habileté pour maîtriser jusqu'au bout les épreuves?

Charles de Gaulle, *Mémoires de guerre*, tome I, *L'Appel*.

15.

De Gaulle est seul dans le salon du petit appartement qu'il occupe à l'hôtel Connaught chaque soir de la semaine. Il y a fait installer un bureau pour pouvoir travailler tard dans la nuit. En face de lui, la cheminée de marbre dans laquelle le feu pétille. Le tapis est épais. Les fauteuils de cuir et les meubles en acajou composent un cadre victorien confortable.

Il relit quelques lignes de la lettre que vient de lui adresser de New York Jacques Maritain. Il estime ce philosophe chrétien, et cette lettre l'émeut.

« Je pense que la mission immense que la Providence a dévolue au mouvement dont vous êtes le chef, écrit Maritain, est de donner au peuple français... une chance de réconcilier enfin, dans sa vie elle-même, le christianisme et la liberté... »

Il commence à lui répondre.

« Londres, 7 janvier 1942

« Mon cher maître,

« ... Il est doux d'être aidé, il est réconfortant de l'être par un homme de votre qualité... Si, jusqu'à présent, j'ai dû m'appliquer... à dire que notre désastre n'avait été que militaire et à faire qu'il soit réparé, je crois comme vous qu'au fond de tout il y avait dans notre peuple une sorte d'affaissement moral... J'ai pensé que, pour remonter la pente de l'abîme, il fallait d'abord empêcher que l'on se résignât à l'infamie de l'esclavage... Nous devrons ensuite profiter du rassemblement national dans la fierté et la résistance pour entraîner la nation vers un nouvel idéal intérieur... »

163

Il s'interrompt, regarde les flammes. Sa tâche ne pourra pas s'arrêter à la fin de la guerre. Que sera le pays au sortir de celle-ci ?

Il reprend :

« Il n'y aura qu'une base de salut : le désintéressement, et pour le faire acclamer, les âmes sont maintenant préparées par le dégoût et la sainte misère... Chacun ne trouve sa part que dans le renoncement de chacun. Il nous faut un peuple en vareuse, travaillant dans la lumière et jouant en plein soleil. Tâchons de tirer cela de cette guerre-révolution. Je sais que tout ce qui est jeune le désire. »

Il s'arrête à nouveau puis, d'un mouvement rapide, il ajoute :

« N'attendons plus rien des académies.

« Je ne suis pas inquiet pour la démocratie. Elle n'a d'ennemis chez nous que des fantoches. Je ne crains rien pour la religion. Des évêques ont joué le mauvais jeu, mais de bons curés, de simples prêtres, sont en train de tout sauver.

« Écrivez-moi quelquefois. Cela est utile. J'aimerais mieux encore vous voir.

« Ma lettre est longue mais rapide. Prenez-la dans sa sincérité.

« Croyez-moi, mon cher maître, votre bien dévoué. »

Il faudrait que Maritain, comme d'autres Français installés à New York, ainsi Alexis Léger – Saint-John Perse –, qui fut secrétaire général du Quai d'Orsay, viennent ici à Londres. Il faudrait renforcer la France Libre, rassembler toutes les personnalités éminentes autour d'elle.

Mais il y a tant d'arrière-pensées, de rivalités, d'ambitions !

Il connaît les accusations qu'on porte contre lui. Dans l'entourage de l'amiral Muselier, au cercle Jean-Jaurès où se regroupent la plupart des proches de l'amiral, des journalistes tel André Labarthe, des officiers de l'état-major de la marine, on dénonce les tendances autoritaires du « gaullisme ». Et les Anglais et les Américains recueillent ces ragots. Il n'ignore pas qu'il est pour eux le « biffin », le « képi », le « général Boulanger », le « roi Makoko », et pourquoi pas la « sacrée Pucelle ».

Comment ces hommes ne comprennent-ils pas qu'il doit tenir les rênes tendues pour faire face à l'ennemi, aux alliés toujours aux aguets, soucieux de leurs intérêts ?

« Et moi, pauvre homme ! aurai-je assez de clairvoyance, de fermeté, d'habileté pour maîtriser jusqu'au bout les épreuves ? »

Il feuillette le livre que Philippe Barrès – lui aussi à New York – lui a envoyé. Un portrait flatteur.

Un mot pour le remercier : « Laissez-moi ne point vous parler de ce que vous dites de moi-même. Il est mauvais, aujourd'hui surtout, de se regarder dans la glace, principalement quand cette glace avantage le personnage. »

Mais trêve de doutes ! Et de soliloques. Le combat n'attend pas.

A 9 h 15, il entre dans son bureau de Carlton Gardens.

Aux premiers mots de François Coulet, chef de cabinet, et de Billotte, chef d'état-major, il pressent la crise. Les Américains n'ont pas apprécié le ralliement de Saint-Pierre-et-Miquelon. Ils continuent de traiter avec les représentants de Vichy à la Martinique. Ils réclament l'évacuation des îles par les Français libres. Et Muselier, qui a parfaitement réussi l'opération, fait une déclaration où il dit qu'il regrette d'avoir exécuté les ordres ! Est-ce possible ?

« Nous sommes en plein Munich..., lance-t-il. La politique de Washington tend à nous arracher les îles comme jadis on arrachait les Sudètes aux Tchèques ! »

Il parcourt les dépêches :

« Nos alliés cherchent à contester ce rassemblement de la France autour de nous... Le résultat est que les seules sympathies étrangères qui progressent dans les esprits français sont toutes en faveur des Russes. Cela est grave pour l'avenir. »

Mais il ne cédera pas. Il refuse la neutralisation des îles que les Anglais proposent comme un compromis souhaitable. Il rencontre Anthony Eden, qui insiste, annonce que les États-Unis songent à envoyer à Saint-Pierre un croiseur et deux destroyers.

– Que ferez-vous en ce cas ?

De Gaulle regarde Eden, sourit.

– Les navires alliés s'arrêteront à la limite des eaux territoriales françaises et l'amiral américain ira déjeuner chez Muselier qui en sera certainement enchanté.

Eden le fixe, le visage étonné.

– Mais si le croiseur dépasse la limite ?

– Nos gens feront les simulations d'usage.

Eden écarquille les yeux.

165

– S'il passe outre ? demande-t-il.

– Ce serait un grand malheur, car alors les nôtres devraient tirer.

Il voit Eden décontenancé, qui lève les bras au ciel dans un geste d'accablement.

– Je comprends vos alarmes, mais – de Gaulle sourit – j'ai confiance dans les démocraties.

Washington n'enverra pas de navire, mais Churchill le convoque au 10, Downing Street.

Le premier ministre est nerveux. Sans doute sait-il que l'opinion anglaise est de plus en plus favorable à la France Libre. De Gaulle observe Churchill, qui semble embarrassé. Il se félicite d'avoir accepté ce reportage photographique dans sa maison de Rodinghead. Il songe à ces saynètes que les photographes ont imposées : Yvonne de Gaulle au piano, puis faisant la vaisselle – mise en scène ridicule mais efficace. Ces photos ont plu. Finie l'image du de Gaulle dictateur. Il est devenu pour les journaux le bon mari d'une gentille épouse !

Il se souvient d'avoir murmuré à Yvonne de Gaulle entre deux poses : « Écoutez-moi bien, jamais plus. »

Et maintenant, Churchill est contraint d'accepter les Français libres dans les îles françaises.

De Gaulle insiste, veut que le Premier ministre précise que les îles continueront d'appartenir à la France. Churchill a un mouvement de colère.

– Je ne sais pas ce que vous entendez par « France », dit-il. Il y a la France relativement modeste que vous représentez, il y a la France de Vichy et puis il y a la France des malheureux habitants des territoires occupés.

De Gaulle ne répond pas. L'amertume emplit sa bouche. Sa tête est pleine de phrases : « Au fond de l'abîme la France se relève, elle marche, elle gravit la pente. Ah, mère, tels que nous sommes, nous voici pour vous servir. »

Mais il suffit pour aujourd'hui d'avoir imposé son point de vue.

A-t-il vraiment gagné ? Dès qu'il apprend que Muselier, rentré de Saint-Pierre-et-Miquelon, démissionne du Conseil National, il a un doute. Le Premier Lord de l'Amirauté, Alexander, appuie Muselier. C'est la crise. Une nouvelle fois, le temps des manœuvres. Des membres de l'état-major de Muselier se solidarisent avec lui. Quelques officiers quittent leurs bâtiments.

De Gaulle prend connaissance d'une lettre ouverte que Muselier a adressée à Lord Alexander et aux membres travaillistes du cabinet britannique.

En lisant ces pages où Muselier affirme « l'impossibilité pour des hommes libres de se soumettre à la domination despotique d'un seul homme », de Gaulle s'emporte. Ses adversaires en sont encore ainsi à ressasser ce vieux refrain ! Il est saisi un instant par la tentation de sortir à grands pas de Carlton Gardens, de laisser la fourmilière, de rejoindre les siens, de clamer ainsi par cet acte que le pouvoir lui importe peu et qu'il ne le tient les mains serrées que par devoir.

Mais peuvent-ils même imaginer ce qu'il ressent ? « Penché sur le gouffre où la Patrie a roulé, je suis son fils qui l'appelle, lui tient la lumière, lui montre le salut. »

Il n'a que le droit et le devoir de continuer sa tâche.

Il reçoit Eden et Lord Alexander. Il les écoute, le visage fermé, exige que Muselier soit rétabli dans ses fonctions. Les Anglais paraissent décidés à l'épreuve de force. Ils lancent même un ultimatum : « Le cabinet de guerre estime nécessaire que Muselier conserve son commandement, sinon le cabinet prendra des mesures nécessaires pour imposer cette solution. »

Est-ce possible ? La France Libre brisée à propos d'un Muselier ?

De Gaulle s'enferme. Il y a bien autre chose derrière cet incident : le droit pour la France Libre et son chef d'agir souverainement, en refusant l'ingérence anglaise.

Il appelle son aide de camp. Muselier, dit-on, continue d'intriguer à Westminster House, cette demeure où l'abrite une Miss Michaelis, épouse d'un milliardaire sud-africain qui s'est entichée de son amiral français. Qu'on y convoque les officiers de marine présents à Londres, à 18 heures, dit de Gaulle. Il s'y rend, l'atmosphère est tendue, hostile.

« Chacun, à commencer par moi, dit-il, doit le respect à l'amiral. » Il veut s'entretenir en tête à tête avec chaque officier. Brou-haha, Muselier entre, lance : « Je suis officier de marine, me voici. » On l'approuve d'assister aux entretiens, comme chef des Forces navales françaises libres.

De Gaulle tourne le dos, s'en va.

Il ne discute pas. Il ne transige pas. Il ne cède ni à un Muselier, ni aux Anglais. Il écrit à Muselier.

« Amiral,

« ... Votre présence à Londres actuellement donne lieu dans le personnel à confusions et fausses interprétations dont la discipline risque de souffrir.

« Je dois en conséquence vous inviter à quitter Londres sans délai jusqu'à décision à intervenir.

« Veuillez croire, Amiral, à mes sentiments distingués. »

Les Anglais s'obstinent. L'occasion est trop belle. Ils veulent le faire plier, soumettre la France Libre en profitant de cette crise intérieure.

Il faut donc assumer le risque de la rupture définitive, pour placer Churchill et les Américains devant leurs responsabilités : se débarrasser de lui ! Ils l'ont désiré tant de fois déjà ! Il va quitter Londres, se retirer dans la maison de Buckhamstead. Et y attendre. Mais il doit expliquer sa position. Il écrit. Il confiera à Coulet, Pleven et Diethelm ce testament politique.

« Si je suis amené à renoncer à l'œuvre que j'ai entreprise, la nation française doit savoir pourquoi.

« J'ai voulu maintenir la France dans la guerre contre l'envahisseur. Cela n'est possible actuellement qu'aux côtés et avec l'appui des Britanniques. Mais cela n'est concevable que dans l'indépendance et dans la dignité. Or, l'intervention du gouvernement britannique dans la nouvelle crise provoquée par Muselier est intolérable autant qu'absurde...

« Céder, ce serait détruire moi-même ce qui reste à la France de souveraineté et d'honneur. Je ne ferai pas cela.

« La France comprendra que si je m'arrête, c'est parce que mon devoir envers elle m'interdit d'aller plus loin. Elle choisira sa route en conséquence. Les hommes passent. La France continue. »

Il marche dans Ashridge Park. Il aperçoit entre les chênes Anne qui donne la main à Yvonne de Gaulle. L'enfant avance de sa démarche heurtée et maladroite. Il est serein. Voilà la vraie question, la vraie mesure des choses. Il va vers elles.

Quelques jours plus tard, le 23 mars 1942, on lui téléphone de Carlton Gardens : le diplomate anglais Charles Peake, qui représente le Foreign Office auprès de la France Libre, propose un compromis. Le cabinet britannique renonce à exiger le maintien dans ses fonctions de l'amiral Muselier. De Gaulle n'écoute même plus. Ils ont cédé. Tout le reste n'est que mots ! Que l'on mette Muselier en « congé maladie », qu'on le nomme « inspecteur des Forces françaises libres ». Peu importe. L'unité de la France Libre et sa souveraineté sont préservées. Il a la conviction qu'après cette épreuve de force on pourra certes tenter de la combattre, de l'écarter des décisions, mais on ne pourra plus la séparer de son chef.

Il est rasséréné, il retrouve Carlton Gardens, et pourtant l'énergie lui manque. Il marche avec peine, ses yeux se voilent, la sueur couvre son corps. Est-ce la tension de ces derniers jours qui l'a épuisé ? Il sent que ses jambes se dérobent. Billotte le soutient. On le transporte. Il n'a plus que par moments conscience des lieux où il se trouve, sa chambre de l'hôtel Connaught, un lit d'hôpital, sa maison où on a donc dû le transporter. Il n'y a plus ni jour ni nuit, mais une suite de malaises, d'états fébriles où il lui semble que tout son corps se tend, avant d'être saisi de tremblements et de spasmes.

Un matin, les images ont à nouveau des contours précis, il aperçoit penché sur lui un visage inconnu. L'homme sourit, dit qu'il est le Dr Lishwitz, qui vient de rallier la France Libre. Il a diagnostiqué, soigné et guéri pour l'instant une forme aiguë de paludisme. Il faudra une longue convalescence, murmure-t-il.

De Gaulle se lève déjà.

Il remarque à son arrivée à Carlton Gardens qu'on le dévisage avec anxiété. En entrant dans son bureau, il lance un coup d'œil vers le miroir. Il a le teint cireux, des cernes bistres sous les yeux, des paupières lourdes. Il lui semble que son visage sous le menton s'est affaissé. Il détourne la tête. Peu lui importe l'aspect de la machine : elle tourne.

Il houspille Catroux qui a libéré des officiers vichystes faits prisonniers : « Vous vous êtes laissé tromper par les Anglais... Je ne comprends pas que vous ayez agi sans même prendre le temps de m'avertir... Je dois donc vous répéter que votre décision de libérer des détenus sans même me consulter est gravement fâcheuse. » Quant à enrôler dans les Forces françaises libres des officiers qui ont continué à servir chez les Anglais et qui « ont passé outre à mon appel personnel », « pas question, je ne les connais plus ».

Il reprend chaque dossier, l'examine avec minutie, écrit à Savary qui, à Saint-Pierre-et-Miquelon, fut sous les ordres de Muselier : « La discipline est nécessaire. Je la requiers et suis certain de n'avoir pas à l'imposer. »

Mais il doit la faire régner, parce que chaque jour s'approche une nouvelle tempête. C'est comme si les Alliés, anglais, américains, cherchaient à disloquer l'esquif dont ils n'ont pu diviser l'équipage. Des troubles éclatent en Nouvelle-Calédonie, ce territoire, l'un des premiers ralliés, où ont débarqué des milliers de soldats américains.

De Gaulle s'exclame : « Il n'y avait en Nouvelle-Calédonie aucun incident avant l'arrivée des troupes américaines. Leur attitude nous conduit infailliblement à la dislocation. Quant à faire du gaullisme sans de Gaulle, j'y suis pour ma part tout prêt. Mais je suis convaincu malheureusement que ce sera la fin de tout. »

Il est 3 heures du matin, ce 5 mai 1942 : il est réveillé en sursaut par le téléphone qui retentit dans le salon de son appartement de l'hôtel Connaught. Une voix inconnue. Celle d'un journaliste de permanence à l'Associated Press. Il demande une réaction du général de Gaulle à la suite du débarquement des troupes anglaises à Madagascar dans la baie de Diégo-Suarez.

De Gaulle raccroche. La fureur l'étouffe. Voilà des mois qu'il invite les Anglais à l'aider à intervenir dans cette île française. Ils ont chaque fois refusé pour agir enfin seuls, sans le prévenir.

Trahison. Perfidie. Volonté d'humilier et de prendre partout la place de la France. Et naturellement, accord local avec les autorités de Vichy, comme le font les Américains à la Martinique.

Il ne répond plus au téléphone. Il a besoin de ces heures de réflexion, de solitude où à nouveau s'insinue la tentation du départ et où reviennent les mots de Nietzsche : « Tout est vain, tout est égal, tout est révolu. »

Il se délecte quelques instants dans cette morosité, il se blesse à cette lucidité. Puis il se rend à Carlton Gardens. Tout en marchant, en rendant leur salut aux Anglais qui lui marquent avec déférence leur sympathie, il réfléchit à ce permanent jeu de forces, que toute nation doit conduire si elle ne veut pas disparaître. Il songe qu'il pourrait se rapprocher de l'URSS. Un bon moyen de pression sur les Alliés. Il a déjà réussi par ce moyen à obtenir de la part de l'état-major anglais les décisions qu'il souhaitait : le général Auchinleck a enfin armé et accepté sur le front de Libye deux divisions françaises commandées par Larminat et la brigade du général Kœnig est au contact des Allemands à Bir Hakeim. Les Anglais ont préféré utiliser ces Français Libres plutôt que de les voir rejoindre le front russe... Et il reste maintenant à faire partir pour l'URSS l'escadrille Normandie. Pour l'heure, les Anglais soulèvent mille et une difficultés.

Il arrive à Carlton Gardens. Des phrases se bousculent dans sa tête comme des hypothèses successives. Il lance un ordre à son aide de camp au moment où il entre dans son bureau. Que tous les officiers de son état-major se rassemblent ici immédiatement.

Il les regarde entrer, silencieux et surpris par cette réunion inhabituelle. À cette heure, chaque matin, de Gaulle reçoit Jacques Soustelle, un brillant ethnologue de trente ans, qui vient d'arriver du Mexique et qui a la charge de l'information. Il présente l'essentiel des nouvelles et une revue de presse.

De Gaulle est debout, bras croisés. Il laisse longtemps s'appesantir le silence.

– Messieurs, commence-t-il, puis il s'interrompt.

La voix est sourde. Il dévisage chacun des officiers.

– Messieurs, je vous rends votre liberté, reprend-il. J'ai voulu organiser ici le gouvernement de la France. J'ai signé des accords avec les Britanniques. Les Britanniques ne les respectent pas. Ils se sont emparés de Madagascar. Ils prétendent l'administrer directement. Nos accords sont rompus.

Il s'arrête quelques secondes. Il voit le désarroi s'inscrire sur les visages. Certains officiers ont les larmes aux yeux.

– Engagez-vous dans l'armée canadienne, dit-il. Au moins, vous vous battrez contre les Allemands.

« Le France Libre, c'est fini ! Messieurs, je vous salue. »

Il sait que, au Foreign Office, à Downing Street, cette nouvelle va semer l'inquiétude. Les journaux sont remplis d'éloges pour les soldats français, les « gaullistes » qui combattent à Bir Hakeim. On dénonce la barbarie allemande : 55 fusillés le 5 mai à Lille, 40 à Caen le 6 mai. On applaudit de Gaulle quand il dit : « La France combat toujours... C'est une révolution, la plus grande de son histoire que la France, trahie par ses élites dirigeantes et par ses privilégiés, a commencé d'accomplir... Une France en révolution préfère toujours gagner la guerre avec le général Hoche plutôt que de la perdre avec le maréchal de Soubise. »

Et c'est ce général-là, que l'on voit visiter les camps d'entraînement des *Free French* dans les Midlands, en Écosse, inspecter les navires de sa flotte à Portsmouth, ses escadrilles sur un aéroport proche de Glasgow, ce général que ses soldats entourent, appellent affectueusement le « Grand Charles », qu'il faudrait écarter, parce que l'on veut négocier avec les hommes de Vichy, un Laval revenu au pouvoir ? Et ce, alors que dans les grandes villes de France on a manifesté ce 1er mai, en répondant ainsi à l'appel lancé à la BBC par de Gaulle ?

De Gaulle, dans sa maison de Rodinghead, feuillette les journaux. L'opinion anglaise, une nouvelle fois, est son alliée. Et le gouvernement de Londres ne peut accepter son départ sans créer une tempête de protestations.

Il suffit d'attendre. De faire attendre Eden qui demande à le voir d'urgence.

Un jour, deux jours. On peut maintenant le rencontrer.

Être glacial, silencieux.

– Eh bien ? interroge Eden.

– Mais... je n'ai rien à vous dire.

Il fixe Eden qui penche un peu la tête, se maîtrise.

– Alors je vais commencer, reprend Eden. Nous avons à parler de Madagascar. Vous n'êtes pas content ? Je reconnais que j'aurais pu vous prévenir...

Le laisser parler, avancer ses excuses et prétendre n'avoir pas voulu recommencer les combats de Dakar, Français contre Français.

– Je prends ces raisons pour ce qu'elles valent, dit sèchement de Gaulle.

– Je regrette beaucoup que vous ne soyez pas venu me voir lundi..., répond Eden.

– Je n'avais aucune raison de venir, je n'étais informé de rien.

Tout à coup, il explose :

– Vous ne nous soutenez qu'à moitié, dit-il. Les Américains font tout ce qu'ils peuvent pour nous nuire. Si les conditions actuelles durent, un jour ou l'autre nous nous disloquerons. Si c'est ce que vous cherchez, il vaut mieux le dire, mais rendez-vous compte des conséquences. Avec nous, c'est la France elle-même qui se disloquera...

Il s'interrompt.

Peut-être, après tout, est-ce ce que Londres et Washington recherchent malgré les dénégations d'Eden ? Un affaissement définitif de la France pour s'emparer de son Empire et installer leur domination en Europe, après la victoire sur l'Allemagne ?

– Pourquoi adoptez-vous à notre égard une attitude qui sème le trouble dans nos rangs ? ajoute de Gaulle d'une voix dure. Je vous rencontre partout sur ma route. En Syrie, par exemple, vous nous créez de graves difficultés.

– Les difficultés ne viennent pas seulement de nous, dit Eden en se levant, elles viennent bien souvent de vous.

– Mais c'est bien vous qui les cherchez, lance de Gaulle.

Il se lève et ne serre pas la main d'Eden.

Tension extrême. Contacts coupés avec les Anglais. De Gaulle apprend que Churchill a donné l'ordre de ne pas le laisser quitter l'Angleterre pour l'Afrique. De Gaulle craint même une manœuvre anglo-américaine sur Dakar, et naturellement un accord serait conclu avec les autorités de Vichy, comme en Syrie, comme à la Martinique, comme à Madagascar, comme on voulait le faire à Saint-Pierre-et-Miquelon. C'est bien là une stratégie politique... qui vise à traiter avec les vichystes, plus souples, ne cherchant qu'à changer de maître, prêts à toutes les concessions. Et il faut au contraire tenir à l'écart, isoler, réduire la France Libre. Et si cela réussit, il en sera de même lors de la bataille de France au moment de sa libération. La France aurait alors simplement changé de maîtres.

Il écrit aux chefs dont il est sûr, qu'il estime, Leclerc, d'Argenlieu, Catroux, Larminat, Éboué. Vous êtes, dit-il, « mes Compagnons au service de la France ».

« Si mes soupçons se réalisaient, je n'accepterais pas de rester associé aux puissances anglo-saxonnes... J'estimerais que ce serait une forfaiture de leur... continuer notre concours direct... »

Quelles consignes dans ces conditions ?

« Nous rassembler comme nous pourrions dans les territoires que nous aurions libérés. Tenir ces territoires. N'entretenir avec les Anglo-Saxons aucune relation, quoi qu'il puisse nous en coûter. Avertir le peuple français et l'opinion mondiale par tous les moyens en notre pouvoir, et notamment par radio, des raisons de notre attitude. Ce serait, je crois, le moyen suprême à tenter, le cas échéant, pour faire reculer l'impérialisme. Dans tous les cas, ce serait la seule attitude convenable. »

Il croise dans les couloirs de Carlton Gardens des officiers de son état-major qui le regardent, les larmes aux yeux. Il sait qu'Éboué, Leclerc, Catroux ont, dès réception de son message, vu les ambassadeurs britanniques pour leur faire part de leur fidélité à de Gaulle.

Cela ne suffit pas.

Le 6 juin, il aperçoit l'ambassadeur soviétique Bogomolov. Le diplomate est un homme réservé et courtois. Il faut lui parler clair, lui expliquer que si les Anglo-Américains veulent s'emparer des colonies françaises, si les États-Unis veulent devenir les protecteurs de l'Europe, les soumettre à leur impérialisme, il rompra avec eux.

— C'est ma dernière carte, je ne peux plus attendre, lance-t-il.

Bogomolov se contente d'écouter. De Gaulle allume nonchalamment une cigarette.

– Dans le cas où je romprais définitivement avec les Américains et les Anglais, le gouvernement soviétique m'accueillerait-il, moi, les miens et mes troupes, sur son territoire ?

Il perçoit l'étonnement de Bogomolov.

– Naturellement, ce serait une ultime démarche, ajoute-t-il.

Puis, plus bas, comme pour lui-même : « La démocratie se confond exactement pour moi avec la souveraineté nationale. »

Il regarde Bogomolov s'éloigner. Il n'a aucune illusion sur ce que deviendrait la souveraineté nationale si par malheur les Soviétiques et les communistes dominaient la France et l'Europe. Il a écouté Billotte, interné durant plus de cinq mois en URSS, lui décrire la réalité des camps soviétiques. Et parfois il lui arrive de se souvenir de son vieux camarade de captivité en Allemagne, Toukhatchevski, fusillé par Staline.

Mais l'URSS est une carte qu'il faut jouer.

Il rencontre Molotov, le ministre soviétique collaborateur direct de Staline, qui l'assure durant une heure et demie des bonnes intentions soviétiques : alliance indépendante avec la France Libre, qui « représente la vraie France », affirmation que le rassemblement des Français doit se faire autour du Comité National et de son président, de Gaulle, soutien à la France Libre à propos de la Martinique et de Madagascar.

De Gaulle se détend. Enfin un point d'appui pour tenir face à Londres et à Washington, et affirmer la souveraineté de la France.

Il a le sentiment qu'en ces mois de mai et juin, de crise en crise, sa situation se renforce.

Presque chaque semaine, il rencontre des hommes venus de France, ces résistants dont les mouvements s'étendent. Un soir, il fait entrer, dans son salon de l'hôtel Connaught, Christian Pineau, fondateur en zone occupée du mouvement Libération-Nord. Il apprécie immédiatement le comportement modeste et résolu de cet homme, qui semble intimidé. Il le conduit à un fauteuil, s'assoit en face de lui. Les bûches crépitent dans la cheminée, sur les chenets de cuivre.

De Gaulle regarde Pineau droit dans les yeux.

– Maintenant, parlez-moi de la France, dit-il.

Il écoute avec avidité, sans interrompre Pineau. Puis il sonne le maître d'hôtel qui dresse la table, apporte le dîner, sert lentement du vin de Bordeaux. Alors de Gaulle parle, avec fierté et amertume, des combats de la France Libre, de ses difficultés avec les Anglo-Saxons.

Quelques jours plus tard, dans le même salon, il reçoit Emmanuel d'Astier de La Vigerie, chef de Libération-Sud, et à nouveau il écoute. Il veut tout savoir de cette France qui souffre et qui se bat. D'Astier est séduisant, brillant. Puis voici Pierre Mendès France, évadé de France, qui veut servir dans une unité aérienne combattante. C'est un homme jeune, énergique, à la voix claire. Il inspire confiance, il a été député, sous-secrétaire d'État au Trésor dans le cabinet Blum. Devant lui, qui a l'expérience du pouvoir, il peut s'interroger à haute voix :

– Ai-je eu raison à Saint-Pierre-et-Miquelon ?

– Je ne connais pas assez la situation pour en juger, dit Mendès, mais y étant allé, vous ne pouviez pas céder aux pressions en évacuant.

De Gaulle a la tête levée, les yeux ailleurs.

– Ai-je eu raison, en Syrie ? murmure-t-il d'une voix angoissée.

Puis, sans attendre la réponse, il ajoute d'une voix sourde qu'il se demande parfois s'il a eu raison, le 18 juin, de faire crédit à Churchill, puis à Roosevelt.

Il voit encore Rémy, le fondateur du réseau de renseignements de la Confrérie Notre-Dame qu'un avion anglais est allé chercher près de Rouen. Et ces « Pick-up » de résistants vont se multiplier, à condition que les rapports avec les services de renseignements britanniques soient bons. Or, ils changent en fonction des circonstances politiques.

Il voit Pierre Brossolette, un journaliste socialiste antimunichois au talent éclatant, qui va travailler en collaboration avec Passy.

De Gaulle pense souvent avec une émotion intense à ces hommes de l'ombre, à ces compagnons, qu'on torture, qu'on fusille, qu'on déporte. Ce sont eux qui le renforcent et, chaque jour davantage, font de la France Libre un partenaire irremplaçable, quoi qu'en pensent MM. Roosevelt et Churchill.

Il doit nouer avec ces hommes un lien d'absolue confiance.

– Dites à ces braves gens que je ne les trahirai pas, murmure-t-il à Pineau.

Il accepte l'idée d'adresser un message aux organisations de résistance. Mais il ne peut accepter les propos de Pineau qui donne des conseils sur le contenu du texte.

– Puisqu'on me demande un message, je l'enverrai sans cacher ce que je pense. C'est moi, de Gaulle, ou vous, qui vous adressez aux Français ?

Mais l'enjeu est trop grand pour ne pas tenir compte des idées qu'on lui apporte, et en quoi d'ailleurs pourrait-il s'opposer aux idéaux de ces résistants ? Même les communistes seront pris eux aussi dans cette vague d'unité et de patriotisme qui déferlera, il en est sûr.

Il travaille minutieusement son texte, cette « déclaration aux mouvements de résistance », qui doit faire date. Il le relit plusieurs fois. « ... L'enjeu de cette guerre est clair pour tous les Français : c'est l'indépendance ou l'esclavage... Un régime moral, social, politique, économique a abdiqué dans la défaite après s'être lui-même paralysé dans la licence. Un autre, sorti d'une criminelle capitulation, s'exalte en pouvoir personnel. Le peuple français les condamne tous les deux. Tandis qu'il s'unit pour la victoire, il s'assemble pour une révolution... Nous voulons que tout ce qui porte atteinte aux droits, aux intérêts, à l'honneur de la nation française, soit châtié et aboli. La sécurité nationale et la sécurité sociale sont pour nous des buts impératifs et conjugués... Nous voulons que l'organisation mécanique des masses humaines... soit définitivement abolie. »

Il est allé loin dans la volonté de, il ose le mot, révolution sociale : « Le système de coalition des intérêts particuliers qui a chez nous joué contre l'intérêt national devra être à tout jamais renversé. »

Il va loin. Mais quoi, ne faut-il pas tout changer ? Ce texte, il le retrouve avec émotion à la première page des journaux clandestins, *Libération*, *Franc-Tireur*, parus au début juin.

Comme chaque jour, il reçoit Maurice Schumann, il lui montre ces journaux venus de France. Il a la certitude qu'une étape majeure vient d'être franchie. Et le soir, il écoute Maurice Schumann dire de sa voix inspirée, passionnée : « Voici qu'entre la France combattante du dedans et la France combattante du dehors un grand pacte vient d'être conclu : pacte d'avenir. »

L'étau se resserre. Il en est sûr. Commence le temps de la germination. Leclerc attaque au Fezzan. À Bir Hakeim, alors que l'offensive de Rommel se déploie, bouscule les Anglais, Kœnig et la 1re brigade française libre résistent depuis plusieurs jours. Il connaît personnellement beaucoup des hommes qui sont là-bas, Messmer, Simon, Kœnig, enterrés dans le calcaire gris ou jaunâtre, sous les bombardements des stukas, puis résistant à l'attaque de la division italienne Ariete et de la 90e division allemande.

Il ne quitte plus son bureau de Carlton Gardens. Il sait que, à Bir Hakeim, dans ce polygone de 16 km^2, un « paysage lunaire où campe une troupe de nomades », se joue un épisode décisif.

« Dans les entreprises où l'on risque tout, un moment arrive d'ordinaire où celui qui mène la partie sent que le destin se fixe. »

C'est l'instant. Ces 5 500 combattants sont le visage de la France Libre.

Chaque jour, il constate que les journaux consacrent à Bir Hakeim une place de plus en plus grande. « L'opinion s'apprête à juger. Il s'agit de savoir si la gloire peut encore aimer nos soldats. »

Ces hommes se battent avec à peine deux litres d'eau par vingt-quatre heures ! Et leur résistance devient héroïque.

Rommel se brise les dents contre ces Français et compromet ainsi toute son offensive.

Il faut maintenant que les hommes de Kœnig réussissent, puisque leur mission est accomplie, à quitter Bir Hakeim. Car il ne faut pas qu'ils meurent !

Il envoie un message à Kœnig : « Général Kœnig, sachez et dites à vos troupes que toute la France vous regarde et que vous êtes son orgueil. »

À 17 h 30, le 10 juin 1942, il se rend chez Churchill. Le Premier ministre est souriant.

– Je vous félicite pour la magnifique conduite des troupes françaises à Bir Hakeim, c'est l'un des plus beaux faits d'armes de cette guerre, dit-il.

Orgueil ! Fierté !

Churchill commence à parler de la question de Madagascar. Son ton a changé.

– Nous avons dû tenir un certain compte des vues de l'Amérique, dit le Premier ministre. Nous avons voulu autant que possible éviter les complications...

Il faut lui parler clair.

– Vous faites des arrangements sur place avec les agents de Vichy..., dit de Gaulle. La guerre actuelle n'est pas une guerre coloniale. C'est une guerre morale et c'est une guerre mondiale.

– Nous n'avons aucune visée sur l'Empire français, répond Churchill. Je veux une grande France avec une grande armée. Je demeure fidèle à cette politique.

– Je le sais, au moment de l'armistice, vous avez été le seul à continuer à jouer la carte de la France. La carte de la France s'est appelée la carte de Gaulle, vous l'avez jouée. Nos noms sont attachés à cette politique.

De Gaulle parle avec émotion. Il se souvient de ce mois de juin 40. Il dit d'une voix amère :

– Pour les Américains, les Français de Bir Hakeim ne sont pas des belligérants.

– Oui, dit Churchill, les Américains ne veulent pas renoncer à leur politique avec Vichy.

– On parle de la résistance, si les services secrets anglais nous aidaient mieux..., dit de Gaulle.

Churchill évoque le départ de Muselier. De Gaulle explique une nouvelle fois qu'il ne pouvait accepter l'insubordination de l'amiral.

– Toutes ces histoires, dit finalement Churchill, n'ont pas grande importance. Ce qui est grand et ce qui importe, c'est la guerre.

De Gaulle approuve. Churchill est chaleureux.

– Il faut que nous nous revoyions, dit-il. Je ne vous lâcherai pas. Vous pouvez compter sur moi.

Il a plus que de l'estime pour Churchill, peut-être de l'affection, en tout cas un sentiment de reconnaissance. Mais il ne veut pas se laisser prendre par l'émotion. Il dit d'un ton bourru à l'amiral Ortoli qui évoque la situation à Madagascar :

– Il vaut quand même mieux avoir à Diégo-Suarez ces cochons d'Anglais plutôt que ces cochons d'Allemands !

Puis il s'enferme dans son bureau. C'est la matinée du 11 juin 1942. À Bir Hakeim, les hommes de Kœnig ont-ils réussi à échapper à la destruction ? Il écoute la radio, il lit la presse : « les commentaires sont dithyrambiques et funèbres ». Toute la journée, c'est l'attente. À la fin de l'après-midi, alors qu'il est en compagnie de Maurice Schumann, un officier de l'état-major britannique demande à être reçu. Il apporte un pli du général Brook. De Gaulle lit et l'émotion l'envahit : « Le général Kœnig et une partie de ses troupes sont parvenus à El-Gobi hors de l'atteinte de l'ennemi. »

Il remercie l'officier, reconduit Schumann, ferme la porte.

« Je suis seul. Ô cœur battant d'émotion, sanglots d'orgueil, larmes de joie. »

C'est le deuxième anniversaire du 18 juin. Il entre dans l'Albert Hall. Les quatre étages sont combles. Drapeaux, chants, foi et allégresse. Il faut parler. « L'action met les ardeurs en œuvre, mais c'est la parole qui les suscite. »

« Les raisonnables ont duré, les passionnés ont vécu », lance-t-il.

Mais ce mot de Chamfort, qu'il a si souvent médité, il le reprend, porté par les acclamations.

« Nous avons beaucoup vécu car nous sommes des passionnés. Mais aussi nous avons duré, ah ! que nous sommes raisonnables !... Nous avons choisi la voie la plus dure mais aussi la plus habile : la voie droite. »

Il écoute la foule qui l'acclame.

« Le temps n'est plus, reprend-il, où l'intérêt commun des trônes ou des privilégiés permettait de régler les comptes par traités entre chancelleries. L'ennemi et les traîtres auront beau, quelque jour, chercher à fuir le châtiment en reniant leurs propres crimes, l'ennemi et les traîtres paieront. »

C'est un moment de liesse. Jamais il ne s'est senti aussi lié à ce peuple de France dont il lui semble qu'il revit toute l'histoire, et dont il sait maintenant qu'il est une figure de cette histoire.

Les mots jaillis de grandes phrases de ce passé lui viennent naturellement, surgissent de ses lectures. « La libération nationale ne peut être séparée de l'insurrection nationale », dit-il. Et le 14 juillet, il lance : « La fureur triomphante du peuple français a fait du 14 juillet la fête de la nation. »

Jamais il n'a vécu plus beau 14 juillet que celui-là. Il décide d'appeler la France Libre « France combattante ».

Il préside au défilé des troupes françaises qui, musique en tête, parcourent les rues de Londres. La gloire de Bir Hakeim, il la sent flotter autour des drapeaux, elle résonne dans les acclamations. Le général Eisenhower, nouveau commandant en chef des forces américaines en Europe, assiste à la parade.

Dans les jours qui suivent, il apprend par les services du BCRA que des manifestations patriotiques ont eu lieu dans la plupart des villes françaises, qu'elles ont été imposantes, dans vingt-sept d'entre elles. La police a été débordée. Il y a eu des arrestations et des tués.

– J'entends la France me répondre, dit-il.

L'espoir le gagne.

Les événements paraissent s'accélérer. Peut-être les Anglo-Américains sont-ils décidés à débarquer dans quelques mois en France. Il convoque Billotte. Il élabore un projet de débarquement entre le Pas-de-Calais et le Cotentin. Il dresse le bilan des forces que la France peut lancer dans la bataille future.

Le 23 juillet 1942, il est reçu à l'hôtel Claridge à sa demande par le chef d'état-major des armées américaines, le général George Marshall, auquel il a fait transmettre son projet.

Il reste un instant interloqué. Dans cette immense « suite 429 » de l'hôtel londonien, il se trouve face à face avec non seulement Marshall, mais l'amiral King, le général Eisenhower, les généraux Clark et Bolté. Il n'est accompagné que de François Coulet. Les Américains paraissent gênés. Ils sont silencieux, comme s'ils n'avaient pas pris connaissance du plan de débarquement et comme s'ils ne recevaient le général français que pour la forme, ou pour le jauger, le juger peut-être.

À quoi rime cette mise en scène ? Que signifient ces quelques mots sur l'héroïsme des soldats de Bir Hakeim s'ils sont suivis par le mutisme ? De Gaulle évoque son projet. Marshall prend des notes. Pas une allusion au « second front ».

De Gaulle se lève après une demi-heure, salue, s'éloigne.

Le doute à nouveau l'assaille. Les Américains auraient-ils renoncé à débarquer en France l'année prochaine ? Quel objectif alors ? L'Afrique du Nord ? Et un accord avec les vichystes ? Certes, les États-Unis, le 9 juillet, ont reconnu le Comité national de la France Libre comme « le symbole de la Résistance française contre les puissances de l'Axe ».

Mais ont-ils changé de politique à l'égard de Vichy ou bien s'obstinent-ils à le considérer comme un interlocuteur privilégié ?

Le 28 juillet, il vient d'apprendre qu'il est autorisé à quitter le territoire britannique à sa guise. Il peut enfin se rendre en Afrique. Il veut voir Churchill le jour même.

Le Premier ministre accepte de le recevoir. Il est souriant, amical.

— Alors, vous partez pour l'Afrique ?

— Je ne suis pas fâché d'aller au Levant, dit de Gaulle, Spears s'y agite beaucoup. Il nous cause des difficultés.

— Spears a beaucoup d'ennemis, dit Churchill. Mais il a un ami, c'est le Premier ministre. Lorsque vous serez là-bas, voyez-le...

Conversation détendue. Churchill se plaint du gouverneur français de Madagascar. « Il est méchant », dit-il.

— Vous vous en étonnez ? Quand vous traitez avec Vichy, vous traitez avec Hitler. Or, je crois que Hitler n'a aucune bonne intention à notre égard. Hitler est méchant.

Churchill hoche la tête. Il allume avec précaution son cigare.

— Votre situation a été difficile ces derniers temps, marmonne-t-il tout en mâchonnant le cigare. Nos rapports n'ont pas toujours été très bons. Il y a eu des torts de part et d'autre. À l'avenir, il faut nous mettre ensemble et travailler. Faites le voyage que vous projetez et revenez rapidement.

Il va quitter Londres. Le départ est fixé au 5 août. Peut-on savoir ce que réserve d'obscur ce voyage ? L'avion peut être abattu. Ou, qui sait, pire. Il est si facile de saboter un appareil. Et après tout, il est un gêneur pour tant de gens.

Il s'installe à sa table ce 30 juillet 1942.

« S'il m'arrivait de disparaître, écrit-il, je demande aux membres du Comité national et aux membres du Conseil de défense de l'Empire de désigner par élections un président du Comité national français. »

Il cachette l'enveloppe, puis écrit :

« Monsieur Pleven

« À n'ouvrir qu'en cas d'accident survenu à moi-même. »

Derniers jours avec les siens : une lettre à Philippe, qui commande désormais une vedette lance-tropilles.

« Mon cher Philippe,

« De tout mon cœur je te félicite d'avoir reçu le commandement d'un navire de guerre. Si petit qu'il soit, il est important et c'est un morceau de la terre française. Je suis sûr que tu le commanderas comme il faut, c'est-à-dire avec décision, courage et attention. Son destin et celui des braves gens de l'équipage sont sous ta responsabilité... L'esprit en France ne cesse de s'améliorer malgré les souffrances ou peut-être à cause de ces souffrances...

« Au revoir, mon vieux garçon. J'espère aller inspecter prochainement ton navire. En attendant, je t'embrasse tendrement et avec fierté. Maman, Élisabeth et Anne vont très bien.

Ton papa très affectionné. »

Il accepte un dernier dîner donné en son honneur par quelques diplomates britanniques. Il les observe avec ironie. Ils feront tous leur rapport à Eden, qui transmettra à Churchill et au Cabinet.

Il parle de l'avenir de la France et il lui plaît d'inquiéter par ses propos ces gentlemen.

– Pour la France, commence-t-il, où le désastre, la trahison, l'attentisme ont disqualifié la plupart des dirigeants et des privilégiés, et où les masses profondes du peuple sont au contraire restées les plus vaillantes et les plus fidèles, il ne serait pas acceptable que la terrible épreuve laissât debout un régime social et moral qui a joué contre la nation...

Il lui semble lire dans les yeux des convives le souvenir de la terreur révolutionnaire.

– Il y a deux sortes de droite en France, poursuivit-il, la petite noblesse de campagne et les milieux d'argent.

On se penche pour l'écouter.

– La petite noblesse de campagne, et j'en suis, qu'inspire la plus haute forme de patriotisme, est prête à tous les sacrifices pour l'honneur de la France ou le salut du pays. Elle englobe une large fraction du clergé.

« La classe des nantis, à commencer par les très riches, n'est attachée qu'à ses intérêts et farouchement hostile à l'émancipation des classes laborieuses. »

Il a une moue de dégoût.

– Les aristocrates parisiens, le monde des courses, les comtesses de Noailles, les Nina de Polignac, les princesses de Faucigny-Lucinge, ces femmes titrées qui sont les maîtresses d'Abetz et de Darlan ou donnent des réceptions pour leurs vainqueurs adulés, se retrouvent au même niveau que les riches industriels : tous pourris par l'argent.

Il se lève, incline la tête, ajoute sur le ton de l'ironie :

– Patience, on verra bien qui fera, pour finir, « la révolution nationale ».

16.

L'avion vient de décoller de Gibraltar. C'est la dernière étape du voyage. De Gibraltar au Caire, de Gaulle est impatient. Il se lève, fait quelques pas dans la cabine de l'avion. Il aperçoit le diplomate américain Averell Harriman qui lui jette un coup d'œil puis baisse aussitôt la tête, comme s'il craignait d'être interpellé.

De Gaulle se rassoit, essaie d'étendre ses jambes, se penche.

L'avion décrit à basse altitude une large courbe au-dessus de la mer, que recouvre la poussière étincelante de cette aube du 7 août 1942.

De Gaulle distingue nettement les grandes excavations qu'il a déjà repérées hier, et qui semblent indiquer que les Anglais élargissent le port. Mais le gouverneur de Gibraltar, le général Mac-Farlane, lors du dîner, n'a répondu à aucune question, alors qu'aux précédentes escales il ne s'était jamais dérobé. Hier, il a préféré parler des combats qui se livrent en Russie, sur la Volga, autour de Stalingrad, ou bien des poussées allemandes en direction du Caucase. Il a paru ne pas entendre quand de Gaulle a rappelé que les troupes de Rommel sont à quatre-vingts kilomètres d'Alexandrie, c'est-à-dire à deux heures de route pour des chars ayant réussi une percée.

L'attitude d'Averell Harriman a été aussi surprenante. Dès l'embarquement, à Londres, le 5 août, il s'est absorbé dans ses dossiers, à peine poli, indiquant seulement qu'il venait d'être nommé par Roosevelt ambassadeur des États-Unis à Moscou. Il a dû pourtant admettre qu'il allait retrouver Churchill au Caire, car tout le monde sait à Londres que le Premier ministre a quitté la capitale l'avant-veille, en route pour Moscou lui aussi.

De Gaulle ferme les yeux.

La lumière éblouissante a inondé la cabine.

Les esquives de MacFarlane, la gêne d'Averell Harriman, qui, disert et ouvert d'habitude, semble « replié sur un lourd secret », sont des signes qui ne trompent pas. Les Américains et Churchill vont conférer à Moscou avec Staline, et discuter de la question du second front. Et naturellement, ils laissent la France Combattante à l'écart.

De Gaulle se tasse dans son fauteuil. Tout indique qu'ils ont renoncé à débarquer en France l'année prochaine. Pas une seule allusion au projet d'attaque entre le Pas-de-Calais et le Cotentin, qu'il leur a soumis. Silence du général Marshall à ce sujet. Silence d'Eden. Silence de Churchill.

Il ouvre les yeux, se tourne en se penchant. Le rocher de Gibraltar n'est plus qu'un ressaut noir au-dessus de l'horizon. Les travaux qui y ont été entrepris l'attestent : l'action aura lieu en Méditerranée ou en Afrique. Et la France sera concernée au premier chef. Et voilà pourquoi Américains et Anglais ont cette attitude gênée, voilà pourquoi ils évitent les questions.

De Gaulle interroge François Coulet, assis près de lui. Il veut voir les dernières dépêchés câblées de Londres à Gibraltar. Il les parcourt rapidement. On y annonce l'arrivée à Londres de nouvelles personnalités françaises qui se rallient à la France Combattante.

Après André Philip, ce professeur de droit, ancien député socialiste, auquel de Gaulle a attribué avant son départ le poste de commissaire national à l'Intérieur, parce que l'homme lui a paru franc, dynamique, osant dire : « Mon général, sitôt la guerre gagnée, je me séparerai de vous. Vous vous battez pour restaurer la grandeur nationale, moi pour bâtir une Europe socialiste et démocratique », il y a Charles Vallin, qui fut l'un des chefs Croix-de-Feu et fut d'abord proche de Vichy. Le communiste André Marty s'est présenté à Moscou au représentant de la France Combattante, Roger Garreau. « Il m'a fait un vif éloge du général de Gaulle, écrit Garreau. Il s'est mis à mon entière disposition pour aider à développer notre propagande en URSS. »

186

Les communistes aussi, murmure de Gaulle.

Voici maintenant une lettre de Georges Mandel, qui de sa prison du Pourtalet écrit : « Ce qui importe par-dessus tout, c'est que vous soyez le chef, le chef incontesté de ce gouvernement, et que vous ayez votre complète liberté d'action. »

– Le général Giraud ? interroge de Gaulle à mi-voix.

Notre « Miles Gloriosus », ajoute-t-il, ironique.

François Coulet secoue la tête. Depuis son évasion de la forteresse de Königstein, le 17 avril 1942, Giraud, parvenu en zone libre, n'a répondu à aucun des appels qu'on lui a adressés. Pire, il a proclamé sa fidélité inconditionnelle à Pétain, assurant « Monsieur le Maréchal » de son « parfait loyalisme ». « Je suis pleinement d'accord avec vous, a-t-il écrit à Pétain. Je vous donne ma parole d'officier que je ne ferai rien qui puisse gêner en quoi que ce soit vos rapports avec le gouvernement allemand... », etc.

De Gaulle a un geste d'indifférence méprisant. À l'exception des généraux Cochet et surtout Delestraint, c'est parmi les officiers supérieurs qu'il rencontre le plus d'hostilité.

Jalousie, étroitesse d'esprit, aveuglement, ces hommes attachés à la hiérarchie formelle de l'armée avaient cinq étoiles. De Gaulle deux ! Le général de La Laurencie, qui a fait partie du tribunal militaire qui l'a condamné à mort, est maintenant décidé à participer à la résistance, mais à ses conditions, et il aurait déclaré : « De Gaulle, quand il rentrera, nous l'amnistierons. »

Grotesque. « Nous le ferons gouverneur militaire de Strasbourg », murmure de Gaulle.

Puis il ajoute à voix basse, sans se tourner vers Coulet, pensant à tous ces généraux et amiraux qui ont failli, à Weygand, à Darlan : « La capitulation est un abîme d'où un chef ne revient jamais. »

Il aperçoit Harriman qui converse à voix basse avec deux autres diplomates américains. C'est un nouveau tournant de la guerre qui s'amorce, il en est sûr. Il ne suffira plus maintenant de « jeter au combat quelques troupes, de rallier ici et là des lambeaux de territoire, de chanter à la nation la romance de la grandeur. C'est le peuple entier tel qu'il est qu'il me faudra rassembler. Contre l'ennemi, malgré les alliés... ».

L'avion atterrit au Caire, à la fin de la matinée du 7 août. De Gaulle aperçoit un groupe d'officiers et de personnalités britanniques qui se dirigent vers lui. L'un d'eux se présente : Casey, ministre d'État. Cet Australien a remplacé au Caire le ministre Lyttelton. Casey indique que le Premier ministre Churchill souhaite déjeuner à l'aéroport même avec le général de Gaulle.

Cette invitation est un signe de plus que quelque chose d'important se prépare, et qu'il s'agit d'isoler, de neutraliser, de circonvenir la France Combattante. Churchill, dans la chaleur lourde de cette salle à manger, paraît préoccupé, essoufflé, les sourcils froncés, dérobant lui aussi son regard.

— Je suis venu, commence-t-il, pour réorganiser le commandement. En même temps, je verrai où en sont nos disputes à propos de la Syrie.

Il baisse la tête un long moment, comme s'il se retenait de parler, puis il relève la tête :

— J'irai ensuite à Moscou, reprend-il. C'est vous dire que mon voyage a une grande importance et me cause quelques soucis.

De Gaulle accepte le cigare que lui tend Churchill.

— Il est de fait, dit-il, que ce sont là trois sujets graves. Le premier ne regarde que vous. Pour le deuxième, qui me concerne, et pour le troisième, qui touche surtout Staline à qui vous allez sans doute annoncer que le second front ne s'ouvrira pas cette année, je comprends vos appréhensions. Mais...

De Gaulle sourit, rejette lentement la fumée du cigare.

— Mais, répète-t-il, vous les surmonterez aisément du moment que votre conscience n'a rien à vous reprocher.

Churchill se lève, le menton en avant, les dents serrées.

— Sachez, grogne-t-il, que ma conscience est une bonne fille avec qui je m'arrange toujours.

Le lendemain, 8 août 1942, alors que souffle sur Le Caire un vent étouffant et irritant, de Gaulle se rend chez le ministre d'État Casey. Dès les premiers mots de cet Australien qui représente l'Empire britannique, de Gaulle se souvient des propos cyniques de Churchill. Casey, sur un ton qui cache la brutalité des projets sous l'apparente banalité de la forme, exige l'organisation d'élections au Levant.

– Vote-t-on en Égypte, en Irak, en Transjordanie ? coupe de Gaulle.

Ces élections n'ont qu'un but : chasser les Français du Levant, et y installer, derrière une autonomie de façade, la domination anglaise.

Casey proteste des bonnes intentions britanniques.

De Gaulle ne veut même plus l'écouter.

– Il est vrai que vous êtes en ce moment, dans cette région du monde, beaucoup plus fort que nous ne le sommes, dit-il sèchement. Vous êtes en mesure de nous contraindre à quitter le Levant.

Il lève le bras, fixe Casey.

– Mais vous n'atteindrez ce but qu'en excitant la xénophobie des Arabes et en abusant de votre force à l'égard de vos alliés.

Il fait de plus en plus chaud dans le bureau de Casey, malgré les ventilateurs qui brassent bruyamment l'air épaissi par la chaleur.

Casey hausse le ton, s'empourpre.

– Le résultat sera pour vous, en Orient, une position chaque jour plus instable, poursuit de Gaulle, et dans le peuple français un ineffaçable grief à votre égard.

Casey, tout à coup, se met à hurler. Le vernis de la politesse a craqué. Croit-il impressionner ? De Gaulle répond sur le même ton.

Puis il quitte le bureau.

Il a besoin d'échapper à l'atmosphère bruyante et surpeuplée du Caire, de rencontrer des visages amis, de se retrouver entre Français combattants.

Il passe en revue les soldats de Kœnig, des vainqueurs de Bir Hakeim.

Voilà la France en marche.

De retour au Caire, il reçoit le général Catroux, qui rend compte en quelques mots de l'entrevue que Churchill vient de lui accorder. Le Premier ministre était hors de lui. Casey lui a rapporté les propos tenus par de Gaulle.

– Churchill, raconte Catroux, a répété d'un ton bougon : « De Gaulle est intraitable. Il a maltraité le ministre d'État. »

Maltraité ! De Gaulle hausse les épaules. Résister aux Anglais, est-ce sacrilège ?

Il n'a plus rien à faire au Caire. Il va se rendre à Beyrouth, à

Damas, à Saïda, à Souayda. Il veut manifester par sa présence que les Français ne renoncent pas à leur mandat sur le Liban et la Syrie, qu'ils veulent être présents dans la Bekaa, le Djebel Druze. Peu importent les réactions anglaises !

Il parcourt les rues et les places de ces villes ou de ces villages du Levant. Il va vers les foules qui l'acclament. Il écoute les récits des officiers et des fonctionnaires français. Partout, les Anglais manœuvrent. Les hommes du général Spears tentent de dresser les Syriens et les Libanais contre les Français. Ils veulent s'appuyer sur les nationalistes arabes qu'inquiète la colonisation juive en Palestine.

C'est leur affaire !

Il télégraphie à Churchill, proteste, avertit le Comité National Français. « Les ingérences anglaises ont revêtu à divers égards un caractère de sabotage... Les troubles ne proviennent que de Spears... La politique anglaise poursuit avec acharnement une action qu'il n'est pas possible d'accepter sans forfaiture. »

Il apprend que des troupes anglaises ont débarqué dans un autre port de Madagascar, à Majunga. Voilà comment les Britanniques respectent la France Combattante !

Certes, ils sont les alliés, et leurs hommes, avec des fusiliers marins français libres, lancent une opération de commando à Dieppe, courageuse, téméraire même, et des centaines de soldats sont tués ! De Gaulle est ému. Il faut féliciter ces hommes. Mais cela ne change rien à la politique anglaise au Levant, à ses habiletés, à la politique du général Spears « qui jette tant qu'il peut de l'huile sur le feu ».

À Alep, de Gaulle exige d'être reçu par le consul britannique : « Ne vous mêlez pas des affaires françaises », lance-t-il avec fureur. Si le diplomate rapporte ses propos à Churchill, tant mieux ! Il faut que le Premier ministre mesure une fois de plus que la France doit être respectée.

De Gaulle s'installe à Beyrouth, reçoit le consul américain, Gwynn, puis l'envoyé de Roosevelt, Wendell Willkie, qui fut le candidat républicain aux élections et fut battu par Roosevelt.

La question du Levant n'est pas la chasse gardée des Anglais !

– Si Churchill refuse de céder, dit de Gaulle, je demanderai aux Britanniques de quitter le pays, et s'ils s'y refusent, je ferai le nécessaire pour les y contraindre.

Il perçoit de l'effarement chez ses interlocuteurs. Il parle calmement. Il paraît détendu dans son uniforme blanc. Willkie est réservé, et plus tard de Gaulle apprend que l'envoyé américain a commenté cette entrevue en disant qu'il avait eu affaire à Napoléon, Louis XIV et Jeanne d'Arc !

Qu'on le juge comme on veut ! De Gaulle fait ce qu'il doit, comme il l'entend.

Les Anglais sont exaspérés de « l'internationalisation » par de Gaulle de la question du Levant, de ses divergences avec eux. Ils sont scandalisés parce que, après les Américains, les Soviétiques sont alertés par le Comité national à Londres.

Eh quoi, la France Combattante mène sa politique extérieure comme une nation souveraine.

De Gaulle lance à la cantonade :

– Ce n'est pas en nous résignant aux atteintes commises sur les droits de la France que nous servirons ses intérêts et ceux des démocraties.

Il houspille Dejean, le commissaire aux Affaires étrangères du Comité national qui semble céder aux pressions anglaises, qui insiste pour que, comme le demandent maintenant Eden et Churchill, de Gaulle rentre rapidement à Londres :

« Je prétends être soutenu par le commissaire national aux Affaires étrangères dans une tâche, une fois de plus, difficile, dit de Gaulle. Si vous ne vous croyez pas en mesure de le faire, votre devoir est de me le dire. »

Il martèle :

– Nous ne grandirons pas en nous abaissant. La solution est comme toujours dans la fermeté et la cohésion.

Il va faire attendre Eden et Churchill. Il veut inspecter l'Afrique Française Libre. Il fait établir un plan de vol, qui va permettre à un avion français de joindre un territoire français à un autre, Damas à Fort-Lamy, sans aucune assistance alliée ! Que les alliés sachent que la France est à nouveau souveraine sur un territoire vaste. Et que les Français s'y déplacent à leur guise.

De Gaulle retrouve l'âpreté brûlante du désert avec satisfaction. Il passe les troupes de Leclerc en revue, donne au général l'ordre de préparer la conquête du Fezzan. Puis, de Gaulle se rend à Yaoundé, Douala, Libreville, Pointe-Noire, Brazzaville. Partout, la France Libre.

Il lit les dépêches, pressent à nouveau que les Anglo-Américains préparent une action en Méditerranée. C'est aussi pour cela qu'on veut le voir rentrer à Londres.

Il répète : « Ou bien l'Angleterre fera ce à quoi elle s'est engagée envers nous, ou bien notre coopération dans la guerre sera forcément terminée. »

Il écarte les objections.

– Vingt-quatre ans d'une politique française d'abandon ont produit le résultat que nous voyons. Je n'accepte pas de la poursuivre !

Il marche à grands pas, il parle fort :

– Une seule chose fait obstacle à la voracité stupide de nos alliés ici, et cette chose c'est la crainte qu'ils ont de nous pousser à bout.

Il apprend qu'à Londres on est scandalisé qu'il refuse de se rendre immédiatement à la convocation du Premier ministre.

– La France n'est pas un candidat poli qui passe un examen ! Il est simplement monstrueux que Churchill et Eden paraissent révoquer leurs engagements sous prétexte que je ne serai pas accouru auprès d'eux au coup de sifflet.

Il secoue la tête.

– La manœuvre anglaise tend à nous donner les torts, en invoquant mon attitude personnelle...

Il s'isole comme si la situation poisseuse dans laquelle il tente de tracer sa route se matérialisait par cette chaleur humide qui imprègne chaque objet du bureau de Brazzaville où il se trouve.

« Il y a sous roche quelque grand projet, répète-t-il. Nos alliés préféreraient me voir auprès d'eux, moins pour me consulter que pour me contrôler dans la mesure du possible. »

Il lit les derniers télégrammes de Londres. Eden manifeste tout à coup de bonnes intentions à propos du Levant et de Madagascar. Un appât, un piège ? Il ne doit pas laisser passer cette chance si elle existe. On ne bâtit pas une politique sur des humeurs, ou des susceptibilités. On peut se servir d'elles pour masquer un raisonnement, une analyse, une stratégie. Mais elles ne doivent jamais déterminer des choix.

« Comme il s'agit d'une question capitale, je ne crois pas pouvoir refuser de me rendre à Londres », câble-t-il. Mais avant, il veut faire part au Comité national des conclusions auxquelles il a abouti. Tout lui semble si clair ! L'avenir, une fois de plus, lui apparaît déjà dessiné. Il en ressent une sorte de lassitude intellectuelle amère.

« J'ai la conviction, étayée par beaucoup d'indices, écrit-il le 27 août 1942, que les États-Unis ont maintenant pris la décision de débarquer des troupes en Afrique du Nord française.

« Les Américains se figurent qu'ils obtiendront tout au moins la passivité partielle des autorités de Vichy actuellement en place. Ils se sont d'ailleurs ménagé des concours en utilisant la bonne volonté de nos partisans... en leur laissant croire qu'ils agissent d'accord avec nous... »

Il relit les rapports qu'il reçoit du BCRA et qui insistent sur l'activité de Robert Murphy, le consul américain à Alger.

« Le cas échéant, poursuit-il, le maréchal Pétain donnera sans aucun doute l'ordre de se battre en Afrique contre les Alliés en invoquant l'agression. »

Il imagine. Les troupes françaises obéiront, comme en Syrie. Et l'on verra mourir des Français, des Américains, au seul bénéfice des Allemands, qui accourront en « alléguant qu'ils aident la France à défendre son Empire ».

Situation absurde et criminelle ! Comment les Américains ne comprennent-ils pas qu'on « ne transige pas avec le mal » ?

Mais ils ont choisi cette voie. Ils ont abandonné leur idée d'ouvrir un second front en France. Il s'agit maintenant pour eux, non plus de compter sur la France Combattante pour les aider, mais au contraire de l'écarter, de l'étouffer. Ils se tournent à nouveau vers les hommes de Vichy. De Gaulle pense à ce projet de scénario que Hollywood avait commandé à William Faulkner il y a quelques mois. L'écrivain avait été chargé de retracer dans la perspective d'un grand film la vie du général de Gaulle. Il avait envoyé le début du texte à Londres. Idée saugrenue à laquelle de Gaulle s'est opposé.

La solitude du combattant

Les Américains ont dû, après leur changement de politique, jeter ce scénario au fond d'une armoire ! Et peut-être ont-ils chargé un autre auteur d'écrire la vie du maréchal Pétain !

De Gaulle hoche la tête. Quelle dérision !

Il partira pour Londres le 22 septembre.

17.

Ce 25 septembre 1942, de Gaulle éprouve en retrouvant Londres des sentiments mêlés. La voiture glisse lentement dans les rues paisibles. Pas de traces de destructions et cependant Pleven et Soustelle, qui sont venus l'accueillir, lui ont dit que la capitale a été bombardée plusieurs fois cette semaine. Mais Londres cache ses blessures derrière des palissades qui masquent les immeubles rasés et les champs de ruines.

Il ressent pour cette Angleterre digne, obstinée et courageuse, de l'estime. Il est fier d'avoir été aux côtés des Anglais en ces jours d'abandon de juin 40. Et cependant, il sait qu'il va devoir affronter Churchill, Eden, et tous les services britanniques, implacables, cyniques, dès lors qu'ils veulent briser un « gêneur ». Il faudra ne rien céder.

Il a, en pensant « aux terres fidèles, aux troupes ardentes, aux foules enthousiastes » qu'il vient de quitter, un sentiment de nostalgie.

« À présent, voici de nouveau ce qu'on appelle le pouvoir dépouillé des contacts et des témoignages qui viennent parfois l'adoucir. Il n'est plus ici que dures affaires, choix pénibles entre des hommes et des inconvénients. »

Mais à l'idée qu'il va pouvoir retrouver les siens après sept semaines passées loin d'eux, cette humeur un peu morose accordée au temps grisâtre s'efface.

Il se fait conduire à Hampstead, à environ trente kilomètres au nord-ouest de Londres. Yvonne de Gaulle a emménagé là avec les enfants au début du mois de septembre, pour être plus proche de la capitale et d'Oxford, où Élisabeth doit faire sa rentrée universitaire. Il sait qu'il ne verra pas Philippe, qui vient de passer une courte permission à Londres avant de rejoindre la 23ᵉ flottille de vedettes lance-torpilles en cours de constitution.

C'est ainsi. Des millions de personnes dans ce monde sont séparées cruellement de ceux qu'elles aiment.

S'il échappait au sort commun, il aurait le sentiment de commettre une injustice, alors qu'il éprouve de l'orgueil, un sombre orgueil à savoir que son fils expose chaque jour sa vie pour le pays. Et il sait que ses frères, Pierre et Jacques, ont dû gagner la Suisse pour échapper aux persécutions. Et qu'il n'est pas un de ses parents, à lui ou à Yvonne de Gaulle, qui ne soit engagé dans la lutte et ne risque sa liberté.

Il aperçoit ce qui va être sa nouvelle résidence durant les week-ends quand il pourra quitter Carlton Gardens. C'est un grand bâtiment, situé au 65, Frognal. Il découvre les trois étages, la tour d'angle, les grandes fenêtres de style Tudor puis la petite grille de fer forgé qui ouvre sur la rue. Il la pousse. Le jardin est vaste, ceint d'un mur de près de deux mètres, doublé par des haies de même hauteur.

Voici Yvonne de Gaulle, sereine, souriante. Il entre. Il voit sur le divan un tricot. Sur une table voisine, un plateau et deux bouteilles, l'une de whisky, l'autre de xérès. Il fait le tour du salon, de la salle à manger. Ici, comme dans chacune des maisons qu'ils ont occupées, ne fût-ce que peu de temps, Yvonne de Gaulle a réussi à créer ce lieu où il se sent en paix, reprenant des forces avant d'affronter à nouveau les tempêtes.

Elles se lèvent. Il sent qu'elles font plier certains de ses compagnons. Maurice Dejean est inquiet. La pression du Foreign Office sur lui est permanente. Il faut demeurer impassible cependant qu'il détaille des menaces anglaises : interrompre la transmission des télégrammes chiffrés avec les territoires français libres. Cesser tout contact entre le service anglais, les services de renseignements français et le BCRA. Peut-être interner de Gaulle dans l'île de Wight, et utiliser le général Giraud.

– C'est tout ?

Une bonne nouvelle cependant. L'URSS a reconnu la France Combattante et le Comité national. Mais, ajoute aussitôt Dejean, Churchill est hors de lui. Il attend de Gaulle le 30 septembre au 10, Downing Street, en fin d'après-midi.

Il est 17 h 50 quand de Gaulle, accompagné de Pleven, entre dans la grande pièce du cabinet. Churchill a le visage fermé. Il est entouré d'Anthony Eden et du major Morton.

– Je vous remercie d'être venu à Londres à mon invitation, commence Churchill.

Combien de temps le Premier ministre conservera-t-il ce ton plein d'humour ?

Deux phrases, et le voici déjà qui parle de la Syrie, qui affirme qu'il n'est pas question de rivalité franco-britannique au Levant.

De Gaulle reste impassible. Mais pourquoi accepterait-il ces leçons de Churchill, ces mensonges ?

– Je n'ai nullement l'intention de créer des difficultés à la Grande-Bretagne, d'alourdir son fardeau..., dit-il. Mais je n'arrive pas à savoir si vous préférez traiter avec Vichy ou la France Combattante.

Il observe Churchill dont le visage a rosi de colère. Le Premier ministre croyait-il que la situation à Madagascar, occupée par les Anglais qui traitent dans l'île avec les hommes de Vichy, n'allait pas faire partie de la discussion ?

– C'est là une affaire très grave, dit de Gaulle, et qui remet en question la coopération entre la France et l'Angleterre.

Churchill se lève à demi.

– Entre le général de Gaulle et l'Angleterre..., commence-t-il.

Puis il s'emporte, dit d'une voix furieuse :

– Vous dites que vous êtes la France, vous n'êtes pas la France ! Je ne vous reconnais pas comme la France !

– Pourquoi discutez-vous de ces questions avec moi si je ne suis pas la France ?

De Gaulle regarde fixement Churchill, qui répond : « Vous êtes la France Combattante. »

De Gaulle reprend d'un ton sarcastique :

– Pourquoi alors discutez-vous avec moi de questions concernant la France ?

Churchill s'emporte. Il faut lui répondre sur le même ton, à propos de la Syrie, de Madagascar.

– J'agis au nom de la France, dit de Gaulle.

Il devine derrière les propos de Churchill la volonté de Londres de lui refuser de représenter la France, l'intention de se justifier par avance d'autres entreprises qui doivent déjà être en cours. Le représentant de la France Libre à Gibraltar, le capitaine Vaudreuil, vient d'être expulsé sans doute pour ne pas être en mesure d'observer ce qui se prépare dans la base britannique.

– En fait, reprend Churchill, vous n'avez pas de pire ennemi que vous-même ! J'ai espéré pouvoir travailler avec vous. Mais peu à peu cet espoir a été réduit à néant : les choses ne peuvent pas continuer ainsi.

De Gaulle a un haussement d'épaules.

– Évidemment, j'ai fait des erreurs, dit-il, tout le monde fait des erreurs. Mon but est de faire rentrer la France dans la guerre aux côtés de la Grande-Bretagne. Malheureusement, vous m'avez isolé et tenu à l'écart.

Eden intervient sur un ton d'irritation.

– Je dois vous dire, le coupe Churchill, que vous nous avez manifesté une hostilité très marquée.

Le Premier ministre hausse encore la voix. Il parle sur un ton furieux, acerbe, passionné.

– Vous avez semé le désordre partout où vous êtes passé. La situation est maintenant critique. Cela m'attriste car j'ai une grande admiration pour votre personnalité et votre action passée. Je ne puis vous considérer comme un camarade ou un ami. Vous semblez vouloir consolider votre position auprès des Français en employant à notre égard la manière forte. Vous avez essayé d'en faire autant avec les Américains. C'est une affaire très grave.

Que répondre à de telles contre-vérités faites de ragots ? De Gaulle sait que, tour à tour, « on » – des Français de Londres ou de New York – le présente comme un dictateur fasciste ou bien comme un agent communiste ! Alors qu'il ne veut que défendre la souveraineté française.

– Tout cela est très attristant, dit-il.

– Avez-vous quelque chose à proposer ? demande Churchill.

– Je n'ai rien à proposer, dit de Gaulle en se levant.

– Je pense que vous avez fait une grave erreur en repoussant l'amitié que nous vous avons offerte. Je vous briserai comme une chaise.

Churchill prend un siège, le jette à terre, la chaise se casse en deux.

– J'en tirerai les conséquences, lance de Gaulle.

Il jette un coup d'œil à Pleven qui a la mine défaite. À Carlton Gardens, c'est la même consternation, et aussi la même résolution. À l'exception de Dejean qui tente de mettre sur pied avec le Foreign Office une solution de compromis sur le Levant et Madagascar. On ne cède pas, dit de Gaulle.

– Je suis aussi patriote que vous, répond Dejean.

– En attendant, vous n'êtes plus commissaire national !

C'est Pleven qui le remplacera.

Charles Peake, ce diplomate anglais auprès de Carlton Gardens, essaie lui aussi de jouer les bons offices :

– Je ne plierai jamais à un diktat, dit de Gaulle.

Il est sombre, amer, déterminé. Les Anglais coupent tous les ponts, les menaces deviennent effectives : plus de transmissions de télégrammes, plus de contacts avec le BCRA. Peut-être des risques d'arrestation de De Gaulle.

C'est la crise, profonde, et dont la gravité annonce sûrement un projet anglo-américain concernant la France et dont la France Combattante sera écartée.

De Gaulle a besoin de savoir ce que pensent ses proches. Il réunit le Conseil national le 1ᵉʳ octobre 1942.

Il a la gorge serrée. Il dévisage l'un après l'autre les commissaires. Tous sont tendus.

– Si vous croyez, commence-t-il, que ma présence à la tête du Conseil national est nuisible à la France, c'est votre devoir de me le dire, et je me retirerai.

Tous les regards sont fixés sur lui. Pas un ne se baisse : les commissaires sont unanimes autour de lui. L'émotion le bouleverse un court instant, mais il doit rester impassible, même si, après l'approbation de ses compagnons, il se sent encore plus combatif.

Il faut que Churchill sache qu'il ne reculera pas et qu'il se sent « outragé ».

On lui rapporte les propos du Premier ministre qui s'en va répétant : « Désolé pour le général, c'est un idiot. » Eden lui-même dit qu'il « n'a jamais vu une telle grossièreté depuis Ribbentrop » ! Churchill a répondu au délégué et diplomate Nicholson qui plaide pour la reprise du dialogue : « De Gaulle, un grand homme ? Il est arrogant, il est égoïste, il se considère comme le centre de l'univers..., il est... Vous avez raison, c'est un grand homme. »

De Gaulle a une moue de mépris :

– Pauvre Churchill, lance-t-il. Il nous trahit et il nous en veut d'avoir à nous trahir.

Mais chaque jour la pression est plus forte, et de Gaulle croise dans les couloirs de Carlton Gardens des collaborateurs effrayés qui s'effacent pour le laisser passer et dont il sent le regard anxieux peser sur ses épaules.

Il a besoin d'échapper à ces pressions en gagnant chaque fin de semaine sa maison de Hampstead.

Il marche dans le jardin, à l'abri des murs et des haies. Il tient la main d'Anne. C'est comme si sa petite fille exprimait toute la douleur et l'espérance du monde : ces 1 000 Français fusillés par les Allemands en quatre semaines, dont 116 au mont Valérien. Ces jeunes gens qui fuient dans les montagnes, deviennent réfractaires pour éviter le Service du travail obligatoire en Allemagne, ces juifs persécutés, raflés avec la complicité des traîtres de Vichy et du Père-la-Défaite ! Et c'est avec ces gens-là que les Anglais et les Américains veulent traiter !

Il se retire dans une pièce située dans la tour d'angle. L'idée de la police française complice des nazis pour rafler les juifs le révulse. Il écrit à Pierre Van Passen, qui, aux États-Unis, veut organiser une armée juive. Il lui adresse un message de soutien et ajoute : « La révolte de la conscience française devant les mesures imposées par l'ennemi et ses complices contre vos coreligionnaires apporte une preuve nouvelle et irréfutable que la France reste elle-même. »

Il profite de ces week-ends à Hampstead pour lire les lettres qui, par des voies détournées, lui parviennent de France. Blum, Jeanneney, l'ancien président du Sénat, Léon Jouhaux, ancien secrétaire de la Confédération générale du travail, lui manifestent leur soutien.

Il répond à chacun, dans le même esprit : « Prenons-nous tels que nous sommes et marchons ensemble à la libération totale. »

Il est ému quand il découvre dans *La Marseillaise*, le journal de la France Combattante, l'article que Pierre Brossolette, ce socialiste devenu l'adjoint de Passy, a publié. Selon Brossolette, il ne peut y avoir qu'un seul choix : être gaulliste ou antigaulliste, résistant ou collaborateur. Qu'importe alors qu'on ait été socialiste – et peut-être même communiste – ou Croix-de-Feu, comme Charles Vallin : « Il n'y a pas de tiers parti possible. »

Peut-être Brossolette, dans son élan, est-il trop exclusif, peut-être Jean Moulin, qui est toujours dans la clandestinité sous le pseudonyme de Max, est-il plus favorable à la représentation des partis politiques dans leur diversité ? Mais ce qui compte, c'est l'union de tous.

Il veut en parler avec Henri Frenay et d'Astier de La Vigerie. Les créateurs de *Combat* et de *Libération* viennent d'arriver à Londres en ce début d'octobre 1942. Il a invité Frenay, qui se fait appeler Charvet, à Hampstead.

Il sert un verre de xérès à Frenay, l'observe. Ce visage énergique, ce regard bleu, cette raideur d'officier sont de bon augure. L'homme est courageux, déterminé. Il lui offre une cigarette.

– Comment ça va, en France ? demande-t-il.

Il écoute Frenay qui parle de la popularité encore réelle de Pétain.

– Les Français n'ont pas encore compris ?

– Mon général, répond Frenay, beaucoup d'entre eux croient au double jeu... Entre vous il y aurait un accord secret, d'un côté le bouclier, de l'autre le glaive.

– Oui, je vois, cette attitude est confortable, elle n'oblige pas à prendre parti.

Il questionne. Frenay est lui aussi favorable, comme Moulin, à la création d'une armée secrète, dont le chef pourrait être le général Delestraint.

De Gaulle se souvient de mai et de juin 40. Il a de l'estime pour ce spécialiste des chars qui l'a soutenu alors.

– Je lui écrirai, dit-il. Vous pouvez d'ailleurs lui apporter ma lettre vous-même. Ce choix me paraît très heureux.

Yvonne de Gaulle invite à passer à table. On parle de la vie en France, puis de Gaulle s'installe au salon, seul avec Frenay. Celui-ci hoche la tête.

— J'ai un problème à vous soumettre, mon général, dont les incidences politiques peuvent être importantes..., commence-t-il.

Paul Reynaud souhaite s'évader du fort du Pourtalet. Tout est prêt pour cela. Il compte passer en Angleterre et, grâce aux bonnes relations qu'il entretient avec Churchill et Roosevelt, résoudre les problèmes qui se posent entre ces alliés et la France Combattante.

De Gaulle secoue la tête. Il fume silencieusement, puis dit en parlant lentement :

— Voici ce que vous direz de ma part à M. Paul Reynaud... Je ne peux oublier que c'est lui, chef du dernier gouvernement de la République, qui a fait appel à Pétain... Ce n'est pas une erreur mais une faute. Il savait qui était Pétain : la suite était prévisible. Cela, je ne l'excuse pas. Si M. Paul Reynaud veut servir, qu'il vienne ici. Ses talents seront utilisés à la place qui lui sera assignée.

Le silence s'installe pendant plusieurs minutes, puis Frenay évoque le cas du général Giraud avec qui la résistance a pris en vain contact. Giraud veut agir seul.

— Je suis informé, dit de Gaulle. C'est une machination américaine, elle fera long feu.

Bien sûr, Anglais et Américains vont se servir de Giraud, le faire passer en Afrique du Nord en espérant qu'il prendra la tête de l'armée. Il le connaît bien pour l'avoir côtoyé lorsque Giraud commandait la région militaire de Metz. De Gaulle se souvient de leurs conflits à propos de l'emploi des chars. Giraud est un officier courageux, patriote et borné.

Il faut qu'il n'y ait aucun doute au sujet de Giraud. Il doit avoir l'appui de d'Astier et Frenay. Il les reçoit à Carlton Gardens. Les deux hommes sont si différents ! Il les jauge. Tout les sépare. Le combat pour la France est leur seul lien.

— Les gens de Vichy sont aux pieds des Allemands, commence-t-il.

Il allonge les jambes, joint les mains, sa cigarette pend au coin des lèvres.

— Les Américains, reprend-il, fricotent quelque chose avec

Giraud. Les Anglais montent leurs propres affaires sur notre territoire. La France doit se rassembler autour de De Gaulle si elle veut
rester la France.

Il dit qu'il faut créer, autour de Max – Jean Moulin –, un Comité
de coordination de la Résistance. Il a une absolue confiance en
Max : c'est Max qui disposera du contrôle technique et financier de
la Résistance politique et militaire ralliée à la France Combattante
en zone libre. Rémy fera de même en zone occupée.

Il se lève, reconduit d'Astier et Frenay jusqu'à la porte.

– Au revoir ! Ne vous faites pas pincer !

Puis il retourne à son bureau. Il doit écrire au général Delestraint,
qui sera chargé de l'Armée secrète.

« Mon général,

« On m'a parlé de vous... J'en étais sûr !

« Il n'y a rien à quoi nous attachions le plus d'importance qu'à ce
dont nous vous demandons d'assurer l'organisation et le commandement.

« Personne n'est plus qualifié que vous pour entreprendre cela.
Et c'est le moment !

« Je vous embrasse, mon général.

« Nous referons l'armée française. »

Puis il écrit à Jean Moulin. Il faut lui faire part des décisions
prises.

« J'ai vivement regretté votre absence pendant cette mise au
point... Je tiens à vous redire que vous avez mon entière confiance
et je vous adresse toutes mes amitiés. »

Il se sent plus fort. « Je me sens sûr des miens. Je crois qu'ils sont
sûrs de moi. » Le major Morton demande à être reçu. Churchill
aurait-il renoncé à briser de Gaulle comme une chaise ? Morton est
aimable, peut-être trop. De Gaulle l'écoute en silence. Morton parle
des exploits du sous-marin français *Junon*, qui a coulé deux gros
navires allemands, des forces de la France Libre qui, sur le front
d'Égypte, participent à l'offensive victorieuse de Montgomery sur
El-Alamein.

– Le Premier ministre, ajoute Morton avec conviction, me parlait de vous encore tout à l'heure et il me répétait l'immense admiration qu'il a pour votre personne et pour l'œuvre que vous avez
accomplie depuis deux ans et demi.

Lui répondre sur le même ton : « Le peuple français a une ami-
cale admiration » pour les troupes britanniques, leurs chefs, le Premier ministre...

Il raccompagne Morton, rencontre Charles Peake. « Je suis
enchanté, ému, dit de Gaulle, par le geste du Premier ministre. »

Que cache Churchill ? Il est vrai qu'il est impulsif, qu'il y a chez
lui une part de théâtre, mais rien de ce qu'il fait ou dit n'est totalement désintéressé, et sa volte-face ne doit sûrement que très peu de
chose au sentiment !

Mais il faut se prêter au jeu. Tenter de désarmer les soupçons.

De Gaulle décide d'écrire à Roosevelt. Peut-être les préjugés du
Président tomberont-ils ? Longue lettre où il ne dissimule rien : « Je
n'étais pas un homme politique », confie-t-il. Il ne rêve pas d'instituer en France un « pouvoir personnel ». « Si nous nourrissions des
sentiments assez bas pour chercher à escroquer le peuple français
de sa liberté future, nous ferions preuve d'une ignorance singulière
de notre propre peuple. Le peuple français est par nature le plus
opposé au pouvoir personnel. »

Roosevelt comprendra-t-il ? Cessera-t-il, s'il en est encore
temps, de faire confiance aux hommes de Vichy ?

C'est le début du mois de novembre 1942. De Gaulle est chez lui
à Hampstead. Il n'a pas voulu lire à Carlton Gardens une lettre que
Pierre Brossolette lui a fait remettre, missive strictement privée, a
assuré Brossolette. Il a de l'estime pour cet homme, socialiste et
patriote, intelligent et courageux, un homme de vif-argent qui a fait
le choix du « gaullisme » pour le présent et l'avenir.

Il lit :

« Mon général,

« Je ne vous adresse pas cette lettre par la voie hiérarchique.
C'est une lettre privée... Je vous parlerai franchement. Je l'ai toujours fait avec les hommes, si grands fussent-ils, que je respecte et
que j'aime bien. Je le ferai avec vous, que je respecte et aime infiniment. Car il y a des moments où il faut que quelqu'un ait le courage
de vous dire tout haut ce que les autres murmurent dans votre dos
avec des mines éplorées... Ce quelqu'un, ce sera moi...

« Ce qu'il faut vous dire... c'est que votre manière de traiter les
hommes et de ne pas leur permettre de traiter les problèmes éveille

en nous une douloureuse préoccupation, je dirais volontiers une véritable anxiété.

« Il y a des sujets sur lesquels vous ne tolérez aucune contra-diction, aucun débat même. Ce sont d'ailleurs ceux sur lesquels votre position est le plus exclusivement affective... Votre ton fait comprendre à vos interlocuteurs qu'à vos yeux leur dissentiment ne peut provenir que d'une infirmité de la pensée ou du patriotisme.

« Dans ce quelque chose d'impérieux que distingue ainsi votre manière et qui amène trop de vos collaborateurs à n'entrer dans votre bureau qu'avec timidité pour ne pas dire davantage, il y a pro-bablement de la grandeur. »

De Gaulle s'interrompt. Cette lettre et ce ton le touchent. Mais Brossolette imagine-t-il la nécessité où un chef se trouve quand, sans moyen, il doit représenter toute une nation ? S'il ne se raidit pas, s'il ne se caparaçonne pas, il risque à chaque instant de douter, de céder, de s'effondrer peut-être ?

Il reprend sa lecture.

« Vous en arriverez ainsi à la situation reposante... où vous ne rencontrez plus qu'assentiment flatteur... or il s'agit de la France. La superbe et l'offense ne sont pas une recommandation... Elle aura beau vous réserver l'accueil délirant que nous évoquons parfois, vous ruinerez en un mois votre crédit auprès d'elle si vous persévé-rez dans votre comportement présent.

« C'est pourquoi je me permets de vous supplier de faire sur vous-même l'effort nécessaire, pendant qu'il en est encore temps... Il faut que vous ayez avec vos collaborateurs des rapports humains, que vous sollicitiez leurs conseils, que vous pesiez leur avis... C'est justement dans l'adversité qu'il faut le plus se contrôler soi-même, car elle est une terrible école d'amertume, et l'amertume est la pire des politiques.

« Une conscience peut toujours parler d'égale à égale à une autre conscience... Je ne l'ai fait que par sincérité, à cause de l'attache-ment profond que je vous porte, à cause du sacrifice que j'ai fait à la France combattante de toutes les prudences, et de toutes les pudeurs même...

« Je crois que vous me comprendrez. »

Il parcourt la dernière ligne : « grand respect, affection plus grande encore », écrit Brossolette.

Il va marcher dans le jardin. Qui lui a jamais parlé ainsi, qui lui a jamais manifesté, parmi ses compagnons, une aussi grande affection ? Mais Brossolette mesure-t-il ce que coûtent cette dureté, cette distance maintenue avec tous les autres, cette solitude ?

Et comment être autrement quand on veut incarner toute une nation ? La faire rêver ? La faire se redresser pour combattre ?

Il rentre à Londres. Les mots de Brossolette le hantent. Ce serait simple, si doux pour soi-même, d'écouter les autres et d'excuser leurs faiblesses !

En a-t-il le droit ?

À chaque instant, il a le devoir d'être sur ses gardes, soupçonneux et méfiant.

Voici Anthony Eden qui vient, le 6 novembre, « tout sucre et miel », proposer que la France Combattante soit souveraine dans l'île de Madagascar.

Belle concession, sûrement un « lot de consolation » offert pour le prochain fait accompli des Anglo-Américains, sans doute en Afrique du Nord.

Eden, aimable, amical, transmet une invitation du Premier ministre à déjeuner, pour le 8 novembre 1942.

Et il faut remercier et accepter.

Mais le lendemain de la visite d'Eden, le 7 novembre 1942, un officier dépose sur le bureau de De Gaulle à Carlton Gardens le texte des messages captés sur les longueurs d'onde américaines, un message si clair qu'il en devient provocant : « Allô Robert, Franklin arrive, allô Robert, Franklin arrive. »

De Gaulle ricane. Robert Murphy, consul américain à Alger ! Franklin Roosevelt, président des États-Unis !

Ils vont donc débarquer en Afrique du Nord sans avoir averti la France Combattante !

Oui, l'histoire est une « terrible école d'amertume ».

18.

On sonne à la porte de la maison de Hampstead. De Gaulle se lève. Il est 6 heures du matin, ce dimanche 8 novembre 1942. Il noue lentement sa robe de chambre sur son pyjama blanc. Il lui semble qu'il vient à peine de se coucher. Il est rentré tard de la réception donnée à l'ambassade soviétique pour le vingt-cinquième anniversaire de la révolution bolchevique. L'atmosphère était tendue, faite de rumeurs, d'allusions, de chuchotements. On a essayé plusieurs fois de lui dire, à mots couverts, que le débarquement en Afrique du Nord était pour cette nuit. Il n'a même pas tourné la tête. Pourquoi prêter attention à ce que l'on ne peut pas empêcher ou changer ?

Il descend lentement l'escalier. Il ouvre la porte. Il comprend aussitôt, en voyant le visage grave du lieutenant-colonel Billotte, son chef d'état-major, qu'en effet le débarquement a eu lieu. Il précède Billotte dans le salon. Il ne l'interroge pas, laissant Billotte raconter qu'au milieu de la nuit le général Ismay, chef d'état-major de Churchill, a téléphoné, annonçant que les Américains, dans trois heures, prendraient pied sur les plages du Maroc et d'Algérie, de Casablanca à Alger et à Bône.

De Gaulle allume une cigarette, se tourne vers Billotte.

— Eh bien, lance-t-il, j'espère que les gens de Vichy vont les rejeter à la mer ! On n'entre pas en France par effraction.

Il est au-delà de la fureur et de l'indignation. Il a tellement prévu et annoncé cet événement ! Quelques instants plus tard, dans la voiture qui roule vers Carlton Gardens, il pense à ces visites de Morton, d'Eden, à cette invitation à déjeuner lancée il y a deux jours, pour aujourd'hui, 8 novembre, parce que naturellement les Anglais savaient et qu'on veut le circonvenir.

Il entre dans Carlton Gardens. Charles Peake est déjà là pour le sonder, transmettre à Churchill des informations sur son état d'esprit. On s'attend à ce qu'il hurle.

Il marche dans son bureau, de long en large, les mains dans son ceinturon. Il prend connaissance des premières nouvelles. Naturellement, comme il l'avait prévu, les troupes françaises résistent, tuent des Américains, coulent des navires anglais, abattent des avions ! Ah, la belle manœuvre ! On dit que Giraud est en passe d'arriver à Alger, que les Anglais l'ont fait évader de France, transporté dans un sous-marin de la côte azuréenne à Gibraltar.

Quoi qu'il en soit, c'est un tournant pour la guerre, et pour la France l'occasion de rentrer dans la guerre !

Les pensées se succèdent. Il allume cigarette sur cigarette. Il ne sert à rien dans cette conjoncture de se heurter aux Anglais, qui ont laissé la main aux Américains.

Il entre dans la salle à manger de Downing Street à midi, ce dimanche. Il aperçoit aussitôt la gêne de Churchill, qui multiplie les démonstrations et les proclamations d'amitié.

– Nous avons été contraints d'en passer par là, dit Churchill.

De Gaulle se tait, laisse Churchill parler dans le vide, s'enfoncer dans ses explications. Et au fur et à mesure sa voix s'altère, l'émotion le gagne :

– Vous avez été avec nous dans les pires moments de la guerre, répète le Premier ministre. Nous ne vous abandonnerons pas, dès lors que l'horizon s'éclaircit.

Ne rien dire. Mais Churchill sait très bien que l'on ne peut plus faire disparaître la France Combattante et son chef !

– Saviez-vous, dit tout à coup le Premier ministre, que Darlan est à Alger ?

Churchill ne peut dissimuler qu'il a été surpris et irrité par la présence de l'amiral. Il doit se souvenir de l'anglophobie de l'amiral, de Mers el-Kébir. Mais qui sait, les Américains veulent peut-être ainsi, en gardant des relations avec les hommes de Vichy, préparer les voies d'une paix séparée. Tout est possible ! Roosevelt a écrit une lettre fort aimable à Pétain pour lui annoncer le débarquement. Darlan est à Alger pour, dit-on, rendre visite à son fils malade. Y a-t-il simple coïncidence ? Et demain, avec l'Allemagne, n'opérera-t-on pas de même ? Un Goering, négociant avec Roosevelt, soucieux de tenir les Russes à l'écart ? Ne jamais oublier tout cela, mais s'en tenir au présent.

– Le fait que les Américains abordent l'Afrique est très satisfaisant, commence de Gaulle.

Il voit Churchill sourire, se détendre.

– Mais les Américains ont voulu jouer Vichy contre de Gaulle. Voici qu'ils le paient. Nous, Français, devons le payer aussi.

De Gaulle reste silencieux quelques secondes, puis reprend :

– Toutefois, étant donné les sentiments qui sont au fond de l'âme de nos soldats, je crois que la bataille ne sera pas de longue durée. Mais si brève qu'elle soit, je crois que les Allemands vont accourir.

De Gaulle décrit d'un geste la côte de l'Afrique du Nord. Pourquoi les Américains n'ont-ils pas visé aussi Bizerte ? Ou laissé les Français de Kœnig y intervenir ? C'est par la Tunisie que les Allemands et les Italiens vont arriver. Et Laval et Pétain vont leur ouvrir les portes, comme ils l'ont déjà fait en Syrie, et en Tunisie même, par où transitent les renforts et les munitions de Rommel.

De Gaulle se lève.

– Je comprends mal, dit-il d'une voix calme, que vous, Anglais, passiez aussi complètement la main dans une entreprise qui intéresse l'Europe au premier chef. Mais rien n'importe aujourd'hui davantage que de faire cesser la bataille, pour le reste on verra après...

Churchill est épanoui, ému. De Gaulle le voit s'avancer, l'entend répéter que Giraud ne joue qu'un rôle militaire, puis Churchill évoque avec enthousiasme la défaite prochaine de Rommel, inévitable depuis El-Alamein.

Il prend la main de De Gaulle.

– Les bons jours commencent, lance-t-il en français.

Il a les larmes aux yeux.

– Je n'oublierai jamais ceux qui ne m'ont pas lâché en juin 40, quand j'étais seul, dit-il.

Il raccompagne de Gaulle.

– Vous verrez, nous descendrons ensemble les Champs-Élysées.

De Gaulle rentre à Carlton Gardens. Moments intenses. Regards anxieux des proches. Il devine leur fureur. Se sont-ils battus, ont-ils tout risqué pour que Darlan, installé à Alger, négocie avec le général américain Clark un cessez-le-feu et devienne peut-être, après avoir été l'interlocuteur obligé, le chef d'un « Vichy libre » ?

Il est calme. Il ne craint ni Giraud ni Darlan. Il le dit au Conseil national, il le dit à Frenay qui, à 18 heures, ce 8 novembre, demande à être reçu. Le chef des services de renseignements britanniques, Sir Charles Hambro, lui a proposé de gagner Alger, de prendre contact avec Giraud.

Les revoilà, ces Anglais, qui manœuvrent pour écarter la France Combattante.

– Il ne peut être question que vous partiez seul à Alger, lance de Gaulle à Frenay. Dites à Sir Charles Hambro que vous partirez accompagné du lieutenant-colonel Billotte et de Gaston Palewski.

Ainsi, les Anglais et Giraud s'apercevront que l'unité est réalisée par la France Combattante. Il va écrire dans ce sens à Churchill, proposer cette mission, mais il sait qu'on ne lui répondra pas.

De Gaulle se lève, raccompagne Frenay à la porte.

– Je prends ce soir la parole à la radio, dit-il, je vais préparer mon message. Mais voyez-vous, Charvet (Frenay), il n'y a qu'une chose qui compte : que le maximum de Français, le maximum de territoires rentrent dans la guerre, tout le reste est secondaire.

Il est assis dans le studio de la BBC. Il entend la voix du speaker qui annonce sur un ton solennel :

« Honneur et patrie, voici le général de Gaulle. »

Deux ou trois secondes avant de parler, pendant lesquelles de Gaulle se souvient du 18 juin. Peut-être est-ce le moment le plus important depuis ce premier appel, à partir duquel tout a commencé. Il parle.

« Les alliés de la France ont entrepris d'entraîner l'Afrique du Nord française dans la guerre de libération... Chefs français, soldats, marins, aviateurs, fonctionnaires, colons français d'Afrique du Nord, levez-vous donc ! Aidez nos alliés ! Joignez-vous à eux sans réserve. La France qui combat vous en adjure... Une seule chose compte, le salut de la patrie... Allons, voici le grand moment, voici l'heure du bon sens et du courage. Partout, l'ennemi chancelle et fléchit. Français de l'Afrique du Nord, que par vous nous rentrions en ligne, d'un bout à l'autre de la Méditerranée, et voilà la guerre gagnée grâce à la France ! »

Il faut attendre. Les combats continuent, stupides, coûteux. Des milliers d'hommes tombent, Français, Américains ! Voilà le crime des traîtres de Vichy. Et les Allemands arrivent en Tunisie. Et en France ils s'apprêtent à l'évidence à envahir la zone non occupée, celle que les hommes de Vichy appelaient Libre. Alors que – Frenay l'a rapporté – près de 300 agents de la Gestapo et de l'Abwehr ont été munis par Vichy de papiers d'identité leur donnant l'apparence de policiers français pour pouvoir opérer au-delà de la ligne de démarcation ! Maintenant, ils vont avoir libre accès à toute la flotte française.

C'est une situation absurde, tragique, criminelle. Et puisqu'elle se prolonge, elle peut avoir des conséquences plus négatives qu'il ne pensait. Seule consolation, les Anglais, comme convenu le 6 novembre avec Eden, accordent Madagascar à la France Combattante.

À 15 heures, le 9 novembre, de Gaulle reçoit le capitaine de Boissieu, qu'il a choisi pour accompagner le général Legentilhomme à Tananarive.

Il apprécie cet officier, évadé d'Allemagne, interné en URSS, volontaire pour une mission en France, désireux de se battre avec Leclerc dans la prochaine offensive au Fezzan. Il regarde longuement de Boissieu.

– Ce qui se passe en Afrique du Nord, du fait de Roosevelt, est une ignominie, dit-il.

Il marche à grands pas dans le bureau, explique que Giraud ne s'est pas imposé. « Les Américains l'ont annexé avec l'idée que l'annonce de son nom ferait tomber les murs de Jéricho. Mais Giraud ne rallie personne parce qu'il arrive seul dans les bagages américains et qu'on l'accuse d'avoir trahi le Maréchal, à qui il avait promis, par écrit, le 4 mai, d'obéir. »

De Gaulle s'est arrêté devant la fenêtre.

– Pour obtenir le cessez-le-feu, poursuit-il, le commandement américain a dû utiliser l'expédient temporaire de Darlan. L'effet de cette décision sur la résistance en France est désastreux.

De Gaulle s'assied, la cigarette entre les lèvres, accentuant la moue de mépris et de dégoût.

– Quelques gaffes de cette sorte commises par les Américains, continue-t-il, et la Résistance ne croira plus à la capacité et à la pureté de la France Combattante, ce sont les communistes qui se présenteront comme les durs et les purs alors qu'ils ont commencé la guerre en désertant le combat, alors qu'ils ont attendu l'entrée de l'URSS dans la guerre pour me faire signe et ne plus m'attaquer.

Il allume une autre cigarette.

– Nous ne devons pas nous mêler de ces tractations sordides. Vous allez partir avec le général Legentilhomme, qui vous réclame...

Il voit la déception de De Boissieu.

– Mais on m'avait promis de rejoindre le général Leclerc, murmure de Boissieu.

De Gaulle se lève. Il fixe de Boissieu.

– Qui est ce « on » ? Dans la France Combattante, on ne fait pas ce qu'on veut, on fait ce que je dis.

De Boissieu salue. De Gaulle sourit.

– Vous rejoindrez le général Leclerc lorsqu'il atteindra la Méditerranée, dit-il.

Heures d'attente. Voici le 11 novembre 1942. De Gaulle est seul dans son bureau de Carlton Gardens. Il va vers la fenêtre. Toute la ville est recouverte par un épais brouillard jaunâtre. Jamais depuis son arrivée à Londres il n'a vu un tel *fog*. La visibilité est quasi nulle.

Mais ce soir, il doit déchirer tous les voiles. Il parle à l'Albert Hall alors que tout paraît confus.

Darlan vient de signer un cessez-le-feu. Et il est obéi, investi de fait par les Américains de l'autorité sur l'Afrique du Nord, lui, l'homme qui a négocié avec Hitler à propos de la Syrie. Et Giraud semble accepter cette situation de sujétion à Darlan !

De Gaulle sort de son bureau. La circulation est arrêtée. Il arrive en retard à l'Albert Hall. Mais une fois franchi le seuil, c'est la lumière éclatante, les banderoles, les acclamations, les milliers de Français, pour la plupart de jeunes hommes, dont de nombreux en uniforme, debout, qui crient leur foi en la France.

Il écoute ces humbles et ces anonymes qui montent à la tribune, racontent leur odyssée depuis la France jusqu'à Londres.

À lui, maintenant, de dire ce qu'ils ressentent tous, à lui d'éclairer ce moment et l'avenir.

« Le ciment de l'unité française, lance-t-il, c'est le sang des Français qui n'ont jamais, eux, accepté l'armistice. »

Une voix isolée, du haut des gradins, dans le silence, une voix qui crie qu'il faut s'entendre avec Giraud, et tout à coup des hurlements qui couvrent la voix, qui l'étouffent, l'interpellateur est chassé.

Cette foule enthousiaste est pleine aussi de fureur contre ceux qui commandent, trahissent les espoirs.

« Soldats morts à Keren, à Koufra, Mourzouk, Damas, Bir Hakeim, reprend-il, marins de nos navires coulés... aviateurs tués... combattants de Saint-Nazaire tombés le couteau à la main, fusillés de Nantes, Paris, Bordeaux, Strasbourg et ailleurs... C'est vous qui condamnez les traîtres, déshonorez les attentistes, exaltez les courageux... Eh bien, dormez en paix ! La France vivra parce que vous, vous avez su mourir pour elle ! »

Il attend que la vague d'émotion reflue, et la voix nouée, il lance ; « Le centre autour duquel se refait l'unité française, c'est la France qui combat ! À la nation mise au cachot, nous offrons depuis le premier jour la lutte et la lumière ! »

Il reprend après les applaudissements frénétiques.

« La France ne juge les hommes et leurs actions qu'à l'échelle de ce qu'ils réalisent pour lui sauver la vie... La nation ne reconnaît plus de cadres que ceux de la Libération. Comme dans sa grande révolution, elle n'accepte plus de chefs que ceux du Salut Public. »

Il dit encore : « Rétablir intégralement les libertés françaises... » Puis : « La France trahie par des coalitions de trusts et de gens en place entend construire chez elle un édifice moral et social où nul monopole ne pourra abuser des hommes ni dresser aucune barrière devant l'intérêt général... »

L'immense clameur vient, brûlante, exaltante, le soulever.

Il crie :

« Un seul combat pour une seule patrie ! »

La foule chante. Il sait qu'elle s'est emparée des mots qu'il a lancés, qu'ils deviennent une force, la force de la France Combattante. Il lui semble que la victoire est certaine, même si, à cette heure, les troupes allemandes et italiennes ont franchi la ligne de démarcation et qu'ainsi toute la France est occupée.

Il sort de l'Albert Hall. Le brouillard est encore plus dense. Les silhouettes, après un pas, s'effacent. Tout est devenu silence. Il faut avancer en tâtonnant.

Cinquième partie

12 novembre 1942 – 4 juin 1943

Quant à moi, je ne me prêterai, ni de près ni de loin à ces nauséabondes histoires. Ce qui reste de l'honneur de la France, demeurera intact entre mes mains.

Charles de Gaulle à Adrien Tixier,
21 novembre 1942.

19.

De Gaulle arpente son bureau de Carlton Gardens de long en large. Il paraît ne pas entendre Charles Peake qui parle à voix basse.

– Darlan est un expédient provisoire, répète le diplomate anglais.

Roosevelt a insisté sur ce point.

– ... C'est un accord temporaire.

Peake s'efforce de sourire.

– Le président a cité un vieux proverbe roumain ou bulgare : « Pour franchir le pont, on peut marcher avec le diable. »

De Gaulle lance un coup d'œil à Peake. Il dit d'une voix rauque :

– Tout se passe comme si une sorte de nouveau Vichy était en train de se reconstituer en Afrique du Nord sous la coupe des États-Unis.

Le général Clark a traité avec l'amiral Darlan. Celui-ci a pris les fonctions de haut-commissaire en Afrique du Nord. Le général Noguès et le général Bergeret, l'un résident général au Maroc, l'autre commandant en chef des forces aériennes, et Chatel, gouverneur général de l'Algérie, se sont ralliés à lui.

De Gaulle a un mouvement de tout le haut du corps, comme pour exprimer son refus.

Et Giraud a accepté de devenir commandant en chef des troupes, sous l'autorité de Darlan, qui, lui, se place sous l'autorité du maréchal Pétain. Et lorsque ce dernier le rejette, l'amiral prétend disposer d'un télégramme secret du Maréchal, faisant de Darlan son représentant !

– À Alger, les gaullistes ont aidé les Américains ! rugit de Gaulle.

Il pense à Aboulker, à René Capitant – qui fut officier à ses côtés en mai 40 –, à Louis Joxe, au colonel Jousse, à son camarade de Saint-Cyr le général Béthouart qui a agi de même au Maroc. Certains ont été tués.

– Ils ont cru que les Américains étaient d'accord avec nous !

Il s'arrête devant Charles Peake. Il doit écrire à Churchill, dit-il, lui préciser ce qu'il pense de cette opération « vile et méprisable ».

Il murmure : « Dégoût, colère ». Voilà ce qu'il ressent.

Il s'assied en face de Charles Peake.

– La nation française, commence-t-il, voit les États-Unis non plus seulement reconnaître comme ils l'ont fait jusqu'à présent un pouvoir fondé sur la trahison de la France et de ses alliés, un régime tyrannique d'inspiration nazie et des hommes qui se sont identifiés avec la collaboration allemande, mais désormais les États-Unis s'associent sur le terrain même à ce pouvoir, à ce régime et à ces hommes.

Il s'interrompt, se lève, va jusqu'à la fenêtre.

– La morale internationale est une chose qui a sa valeur, dit-il.

Il se tourne vers Charles Peake :

– Je suis convaincu qu'après qu'aura passé ce fleuve de boue, nous apparaîtrons comme la seule organisation française propre et efficace.

Mais que de temps perdu, que de souffrances vaines : 3 000 Français tués ou blessés, des pertes identiques du côté des alliés !

Il est habité par une rage qu'il veut maîtriser par la raison. Cette combinaison Darlan-Giraud est sans avenir.

Il lit avec émotion le message qu'adressent aux gouvernements alliés les organisations de la résistance : « Nous demandons que les destins nouveaux de l'Afrique du Nord libérée soient au plus tôt remis entre les mains du général de Gaulle. »

Voilà sa force, l'appui de la nation. Comment pourrait-il faiblir dans ces conditions ?

– Quelque peu d'intérêt que j'attache à mon sort personnel, je ne trahirai pas ceux qui m'ont reconnu et je reste chef de la France Combattante, dit-il.

Mais la colère ne le quitte pas. Le général américain Clark signe un accord avec Darlan. Le haut-commissaire en AOF, Boisson, qui en 1940 à Dakar a fait tirer sur les Anglais et les Français Libres, se rallie à Darlan, passe ainsi formellement du côté des alliés !

– L'avenir n'est pas aux traîtres, lance de Gaulle.

Le lieutenant-colonel Billotte lui tend un télégramme du général Leclerc, qui vient d'arriver à Carlton Gardens. Il le lit :

« Mon général,

« À l'heure où les traîtres changent de camp parce que la victoire approche, vous demeurez pour nous le champion de l'honneur et de la liberté française. C'est derrière vous que nous rentrerons au pays, la tête haute. Alors seulement la nation française pourra balayer toutes les ordures. »

Il pense à ces soldats qui, sous les ordres de Leclerc, s'apprêtent à partir à l'assaut du Fezzan afin de rejoindre les forces anglaises et d'atteindre ainsi le sud de la Tunisie, là où les Allemands, débarqués à Bizerte, rencontrent déjà la résistance de troupes françaises qui refusent d'obéir aux ordres de Darlan.

Il a à l'égard de ces hommes un devoir d'intransigeance, et il doit le manifester à chaque instant, quelles que soient les paroles apaisantes qu'on lui prodigue.

Il écoute l'amiral américain Stark, qui, plein de bienveillance, explique une nouvelle fois la politique américaine : s'appuyer sur Darlan ou Giraud s'ils font entrer l'Afrique du Nord dans la guerre.

Il interrompt d'un geste l'amiral.

– Je comprends que les États-Unis paient la trahison des traîtres si elle leur est profitable, dit-il, mais cela ne doit pas être payé sur l'honneur de la France !

L'amiral proteste. De Gaulle l'écoute, le visage fermé. Il va lui dire ce qu'il a confié à Adrien Tixier, le représentant de la France Libre à Washington :

– Quant à moi, je ne me prêterai ni de près ni de loin à ces nauséabondes histoires. Ce qui reste de l'honneur de la France demeurera intact entre mes mains.

Il veut le dire à Churchill, ce 16 novembre 1942, lorsqu'il s'assoit en face du Premier ministre dans la grande salle du 10, Downing Street. Un déjeuner doit suivre cet entretien auquel assiste Anthony Eden, qui baisse la tête, gêné, alors que Churchill semble de bonne humeur. De Gaulle l'observe. Churchill explique qu'il ne s'agit en Afrique du Nord que de « mesures temporaires ». Il affirme : « Les engagements du gouvernement britannique à votre égard restent valables. »

Churchill parle avec désinvolture, il sourit, et cependant de Gaulle le sent préoccupé. Il le regarde longuement avant de lui répondre.

– Nous ne sommes plus au XVIIIᵉ siècle, où Frédéric II payait des gens à la cour de Vienne pour prendre la Silésie, ni à l'époque de la Renaissance où l'on utilisait les sbires de Milan ou les spadassins de Florence.

Il se tait quelques secondes, fixe Churchill qui, la mâchoire contractée, l'écoute.

– Encore ne les choisissait-on pas ensuite comme chefs des peuples libérés, reprend de Gaulle. Nous faisons la guerre avec le sang et l'âme des peuples.

Il sort une liasse de dépêches de la poche de sa vareuse.

– Voici les télégrammes que je reçois de France. Ils montrent que la France est plongée dans la stupeur. Songez aux conséquences incalculables que cela pourrait avoir si la France en venait à conclure que la libération, telle que les Alliés l'entendent, c'est Darlan. Vous gagneriez peut-être ainsi la guerre sur le plan militaire, vous la perdriez moralement et il n'y aurait qu'un seul vainqueur : Staline.

Churchill secoue la tête, il accepte que de Gaulle lise à la BBC, le soir même, un communiqué indiquant que le Comité Central de la France Combattante n'admet pas ces combinaisons.

Eden se lève. Il n'assiste pas au déjeuner auquel doivent participer Mme Winston Churchill et Mme Randolph Churchill, ainsi que le ministre des États-Unis à Dublin, un ami personnel du président Roosevelt, précise Churchill.

Eden s'approche de De Gaulle. Il parle à voix basse. Il est ennuyé, dit-il, inquiet de toute cette affaire.

– Elle n'est pas propre, répond de Gaulle, et je regrette que vous vous y salissiez quelque peu.

On passe à table. Les épouses de Churchill et de son fils paraissent gênées, angoissées même. Mais il faut dire ce que l'on doit à ce diplomate américain qui prône le rapprochement entre Français, excuse Giraud d'avoir signé un pacte d'allégeance à Pétain pour éviter d'être renvoyé en Allemagne.

– Le général Giraud a préféré le parjure au martyre, ce n'est pas une raison pour qu'on considère qu'il sort grandi de l'aventure, dit de Gaulle.

Il ne regarde que Churchill, ignorant l'Américain.

– En outre, le général Giraud, poursuit-il, a reçu son commandement des autorités américaines et cela est inacceptable.

Il se tourne vers le diplomate, le fixe :

– Certains procédés qui sont applicables au Pérou ne le sont certainement pas à la France.

Churchill se lève, entraîne de Gaulle dans son cabinet. De Gaulle accepte un cigare, Churchill fume, la tête un peu renversée en arrière.

– Votre position est magnifique, dit-il, Darlan n'a pas d'avenir. Giraud est liquidé politiquement. Vous êtes l'honneur. Vous êtes la voie droite. Vous resterez le seul. Ne vous heurtez pas de front avec les Américains. C'est inutile et vous n'y gagnerez rien. Patientez et ils viendront à vous, car il n'y a pas d'alternative.

Il fait une grimace.

– Darlan me dégoûte, conclut le Premier ministre.

De Gaulle secoue la tête.

– Je ne vous comprends pas, dit-il. Vous faites la guerre depuis le premier jour... Vous êtes cette guerre... Vos armées sont victorieuses en Libye... et vous vous mettez à la remorque des États-Unis alors que jamais un soldat américain n'a vu encore un soldat allemand. C'est à vous de prendre la direction morale de cette guerre. L'opinion publique européenne sera derrière vous.

Churchill écarquille les yeux, oscille sur son siège comme si cette idée le frappait de stupeur. Puis il se lève, raccompagne de Gaulle à pas lents.

– Restons en contact étroit, dit-il, venez me voir aussi souvent que vous le voulez, tous les jours si vous le désirez.

À quoi servent ces bonnes paroles ? s'indigne de Gaulle quelques jours plus tard. Il vient de recevoir un avis de la BBC : sur ordre du Premier ministre, on refuse de le laisser intervenir, on censure la lecture des communiqués de la Résistance hostiles à la politique alliée en Afrique du Nord. Et pendant ce temps, à Alger, une radio contrôlée par les Américains diffuse les communiqués de Darlan, précédés des mots « Honneur et Patrie » comme lors des messages de De Gaulle. De Gaulle interpelle Eden, Charles Peake : Pourquoi la BBC endosse-t-elle cette escroquerie ? Pourquoi lui interdit-on de parler ?

Peake, gêné, baisse la tête, explique que, pour les émissions concernant l'Afrique du Nord, « il faut l'accord des États-Unis ». Il murmure : « La réponse exige des délais dont le gouvernement britannique s'excuse ! »

Pourquoi commenter ces propos ? Il faut être indépendant, voilà la leçon ! Et de Gaulle décide que les radios de la France Combattante, à Brazzaville, à Beyrouth, à Douala, diffuseront les messages censurés par les gouvernements américain et anglais.

Mais il est rempli d'amertume. Il pense à la lettre de Pierre Brossolette. Il a la tentation de lui en parler, ce soir du 16 novembre où il est assis en face de lui dans la salle à manger du Savoy, en compagnie de Passy et de Billotte, de Frenay et d'Emmanuel d'Astier. Les deux résistants vont s'envoler le surlendemain pour la France. Ce n'est donc ni le lieu ni le moment de s'attarder sur ses états d'âme. Il faut organiser l'Armée secrète, renforcer, rassembler la résistance.

Passy, Billotte, d'Astier sont favorables – comme Moulin – à la création d'un organisme qui regroupe les mouvements de résistance et les partis politiques plus ou moins renaissants. Brossolette est réservé, Frenay-Charvet y est hostile. Il craint des divergences entre le Comité national de Londres et ce qui pourrait être un Conseil national de la Résistance.

– Non, car je donnerai des ordres, dit de Gaulle.

Il remarque la surprise de Frenay.

– Nous sommes des soldats, sur le plan militaire, nous obéirons, dit Frenay.

Il faut l'inciter d'un regard à aller jusqu'au bout de sa pensée.

– Par ailleurs, reprend Frenay, nous sommes des citoyens libres de leurs pensées et de leurs actes... Dans ce domaine, nous obéirons ou n'obéirons pas.

De Gaulle, le cigare entre les dents, reste silencieux. Il imagine ces longs débats, ces divergences, ces luttes stériles. Il jette un coup d'œil à Brossolette. Il se souvient de chaque terme de sa lettre. Mais il ne peut transiger. Diriger, c'est décider. Et laisser chacun libre de se déterminer par rapport à cette décision.

– Eh bien, Frenay, dit-il, la France choisira entre vous et moi.

Il remet à Frenay et à Emmanuel d'Astier de La Vigerie le texte qui condamne les « combinaisons » d'Alger et qu'il n'a pu lire à la BBC, afin qu'ils le répandent en France.

Il a de l'estime pour ces hommes, courageux et dignes. Et qu'ils soient d'esprit indépendant ne le gêne en rien, puisqu'ils ont au cœur le souci primordial de la France.

Et les hommes de cette trempe sont de plus en plus nombreux.

De Gaulle reçoit à Carlton Gardens le général de corps aérien François d'Astier de La Vigerie. Il arrive de France. Il a emprunté l'avion qui a déposé son frère Emmanuel d'Astier. Il dit que le troisième d'Astier, leur frère Henri, est à Alger, chargé de la police. Il a été l'un des éléments les plus actifs de la résistance, et il est résolument hostile à Darlan.

– D'ailleurs, dit le général d'Astier, tout le monde en France est unanime sur les deux points suivants : Darlan est un traître qui doit être liquidé. Giraud a le devoir de se rallier à la France Combattante.

De Gaulle médite. La situation est mouvante. Il se sent appuyé par toute la résistance. Il lit les journaux anglais, où les articles hostiles à Darlan se multiplient : « Les rats sont en train de quitter le navire en perdition, déclare le travailliste Aneurin Bevan. Quelle Europe voulons-nous ? Une Europe construite par des rats, pour des rats ? » Des députés protestent contre l'interdiction faite à de Gaulle de parler à la BBC.

Mais il y a Roosevelt.

De Gaulle tente de conserver son calme en lisant le compte rendu que viennent de lui adresser André Philip et Adrien Tixier après leur rencontre avec le président des États-Unis.

– J'ai bien fait de prendre Darlan, a dit Roosevelt. Il a sauvé des vies américaines. Darlan me donne Alger, vive Darlan ! J'accepterai même la collaboration d'un autre diable, nommé Laval, si cette collaboration livrait Paris aux alliés.

Roosevelt a même, selon certaines rumeurs, évoqué ces trois « Prima Donna » : de Gaulle, Giraud, Darlan. « Qu'on les mette dans une pièce et on verra qui sortira vainqueur ! »

De Gaulle se maîtrise. Roosevelt a aussi déclaré qu'il ne veut pas choisir entre les chefs qui participent à la lutte contre l'Axe ! Darlan, l'un de ces chefs !

Le président des États-Unis refuse en outre de voir se constituer un gouvernement français provisoire.

« Il ne veut pas, dit-il, porter atteinte aux libertés des Français. »

Cela le gêne quand il s'agit de De Gaulle, mais il a moins de scrupules à propos de Darlan, dont la BBC a annoncé des mois durant la politique proallemande ! Roosevelt a même envisagé, pour le jour où la France serait libérée, de confier aux autorités militaires américaines le soin de décider, en fonction des conditions locales, de qui gouvernera.

De Gaulle marche à grands pas. Voilà l'avenir que Roosevelt promet à la France ! Une autre Occupation !

Il relit la réponse de Philip au Président : « Les Français s'administreront eux-mêmes. Ils ne sont pas une colonie. L'armée américaine ne fera jamais accepter l'autorité des traîtres, et aucune protection étrangère n'empêchera que justice soit faite. »

Il aurait dit exactement, mot pour mot, la même chose !

Mais Roosevelt a conclu en disant qu'il souhaite s'entretenir de tous ces problèmes avec le général de Gaulle.

De Gaulle hésite.

Il rencontre à nouveau Churchill. Le Premier ministre semble gêné, fuyant son regard.

– C'est une très bonne chose, dit-il en apprenant que de Gaulle accepte l'invitation de Roosevelt.

Mais il se dérobe à propos de droit pour la France Combattante d'intervenir à la BBC. Il faut qu'il consulte Roosevelt.

De Gaulle approuve.

– Je n'ignore pas qu'en territoire britannique la radio ne m'appartient pas.

Il fixe Churchill droit dans les yeux. Le Premier ministre comprendra-t-il que, dans ces conditions, la BBC n'appartient plus non plus à l'Angleterre ?

D'ailleurs, de Gaulle perçoit que le Premier ministre esquive les questions. Il a à l'évidence choisi de suivre en toutes occasions les États-Unis. Et même, il porte désormais sur Darlan un jugement moins sévère. Fini le temps où il traitait l'amiral de fripouille, de scélérat, de misérable, de traître, de renégat ! De Gaulle apprend que le Premier ministre aurait dit : « Darlan a fait davantage pour nous que de Gaulle. »

Et il faudrait ne pas être amer !

Durant les jours suivants, il ne quitte Carlton Gardens que tard le soir. Il faut, en dépit des obstacles, continuer et, « au milieu des secousses, tâcher d'être intraitable, par raisonnement autant que par tempérament ».

Le 27 novembre, à l'aube, on le réveille à l'hôtel Connaught. Les dépêches annoncent que le premier corps de blindés SS a occupé le port de Toulon où se trouve toujours la flotte puisque l'amiral de Laborde a refusé d'obéir à Darlan et de rejoindre Alger.

De Gaulle se souvient de cet amiral qui, déjà, à Brest, en juin 40, s'était opposé à toute idée de continuer le combat. Il s'attend au pire, regagne Carlton Gardens et quelques heures plus tard il reçoit un appel de Churchill : le Premier ministre présente ses condoléances. La flotte française s'est sabordée ! Il semble à de Gaulle qu'il y a derrière les mots de Churchill une sourde satisfaction. Il répond froidement. Pourquoi avouer qu'il est « submergé de colère et de chagrin » ?

Les nouvelles tombent les unes après les autres : c'est le « suicide le plus lamentable et le plus stérile qu'on puisse imaginer » ! Trois cuirassés, huit croiseurs, dix-sept contre-torpilleurs, seize torpilleurs, seize sous-marins, sept avisos, trois patrouilleurs, une soixantaine d'autres navires sont allés par le fond ! Seuls quelques bâtiments ont réussi à fuir.

« J'en suis réduit à voir sombrer au loin ce qui avait été une des chances majeures de la France. »

Un nouveau crime de Vichy contre la nation ! Quelle tragédie, quel gaspillage !

Naturellement, les Anglais acceptent de le laisser commenter l'événement à la BBC !

Il écrit, en pesant chaque mot, parce qu'il faut que le chagrin devienne leçon et appel au combat. « En un instant, dit-il, les chefs, les officiers, les marins virent se déchirer le voile atroce que depuis juin 1940 le mensonge tendait devant leurs yeux. »

Il ajoute : « Un frisson de douleur, de pitié, de fureur a traversé la France tout entière... C'est un malheur qui s'ajoute à tous les autres malheurs. »

« Vaincre, il n'y a pas d'autre voie, il n'y en a jamais eu d'autre ! »

20.

De Gaulle referme lentement le dossier qui contient les dernières dépêches et les rapports des différents services sur la situation en France et à Alger en ce début du mois de décembre 1942.

C'est la fin de la matinée. À l'exclusion de deux cônes de lumière, le bureau de Carlton Gardens est plongé dans la pénombre. De Gaulle regarde son chef d'état-major qui, debout, a le visage dans la demi-obscurité.

– La partie est et sera dure, murmure de Gaulle.

Il lève la tête et semble suivre des yeux la fumée de la cigarette qui disparaît presque aussitôt dans cette poussière d'un gris plombé qui occupe la pièce.

Même à Billotte, en qui il a toute confiance, il ne peut pas confier ce qu'il ressent, cette impression de gâchis devant tant d'occasions manquées, le mépris qu'il éprouve pour ces responsables aveugles, lâches, hésitants, incapables. Et comment avouer que parfois la lassitude et le chagrin, comme un flux inexorable, viennent tout recouvrir en lui, la volonté et la détermination, le sens du devoir, la certitude de la victoire et la nécessité d'être à chaque instant intraitable ?

Il pense à ces hommes qu'il connaît bien, le général de Lattre de Tassigny, qui a cru à la fiction d'une armée de l'armistice et qui, lorsque les Allemands ont envahi la zone libre le 11 novembre et ont dissous cette armée, a voulu résister dans la Montagne Noire avec les troupes de la région de Montpellier. Abandonné et condamné par Vichy, de Lattre, livré, arrêté ! Au

Maroc, le général Béthouart qui avait refusé de rester à Londres en 1940, qui vient courageusement d'aider les Américains à débarquer, a failli être fusillé sur l'ordre de Noguès. Béthouart n'a dû son salut qu'à Eisenhower. Il se trouve aujourd'hui à Gibraltar. Et ces marins de Bizerte qui viennent de se laisser désarmer sans combattre par les Allemands. Et ces amiraux qui, à la Martinique ou à Alexandrie, continuent de garder leurs navires à l'ancre, neutres ! Heureusement, le général Juin, en Tunisie, combat les Allemands !

Mais qu'il a fallu de temps pour que certains, enfin, se redressent.

Il se souvient de la lettre qu'il avait adressée en 1941 à Weygand, alors maître de l'Afrique du Nord. « Pour quelques jours encore, vous êtes en mesure de jouer un grand rôle national. Ensuite, il sera trop tard », avait-il écrit. À l'émissaire qui lui apportait cette lettre, Weygand avait répondu : « De Gaulle ! Douze balles dans la peau, voilà ce qu'il mérite. » Et Weygand vient d'être arrêté par la Gestapo à Guéret, où il s'était réfugié, et on l'a sans doute envoyé en Allemagne.

Quand donc le général Giraud comprendra-t-il qu'il sert de caution à « l'incroyable marché », au « monstrueux marché conclu entre Darlan et les Américains » ? De Gaulle regarde à nouveau Billotte, lui fait signe de s'asseoir.

— J'envoie en Afrique du Nord le général d'Astier de La Vigerie pour étudier la situation, voir sur place ce qui peut être fait et m'en rendre compte..., dit de Gaulle.

Il s'interrompt. Naturellement, il faut que Churchill et surtout Eisenhower, qui commande en chef sur place, acceptent cette mission.

— Je souhaite en particulier, reprend de Gaulle, qu'il soit possible d'éclairer le général Giraud, que Darlan a trouvé le moyen de s'associer – il élève la voix, qui se fait dure –, ce qui ne blanchit point le traître mais pourrait salir le bon soldat.

Il rouvre le dossier, parcourt les différents télégrammes.

— J'ai l'impression, dit-il, qu'une certaine équipe franco-américaine s'efforce d'empêcher ou de saboter d'avance la rencontre prévue entre Roosevelt et moi-même. C'est la même bande...

Il s'interrompt, hausse les épaules. Ce sont ces Français-là, installés aux États-Unis, Léger, peut-être même Jean Monnet, quelques autres, de Chambrun, le gendre de Laval, qui ont l'oreille de Roosevelt. Ils prônent pour la plupart, tel Saint-Exupéry, la grande unité des Français, Pétain, Darlan, Giraud, de Gaulle.

— Je suis très désireux d'une conversation simple et sincère avec Roosevelt, ajoute de Gaulle, penché vers Billotte.

Il faut faire savoir cela au Président.

Il se redresse lentement. Il va dicter un télégramme secret pour le général Leclerc et le gouverneur général Éboué à Brazzaville.

« Je vous prie de continuer à faire assurer la garde militaire du poste de radio de Brazzaville. Il y a des raisons sérieuses pour cela. »

On lui interdit de parler à la BBC. Pourquoi ces messieurs les Alliés qui le censurent ici le laisseraient-ils diffuser des messages depuis les radios de la France Combattante ? Il connaît l'efficacité des services secrets anglais !

— L'opinion..., commence-t-il.

Les journaux anglais sont de plus en plus hostiles à Darlan. Un sondage révèle que seulement 18 % des Britanniques approuvent que l'amiral soit « chef du gouvernement en Afrique du Nord ».

— La partie est et sera dure, répète de Gaulle, mais je garde un solide espoir.

Voilà ce qu'il doit dire ! Et il ressent une immense joie quand les faits s'accordent aux propos, quand la Réunion puis Djibouti se rallient à la France Combattante, quand les Anglais, enfin, remettent aux mains du général Legentilhomme l'administration de Madagascar.

Il a l'impression de rassembler les pièces d'un puzzle dont manque encore l'essentiel, l'Afrique du Nord, la France elle-même. Et parfois, en voyant ces vides qui sont le cœur de l'Empire et la Nation, il ne peut empêcher les montées du doute et de l'incertitude.

À quel moment la France a-t-elle été aussi émiettée ? Il pense à la guerre de Cent Ans, aux temps des guerres de religion.

Quand pourra-t-il rassembler les morceaux épars ? Là, les nazis imposent leur loi avec le concours de Laval et de Pétain. En Afrique du Nord et en Afrique-Occidentale, ce sont les vichystes de Darlan qui gouvernent sous protectorat américain. Et puis il y a la France Combattante, que les Alliés veulent écarter du jeu pour mieux conduire le leur et imposer leur loi après la victoire.

En cette mi-décembre, il se sent isolé, acculé presque, sans liaison avec l'Afrique du Nord, parce que l'Intelligence Service se réserve la communication avec le seul poste radio clandestin qui existe là-bas !

Chaque jour davantage, il découvre que les Américains tentent de consolider le pouvoir de Darlan. Le 4 décembre, l'amiral se proclame chef de l'État en Afrique du Nord, assisté d'une sorte de gouvernement et d'un conseil impérial composé de tous les vichystes auxquels accepte de se mêler Giraud !

Il y a pire. Des rumeurs courent Londres, s'insinuent à Carlton Gardens. Et on les lui rapporte. Churchill, dans un grand discours à la Chambre des Communes réunie en comité secret, a justifié le choix des Américains. « Darlan ne les a pas trahis », a-t-il dit. Mais surtout, le Premier ministre a déversé toutes ses rancœurs accumulées contre de Gaulle : « Je ne vous recommanderai pas de fonder tous vos espoirs et votre confiance sur cet homme, a-t-il poursuivi, et encore moins de croire qu'à l'heure actuelle notre devoir serait de lui confier les destinées de la France, pour autant que cela soit en notre pouvoir... Nous ne l'avons jamais reconnu comme représentant de la France... Je ne puis croire que de Gaulle incarne la France. » Et le Premier ministre aurait évoqué le « caractère difficile », l'« étroitesse de vues » de cet « apôtre de l'anglophobie ».

Qu'opposer à ce réquisitoire ? Quels alliés trouver ? Bien sûr, tous les gouvernements en exil à Londres, le polonais et le tchèque, le danois et le belge, soutiennent la France Combattante. Mais que pèsent ces États ?

De Gaulle se rend chez Maisky, l'ambassadeur soviétique à Londres. L'URSS peut être un contrepoids aux Anglo-Saxons. Certes, on ne peut avoir confiance dans Staline, mais, entre États, s'agit-il jamais d'autre chose que d'intérêt ?

Et il faut être clair.

– Si cela continue, dit-il à Maisky, bientôt viendra le moment où la France Combattante en arrivera à faire la même chose que la flotte française à Toulon.

Il fixe l'ambassadeur, qui paraît surpris.

– Elle se suicidera, reprend de Gaulle. Dans une telle extrémité, je voudrais savoir quelle serait la position du gouvernement soviétique.

Maisky prend un air ennuyé.

– Puis-je compter sur l'appui de l'URSS?

L'ambassadeur toussote, bavarde, conseille. De Gaulle se lève. La rumeur qui court les ambassades, selon laquelle Staline aurait écrit à Roosevelt : « La diplomatie de guerre doit savoir utiliser pour des buts de guerre non seulement des Darlan mais aussi le Diable et sa grand-mère », serait donc exacte?

De Gaulle quitte l'ambassade soviétique d'un pas raide et résolu. La seule force de la France Combattante, c'est dans la nation et dans la résistance qu'elle peut la trouver, et sans doute aussi dans les opinions publiques, en Angleterre et aux États-Unis, qui réprouvent l'appui donné aux traîtres.

Il faut jouer serré, peser sur les gouvernements par le biais de l'opinion. Et utiliser comme ressort pour lui-même les moments de doute, auxquels il ne peut pas échapper.

Il fait entrer Charles Peake dans son bureau. Il demeure longuement silencieux, fixant le diplomate britannique qui est un collaborateur d'Eden. Or, le secrétaire au Foreign Office a émis des réserves sur la politique favorable à Darlan. Eden est attentif aux courants d'opinion. Il doit craindre un éclat de la France Combattante, qui, par un retrait spectaculaire, illustrerait le fait que Londres et Washington préfèrent un Darlan à un de Gaulle. Il faut parler dans ce sens à Charles Peake. Il fera son rapport à Eden.

– Si les États-Unis, qui sont l'allié le plus puissant, commence de Gaulle, entendent poursuivre leur politique actuelle qui pourrait les conduire à utiliser Laval en France, Degrelle en Belgique, Quisling en Norvège et tels autres ailleurs...

Peake secoue faiblement la tête. De Gaulle, d'un geste, indique qu'il veut poursuivre.

– Le gouvernement britannique risque de ne pas être en mesure de s'y opposer et d'avoir à s'y plier.

Puis, croisant les doigts, de Gaulle dit d'une voix posée :

– Cela, je ne pourrai pas l'accepter, et je préférerais me retirer pour que la France accepte plus facilement l'inévitable.

Il observe Peake, qui semble hésiter entre l'étonnement et l'incrédulité. Mais sans doute a-t-il compris la menace : que les Alliés essaient donc d'imposer à la Résistance un gouvernement Laval, l'homme qui a dit souhaiter la victoire de l'Allemagne ! Qu'ils imaginent la situation en France, la montée du communisme, peut-être alors comprendront-ils qu'on ne peut pas se passer de la France Combattante et de De Gaulle. Mais si l'on a besoin d'eux, il faudra reconnaître les droits de la France, son indépendance et sa souveraineté.

Il le dit dans la salle à manger du Savoy, où il dîne en compagnie du général Catroux, d'Anthony Eden et d'un diplomate, Sir Alexander Cadogan. Il rapporte ce qu'il sait de la situation à Alger, les protestations qui se lèvent contre Darlan, l'action de René Capitant qui dirige là-bas le mouvement Combat, des gaullistes comme Louis Joxe, des jeunes gens qui ont contribué à préparer le débarquement américain et qui sont ulcérés de voir leurs efforts et leurs sacrifices – certains sont morts, d'autres emprisonnés – aboutir à Darlan chef de l'État. Ce sont eux qui écrivent sur les murs : « Père Noël, apportez-nous de Gaulle », ou bien « L'Amiral à la flotte », ou encore « De Gaulle = France, Darlan = Traître ». Il y a aussi Henri d'Astier, qui est monarchiste, et qui agit au nom du comte de Paris, le prétendant, qui, venant du Maroc, s'est installé à Alger. Le comte de Paris rêve de constituer un gouvernement réalisant l'union des Français. De Gaulle pourrait le présider, et Giraud assurerait le commandement des troupes.

Qui ne voit que de toutes parts on veut chasser Darlan ?

– Débarrassez-vous de Darlan, dit de Gaulle à Eden.

Eden hoche la tête en signe d'impuissance.

Le 24 décembre, de Gaulle prépare le message qu'il doit lire le soir à la BBC. Il écrit la dernière ligne : « Ce jour de Noël 1942, la France voit à l'horizon réapparaître son étoile. » Puis il reçoit le général François d'Astier, qui rentre d'Alger où il a séjourné trois jours. Il a participé, à la demande d'Eisenhower, à une réunion en compagnie de Giraud, Darlan, le général Bergeret et l'Américain Murphy. Darlan s'accroche au pouvoir avec l'aide des Américains, dit-il. Giraud est avant tout antiallemand. « Un bon soldat », murmure de Gaulle. Giraud paraît disposé à l'union avec la France Combattante, conclut François d'Astier, qui ajoute que l'hostilité contre Darlan est générale.

Ce même 24 décembre, de Gaulle quitte Londres. Le ciel est bas. Il veut visiter à Greenock les corvettes des Forces Navales de la France Combattante. Il y a peu, il a rendu visite à l'École militaire des cadets. Chaque fois qu'il se trouve au milieu de ces jeunes hommes qui ont l'âge de Philippe, il est à la fois ému et rassuré. Ils sont l'espoir.

Il les dévisage. Ils ont les joues rougies par le froid.

Il s'adresse à eux, tête levée, voix forte :

– Vous êtes la vraie France, dit-il.

Il évoque les batailles que livrent les Alliés à Stalingrad, en Libye, dans le Pacifique.

Il doit leur dire la vérité.

– En Afrique du Nord, les inadmissibles compromissions des Alliés avec les anciennes autorités de Vichy s'éclairciront sous la pression irrésistible de l'opinion française et des mouvements de résistance.

Il répète :

– Vous êtes la vraie France, c'est-à-dire la France Combattante.

Lorsqu'il arrive à la gare de Londres le lendemain, 25 décembre, les officiers de son état-major sont nombreux sur le quai pour l'accueillir.

« Darlan est mort », lance l'un d'eux.

Abattu cette nuit par un jeune homme, Fernand Bonnier de La Chapelle.

« Une exécution », dit un autre officier.

« Nul particulier n'a le droit de tuer en dehors du champ de bataille », murmure de Gaulle.

À Carlton Gardens, on apporte une nouvelle dépêche selon laquelle Bonnier de La Chapelle aurait été jugé dans la nuit et fusillé à l'aube. Des rumeurs font état d'un complot monarchiste conduit par Henri d'Astier, le comte de Paris et un prêtre, l'abbé Cordier. Bonnier de La Chapelle n'aurait été que l'instrument de la conspiration. D'autres sources accusent les « gaullistes » d'avoir armé Bonnier de La Chapelle.

De Gaulle a un geste du bras pour écarter cette calomnie.

Il interrompt un officier qui parle d' « assassinat » de l'amiral.

– Darlan n'a pas été assassiné, dit-il. Il a été exécuté.

Il ignore les circonstances de l'exécution, mais il avait prévu que « Darlan serait exécuté un jour ou l'autre ».

Il interroge les membres de son état-major. Tous sont satisfaits et persuadés que la voie est enfin ouverte pour la France Combattante. Il secoue la tête. Ce sont les Américains qui ont les mains libres pour imposer leur solution, qui n'était pas Darlan mais Giraud, dit-il. Et d'ailleurs, voici qu'on annonce que Giraud vient d'être nommé commandant en chef civil et militaire avec tous les pouvoirs et que des résistants gaullistes sont arrêtés, ceux-là mêmes qui avaient aidé au débarquement des Américains.

Il pourrait se laisser aller à l'amertume, mais, comme l'a écrit Brossolette, il n'est pire politique que celle qui naît de l'amertume.

Il convoque Billotte. Il va envoyer un message à Giraud. S'il n'est qu'une seule chance de réunir les forces françaises, il faut la courir. Il dicte.

« Londres, 25 décembre 1942

« L'attentat d'Alger est un indice et un avertissement.

« Un indice de l'exaspération dans laquelle la tragédie française a jeté l'esprit et l'âme des Français.

« Un avertissement quant aux conséquences de toute nature qu'entraîne nécessairement l'absence d'une autorité nationale au milieu de la plus grande crise de notre histoire.

« Il est plus que jamais nécessaire que cette autorité nationale s'établisse.

« Je vous propose, mon général, de me rencontrer au plus tôt en territoire français, soit en Algérie, soit au Tchad... »

Il doute de l'acceptation de Giraud, que les Américains vont soutenir contre la France Combattante.

Il apprend que Roosevelt a déclaré que « le lâche assassinat de Darlan est un crime impardonnable » ! Alors que chacun sait que les responsables américains et anglais considèrent cette mort comme un « acte de la Providence ».

Partout, au Foreign Office, on dit : « Justice est faite. »

De Gaulle écoute Passy lui raconter qu'au siège des services secrets britanniques l'un des responsables lui a offert le champagne afin de porter un toast « à la mort du traître Darlan ».

Mais Roosevelt condamne, et en profite pour annuler l'invitation qu'il avait lancée à de Gaulle de se rendre à Washington.

La manœuvre est claire. En voici l'exécution. Roosevelt a invité un ancien ministre de l'Intérieur de Vichy – Peyrouton – à devenir gouverneur de l'Algérie. Peu importe qu'il ait participé à la répression contre les résistants et mis en œuvre les lois antisémites ! Il s'agit toujours d'utiliser les hommes de Vichy.

On apporte la réponse de Giraud.

De Gaulle n'est pas surpris par ce qu'il lit : « Une grande émotion a été causée dans les cadres civils et militaires en Afrique du Nord par le récent assassinat, écrit Giraud. C'est pourquoi l'atmosphère est pour le moment défavorable à un entretien personnel entre nous. »

Dernier jour de l'année 1942.

Voilà des semaines que la tension est telle que de Gaulle n'a guère eu l'occasion de passer plus de quelques heures avec les siens à Hampstead.

Il va les rejoindre ce soir. Mais avant de quitter Carlton Gardens, il veut s'adresser au personnel civil et militaire du quartier général de la France Combattante.

Il entre dans la salle de réunion où le silence s'établit. Le général Valin et l'amiral Auboyneau s'avancent, présentent les vœux.

– Je suis ému, commence de Gaulle.

Il pense à ceux qui, en ce moment même, dans le désert ou la clandestinité, se battent.

– On nous demande de mettre des cadavres sur tous les champs de bataille et aux poteaux d'exécution, dit-il.

Il a la gorge serrée, la voix sourde. Il sent les yeux fixés sur lui. Il a la charge de tous ces destins.

Les Français, dit-il, n'ont qu'une seule patrie. Il faut qu'ils livrent « un seul combat », avec « une seule ardeur, un seul dégoût, une seule fureur ».

21.

C'est dimanche. De Gaulle est agenouillé dans la petite église de Saint-Mary, voisine de Frognal House, la villa de Hampstead où il retrouve chaque soir s'il le peut Yvonne de Gaulle et Anne. Élisabeth s'est jointe à eux, venant d'Oxford. Seul Philippe manque. Il est en mer à bord de l'une de ces vedettes lance-torpilles qui harcèlent les convois allemands le long des côtes françaises. Elles ne doivent leur salut que parce qu'elles attaquent par surprise et se dérobent, plongeant dans la nuit ou le brouillard à grande vitesse. Mais elles sont si vulnérables ! Comment ne pas solliciter la protection de Dieu sur tous ces fils qui se battent pour la France ? Comment ne pas lui demander aide et inspiration quand chaque décision que l'on prend engage la vie de tant d'hommes et le sort de la nation ?

De Gaulle communie, se recueille. Il vient de recevoir une lettre de l'un de ses anciens condisciples du collège de la rue de Vaugirard. Xavier de Beaulincourt est bénédictin dans l'île de Wight. Il va lui répondre : « Je te prie de croire à ma fidèle amitié et te demande tes prières. »

Il sort de l'église. La pluie voile toute la campagne, étouffe les bruits. Les quelques fidèles s'éloignent sans même avoir tourné la tête ou lancé un regard. Il apprécie chez les Anglais cette discrétion, ce respect de l'intimité, qui font qu'ici, à Hampstead, dans cette église, il est seul avec Dieu et face à lui-même.

Mais après ces quelques heures d'intimité, de douceur familiale et de paix, il faut retrouver Carlton Gardens, Billotte, Soustelle, Palewski, les décisions à prendre à chaque instant.

Il faut dicter, dès le 1ᵉʳ janvier 1943, un nouveau télégramme pour Giraud, puisque le général a refusé une rencontre immédiate et qu'elle est pourtant nécessaire.

« Je dois donc vous renouveler la proposition que je vous ai faite de me rencontrer au plus tôt pour étudier les moyens d'atteindre ce but : un pouvoir central français provisoire sur la base de l'union nationale pour la guerre, dit de Gaulle. La complexité de la situation à Alger ne m'échappe pas. Mais nous pouvons nous voir sans aucune entrave, soit à Fort-Lamy, soit à Brazzaville, soit à Beyrouth, à votre choix.

« J'attends votre réponse avec confiance. »

Qu'écrire d'autre ?

Giraud est prisonnier des vichystes d'Alger, qui le flattent, se camouflent sous de « vagues déclarations proalliées et des cérémonies militaires ».

Giraud est satisfait. Les Américains lui promettent qu'il sera le maître d'une grande armée française qu'ils équiperont. Et comme il est d'une « maladresse politique extrême », il ne voit pas au-delà de ces petites satisfactions d'amour-propre.

De Gaulle se veut bienveillant. Giraud a réussi une évasion spectaculaire. Il est antiallemand. Il y a bien sûr cette lettre à Pétain, ce mémoire qu'il a adressé au Maréchal pour analyser les causes de la défaite. Texte ridicule, dérisoire et inquiétant parce que proche des thèses de Vichy. La France aurait été victime de la « paresse »... C'est devenu un pays où « les bistrots sont rois », où « les midinettes ne peuvent plus se passer de bas de soie ni de fourrures factices, où le lapin joue le plus grand rôle » ! Etc., écrit Giraud.

Mais pas un mot sur les responsabilités de l'état-major ! Et voilà le chef que les Américains ont choisi !

Il y a plus grave : à Alger, Giraud a laissé en vigueur toute la législation vichyste antisémite. Et les gaullistes et d'autres opposants politiques sont en prison !

Il faut déchirer ce voile que les Anglo-Américains ont fait tomber sur l'Afrique du Nord, il faut dire la vérité ! S'appuyer sur l'opinion publique.

De Gaulle convoque Soustelle, commissaire à l'Information, pour qu'il diffuse la déclaration suivante :

« La confusion intérieure ne cesse de s'accroître en Afrique du Nord et en Afrique-Occidentale française... Le remède à cette situation, c'est l'établissement d'un pouvoir central provisoire et élargi... ayant pour lois les lois de la République... J'ai proposé au général Giraud de me rencontrer immédiatement... »

Dans les heures qui suivent, de Gaulle ne s'étonne pas d'être condamné par le Foreign Office ou le Département d'État, qui tourne en dérision « cette fanfare au sujet des ambitions politiques de De Gaulle ». Mais la presse salue « *the gallant fighting French* ».

Alors il faut continuer à harceler Giraud, qui se dérobe une fois de plus : « Je suis malheureusement complètement pris par des obligations urgentes et des engagements ultérieurs... », écrit Giraud. De Gaulle a un mouvement de colère : « Je dois vous dire franchement que le Comité national et moi-même avons une autre opinion quant au caractère d'urgence... Enfin je pense qu'il ne convient pas que nous communiquions entre nous par des textes remis à des organismes étrangers. Je suis prêt à vous envoyer un code par un officier... »

Mais que comprend Giraud ? Il s'est placé sous la tutelle américaine. Or, toutes les informations le confirment, Roosevelt répète que « la France n'existe plus ». Pour le Président, ce sont les États-Unis qui doivent contrôler les zones de l'Empire français que Paris devra abandonner. Quant à de Gaulle, répète Roosevelt, c'est « un fanatique et une nature fasciste ». Il faut donc s'appuyer sur les vichystes !

De Gaulle est seul dans le bureau de Carlton Gardens.

Comment résister à cette pression américaine, au rejet de la France Combattante par la première puissance du monde, celle qui conduit la guerre pour les alliés et à laquelle Churchill se soumet ?

Un aide de camp entre, il prononce un nom : « Boislambert ».

L'émotion envahit de Gaulle. Les larmes lui montent aux yeux quand il voit dans l'embrasure de la porte ce compagnon de juin 40 fait prisonnier à Dakar, condamné, passant de prison en prison et enfin évadé de celle de Gannat, parvenu jusqu'ici, amaigri, dans une chemise élimée, un blouson délavé.

De Gaulle ouvre les bras : « Boislambert, vous voilà ! »

Il le serre contre lui. Il ne voudrait pas que les larmes coulent, mais parfois, dans l'extrême tension, on ne peut cacher ce que l'on ressent.

Il écoute Boislambert raconter son voyage à travers la France occupée, l'aide reçue, les cheminots résistants et enthousiastes, la chaîne de solidarité et de combat qui lui a permis d'embarquer sur un Lysander et de voler jusqu'à l'Angleterre.

Voilà la force de la France Combattante. Cette résistance intérieure, ces troupes de Leclerc qui viennent de conquérir le Fezzan, cette « flamme de la résistance » que la plupart avaient « crue éteinte dans le désastre et la trahison ». Et qui rejaillit, vive.

Il dîne le soir même avec Boislambert à l'hôtel Connaught. Il veut l'écouter, évoquer ces hommes dont le combat « console la misère de la France ».

Il pense à ces combinaisons que Roosevelt, Churchill tentent de mettre sur pied avec Giraud, avec ce Conseil impérial rempli de vichystes.

– Il est absurde, dit-il, de chercher le cœur et l'âme de la France sous le système des croulantes hiérarchies et des sordides combinaisons.

En cette mi-janvier 1943, il se sent porté par cette vague qui soulève la France. Il reçoit Christian Pineau, d'autres résistants du Mouvement Libération qui arrivent du pays occupé, qui tous réclament la constitution d'un Comité National où se regrouperaient les représentants des partis et des mouvements de résistance.

Il écoute. On lui apporte, ce 16 janvier, une longue lettre de Léon Blum qui, de sa prison, insiste pour qu'il mette sur pied un « programme de rassemblement national ». Blum indique qu'il a écrit à Churchill et à Roosevelt : « On sert la France démocratique en aidant le général de Gaulle à prendre dès à présent l'attitude d'un chef. »

De Gaulle ferme à demi les yeux.

Il se souvient de ce jour où Blum, président du Conseil, l'avait reçu, harcelé par les téléphones, impuissant à entreprendre la réforme de l'armée. De Blum acceptant et même se félicitant de Munich. De Blum favorable, le 16 juin, à la constitution d'un gouvernement Pétain. Et de Blum aujourd'hui, homme honnête, soucieux de l'avenir du pays et lui apportant son concours.

De Gaulle a le sentiment que, quelles que soient les péripéties, la route droite qu'il a suivie sans dévier jamais conduit la France à se retrouver victorieuse.

Voici que l'on introduit dans son bureau un homme aux traits énergiques, au langage rude mais direct. Il dit qu'il apporte le ralliement du parti communiste, à de Gaulle et à la France Combattante. Il se nomme Fernand Grenier. Il s'est évadé du camp de Châteaubriant, échappant ainsi à l'exécution. Il a été traqué dix-huit mois par la Gestapo et la police française. C'est Rémy et sa Confrérie Notre-Dame qui l'ont conduit jusqu'à Londres. Étrange rencontre entre un monarchiste d'extrême droite et un communiste !

De Gaulle l'observe, entend Grenier dire à la BBC que « de Gaulle a eu le mérite de ne pas désespérer alors que tout croulait ». On lui rapporte qu'à l'une des premières réunions auxquelles il participe à Carlton Gardens Grenier a déclaré : « Nous avons décidé de faire un bout de chemin ensemble. »

Pas d'illusion, donc. Grenier, en janvier 40, a été l'un des quatre députés à refuser de se lever à la Chambre pour saluer les armées françaises. Et c'est le parti communiste qui le délègue à Londres, sûrement sur l'ordre de Moscou, avec l'intention de prendre de plus en plus d'influence dans le pays. D'ailleurs, Passy vient de découvrir que le Front national, qui regroupe en France des mouvements de résistance, est en fait contrôlé par le parti communiste.

C'est donc un jeu complexe qu'il faut jouer. Contre les Américains qui s'appuient sur les débris de Vichy et veulent dominer le pays, le soutien de la Résistance est capital. Mais dans la Résistance, il y a les communistes qui ont leur propre projet et qu'il faut contrer aussi.

De Gaulle, allant et venant dans son bureau, fumant cigarette sur cigarette, médite longuement. Il se sent capable de gagner cette partie, parce qu'il ne joue que pour la France et en son nom.

Mais il faut être sur ses gardes à chaque instant.

Que veut Eden, qui le convoque le 17 janvier à midi au Foreign Office pour une « communication hautement confidentielle » ?

Eden paraît gêné, lançant des coups d'œil à Sir Alexander Cadogan, qui l'assiste, expliquant que le Premier ministre et le président Roosevelt sont au Maroc depuis quatre jours.

Puis il tend un télégramme de Churchill. De Gaulle lit en silence.

« Je serais heureux que vous veniez me rejoindre ici par le premier avion disponible – que nous fournirons. J'ai en effet la possibilité d'organiser un entretien entre vous et Giraud dans des conditions de discrétion complète... »

De Gaulle regarde Eden. Il ne lui remettra sa réponse qu'après réflexion, dit-il. Qui invite ? Churchill seulement, ou bien le Premier ministre et le président des États-Unis ?

Veut-on qu'il soit le « poulain » des Britanniques parce que Giraud est celui des Américains ? Est-ce ainsi que l'on traite la France ? Dans un territoire sous souveraineté française ?

À 17 heures, il est de retour au Foreign Office. Il lit à Eden sa réponse à Churchill.

« Votre message est pour moi assez inattendu... Je rencontrerais volontiers Giraud en territoire français où il le voudra et dès qu'il le souhaitera... mais l'atmosphère d'un très haut aréopage allié autour de conversations Giraud-de Gaulle et d'autre part les conditions soudaines dans lesquelles ces conversations me sont proposées ne me paraissent pas les meilleures pour un accord efficace. »

Il lève la tête. Eden paraît accablé. Sans doute Churchill a-t-il affirmé à Roosevelt qu'il convoquerait son « coq » puisque Roosevelt a le sien. Car Giraud, naturellement, a obtempéré. Le Premier ministre doit craindre de perdre la face devant le président des États-Unis. Il va donc réagir avec violence.

– Des entretiens simples et directs entre chefs français seraient, à mon avis, poursuit de Gaulle, les plus propres à ménager un arrangement vraiment utile.

Il va à nouveau télégraphier à Giraud qu'il est prêt à le « rencontrer en territoire français entre Français ».

Que veulent les alliés ? interroge-t-il. Une « collaboration » ? Un nouveau « Montoire » à leur profit ?

Il sort du Foreign Office en compagnie de son aide de camp, le capitaine Teyssot.

– Ils essaieront de me mêler à leur boue et leurs saletés en Afrique du Nord, dit-il. Ils veulent me faire avaler Vichy : il n'y a rien à faire, je ne marcherai pas.

Il va quitter Londres demain, se rendre auprès des Forces navales françaises libres à Weymouth. Peut-être réussira-t-il à dire quelques mots à Philippe. En tout cas, il verra des combattants. Et il respirera l'air libre de la mer.

Il fait froid, ce 18 janvier 1943, sur l'appontement de Weymouth. Il bruine. De Gaulle aperçoit, au dernier rang des marins et des aspirants qui l'entourent, Philippe. Un bref regard. Une émotion qu'il faut contenir pour s'adresser à ces hommes, leur expliquer en quelques mots qu'aucun compromis n'est possible entre la France Combattante, eux, et les anciennes autorités de Vichy. Puis un aspirant de grande taille lui prête son ciré. Car de Gaulle veut partager ne fût-ce que quelques heures de la vie de ces marins, connaître l'existence que mène Philippe. De Gaulle monte à bord de la vedette du chef de patrouille.

Le vent, les embruns, l'horizon gris qu'il scrute avec des jumelles depuis l'étroite passerelle. La vedette creuse son sillon à grande vitesse. Et ce n'est qu'au bout de trois heures que de Gaulle donne le signal du retour. Il aperçoit, au moment où la vedette stoppe le moteur, Philippe qui, sur son navire, commande la manœuvre.

Mais il faut déjeuner à l'hôtel Gloucester, avec les autorités de la base. Et l'heure du départ approche.

De Gaulle s'isole un quart d'heure dans un petit bureau. Voici Philippe, enfin ! Si frêle d'apparence, mais qu'il sent vigoureux cependant. On n'échange que quelques phrases. Une accolade un peu plus longue qu'à l'habitude.

Il regarde son fils s'éloigner. Quand le reverra-t-il ? À la grâce de Dieu !

Il s'attend, dès son retour à Londres, à recevoir un nouveau message de Churchill, qui sera, il en est convaincu, menaçant.

Mais la colère bouillonne en lui quand il lit, le 19 janvier, le texte du télégramme de Churchill : « Je suis autorisé à vous dire que l'invitation qui vous est adressée vient du président des États-Unis, aussi bien que de moi-même... Les conséquences de ce refus, si vous persistez, porteront un grave dommage à la France Combattante... Les conversations devront avoir lieu même en votre absence... »

Menace ! Chantage ! De Gaulle ne peut pas décider seul, le moment est trop grave. Il réunit le Comité national. Il est réticent, mais la majorité se prononce pour la participation aux conversations. Il grimace.

– J'irai au Maroc pour me rendre à l'invitation de Roosevelt, dit de Gaulle. Je n'y serais pas allé pour Churchill seul.

Il lit lui-même à Eden, d'une voix sèche et méprisante, le texte de sa réponse :

« Vous me demandez de prendre part à l'improviste... à des entretiens dont je ne connais ni le programme, ni les conditions, et dans lesquels vous m'emmenez à discuter soudainement avec vous de problèmes qui engagent à tous égards l'avenir de l'Empire français et celui de la France... »

« Mais la situation générale de la guerre et l'état où se trouve provisoirement la France ne me permettent pas de refuser de rencontrer le président des États-Unis et le Premier ministre de Sa Majesté... »

De Gaulle convoque d'Argenlieu et Catroux. Ils seront du voyage au Maroc, ainsi que Palewski, Boislambert et le capitaine Teyssot.

De Gaulle s'installe dans l'avion. Le siège est étroit, le froid vif. Boislambert ne peut trouver place que sur un tas de cordages aux pieds de De Gaulle.

De Gaulle se retourne. La cabine est encombrée, le capitaine Teyssot est assis au fond, à même le plancher.

De Gaulle ne souffre pas physiquement de cet inconfort. Il ferme les yeux. Il somnole. Boislambert s'est endormi et appuie sa tête sur son genou. Mais cet avion glacé où les Anglais ont entassé des représentants de la France Combattante est le symbole de la faiblesse française, du mépris britannique.

À Gibraltar, dans la douceur du climat qui contraste déjà avec l'humidité londonienne, le général MacFarlane est aimable. Mais à l'arrivée, le 22 janvier, à l'aéroport de Fedala, de Gaulle se sent à nouveau humilié. Cette terre est sous la souveraineté française, et cependant il n'y a pas de garde d'honneur pour accueillir le chef de la France Combattante. Seulement le général américain Wilbur, que de Gaulle reconnaît. Wilbur était élève à l'École de guerre. Il y a un représentant de Churchill et le colonel de Linarès, qui transmet une invitation à déjeuner de Giraud. Et partout, des sentinelles américaines. Au moment où il monte dans la première voiture, de marque américaine, remarque-t-il, de Gaulle voit Wilbur tremper un chiffon dans la boue et barbouiller les vitres du véhicule. La venue de De Gaulle doit demeurer secrète.

On arrive dans le quartier d'Anfa, situé sur une colline. De grandes villas sont dispersées dans un parc. De Gaulle descend. Il remarque les postes de garde américains, les barbelés, les sentinelles qui vont et viennent, empêchant quiconque de sortir ou d'entrer sans l'autorisation du commandement américain.

Il est sur une terre française et il se sent captif. On lui inflige une « sorte d'outrage ».

Donc, ici, plus que jamais, face à ce Premier ministre et à ce président qui agissent en souverains, il ne faut pas céder d'un pouce. Question de dignité. Et choix politique : que serait demain la France libérée si elle avait commencé d'accepter la loi de deux « protecteurs ».

Nous battons-nous pour changer d'occupants et de maîtres ?

Il salue Giraud, qui n'a pas changé depuis Metz, avec sa vanité à fleur de peau, ce ton de condescendance et cette assurance presque naïve.

– Bonjour, Gaulle, lance Giraud.

– Bonjour, mon général, répond de Gaulle. Je vois que les Américains vous traitent bien !

Giraud ne paraît pas avoir saisi la critique. Soyons plus précis !

– Eh quoi, reprend de Gaulle, je vous ai par quatre fois proposé de nous voir et c'est dans cette enceinte de fil de fer, au milieu des étrangers, qu'il me faut vous rencontrer ! Ne sentez-vous pas ce que cela a d'odieux au point de vue national ?

Boislambert s'approche, lui dit à voix basse que la maison est gardée par des sentinelles américaines.

Inacceptable. Deux chefs français ne peuvent être gardés par d'autres troupes que celles qui relèvent de leur commandement. De Gaulle ne passera à table que lorsque des soldats français auront remplacé les Américains.

Une heure et demie d'attente. Enfin, voici la Légion qui prend position.

On peut commencer à déjeuner. Giraud raconte son « évasion extraordinaire ».

– Mais comment avez-vous été fait prisonnier, mon général ? demande de Gaulle.

Puis il se tourne vers Boislambert. Que le commandant raconte ce qu'il a vu dans les prisons de Vichy et en France occupée. Que Giraud comprenne ce qui se passe dans le pays.

Boislambert parle des cheminots, des masses ouvrières qui se soulèvent contre l'occupant. Giraud hausse les épaules. La Résistance, dit-il, ce sont les élites. Puis il évoque les gouverneurs, Boisson, Noguès, tous ces hommes de Vichy dont la collaboration lui paraît indispensable.

À quoi bon poursuivre ?

Dans l'après-midi, Churchill.

Le Premier ministre est tendu.

De Gaulle s'emporte. Il ne serait pas venu, dit-il, s'il avait vu qu'il serait « encerclé en terre française par des baïonnettes américaines ».

– C'est un pays occupé ! s'écrie en français Churchill. Si vous m'obstaclerez, je vous liquiderai.

Puis il se calme, esquisse sa solution au problème français. Un triumvirat, de Gaulle, Giraud et le général Georges que l'on ferait venir de France.

Georges ! L'adjoint de Gamelin !

– Pour parler ainsi, répond de Gaulle, il faut que vous perdiez de vue ce qui est arrivé à la France...

Il écoute silencieusement quand Churchill menace, prétend qu'il faut accepter la présence des hommes de Vichy, Noguès, Boisson, Peyrouton, Bergeret. Ils entreraient au Comité national.

« Les Américains les ont maintenant adoptés et veulent qu'on leur fasse confiance », conclut-il.

De Gaulle se lève.

« Je ne suis pas un homme politique qui tâche de faire un cabinet et tâche de trouver une majorité... », dit-il.

– Ce soir, reprend Churchill, vous conférerez avec le président des États-Unis et vous verrez que, sur cette question, lui et moi sommes solidaires.

Qu'imaginent-ils ? Qu'il va céder ?

Il apprend que, avant de le recevoir, Roosevelt a donné un grand dîner en l'honneur du sultan du Maroc et laissé entendre que la France ne pourra plus être une grande puissance assumant un protectorat.

Que croit donc Roosevelt ?

De Gaulle parcourt à grands pas en compagnie de Boislambert les quelques centaines de mètres qui séparent sa villa de celle du Président. Il entre dans le salon, qu'il traverse de trois longues enjambées. Roosevelt, vêtu d'un costume blanc, est à demi étendu sur un vaste canapé qui occupe tout le fond de la pièce. Il ouvre les bras pour accueillir de Gaulle.

– Je suis sûr que nous parviendrons à aider votre grand pays à renouer avec son destin, dit-il.

– Je suis heureux de vous l'entendre dire, répond de Gaulle.

Il s'est assis près du Président. Il distingue des silhouettes derrière le rideau au-dessus de la galerie du living-room. Il lui semble même que ces hommes, sans doute les membres du service de protection, sont armés.

On le tient en joue, comme si l'on craignait qu'il n'agresse Roosevelt !

– Les nations alliées, reprend Roosevelt, exercent en quelque sorte un mandat politique pour le compte du peuple français.

De Gaulle le dévisage. Roosevelt sourit, prononce quelques phrases aimables. Il veut séduire. Se rend-il compte qu'il « assimile la France à un enfant en bas âge qui a absolument besoin d'un tuteur » ?

– La volonté nationale a déjà fixé son choix, dit de Gaulle.

L'entretien est terminé.

De Gaulle rentre à pas lents avec Boislambert. Il fait beau. La vue est vaste et calme. De Gaulle s'assoit quelques instants sur un

banc. Il faut, dit-il à Boislambert, que vous franchissiez secrètement le réseau de barbelés et apportiez une lettre au commandant
Touchon.

Cet officier a été élève de De Gaulle à Saint-Cyr et il réside à
Casablanca.

Dans la nuit, d'une tiédeur exceptionnelle pour ce 23 janvier
1943, de Gaulle écrit.

« Mon cher ami,

« Comme vous vous en doutez, je me trouve ici depuis hier,
attiré par l'aréopage anglo-américain qui s'est enfermé dans cette
enceinte... Il s'agit d'obliger la France Combattante à se subordonner au général Giraud... Le désir des Américains... vise à maintenir
Vichy pour le ramener dans la victoire... et établir un pouvoir français qui ne tienne que grâce à eux et n'ait par conséquence rien à
leur refuser... J'ai vu le général Giraud... dans l'ambiance qu'ils ont
créée ici pour la circonstance et qui rappelle celle de Berchtesgaden. Giraud me fait l'effet d'un revenant de 1939... Je crains
qu'on ne le manœuvre aisément en pesant sur sa vanité... Je
n'accepterai certainement pas la combinaison américaine... Dans
l'hypothèse extrême d'une rupture, Washington et Londres présenteront les choses à leur manière, c'est-à-dire en m'accablant.
J'aurai alors peu de moyens d'informer la France et l'Empire. C'est
pourquoi je vous écris cette lettre en vous demandant d'en faire et
d'en faire faire état le plus publiquement possible si les choses se
gâtaient tout à fait... Les bons Français d'Afrique du Nord pourront
voir ainsi que je ne les aurais pas trahis. »

Il confie la lettre à Boislambert. Il se sent mieux. Demain, il verra
Giraud.

Pénible discussion. Il montre à Giraud la déclaration de fidélité à
Pétain que celui-ci a signée en 1942.

– C'est vrai, j'avais oublié, dit négligemment Giraud.

Et pourtant, cet homme est un patriote. Mais il est satisfait du
plan anglo-américain : le triumvirat Giraud, de Gaulle, Georges, où
naturellement il jouerait le rôle principal.

De Gaulle dit d'une voix ironique :

– En somme, c'est le Consulat, à la discrétion de l'étranger.
Mais Bonaparte obtenait du peuple une approbation pour ainsi dire
unanime...

Il ne signera pas le communiqué que préparent Robert Murphy et l'Anglais MacMillan. Il ne se prêtera pas à cette « combinaison » dictée par l'étranger.

« Mais, dit-il, j'accepterai de revoir le président et le Premier ministre. »

Dès les premiers mots, le 24 janvier, il mesure la véhémence de Churchill. Il reste impassible.

— Je vous accuserai publiquement d'avoir empêché l'entente, tempête Churchill. Je dresserai contre votre personne l'opinion de mon pays et j'en appellerai à celle de la France. Je vous dénoncerai aux Communes et à la radio.

De Gaulle le toise.

— Libre à vous de vous déshonorer, dit-il.

Maintenant, il faut voir Roosevelt, refuser encore, malgré le ton énergique du président, qui tout à coup se calme.

— Dans les affaires humaines, il faut offrir du drame au public, dit Roosevelt.

Il souhaite un communiqué, quel qu'il soit.

— Laissez-moi faire, dit de Gaulle, il y aura un communiqué, bien que ça ne puisse être le vôtre.

Ce sont les derniers moments de la conférence. Churchill arrive en même temps qu'une foule de chefs militaires et de fonctionnaires alliés qui se rassemblent autour de Roosevelt.

Churchill est rouge de colère. De Gaulle le voit s'avancer, l'index levé. Churchill crie en français :

— Mon général, il ne faut pas obstacler la guerre !

Pourquoi répondre ?

De Gaulle lui tourne le dos. Roosevelt est aimable, souriant.

— Accepteriez-vous tout au moins, dit-il, d'être photographié à mes côtés et aux côtés du Premier ministre britannique en même temps que Giraud ?

— Bien volontiers, car j'ai la plus haute estime pour ce grand soldat.

— Iriez-vous jusqu'à serrer la main du général Giraud en notre présence et sous l'objectif ?

— *I shall do that for you.*

On sort dans le jardin. On installe des fauteuils. On porte Roosevelt, qui sourit, la tête levée.

Churchill, le chapeau enfoncé jusqu'aux sourcils, mâchonne son cigare, s'efforce lui aussi de sourire.

Comédie.

De Gaulle serre la main de Giraud à l'invitation de Roosevelt, puis recommence à la demande des photographes.

L'essentiel est d'avoir su dire non.

Il reste, pour conclure la pièce, à rédiger un texte anodin. De Gaulle l'écrit, mais Giraud récuse l'expression « libertés démocratiques ».

Il marmonne : « Vous y croyez, vous ? »

Il propose « libertés humaines ». Va pour ces mots-là. Le texte est enfin rendu public.

« Nous nous sommes vus. Nous avons causé. Nous avons constaté notre accord complet sur le but à atteindre, qui est la libération de la France et le triomphe des libertés humaines par la défaite totale de l'ennemi. »

De Gaulle va et vient dans le jardin de la villa.

Il a demandé qu'on lui procure un avion pour se rendre auprès des troupes de Leclerc. La réponse tombe, sèche. Le seul appareil disponible pour quitter le Maroc est britannique et il a Londres pour destination.

C'est un premier signe. De Gaulle sait que Londres et Washington vont désormais entraver chacune de ses initiatives.

On lui rapporte déjà que Roosevelt raconte aux journalistes que de Gaulle lui a déclaré : « Je suis Clemenceau, je suis Jeanne d'Arc, je suis Colbert et je suis Louis XIV. »

On veut l'atteindre, le ridiculiser.

Alors, en cette fin janvier 1943, au moment où les Russes remportent la victoire de Stalingrad, où il est évident que la guerre est à terme gagnée, ce sont peut-être les jours les plus difficiles qui commencent pour la France Combattante.

Mais il se battra. Et la France l'emportera.

22.

De Gaulle, assis à son bureau de Carlton Gardens, parcourt les premières pages des journaux. Les photos de la conférence d'Anfa couvrent plusieurs colonnes des quotidiens américains parvenus avec quelques jours de retard à Londres.

Humiliation, colère, révolte.

La mise en scène photographique laborieuse dans les jardins marocains est devenue le symbole des prétentions et de la victoire américaines. Roosevelt, souriant, assis, paternel, est le maître qui oblige les deux généraux français à se réconcilier, tels deux garnements que l'on tire par l'oreille. Churchill, bougon, est à gauche de la photographie, comme s'il était las d'avoir tenté en vain de rapprocher deux personnages insupportables, si ridicules, si démodés dans leurs uniformes d'un autre âge !

Voilà l'image que l'on veut donner de la France !

Il lit quelques lignes des correspondances des envoyés spéciaux. Les journalistes rapportent les bons mots de Roosevelt sur la « capricieuse Lady de Gaulle », Jeanne d'Arc ! Le Président a dit à Churchill :

– J'ai amené le marié – Giraud –, où donc est la mariée ?

Et comme de Gaulle se faisait attendre, le président a poursuivi :

– Qui paie la nourriture de De Gaulle ?

– Eh bien, c'est nous, a répondu Churchill.

– Pourquoi ne pas lui couper les vivres ? Il viendra peut-être, a renchéri Roosevelt.

La mariée est venue, conclut l'article.

De Gaulle a besoin de se calmer. Il se lève, fume devant la fenêtre. Londres est écrasé sous des nuages bas. Il se sent enfermé dans cette ville. La France Combattante est devenue trop grande pour y demeurer, entravée, calomniée. Car, avec les matières premières et les produits alimentaires venus d'Afrique, elle n'est plus dépendante des crédits de l'Angleterre. Mais on la tient pourtant serrée au cou. On veut la contraindre, l'étouffer.

Il convoque son aide de camp. Voilà des jours déjà qu'il a demandé au gouvernement britannique un avion afin de se rendre au Caire. Il veut inspecter les troupes qui combattent aux côtés de la VIIIe armée britannique au sud de la Tunisie. Aucune réponse ? Il faut donc attendre.

Il s'assied, découvre les journaux venus d'Afrique du Nord. Ils publient les mêmes photos, mais on n'y voit que Giraud ! De Gaulle a disparu des clichés. Effacé de l'histoire, avec la France Combattante. Voilà l'intention. Il faut alerter tous les compagnons, écrire au général Leclerc et au gouverneur général Éboué. Il faut que tous sachent quel est l'enjeu : « Nous faire disparaître dans un système local africain... En outre, la chose française serait, comme Giraud lui-même, à la discrétion des Américains. »

Tout cela est si évident ! Et pourtant, ici même, à Carlton Gardens, de Gaulle perçoit chez certains des commissaires nationaux – ainsi René Massigli, un ambassadeur qu'il a nommé aux Affaires étrangères –, dans ce milieu français de Londres – André Labarthe, Muselier, Raymond Aron, les journalistes et certains des hommes politiques venus de France, ainsi le socialiste Félix Gouin – des réticences ou même une opposition. Massigli et, à Alger, le général Catroux sont pour la réconciliation. Et les autres, pour soutenir Giraud afin qu'il les débarrasse de De Gaulle, alimentent en ragots, en calomnies, les services de l'ambassade américaine à Londres. De Gaulle n'est qu'un Bonaparte, susurre Raymond Aron. Il a exigé, dit-on, un serment d'allégeance personnelle, comme le fait le Führer pour ses fidèles, et le BCRA agit comme la Gestapo, enlève, torture. Le service secret de la France Combattante serait un repaire de cagoulards ! Et le Tout-Londres politique bruisse de ces rumeurs, des propos de Churchill qui se dit « écœuré par le général de Gaulle ». Le Premier ministre répète qu'« il a pris soin de De

Gaulle un peu comme on élève un jeune chien... qui mord maintenant la main qui l'a nourri ». « Tout en affectant des sympathies
communistes, assure-t-il, de Gaulle a des tendances fascistes ! »

Supporter tout cela.

Heureusement, il y a les Français qui se battent. Et ces ralliements de plus en plus nombreux. Des marins par centaines – ceux
du cuirassé *Richelieu,* de paquebots, de cargos, d'avisos – qui
quittent le bord, à New York ou dans les ports d'Écosse, qui
refusent d'être au service des autorités d'Alger et demandent à
s'engager dans la France Combattante. Ils télégraphient : « Dès que
vous en aurez donné l'ordre, la marque à croix de Lorraine sera his-
sée sur ce bâtiment. »

Et les autorités américaines emprisonnent ces marins, dénoncent
la propagande gaulliste ! Et les Anglais hésitent à les accueillir !

Il faut tenir. Tout le visage de De Gaulle exprime la volonté. Il
dit, les dents à demi serrées :

« Restons fermes. Marchons droit. Vous verrez qu'on reconnaî-
tra que nous fûmes les plus habiles parce que nous fûmes les plus
simples. »

Mais jamais, depuis juin 40, il n'a ressenti une telle pression. Il
se souvient des semaines qui ont suivi Mers el-Kébir ou l'échec de
Dakar, ou, il y a quelques mois seulement, le débarquement en
Afrique du Nord. Chaque fois, la tempête était forte. Maintenant,
c'est le cap Horn. Si la France Combattante le double, si Giraud la
rallie, alors plus rien ne pourra empêcher le navire d'aller jusqu'à la
victoire.

Mais pas d'union avec Giraud à n'importe quel prix. Pas de
compromis avec « l'idéologie de Vichy ».

Il faut marteler à Catroux, qui se trouve à Alger, qui négocie avec
Giraud, cette exigence.

« Nous n'entendons pas nous présenter en Afrique du Nord
autrement que nous ne sommes... Le pays se fait de nous une certaine conception et met en nous une certaine confiance, non seulement pour le présent mais aussi pour l'avenir. Nous n'avons pas le
droit de le priver nous-mêmes de cette foi et de cette espérance. »

Il hausse les épaules, il a un mouvement d'impatience.

« Ce n'est pas notre faute si la France est en crise politique et morale, autrement dit en révolution, en même temps qu'elle est en guerre. »

Catroux comprendra-t-il ? Il a confiance en ce général habile, diplomate-né, fidèle et qui connaît bien Giraud. Mais peut-être Catroux ne mesure-t-il pas qu'il faut parfois renoncer aux compromis, demeurer intransigeant.

« Rien ne serait plus fâcheux et, j'ajoute, plus douloureux qu'une discordance entre votre attitude et la mienne dans cette conjoncture capitale », lui écrit-il.

Car de Gaulle sent la tension monter. Chacun perçoit que c'est pour la France le tournant capital.

Si Giraud l'emporte – et derrière lui les Anglais et les Américains –, si l'union se fait selon le diktat de Roosevelt, alors c'en est fini de la souveraineté française.

On murmure que Roosevelt a un projet de partage du monde et que Churchill, à quelques nuances près, l'accepte. États-Unis, Russie, Grande-Bretagne constitueraient une sorte de directoire. La France et les petits pays européens – dont elle ferait partie désormais – y seraient soumis. On remodèlerait ses frontières.

« Roosevelt a préconisé la création d'un État appelé Wallonie, qui comprendait la partie wallonne de la Belgique ainsi que le Luxembourg, l'Alsace-Lorraine et une partie du nord de la France ! »

La nation, une fois les Allemands chassés et vaincus, resterait pour une année ou deux sous le contrôle des armées d'occupation américaines !

Voilà ce qui est en jeu, voilà pourquoi on veut le faire céder.

René Massigli lui transmet une lettre de Charles Peake, tout embarrassée de lourdeurs et de circonvolutions diplomatiques mais dont le sens est clair : c'est un refus d'autoriser de Gaulle à quitter l'Angleterre. Et un chantage. « Le gouvernement de Sa Majesté pense qu'il serait plus sage que le voyage du général de Gaulle ne soit pas entrepris tant que les relations entre le Comité national français et l'administration d'Alger ne sont pas encore réglées, écrit Peake. Ce gouvernement regrette donc de ne pouvoir pour le moment accorder les moyens que le général de Gaulle a demandés... »

De Gaulle rejette la lettre, rugit :

– Alors je suis prisonnier !

Il sort de son bureau à grandes enjambées. Il va s'installer à Hampstead.

Il marche dans le jardin. Il a besoin d'échapper pour quelques jours à cette tension. De montrer qu'il peut se retirer. Et qu'ainsi les alliés mesurent qu'ils ne peuvent pas se présenter à l'opinion française, aux mouvements de résistance, à ces maquis qui se forment puisque Laval a étendu le principe du Service du travail obligatoire, avec Giraud et un Peyrouton ancien ministre de l'Intérieur de Vichy !

Car les ralliements à la France Combattante se multiplient : des inspecteurs généraux des Finances, comme Couve de Murville, des diplomates, des généraux, des hommes politiques quittent Vichy.

Voici la lettre d'Édouard Herriot, l'ancien président de la Chambre des députés :

« Je suis prêt à entrer à n'importe quel moment dans un gouvernement présidé par le général de Gaulle, que je considère comme le seul homme susceptible de réaliser l'union de l'immense majorité des Français pour le relèvement de la France. À mes yeux, le général Giraud n'a pas de caractère politique et est un chef militaire. »

À Alger, les façades se couvrent d'inscriptions : « Vive de Gaulle ». Les protestations se multiplient contre le maintien de la législation de Vichy. « C'est de Gaulle qu'il nous faut », crie-t-on lors de manifestations qui éclatent ici et là. En Tunisie, les troupes de Giraud se débandent pour rejoindre les unités des Forces françaises libres de Leclerc et de Larminat qui entrent au milieu des applaudissements à Sfax, Sousse et Gabès.

Et puis il y a ce message, venu du bout du monde et qui arrive dans la maison de Hampstead porté par un aide de camp. Il est de MacArthur :

« Comme Américain et comme soldat, écrit le général, je suis honteux de la façon dont certains dans mon pays ont traité le général de Gaulle. La vilenie qui marque la triste affaire de l'Afrique du Nord française sera longue à effacer... Je désapprouve l'attitude de

Roosevelt et de Churchill envers le général de Gaulle... Il doit à tout prix maintenir son idéal, celui de la France républicaine, et il ne doit pas céder devant Giraud qui a d'abord signé un compromis avec Vichy puis s'est mis aux ordres des Américains... De toute mon âme, je prie Dieu que le général de Gaulle gagne la partie... Mon encouragement est celui d'un ami et d'un admirateur qui croit toujours en la chevalerie des Français de bonne race... »

De Gaulle est seul. Ce message le touche comme un signe. Un jour vient où, quelles que soient les calomnies, on reconnaît ceux qui suivent une route droite. Les peuples, à la fin, savent qui les sert et qui les trompe. Il est apaisé.

Il reste quelques instants auprès d'Anne, puis il écrit à son fils.

« Mon cher Philippe,

« Ce mot sans autre objet que de te dire mon affection et aussi ma satisfaction de te savoir à l'œuvre dans des conditions périlleuses, et par conséquent glorieuses. Je vois que l'affaire d'Afrique du Nord, si mal engagée par les autres, commence à se dégager un peu. Nous sommes patients mais résolus.

« Maman et Anne vont très bien. Ta sœur Élisabeth aussi, je pense. Nous avons hâte de te revoir. Je t'embrasse tendrement.

Ton papa très affectionné. »

Mon fils. Tous ces fils qui risquent leur vie. Il leur doit la sienne, tout entière.

Il est ému lorsque, quelques jours plus tard, dans le living-room de cette maison de Hampstead, il voit entrer Jean Moulin. Ce combattant qui arrive de France lui semble transformé par les responsabilités et les dangers. Le visage de celui qui se fait appeler Rex ou Max dans la clandestinité, et Mercier en Angleterre, s'est comme affiné tout en exprimant l'énergie et la foi.

De Gaulle s'approche, lui serre longuement la main. Puis il salue tous ceux qu'il a conviés à ce déjeuner, le général Delestraint, chef de l'armée secrète qui était dans le même Lysander que Moulin, Billotte, André Philip, Passy.

De Gaulle fait un pas en arrière.

– Veuillez vous mettre au garde-à-vous, dit-il.

Il voit Moulin se raidir. De Gaulle ressent l'émotion qui étreint chacun de ces hommes :

– Caporal Mercier, dit-il, nous vous reconnaissons comme notre Compagnon pour la Libération de la France, dans l'honneur et par la victoire.

Il prend sur son bureau la décoration, il l'épingle sur la poitrine de Moulin. Celui-ci a le visage crispé, les larmes aux yeux. Il lui donne l'accolade et le tient serré contre lui.

Il va ouvrir la porte. Yvonne de Gaulle s'avance, souriante et grave.

C'est un moment de paix, de fraternité, de recueillement aussi. De Gaulle pense à Passy qui vient de partir. Il ne participe pas au déjeuner. Il sera parachuté dans quelques heures en Normandie, dans la région de Rouen. Il aurait pu éviter cette épreuve. Il connaît tant de secrets, puisqu'il est depuis l'origine à la tête du BCRA. Churchill a longtemps refusé de le laisser partir : s'il est pris par la Gestapo, résistera-t-il à la torture ? Passy a insisté. Et pourquoi refuser à un chef d'affronter les risques que tous les jours ses hommes acceptent ? De Gaulle a appuyé la demande de Passy. Il fait confiance à cet homme. Il sera, dans la clandestinité, Arquebuse. Il rejoindra Brossolette, qui se trouve déjà à Paris sous le nom de Brumaire.

De Gaulle écoute ces hommes qui, calmement, autour de la table, dans ce déjeuner de compagnons, évoquent la vie en France et ne parlent jamais des périls mortels qu'ils courent. Delestraint et Moulin repartiront dans quelques jours. D'ici là, disent-ils, ils veulent convaincre l'état-major britannique de l'importance stratégique de la Résistance, qui représente plus de 50 000 hommes qui peuvent paralyser l'ennemi. Mais ils ont besoin d'armes. Les Anglais les fourniront-ils ? De Gaulle sait que Churchill est réservé. Le Premier ministre craint une révolte prématurée. Il faut attendre, selon lui, la veille du débarquement en France.

Mais quand interviendra-t-il ? Et puis Churchill obéit-il seulement à des considérations militaires, ou bien veut-il limiter l'essor de la résistance gaulliste ? Et renforcer ainsi le clan d'Alger, la solution Giraud ?

De Gaulle s'interroge. Churchill n'oublie jamais les objectifs politiques. Il faut donc le contrer sur ce terrain.

Il reçoit Moulin, l'écoute, le questionne. Le temps est venu, dit-il, de constituer ce Conseil national de la Résistance, qui montrera de quel côté est la résistance. Avec de Gaulle ou avec Giraud.

Le 21 février 1943, de Gaulle revoit une dernière fois le texte des instructions qui doivent permettre de créer cet organe central, rassemblant les mouvements de résistance et les partis politiques.

Il faut isoler les vichystes, les « prébendiers du désastre ». Et Moulin – Max, Rex – est l'homme capable de mettre ce Conseil national sur pied. Depuis qu'il est en France, c'est à cela qu'il travaille, avec l'obstination et la foi qui se lisent sur son visage.

De Gaulle dicte :

« Jean Moulin, délégué du général de Gaulle en zone non occupée, devient le seul représentant permanent du général de Gaulle et du Comité national pour l'ensemble du territoire métropolitain. Il doit être créé, dans les plus courts délais possibles, un Conseil de la Résistance unique pour l'ensemble du territoire métropolitain, et présidé par Jean Moulin, représentant du général de Gaulle. Ce Conseil de la Résistance assurera la représentation des groupements de résistance, des formations politiques résistantes et des syndicats ouvriers résistants. Le rassemblement doit s'effectuer contre les Allemands... contre toutes les dictatures et notamment celle de Vichy... pour la liberté... avec de Gaulle. Le Conseil national forme l'embryon d'une représentation nationale réduite, conseil politique du général de Gaulle à son arrivée en France... »

Il s'arrête de dicter. Il répète : « arrivée en France ». Il imagine ce moment. Cela vaut la peine de vivre.

Mais il l'éprouve chaque jour et il ne peut s'empêcher de le confier : « Les temps continuent d'être durs. »

Giraud manœuvre, prononce des discours « démocratiques » que lui dictent les Américains et les Anglais. Roosevelt a délégué auprès de lui Jean Monnet, bon conseiller, favorable à « l'union » d'Alger avec la France Combattante, mais interprète habile et dévoué des intentions américaines.

Il faudrait pouvoir être à Alger, peser sur Giraud, entraîner l'opinion. Mais pour cela, il faut quémander auprès de Churchill.

« Monsieur le Premier Ministre,

« Désirant me rendre en Afrique du Nord française... je vous serais reconnaissant de me faire connaître si le gouvernement de Sa Majesté britannique est disposé à faire assurer notre transport jusqu'à Alger... Nous sommes prêts à partir dès demain. »

Il se rend à Downing Street le 2 avril en compagnie de René Massigli. Churchill a le visage des mauvais jours, bouche serrée sur le cigare. Alexander Cadogan se tient près de lui.

— Enfin, lance aussitôt de Gaulle, je suis prisonnier ! Bientôt, vous m'enverrez dans l'île de Man !

Churchill enfonce la tête dans les épaules.

— Non, mon général, répond-il en français, pour vous, très distingué, toujours la Tower of London.

Puis il assure qu'un avion sera mis à la disposition de De Gaulle. Mais il fait la moue.

— Il serait navrant que des troubles se produisent lors du voyage du général, reprend-il. C'est en toute amitié qu'il faut essayer d'arranger les choses.

— Je ne pars pas à Alger pour engager une bataille, dit de Gaulle.

Churchill se détend.

— Je n'ai jamais cessé d'être et je reste un ami de la France.

De Gaulle hésite. Doit-il faire confiance au Premier ministre ?

Il s'étonne. Des jours passent sans qu'aucune information soit donnée sur les conditions du voyage. Et puis, le 7 avril, un message d'Eisenhower : « Je serais reconnaissant au général de Gaulle de bien vouloir différer son départ... jusqu'à ce qu'il estime que les négociations en vue d'un accord ont suffisamment progressé pour permettre un aboutissement rapide. »

Le chantage, toujours ! Et derrière Eisenhower, peut-être Roosevelt. De Gaulle reçoit un câble de Tixier en poste à Washington, et dès qu'il l'a parcouru il se laisse emporter par la colère.

« J'apprends de source bien informée, dit Tixier, que le télégramme du général Eisenhower est dû en fait à une initiative britannique. »

Churchill qui va au-devant des souhaits de Roosevelt !

Il faut que l'on sache cela. Il écrit à Leclerc :

« Ces faits vous permettront d'apprécier tout ce qu'il y a d'obscur dans la politique suivie depuis juin 1940 à l'égard de la France Combattante par le gouvernement de Washington, politique à laquelle s'associe plus ou moins franchement et plus ou moins volontiers le gouvernement de Londres pour ce qui concerne l'affaire d'Afrique du Nord. »

Mais il ne cédera pas au chantage. Il se cabre. Il reçoit un message de Moulin, qui, retourné en France, demande un appui. Il sent de l'angoisse, une tension presque insoutenable, dans ces quelques lignes de Max : « Question confiance se pose... Mars (Delestraint) et Rex (Moulin) demandent si de Gaulle d'accord pour m'appuyer fermement. Prière m'accuser réception par BBC : " La vie n'est pas toujours facile ". »

Il apprend que les services secrets américains se déclarent prêts à fournir par l'intermédiaire de leur représentant à Berne, Allen Dulles, dix millions par mois au Mouvement unifié de Résistance, soit trois fois plus que la France Combattante ! Et Henri Frenay a accepté parce que, dit-il, « cela permet de conserver cette attitude d'indépendance qui seule donne du poids à nos avis, tant auprès des alliés que de De Gaulle lui-même ».

Moulin aurait dit à Frenay : « C'est un véritable coup de poignard que vous donnez dans le dos de De Gaulle. »

Il faut bloquer l'affaire, empêcher les Américains de renforcer Giraud en séparant une partie de la résistance de la France Combattante.

Il faut attendre les messages de Moulin, cet homme dont tout dépend. En qui il a foi. Toutes ses pensées sont tournées vers lui. Il n'écoute même pas le jeune José Aboulker qui arrive d'Alger, qui lui fait part des changements qui se produisent dans l'opinion en faveur de De Gaulle, de l'isolement croissant de Giraud. Il ne peut rester en place. Presque tout dépend de Max. Il arpente son bureau. Il fume cigarette sur cigarette. Il attend, dit-il, une grande nouvelle, il parle encore de Max, de la Résistance.

Le 15 mai au matin, Passy, rentré depuis peu de France, surgit dans le bureau, bousculant l'aide de camp.

Il tend à de Gaulle trois télégrammes datés du 8 mai. De Gaulle lit les références : *Rex n° 453, Rex n° 455, Rex n° 460.*

Enfin des nouvelles de Moulin. Il lit rapidement.

« Conseil de la Résistance constitué. Essaie organiser réunion prochaine. Indispensable m'envoyer par premier courrier message de Gaulle qui devra constituer programme politique. »

Max a réussi. De Gaulle reste longtemps les yeux mi-clos sans poursuivre la lecture. Il a le sentiment qu'une étape décisive vient d'être franchie. Il dispose désormais, grâce à Max, grâce à ces hommes que celui-ci a rassemblés dans les périls, d'un atout maître.

Il reprend la lecture.

« Veille départ de Gaulle en Algérie, tous mouvements et partis résistance zones nord et sud... tiennent à déclarer fermement : que rencontre prévue doit se faire entre Français au grand jour et au siège du gouvernement général... demande installation rapide gouvernement provisoire. Alger sous présidence de Gaulle avec Giraud comme chef militaire. Quelle que soit l'issue des négociations, de Gaulle demeurera pour tous seul chef Résistance française. Fin. »

Que l'on vienne, après cela, empêcher la France Combattante et de Gaulle de représenter la France !

Et pourtant, il découvre dès le lendemain, dans le *Times* et dans le quotidien *France*, des inquiétudes : « À Carlton Gardens, on tient à la conception du chef..., écrivent ces antigaullistes de Londres. Une vérité en tout cas est hors de conteste : les Français ne veulent à aucun prix, sous aucune forme, subir le pouvoir personnel au lendemain de la libération du pays. L'enthousiasme de la victoire n'engendrera point une autre forme de dictature... »

Dictature ! Voilà ce que craignent certains, alors que Churchill – de Gaulle vient de l'apprendre – est à Washington et qu'il confère avec Roosevelt et rencontre dans la capitale américaine tous les Français opposés à de Gaulle, qu'il écrit à Anthony Eden et à Clement Attlee, le leader travailliste : « De Gaulle a complètement laissé passer sa chance en Afrique du Nord. D'après moi, il ne s'intéresse qu'à sa propre carrière qui est basée sur sa vaine prétention de s'ériger en juge de la conduite de chaque Français à la suite de la défaite militaire. Je demande à mes collègues d'examiner d'urgence la question de savoir si nous ne devrions pas dès maintenant éliminer de Gaulle en tant que force politique et nous en expliquer devant le Parlement et devant la France. »

Qu'ils s'y essaient !

Le 17 mai, il reçoit une lettre de Giraud qui semble enfin prêt à une véritable discussion :

« Le temps presse, écrit Giraud, entre autres questions la fusion rapide de toutes les forces françaises en une seule armée de la victoire est urgente. »

Mais pourquoi alors Giraud s'obstine-t-il à ne pas vouloir une rencontre à Alger ?

– Je n'accepte pas d'entrevue en catimini à Marrakech, à Biskra ou ailleurs, dit de Gaulle à Catroux. J'entends aller à Alger en plein jour et en pleine dignité. La nation française sera juge de la façon dont il se comporte...

Il interroge Boislambert, Larminat. Ces proches sont pour une rencontre rapide, à Alger certes, mais l'essentiel est qu'elle ait lieu. Tout le monde l'attend.

– Vous invoquez l'intérêt du pays pour m'amener à céder, dit de Gaulle, mais précisément l'intérêt du pays ne me paraît nullement commander l'équivoque dans l'unité.

Pourtant il sent bien que la dernière proposition de Giraud, préparée par Jean Monnet et l'Anglais Macmillan et qui a l'accord de Catroux, sera difficile à rejeter. Giraud suggère que soit créé un comité qui aura deux présidents et sept membres, deux nommés par de Gaulle et deux par Giraud, trois sièges étant laissés vacants. On est loin des prétentions de Giraud, qui voulait le pouvoir civil et militaire. Tout sera partagé.

De Gaulle imagine et dit d'un air goguenard :

« Ce pourrait être très simple, j'arrive en avion à Maison-Blanche... Je me rends au Palais d'Été. En cours de route, la foule m'acclame. Qu'y peut-on ? Nous nous montrons ensemble à un balcon avec Giraud. L'union est faite, c'est fini... »

En fait, il apprend qu'à Washington Roosevelt continue de bâtir des plans pour l'abattre. Mais il est bien tard. Le mouvement est lancé. L'opinion l'appuie. Le Comité national de la Résistance se réunit le 27 mai à Paris sous la présidence de Jean Moulin et lui apporte son soutien.

Ce même 27 mai, de Gaulle décide de quitter Londres pour Alger. Il rencontre Eden puisque Churchill, lui dit-on, est parti « pour une destination inconnue ».

Inconnue ? Washington puis sans doute Alger, pour conforter Giraud et l'inciter à résister à de Gaulle.

Eden est amical.

– Que pensez-vous de nous ? demande-t-il.

– Rien n'est plus aimable que votre peuple, répond de Gaulle. De votre politique, je n'en pense pas toujours autant.

– Vous nous avez causé plus de difficulté que tous nos alliés d'Europe, reprend Eden.

De Gaulle sourit.

– Je n'en doute pas. La France est une grande puissance.

Il rentre à Carlton Gardens.

Retrouvera-t-il jamais cet immeuble où il a tant espéré et désespéré ? Une étape est franchie. Il sera bientôt en terre française. Enfin ! C'est sans doute pour la dernière fois qu'il écrit à Churchill.

« Cher Monsieur Churchill,

« Quittant Londres pour Alger où m'appelle une tâche difficile pour le service de la France, je revois en esprit la longue étape de près de trois ans que la France Combattante a accomplie dans la guerre côte à côte avec la Grande-Bretagne et à partir du territoire britannique.

« Je suis plus que jamais plein d'espoir dans la victoire commune de votre pays et du mien avec tous les Alliés, et plus que jamais convaincu que vous serez personnellement l'homme des jours de gloire comme vous avez été l'homme des pires moments.

« Bien sincèrement à vous,

Charles de Gaulle. »

23.

De Gaulle se tourne, regarde s'éloigner la côte d'Angleterre qui n'est plus déjà qu'une trace grise qui souligne l'horizon. Il reste longuement ainsi, penché vers le hublot. Il lui semble que disparaissent en même temps que ce pays les jours tragiques de 1940. Quelles que soient les difficultés, jamais plus il ne sera au fond de l'abîme. Il veut le croire.

Il songe à ces hommes qui se sont réunis dans un petit appartement du 48 de la rue du Four, à Paris. Il les imagine, dans la pièce aux volets clos, parlant bas, inquiets à chaque bruit de pas mais résolus, et Moulin présidant les débats de ce Conseil national de la Résistance.

Il jette un coup d'œil à Massigli et à André Philip, les commissaires nationaux aux Affaires étrangères et à l'Intérieur. Plus loin sont assis le colonel Billotte, chef d'état-major, et les capitaines Teyssot et Charles-Roux, les aides de camp.

De Gaulle se lève. La cabine de ce Lockheed est étroite, le plafond bas, mais l'avion porte le nom de *Paris* et des cocardes françaises marquées de la croix de Lorraine.

De Gaulle avance vers le poste de pilotage. Il veut saluer le colonel de Marmier et le commandant Morlaix. Deux officiers français, dans un avion français qui vole vers une terre où s'exerce la souveraineté française. Ce n'est pas encore la terre de France, mais c'est un grand bond vers elle.

– J'amène tout à Giraud car j'emmène la France, dit-il en retrouvant sa place, et cependant j'accepte qu'il s'asseye devant moi, à égalité.

Il ferme à demi les yeux.

En Algérie, en apparence, Giraud contrôle tout, « l'armée, la police, l'administration, les finances, la presse, la radio ». Les Alliés le soutiennent. Churchill s'est même déplacé à Alger et y a fait conduire le général Georges, son ami ! En face, la France Combattante ne dispose d'aucun appui, sinon celui d'une partie de l'opinion d'Algérie.

De Gaulle redresse la tête. Apparences en effet que tout cela, il en est persuadé. Il y aura des batailles à conduire. Des pièges seront tendus. Mais il se sent plus déterminé que jamais. Et, il n'en doute pas, « chacun au fond de lui-même sait comment finira le débat ».

Il dit à voix basse, à demi tourné vers Massigli et Philip :

– Pour la France, je représente un certain nombre d'idées : la Résistance, la lutte contre Vichy, la sanction contre les collaborationnistes, etc. Je ne peux pas trahir la France.

30 mai, 11 h 50. Le soleil éblouit de Gaulle. La terre jaune des pistes du terrain de Boufarik est constellée d'une infinité de points brillants. Il voit les troupes, les gendarmes qui rendent les honneurs. Il voit le drapeau. Il aperçoit aux côtés de Giraud la silhouette de Boislambert venu de Tunisie, puis de Maurice Schumann, arrivé la veille de Londres.

Il se souvient d'Anfa, des sentinelles américaines, des barbelés. Ici, la France. Il est heureux. Il serre la main de Giraud.

– Bonjour, Gaulle.

Déjà le conflit. Il faut donc être sur ses gardes, déjà, après les premiers pas ? On joue *La Marseillaise*. Il voit derrière les Français les représentants de Robert Murphy et de Macmillan. Les Alliés sont à leur place.

Quelques mots à Giraud sur le même ton que celui qu'il a employé.

– Quelles sont les personnalités que vous amenez au Comité ? Les miennes, Philip, Massigli, sont de premier plan.

– Jean Monnet.

– Ce petit financier à la solde de l'Angleterre ?

– Le général Georges.

– Ah, vous voulez reconstituer « le 4 bis », l'état-major de Pétain ? Georges a été assez moche pendant la guerre. En tout cas, je veux éliminer tout de suite Noguès, Peyrouton, Boisson.

– Nous verrons. Il faut dire « nous » et non « je »...

De Gaulle voit Boislambert qui lui fait des signes. Il se dirige vers la voiture du commandant, abandonne Giraud. Et la voiture prend la tête du cortège.

Il écoute Boislambert expliquer que les censures, celle de Giraud et des Alliés, ont empêché d'alerter la population. Giraud a choisi le terrain de Boufarik, éloigné d'Alger d'une vingtaine de kilomètres, pour empêcher que la foule ne se précipite au-devant de De Gaulle, ce qui aurait été le cas à Maison-Blanche. Et puis, de Boufarik, on peut atteindre le Palais d'Été sans traverser la ville.

Déjeuner. De Gaulle est entouré par le général Georges à sa droite, et Jean Monnet à sa gauche. Il fait face à Giraud, dont les voisins sont Catroux et Massigli. Il compte une trentaine de convives, parmi lesquels un représentant du général Juin, son condisciple à Saint-Cyr, Couve de Murville, René Mayer, un administrateur de société proche de Giraud.

Bavardages. De Gaulle parcourt des yeux la table. « On pourrait croire qu'en trois ans, rien de tragique ne s'est passé. » Le général Georges affiche sa morgue comme s'il n'avait pas été battu en 1940. Il pérore.

– Le 18 juin, dit de Gaulle d'une voix forte, je me suis assis sur la défaite, aujourd'hui je m'assieds à côté.

Le silence s'établit. C'est la fin du déjeuner.

Dehors, le soleil éclatant. La foule entoure la voiture aux grilles du Palais d'Été, et l'entraîne vers le monument aux morts, place de la Poste. Les gaullistes du mouvement Combat ont préparé cette manifestation.

Il entend ces cris : « Vive de Gaulle ! » Il monte lentement vers le monument aux morts. Une minute de silence après le dépôt d'une gerbe en forme de croix de Lorraine. Puis les acclamations, ces cris à nouveau. Il se sent porté par cette ferveur. Il lève les bras tendus en forme de V. Il entonne *La Marseillaise*, que la foule reprend à pleine voix.

L'émotion l'étreint. Après l'atmosphère glaciale du déjeuner, c'est, dans la tiédeur lumineuse de ce 30 mai, un moment de bonheur.

Il se tourne vers Maurice Schumann, qui porte un étrange petit

265

calot pour compléter son uniforme. Il a envie de rire. C'est si nouveau, si inattendu après toutes ces années !

Plus tard, alors que le crépuscule rougit le ciel, il regarde depuis la fenêtre de la villa des Glycines où il est installé l'entassement des cubes blancs, cette ville d'Alger et sa rade que la villa domine. Son bureau est un petit salon étroit, étouffant.

Déjà des lettres. Il lit avec émotion celle du général Vuillemin, l'ancien commandant en chef des forces aériennes françaises. Vuillemin écrit : « Je désirerais prendre, avec le grade correspondant, le commandement d'une unité de la France Combattante. » Une autre est du général Weiss. « Depuis deux ans et demi, nous vous attendons », explique l'officier.

Alors que la nuit s'étend, claire, chargée de parfums mêlés, il reste longuement à contempler l'horizon.

Plus rien, sauf la mort, ne pourra l'empêcher de mener sa tâche jusqu'au bout.

Mais il faut bousculer Giraud, Georges et Monnet qui, à son habitude, pateline et habile, louvoie.

Il les observe dans cette salle du lycée Fromentin où les deux « équipes », celle d'Alger et celle de la France Combattante, sont réunies. Catroux joue les médiateurs, mais que faire quand Giraud refuse formellement et passionnément la mise à la retraite des « vichystes » : Noguès, Boisson, Peyrouton, Bergeret ?

De Gaulle se maîtrise quelques instants encore.

C'est le général Georges qui parle.

« Vous ne connaissez plus la France, dit-il. Vos organisations, je sais ce qu'elles valent : désordre, jalousies, rivalités, dénonciations, composition connue de la police, effectifs de militants absurdement exagérés. Il n'y a qu'une France, martèle Georges, et pas de pétainistes, de gaullistes, de giraudistes. Tous unis sur notre sentiment de haine de l'ennemi, c'est ce qu'il faut réaliser. »

De Gaulle écoute encore. Il demande à nouveau l'éviction de ces gouverneurs, de ces généraux qui ont fait tirer sur les Anglais, les Américains, les Français Libres.

– Général de Gaulle, dit Georges sur un ton méprisant, il y a parmi les hommes dont vous venez de parler des personnes dont le patriotisme est aussi sincère que le vôtre. Ils ont seulement une conception différente du patriotisme.

De Gaulle se tourne à demi.

– Eh bien, je le regrette.

Il range ses papiers, se lève, sort et claque la porte.

Il ne veut pas se laisser étouffer par cette atmosphère de démission, de compromission, d'habileté et de lâcheté qui est celle des « beaux quartiers » d'Alger, celle que propagent les notables et les colons.

Mais ils ne sont pas toute l'Algérie. Il apprend que « des soldats courent la campagne » pour rejoindre les troupes de Larminat et de Leclerc. Le mouvement est si grand que les Américains exigent – sous la menace de couper les vivres – des divisions de la France Combattante qu'elles se replient loin au Sud !

Il constate, à mille signes, que « malgré l'étouffement organisé de l'opinion publique » des manifestations en sa faveur se multiplient. Il écoute avec émotion le professeur Capitant l'accueillir au centre du mouvement Combat-Empire, dans une petite salle d'Alger.

« Il n'y a de vrai et d'émouvant que ce qui est simple, reprend-il. C'est nous qui avons dit la vérité française. La tâche qui fut nôtre depuis la première heure est une tâche sacrée. »

Tous ces visages tournés vers lui, cette fois dans les regards, cette attente : comment pourrait-il les décevoir ?

« Quand la tâche sera achevée, reprend-il, quand nous pourrons disparaître – du moins ceux d'entre nous qui ne seront pas tombés sur les champs de bataille –, pas un de nous ne regrettera ce que nous avons fait. »

Il reçoit les journalistes anglais et américains à la villa des Glycines. Il sait qu'aux États-Unis et en Angleterre ces correspondants à Alger ont publié des articles soulignant l'accueil enthousiaste de la population. Il dit : « Depuis quelques années, un roc portant le nom de France Combattante émerge toujours, malgré tout, parce que c'est un morceau de la vraie France qui émerge en dépit des éléments. »

Il voit qu'aucun de ces journalistes, peut-être les mêmes qui ont prêté une oreille complaisante aux propos de Roosevelt et de Churchill, ne sourit. « Vous reverrez la fleuriste de la rue Royale, avec son sourire », lance-t-il en évoquant Paris.

Puis il se retire dans son bureau. Un pli de Peyrouton, le gouverneur général de l'Algérie. Peyrouton démissionne, demande à servir dans une unité combattante. Voilà le camp de Giraud qui, dans son cœur même, s'effrite. Peyrouton, ancien ministre de l'Intérieur de Vichy puis ambassadeur, puis sollicité par Roosevelt pour se rendre en Algérie, rend les armes. Il faut que la nouvelle soit connue, rapidement, en ce milieu de la nuit du 1er juin. Mais Giraud va sans doute réagir avec vigueur.

Il faut désamorcer une action militaire, écrire au général Juin, qui commande en Tunisie. Certains prétendent que Juin a participé aux négociations franco-allemandes sur l'Afrique du Nord, et qu'il s'est rendu à Berlin en décembre 1941 sur l'ordre de Darlan. Mais c'est un bon soldat, qui vient de se racheter en Tunisie.

« Je voudrais te voir, écrit de Gaulle, sache que tu peux avoir confiance en mon estime et en mon amitié, et crois à mes sentiments bien cordiaux. »

Il sent monter heure par heure autour de lui l'inquiétude. Boislambert rapporte que des unités blindées ont pris position dans la banlieue d'Alger, que des chars américains patrouillent en ville, que des officiers du 5e chasseurs ont prêté serment, sur un cercueil miniature placé au centre de la table du mess, d'abattre de Gaulle à la première occasion.

Tout à coup, Billotte survient : Giraud a nommé Muselier chargé de la sécurité à Alger et dans un rayon de 80 kilomètres autour de la ville. L'amiral vient de décréter l'état de siège. Un putsch se préparerait, Roosevelt aurait demandé à Churchill de faire arrêter de Gaulle et de l'expulser.

Il n'y a qu'une dizaine d'hommes pour garder la villa, dit Boislambert. Billotte s'installe dans la salle de bains voisine de la chambre, Boislambert se poste dans le couloir. De Gaulle est ému. Il les éloigne.

On apporte une lettre de Giraud. Il la lit. Si Giraud est capable d'écrire cela, c'est que ceux qui l'entourent sont saisis par la haine, une sorte de folie. Il reconnaît la passion hostile d'André Labarthe, que Giraud a nommé secrétaire d'État à l'Information. Et maintenant, Muselier chargé de la police ! Tous les antigaullistes de Londres sont au pouvoir ici, mêlés aux vichystes.

Cette lettre de Giraud donne la nausée. Giraud constate d'abord la démission de Peyrouton. Mais cet incident révèle ce que l'on pense autour de Giraud.

« Votre dessein est d'instituer en France, après la Libération, un système politique totalitaire à votre nom, écrit Giraud, la consultation populaire n'étant envisagée que longtemps après. Des déclarations annoncent même une répression massive en France... L'organisation dirigée par le colonel Passy a adopté les méthodes de la Gestapo. Votre politique extérieure n'est pas moins inquiétante... Je ne m'associerai pas à une telle entreprise. Elle équivaudrait purement et simplement à établir en France un régime copié sur le nazisme, appuyé sur des SS et contre lequel luttent toutes les Nations unies.

« La France ne veut pas cela.

« Je vous demande donc, avant toute discussion, de bien vouloir faire une déclaration publique désavouant ces projets. »

Envie de froisser cette lettre. Dégoût. Mais au-delà, il faut penser à ce qu'elle signifie. Peut-être est-elle la couverture et l'excuse d'un coup de force, d'un assassinat.

C'est le cœur de la nuit. Il doit alerter le Conseil national à Londres. Il dicte d'une voix calme :

« Secret le plus absolu.

« L'affaire d'Alger prend rapidement l'allure de guet-apens.

« Muselier vient d'être chargé par Giraud des pouvoirs de police à Alger.

« Giraud fait venir ici des Goumiers du Maroc. Il a donné l'ordre d'arrêter tous les permissionnaires de la France Combattante en Afrique du Nord. Il vient de m'écrire une lettre me sommant de faire une déclaration publique affirmant que je m'engage à ne pas établir de régime fasciste en France et accusant de fascisme mes collaborateurs, notamment Passy.

« Nous sommes en pleine tragi-comédie. Mais cela pourrait tourner mal.

« Il faut ajouter, pour ce qui concerne la presse et la radio sous la férule de Labarthe, une mauvaise foi dont vous n'avez pas idée. »

Il entend du bruit, va ouvrir la porte. Boislambert, à demi endormi, roule en arrière puis se redresse, colt au poing.

Allons, allons, que chacun aille dormir.

Le lendemain, une lettre de Juin. « Ton mot me touche infiniment... J'irai bien volontiers te voir si Giraud voulait bien m'autoriser à quitter Tunis pour vingt-quatre heures. Avec ce diable d'homme, on ne sait jamais. Il a toujours peur qu'on ne lui embrouille ses affaires... On a confiance en toi. Il ne doit pas y avoir d'obstacle insurmontable. À bientôt, bien cordialement et fidèlement à toi. »

L'armée ne marchera pas derrière Giraud, et cette nuit, avec Muselier, Giraud a joué en vain beaucoup de cartes.

Lui faire porter un mot pour exiger qu'il rompe ou bien qu'il accepte de créer un comité unifié rejoignant gaullistes et giraudistes.

Le 3 juin, en entrant dans la salle du lycée Fromentin, de Gaulle comprend en un regard qu'il a pris « l'ascendant ». Giraud admet le départ de Peyrouton et de Noguès. Il s'accroche à Boisson à Dakar. Va pour Boisson, jusqu'à ce qu'un ministre des colonies soit nommé !

De Gaulle se lève. Il se sent vainqueur. Il lit le texte qu'il a rédigé. « Le Comité français de Libération nationale... dirige l'effort français dans la guerre... Il exerce la souveraineté provisoire... Il remettra ses pouvoirs au gouvernement provisoire... Il s'engage solennellement à rétablir toutes les libertés françaises... »

De Gaulle partagera la présidence avec Giraud.

Il s'avance vers lui, lui donne l'accolade. Il sait qu'il domine Giraud, parce qu'il est investi d'une mission à laquelle il a voué toute sa vie. Ses hommes occupent les postes clés : Philip à l'Intérieur, Massigli aux Affaires étrangères, Diethelm à l'Économie, Tixier au Travail, Henri Bonnet à l'Information. Les proches de Giraud, Monnet, Mayer, Couve de Murville, sont à l'Armement, aux Transports et aux Finances.

De plus, le secrétariat général est assuré par Louis Joxe, un jeune professeur gaulliste qui disposera de deux adjoints, Edgar Faure et Raymond Offroy.

270

Il a gagné la première manche. Il n'est tombé dans aucun piège.

Il tient une conférence de presse aux Glycines. Les journalistes se pressent autour de lui, demandant le communiqué officiel qu'ils ne réussissent pas, disent-ils, à obtenir. Il se tourne vers un aide de camp, qui murmure : « Bloqué par la censure américaine. »

Il hausse les épaules. Ils vont bien sûr tout tenter encore pour entraver le retour de la France à sa pleine souveraineté. Il dit d'une voix forte :

– Ici comme ailleurs, le sentiment national a choisi.

Il se rend à Radio Alger. Dans les couloirs devant le studio d'enregistrement, les journalistes lui manifestent leur sympathie. Il pense à ces longues périodes durant lesquelles, à Londres, Churchill lui interdisait de prendre la parole.

« Ce qui est en jeu, dit-il, c'est notre indépendance, notre honneur, notre grandeur... La route à parcourir est encore longue et cruelle. Mais regardez, voici qu'apparaît l'aurore radieuse d'une victoire qui sera aussi celle de la France. »

Il regagne la villa des Glycines. Il écoute les propos de ses proches. Certains regrettent que Giraud partage la présidence.

– Nous gardons la Résistance, dit André Philip, qui est commissaire à l'Intérieur.

Philip va télégraphier à Rex afin qu'il invite « les amis à prendre patience et à faire confiance ».

De Gaulle fume silencieusement tout en allant et venant lentement. Il passe parfois sur la terrasse, puis rentre.

– Le comité de gouvernement qui vient de se constituer ne nous donne évidemment satisfaction que dans une mesure restreinte, commence-t-il.

Il fait la moue.

– Mais je crois, en conscience, que nous n'avions pas le droit de refuser cette médiocre combinaison.

Il sourit.

– Tout le monde la considère comme une simple étape.

Sixième partie

5 juin 1943 – 16 juin 1944

Il faut avoir le cœur bien accroché et la France devant les yeux pour ne pas envoyer tout promener.

Charles de Gaulle à Yvonne de Gaulle,
14 juin 1943.

24.

De Gaulle ne répond pas. Churchill, souriant, les bras ouverts, le cigare aux lèvres, le visage rougi par le soleil, répète en français : « Bienvenue, déjeuner champêtre. »

Il est vêtu d'un costume de lin blanc, porte un large chapeau de paille. Il montre le parc, les palmiers, les lauriers qui entourent cette villa qui domine Alger et où il est installé depuis la fin mai. Giraud et les autres membres du Comité français de Libération nationale l'entourent. De Gaulle se tient un peu à l'écart. Churchill invite à passer à table, se place entre Giraud et de Gaulle. Il semble de bonne humeur. De Gaulle dit à mi-voix :

– Votre présence, Monsieur le Premier ministre, pendant ces journées et dans ces conditions, est pour nous fort insolite.

Il fixe Churchill. Un Premier ministre étranger peut-il ainsi à sa guise résider dans le territoire d'un pays étranger souverain et y prodiguer ses conseils, y exercer son influence ?

Churchill sourit, se penche.

– Je n'ai aucunement l'intention de me mêler des affaires françaises, dit-il.

De Gaulle continue de le regarder avec froideur. Churchill secoue la tête, hausse un peu les épaules.

– La situation militaire, reprend-il, m'impose de tenir compte de ce qui se passe dans cette zone essentielle de communication qu'est l'Afrique du Nord.

Il hoche à nouveau la tête, se rapproche de De Gaulle.

– Nous aurions eu des mesures à prendre s'il s'était produit ici quelque trop brutale secousse, par exemple si d'un seul coup vous aviez dévoré Giraud.

Comme s'il s'agissait de cela ! Il faut simplement imposer à tous, et donc à Giraud, « la loi d'airain de l'intérêt national ». Mais à quoi bon l'expliquer à Churchill, qui ne se soucie que de ce qui est utile aux Britanniques ? !

De Gaulle observe Churchill, enjoué, aimable. Le Premier ministre doit penser qu'au Comité français de Libération nationale (CFLN), entre Monnet, Giraud, Georges et même Catroux, de Gaulle est isolé, contraint de se montrer, comme dit Churchill, « raisonnable ».

Est-ce raisonnable de laisser au même homme, le général Giraud, comme il le demande, le commandement en chef des Armées, le commissariat à la Défense et la coprésidence du CFLN ? Et de plus, Giraud veut être indépendant du Comité en matière militaire ? À quoi sert, dès lors, ce comité ? Son rôle est-il de couvrir d'un semblant d'unanimité le pouvoir de Giraud ? Lui-même tenu en main par les Américains !

Inacceptable. Il faut « jouer la manche suivante ».

Le 8 juin, de Gaulle se rend au lycée Fromentin où siège le Comité, qui ne compte toujours que sept membres. Son élargissement à quinze est prévu pour dans quelques jours.

De Gaulle se lève, expose d'une voix dure son point de vue : il faut, dit-il, un comité militaire comprenant les deux coprésidents, les ministres intéressés et les chefs d'état-major, avec éventuellement un arbitrage gouvernemental.

Il regarde Giraud, qui secoue la tête. Le général Georges est lui aussi hostile à ce projet. Alors à quoi bon continuer, puisque la solution de Giraud – conserver – et la médiation de Catroux ne réunissent pas de majorité ?

De Gaulle s'enferme dans la villa des Glycines. Il marche à grandes enjambées sur la terrasse. Il faut faire un « éclat délibéré ».

Il s'installe dans le petit bureau, étouffant, écrit à chaque membre du comité.

« Tout révèle que l'unité n'existe pas et qu'il n'y a pas, en réalité, de gouvernement. Bien plus, nous voyons les affaires civiles et militaires dans un état d'anarchie dont certains énergumènes ou intrigants ou dévots de Vichy, ou même agents de l'ennemi profitent pour pratiquer le " sabotage " et créer à tout moment une atmosphère de " putsch ". »

Et maintenant, « l'éclat ».

« Je manquerais donc à mon devoir si je m'associais plus longtemps aux travaux du Comité français de Libération nationale, dans les conditions où il fonctionne, et je vous prie de ne plus m'en considérer ni comme membre, ni comme président. »

Quitte ou double ! Mais il faut trancher ce nœud gordien, qui concerne d'ailleurs bien plus que le problème militaire.

« Comme il était à prévoir, nous sommes en pleine crise », dit-il d'une voix calme, assis dans le salon de la villa.

Il fume un cigare. Il dévisage l'un après l'autre Billotte, Philip, Massigli. Il les sent inquiets. Il y a des risques en effet à ce jeu. Mais l'opinion bascule. Les désertions dans l'armée de Giraud se multiplient. Et personne ne doit les décourager, n'est-ce pas, Billotte ?

« Giraud est dans les griffes de l'aigle », a commenté l'un de ses partisans, Lemaigre-Dubreuil.

– La cause profonde de la crise, reprend de Gaulle, est la dualité persistante entre Giraud et nous, dualité soigneusement ménagée par Jean Monnet qui y voit le moyen d'exercer son arbitrage, c'est-à-dire sa direction.

De Gaulle se redresse, ajoute :

– Monnet, naturellement, est le truchement de l'étranger.

Puis il fait quelques pas. « Si la démission est effective, on peut faire le commentaire suivant, dit-il : le général de Gaulle désire simplement prendre le commandement d'une division blindée. »

Il est calme et serein, mais las aussi, non de se battre mais d'être contraint de mener ces combats-là, nécessaires mais si décevants ! D'être l'acteur de ce « vaudeville de " salon " ». Faut-il donc toujours patauger dans le marécage, dès lors qu'on livre des batailles humaines ? Pourquoi les moments d'exaltation sont-ils si brefs ? Pourquoi la ferveur se dissipe-t-elle si vite ?

Il est à la tribune du congrès de la France Combattante. La foule est enthousiaste.

Il lève les bras tendus en V, poings fermés. Il a découvert ce geste devant le monument aux morts d'Alger, le 30 mai, et depuis il le répète. C'est comme de diriger vers le haut, le ciel, l'énergie qui émane de la foule, de l'inviter à se redresser, à regarder loin.

— Du plus profond de notre peuple, dit-il, s'est levé cet instinct vital qui, depuis bientôt deux mille ans, nous a maintes fois tirés des abîmes ! C'est cet instinct qui fit chrétiens les Gaulois et les Francs de Clovis... C'est cet instinct qui suscita Jeanne d'Arc... qui lors de la Révolution dressa la nation contre ses ennemis... C'est cet instinct qui aujourd'hui porte tous les Français...

Il rentre aux Glycines. La nuit semble éclairée par une lumière diffuse où brillent des myriades d'étoiles. Il est seul dans sa chambre. La porte-fenêtre qui donne sur le balcon est ouverte. Il peut enfin penser aux siens, à Philippe dont la vedette, il l'a su, a été durement touchée le 11 mars dernier et plusieurs hommes d'équipage blessés. Il n'a eu le temps que d'envoyer à Philippe une courte lettre, mais l'inquiétude est demeurée là, en lui. Et Élisabeth, qui va commencer sa deuxième année d'études à Oxford... Et Anne, le « tout petit »...

Il s'installe, commence à écrire.

« Ma chère petite femme chérie,

« ... Ici, grande bataille comme il était à prévoir... Mais nous avançons. Opinion presque entièrement favorable et pour la masse enthousiaste. Résistance acharnée des vichystes giraudistes et du "Vieux" (le général Georges).

« Si cela s'arrange finalement (nous le verrons dans les huit jours), tu devras venir à Alger. Tu ne peux te faire une idée de l'atmosphère de mensonges, fausses nouvelles, etc., dans laquelle nos bons alliés et leurs bons amis d'ici (les mêmes qui leur tiraient dessus) auront essayé de me noyer. Il faut avoir le cœur bien accroché et la France devant les yeux pour ne pas tout envoyer promener...

Ton pauvre mari. »

Il sort peu de la villa des Glycines. Après avoir joué, il faut attendre que les adversaires réagissent et se dévoilent.

Il s'étonne de recevoir une invitation à déjeuner, transmise par

Macmillan, d'un certain général Lyon. Macmillan insiste, De Gaulle accepte, se rend dans une villa d'Alger où le roi George VI, qui visite incognito les troupes britanniques, a tenu à l'inviter. Il a du respect pour ce souverain qui depuis juin 40 loyalement l'a soutenu.

Puis, après le déjeuner, longue promenade en voiture avec Macmillan, dans l'éclatante beauté de la campagne que le printemps exalte. Moment de paix, dans les ruines romaines de Tipasa. Conversations à bâtons rompus sur l'histoire de cet empire disparu. On parcourt les ruines désertes. Macmillan plonge nu du haut d'une roche, nage longuement. Ce silence, cette grandeur, ces colonnes brisées, ces dalles disjointes, l'horizon ! Que l'on est loin ici du marécage ! Et de ces événements qui se succèdent au jour le jour et qui, plus tard, deviendront l'Histoire.

Aux Glycines, il lit les rapports des représentants de la France Combattante à Washington et New York, puis les télégrammes arrivés de Carlton Gardens. La grande offensive anglo-américaine contre lui se déploie : les versements à la France Combattante par les Anglais ne seront plus assurés au-delà du 30 juin. La presse américaine se déchaîne : « Staline a donné cent millions de francs à de Gaulle pour sa propagande et sa presse », écrit un journaliste. « Les milieux gaullistes de Londres emploient des méthodes de la Gestapo pour empêcher leurs adhérents de se rallier aux forces du général Giraud, provoquant parmi eux plusieurs suicides et un certain nombre de disparitions », affirme un autre.

À Londres, les journaux semblent avoir reçu des consignes officielles pour répéter : « Le général de Gaulle doit comprendre que c'est sa dernière chance... La patience américaine a déjà passé les bornes... »

C'est le point culminant de la crise, il le sent.

Eisenhower le convoque en compagnie de Giraud. Le général américain est courtois, et parfois il semble même mal à l'aise. Mais à la façon dont il parle et dont il se comporte, on devine l'officier habitué à appliquer les consignes. Et Roosevelt a sans doute parlé et Eisenhower répète. Les États-Unis ne livreront les équipements à l'armée française, dit-il, que si rien n'est changé dans son commandement.

De Gaulle écoute silencieusement, le visage figé. Giraud paraît absent.

– Vous qui êtes soldat, dit enfin de Gaulle, croyez-vous que l'autorité militaire d'un chef puisse subsister si elle repose sur le choix d'une puissance alliée et amie, mais étrangère ?

Eisenhower se tait à son tour. De Gaulle rappelle qu'en 1914-1918 la France n'a rien exigé des alliés auxquels elle livrait des fournitures.

Eisenhower ne fait aucun commentaire, répète son exigence. De Gaulle se lève. Il veut, dit-il, une confirmation écrite des propos d'Eisenhower afin de la soumettre au Comité. Puis il tourne le dos et quitte la pièce. À quoi bon jeter un regard à Giraud ?

À qui confier le fond de sa pensée quand on se sent cerné de toutes parts par ceux qui ne rêvent que de vous abattre ?

Il relit le télégramme qu'il vient de recevoir de Washington. Philippe Baudet, le délégué du CFLN, a été reçu au Département d'État par James Dunn, le diplomate chargé des affaires françaises. Dunn, raconte Baudet, s'est exclamé : « Aucune collaboration n'est possible avec un homme dont les sentiments antianglais et antiaméricains sont aussi notoirement prouvés. » Au moment où Baudet a pris congé, James Dunn a ajouté à brûle-pourpoint : « Mais pourquoi le général de Gaulle ne veut-il pas comprendre qu'il ne lui reste qu'à prendre le commandement d'une division de tanks ? Ce geste ferait de lui non seulement le plus grand héros français mais aussi l'homme qui aurait le plus contribué à assurer dans l'avenir la coopération indispensable entre la France d'une part et d'autre part les pays anglo-saxons dont la tâche sera d'assurer la paix du monde. »

Il éprouve de la colère, de la douleur, et en même temps il se sent déterminé, animé d'une volonté farouche.

La paix du monde ? Pourquoi faudrait-il qu'elle dépende des Anglo-Saxons ? Pourquoi la France et son empire devraient-ils se soumettre à leur loi ? Mais face à cette pression, dont l'ultimatum d'Eisenhower est l'une des manifestations, est-ce le moment de rompre ou faut-il manœuvrer habilement ?

Il se rend le 21 juin à la réunion du Comité français de Libération nationale. Il argumente. Il sent que le diktat d'Eisenhower choque des proches de Giraud, comme Couve de Murville, qui change de camp. L'instinct national existe. Il fait aussi hésiter Monnet et René Mayer.

Rupture ou statu quo avec les giraudistes ?

De Gaulle obtient que le CFLN ne réponde pas à la communication américaine et que l'on garde deux armées. Giraud accepte évidemment le statu quo.

« Le comité a donc décidé de ne rien décider. » Il le confie à mi-voix à ses proches. « En fait, ajoute-t-il, le problème n'est que différé. » Il en est persuadé, l'annonce publique de la coexistence des deux armées va précipiter la dislocation interne des troupes de Giraud.

Il a gagné une nouvelle manche, puisqu'un comité militaire a été créé et que l'on n'a pas répondu à Eisenhower. Mais il est amer, triste même. Que d'énergie et de temps perdus !

Cette maison des Glycines lui pèse, trop vaste pour un homme seul, trop petite pour le président du CFLN. Et surtout, il tient à la séparation de la vie publique et de la vie privée.

Il s'installe dans une autre demeure : la villa des Oliviers, sur la colline d'El-Biar. Il en parcourt les pièces. Il imagine Yvonne de Gaulle et Anne ici.

« C'est une maison comme il nous la faut, écrit-il à Yvonne de Gaulle. Je crois donc que dès que les familles de Londres pourront partir, tu pourras venir avec elles en amenant le tout petit, Mademoiselle et Augustine [1]. »

Mais à Yvonne de Gaulle, il peut enfin tout dire, à elle seulement :

« Ici, comme prévu, écrit-il, je me trouve en face de l'Amérique et d'elle seule. Tout le reste ne compte pas. L'Amérique prétend imposer le maintien de Giraud dont aucun Français ne veut plus, ni ici, ni ailleurs... Comme tu dois le voir, tous les reptiles à la solde du State Department et de ce pauvre Churchill hurlent et bavent à qui mieux mieux dans la presse anglo-saxonne. Tout cela est méchant, idiot, mais quoi ! C'est toute la guerre.

« Le terrain que j'ai choisi pour la lutte et l'indépendance fran-

---

1. Marguerite Potel, la gouvernante d'Anne de Gaulle, et Augustine Bastide, la cuisinière.

çaises à propos de la rénovation militaire, je crois ce terrain bon... »

Il évoque cette nouvelle maison qu'il habite depuis aujourd'hui, 24 juin 1943.

Il signe : « Ton pauvre mari ».

25.

De Gaulle veut être seul. Le message qui vient d'arriver de Londres est posé devant lui. Il a placé ses mains à plat de part et d'autre de cette feuille qu'il lui a suffi de parcourir pour comprendre, et qu'il veut relire seul.

Il regarde par la fenêtre de ce petit bureau de la villa des Glycines qui n'est plus que sa résidence officielle, le lieu où il aura ses fonctions. Il aperçoit au-dessus de la cime des palmiers ce ciel d'un bleu délavé qui, en cette fin juin, couvre chaque jour Alger. Le soleil dilue les teintes sombres pour ne plus laisser que l'éclat du blanc.

Le blanc est aussi la couleur du deuil.

Il entend la porte du bureau qui se referme. Et aussitôt, comme si une force pesait sur ses épaules, il se recroqueville, il relit ces mots :

« Par câble arrivé le 24 juin via Nil, Sophie nous informe des arrestations suivantes opérées par la police au cours d'une réunion de l'A.S., zone sud : Rex, Luc, Thomas chef E.M. Sud, Aubrac, colonel chef France d'abord, trois chefs de bureau, E.M. Sud. Sophie assure provisoirement intérim de Rex. Demande désignation successeur de Rex... L'A.S. étant complètement décapitée, Sophie demande la venue immédiate de Morinaud et la désignation du successeur de Mars dont il confirme l'arrestation en zone Nord... »

Rex, Mars : Jean Moulin, le général Delestraint, le président du Conseil national de la Résistance et le chef de l'Armée secrète.

Il imagine. Il revoit Moulin et Delestraint dans le salon de la maison de Hampstead.

Il se souvient de l'accolade donnée à celui qui se faisait appeler le caporal Mercier. Il pense à ces jours de 40, à Delestraint accablé par la défaite, mais décidé à continuer le combat.

Il le sait, ces hommes-là ne survivront pas. Peut-être la mort, si elle n'est déjà venue, a-t-elle été pour eux, tombés entre les mains des bourreaux, une grâce.

Il revoit Claude Serreulles, « Sophie », ce jeune officier rallié l'un des premiers et qui voulut, après deux années passées à Londres près de lui, gagner la France occupée pour s'y battre.

Rex, Mars : les meilleurs, les fidèles, « ceux qui incarnent leur tâche et qu'à ce titre on ne remplace pas ».

Qui les a trahis ? Mars, pris à son lieu de rendez-vous à Paris, Moulin et les représentants des mouvements de résistance arrêtés à Caluire parce que la Gestapo connaissait le lieu et la date de leur réunion.

Qui ? Pourquoi ?

Il ne peut pas répondre à ces questions qu'il doit chasser de son esprit s'il ne veut pas être rongé par les hypothèses qu'elles permettent.

Car il n'y a pas que les nazis qui veulent détruire la France Combattante et le gaullisme.

Comment les services secrets alliés, anglais et surtout américain, pourraient-ils ne pas vouloir affaiblir de Gaulle ? Et donc soutenir ceux qui dans la Résistance s'opposent à lui. Et puis il y a les communistes, qui sont des combattants antinazis efficaces, mais qui jouent leur jeu, et que tout le monde craint, parce qu'on les soupçonne de préparer la prise du pouvoir après la libération. Et parfois, certains combattent de Gaulle parce qu'on le dit tombé aux mains des communistes. Et il est si facile pour se débarrasser de rivaux, d'adversaires, de les dénoncer aux allemands ! Il ne peut oublier cela.

Il reçoit peu après une lettre de Jean Moulin, écrite le 15 juin, texte posthume, comme un testament manuscrit où s'expriment comme les messages précédents de Rex le courage et aussi l'angoisse d'un homme pourchassé.

« Mon général, écrit Moulin,

« Notre guerre à nous aussi est rude. J'ai le triste devoir de vous annoncer l'arrestation par la Gestapo à Paris de notre cher Vidal (Delestraint). Les circonstances ? Une souricière dans laquelle il est tombé avec quelques-uns de ses nouveaux collaborateurs... Permettez-moi d'exhaler ma mauvaise humeur, l'abandon dans lequel Londres nous a laissés, en ce qui concerne l'A.S. Vidal... s'est trop exposé. Il a trop payé de sa personne... »

De Gaulle reste tassé. Chaque mot exprime une souffrance qu'il ressent, partage.

Au bout d'un long moment, il se redresse. Il appelle un aide de camp. Il dicte un télégramme pour Londres. Il faut que tout, tout, répète-t-il, soit mis en œuvre pour tenter de faire évader Rex et Mars, que toutes les forces disponibles soient mobilisées à cette fin.

Que peut-il de plus, pour Rex, pour Mars ? Les remplacer, poursuivre le combat, unir les Français, vaincre, afin qu'ils ne soient pas tombés en vain.

Il se rend auprès de Giraud pour présider une revue des troupes, puisqu'il faut bien manifester devant la foule d'Alger que les deux armées, celle d'Afrique et celle des Forces françaises libres, avec leurs deux états-majors et leurs deux chefs, marchent d'un même pas.

Il ne regarde pas Giraud qui, debout près de lui, l'ignore aussi. Cette division n'est qu'un compromis, presque ridicule. Les officiers d'état-major se côtoient dans le même immeuble. Larminat et presque tous les cadres des Forces françaises libres ne supportent pas, dit Larminat, ces « officiers qui ont totalement manqué de caractère et de sens national au moment du débarquement ».

Le général Juin s'estime accusé. « Je suis naturellement visé », écrit-il, et il dénonce « le procès fait à l'armée d'Afrique ».

Il faut arbitrer, décevoir Larminat et les meilleurs pour tenter de rallier cette armée, ne pas devoir la combattre, empêcher la démission de Juin, lui parler, lui écrire :

« Mon cher ami,

« J'ai pensé à ce que tu m'as dit hier... Nous arrangerons sûrement nos affaires, et comme il faut, mais quelque délai est nécessaire. Jusque-là, sachons souffrir et patienter. Mais ne nous disloquons pas.

« Je te dis cela comme un ami qui te comprend et comme un chef de gouvernement qui t'estime.

« Bien cordialement à toi. »

Mais il ne veut pas que cette situation se prolonge. Il le dit au général Georges, qu'il voit en tête à tête, dès que Giraud a quitté Alger pour répondre à l'invitation du président Roosevelt. Giraud va se faire adouber à Washington. Mais c'est ici, à Alger, que se livre la bataille.

Il faut parler à Georges le langage de la raison.

– Notre gouvernement est constitué, dit de Gaulle, mais il faut qu'il vive, qu'il agisse, qu'il soit grand, pour répondre aux espoirs qu'il soulève. Notre direction bicéphale est mauvaise. Ne pourrait-on l'améliorer ?

De Gaulle observe le général Georges, qui écoute avec attention, paraît même disposé à se laisser convaincre. Il faut aller plus avant.

– Giraud-de Gaulle, murmure de Gaulle. Le premier nom a un sens militaire, le second un sens national, qu'on le veuille ou non. Quand nous rentrerons en France, mon rôle ne sera pas, ne sera plus de commander une grande unité bien que je le préférerais, mais de veiller au grain pour que la résurrection du pays ne soit pas le signal du désordre...

Georges paraît ébranlé.

Peu importe si Jean Monnet, comme on le dit, s'en va répétant dans les dîners que « de Gaulle est un danger public » ou que le général Spears, de passage à Alger, déclare que de Gaulle représente un danger pour la France et l'Angleterre.

Ce qui compte, de Gaulle le sent chaque jour, au moment où il prend la parole à la réunion du Comité français, c'est que les membres du Comité découvrent qu'il tient seul les rênes d'un État qui enfin reparaît. Il croise les regards quand il développe un raisonnement, prend une décision. Les yeux se baissent. On l'approuve. Il préside. Comment, après ces semaines d'absence de Giraud, pourrait-on accepter de retrouver la confusion de deux présidents ? ! Qui même pourrait encore le concevoir ?

Il sent monter autour de lui « une espèce de marée des volontés et des sentiments ».

Il mesure combien l'image de Giraud s'efface, alors que Giraud n'est parti pour les États-Unis que depuis quelques semaines.

Il monte seul à la tribune sur la place Gambetta à Tunis. Il entend les cris « Vive de Gaulle ». Puis il parle dans le silence recueilli, comme si le ciel était la voûte d'une nef.

« À la France, s'écrie-t-il, à Notre-Dame la France, nous n'avons à dire qu'une seule chose, c'est que rien ne nous importe, excepté de la servir. »

Il pense à Moulin, à Delestraint, à tous ces compagnons qui forment « le peuple de la nuit », « l'armée des ombres ».

« Nous n'avons rien à lui demander, reprend-il, excepté, peut-être... qu'au jour où la mort sera venue nous saisir, elle nous ensevelisse doucement dans sa bonne et sainte terre. » Il préside seul au défilé militaire qui, dans la matinée du 14 juillet, parcourt les rues d'Alger. Il parle dans l'après-midi sur le forum, devant cette foule enthousiaste.

« Ainsi donc, après trois années d'indicibles épreuves, le peuple français reparaît, s'écrie-t-il... Quand la lutte s'engage entre le peuple et la Bastille, c'est toujours la Bastille qui finit par avoir tort... »

Des poings se lèvent dans la foule. Des pancartes s'agitent qui portent l'inscription « Pétain au poteau ». Il aura à maîtriser, il le sait, cette mer qui le porte.

« Oui, notre peuple est uni, lance-t-il... Il y a quinze cents ans que nous sommes la France et il y a quinze cents ans que la patrie demeure vivante dans ses douleurs et dans ses gloires... »

L'émotion déferle. Il se sent soulevé par elle. Quelles intrigues pourraient l'empêcher de conduire la France à la victoire ?

Il dresse les bras vers le ciel. Lorsqu'il se retourne, il voit parmi les personnalités Robert Murphy. L'Américain paraît étonné. « Quelle foule énorme », murmure-t-il.

– Ce sont là les dix pour cent de gaullistes que vous aviez comptés à Alger ! répond de Gaulle.

Tout cède. La flotte neutralisée à Alexandrie depuis 1940 gagne Dakar et rentre enfin dans la guerre. Il décide que l'amiral Godfroy, qui la commande, sera mis à la retraite d'office. Voilà ce que c'est que gouverner.

La Martinique et la Guadeloupe se libèrent dans un « enthousiasme indescriptible ». Les 286 tonnes d'or contenues dans les cales du croiseur *Émile-Bertin* passent dans les caisses du Comité

Français de Libération Nationale. Et l'amiral Robert, qui après avoir négocié avec les États-Unis a tenté de saborder sa flotte, n'a plus qu'à fuir et regagner Vichy, pendant que la foule mêlée aux marins qui se sont mutinés crie : « Vive la République ! », « Vive de Gaulle ! ».

Il parcourt, dans le bureau de la villa des Glycines, les télégrammes envoyés des États-Unis. On y raconte en termes apocalyptiques les événements des Antilles. On y parle de la visite de Giraud. Il n'a même pas réussi à se faire accueillir en tant que président du CFLN, tant les Américains ont peur de reconnaître la France Combattante. Il n'est à leurs yeux qu'un général qui vient chercher des armes, et auquel on ne donne même pas le droit de participer le 14 juillet à une cérémonie publique ailleurs que dans les salons de l'hôtel Waldorf Astoria !

De Gaulle se sent humilié pour la nation. Il constate l'hostilité de la presse qui titre : « Le voyage de Giraud est un coup contre de Gaulle » ou « Rebuffade des Américains à de Gaulle ». Et Giraud, qui ne prononce pas une seule fois le nom de De Gaulle et ne fait aucune référence au Comité français de Libération nationale qu'il préside !

Giraud, pour son voyage de retour, compte passer par Londres.

De Gaulle dicte : « Il me semble contre-indiqué, je répète, contre-indiqué, d'installer le général Giraud à Carlton Gardens et de lui faire tenir dans nos locaux une conférence de presse. »

Car il faut répondre coup pour coup. Les adversaires ne désarment pas. Il lit dans *France*, le journal antigaulliste de Londres, un compte rendu de la cérémonie du 14 juillet qui est « un monument de perfidie ». Le journal *La Marseillaise*, parce qu'il était gaulliste, vient de se voir retirer par les Anglais son autorisation de publication. Et les journalistes américains répètent leurs calomnies sur le « serment d'allégeance personnelle exigé par de Gaulle ».

De Gaulle dit, méprisant : « brouillard artificiel, intrigue et cacophonie, le tout fabriqué à mesure par l'étranger ».

Et dans quel but ? Il le répète, il le martèle, il brandit une dépêche de la United Press qui rapporte les propos d'un journaliste officieux : dans le but de « limiter les droits de la souveraineté française jusqu'à la libération ». Et après, qu'en sera-t-il ?

Les Alliés ont-ils averti les Français qu'ils allaient débarquer en Sicile le 10 juillet ? Y ont-ils associé les troupes françaises disponibles ? Mussolini est renversé le 25 juillet. Qui se soucie de penser à la France pour le règlement futur de la question italienne ?

Il faut prendre date. « Un tel règlement ne saurait être ni valable ni durable sans la France », dit de Gaulle.

Il a le sentiment, quand il parle de cela devant le Comité, que rares sont ceux qui comprennent que la place de la France se joue maintenant. Et qu'il faut la conquérir.

« Il y a dans l'interdépendance des deux grands peuples latins, dit-il, des éléments sur lesquels la raison et l'espoir de l'Europe ne renoncent pas à se poser. »

Mais il y a tant de médiocrité, de cécité, de passivité !

Il apprend, avec des sentiments où se mêlent l'accablement, l'étonnement et presque l'envie de rire, que Giraud, passant à Londres, a reçu à l'hôtel Ritz des résistants arrivés de France, et parmi eux Henri Frenay. Ces hommes lui ont demandé des armes pour les maquis. « Des armes, messieurs, il n'en est pas toujours besoin, il faut essayer de s'en passer, a répondu Giraud. Dans la guerre moderne, l'essentiel c'est l'aviation. Il suffit d'un caillou pour bloquer la porte coulissante d'un hangar, avec un autre on peut bloquer le manche à air dans un sens contraire à celui du vent et les avions qui atterrissent capotent... Vous le voyez, on peut faire la guerre même sans armes ! »

De Gaulle va jusqu'à la terrasse. Il se souvient de ce qu'il a dit pour commenter la chute de Mussolini : « L'exemple de Mussolini s'ajoute à celui de tous ceux qui outragèrent la majesté de la France et que le destin a châtiés. »

Souvent, il a le sentiment que des Français outragent leur patrie.

Il veut calmement mais résolument écarter Giraud.

Le 31 juillet, il entre le dernier dans la salle où se réunit le Comité. Giraud, revenu depuis quelques jours à Alger, est assis à sa place, entre le général Georges et Jean Monnet.

Il faut qu'aujourd'hui soit franchie une nouvelle étape. De Gaulle engage aussitôt la discussion. Il veut bien, dit-il, que Giraud conserve son titre de président, mais c'est de Gaulle qui désormais présidera les séances du Comité et arrêtera le contenu des textes. Il veut bien que Giraud soit nommé commandant en chef des forces armées, désormais unifiées, mais c'est de Gaulle qui présidera le Comité de la défense nationale, dont le général Legentilhomme est membre de droit et le colonel Billotte secrétaire. Et le général Legentilhomme assistera le général Giraud dans son commandement en chef.

C'est ainsi. Et le Comité et Giraud acceptent.

De Gaulle rentre à la villa des Oliviers. La chaleur, en cette fin de journée du 31 juillet, est à peine adoucie par la brise de mer. Mais il n'est pas incommodé par cette touffeur. Il tient désormais presque toute la réalité du pouvoir. Il ne faut plus qu'une étape pour neutraliser complètement Giraud, déjà enfermé.

« C'est la loi d'airain de l'intérêt national. »

La voiture s'arrête dans le parc, Yvonne de Gaulle et Anne sont arrivées depuis quelques jours. Il peut enfin, chaque soir, trouver un peu de paix.

Il doit remercier le général MacFarlane qui, à l'étape de Gibraltar, s'est montré pour Yvonne un hôte attentif. Il le lui écrit puis il ajoute :

« J'apprécie votre délicate attention de me faire parvenir à nouveau une caisse de cet excellent cherry et vous envoie mes remerciements.

« J'espère vous voir bientôt puisque j'apprends votre intention de venir à Alger la semaine prochaine. Je compte que vous me ferez le plaisir de venir déjeuner ou dîner à ma résidence où ma femme et moi-même serons heureux de vous accueillir. »

26.

De Gaulle monte les marches de la tribune qu'on a dressée sur l'un des côtés de la place Lyautey à Casablanca. Au loin, au-delà des terrasses sur lesquelles flottent des oriflammes et des drapeaux tricolores, il distingue la colline d'Anfa qui domine la ville. Il oublie un instant le « hourvari des trompettes », la stridence des cris. Il se souvient.

Il y a six mois à peine, il était derrière ces barbelés gardés par des sentinelles américaines. Il devait faire face aux accusations et aux menaces de Churchill, subir les sourires ironiques de Roosevelt et la condescendance de Giraud qui se croyait irremplaçable parce que ces chefs d'État étrangers le soutenaient.

De Gaulle saisit à pleines mains le bord de la tribune.

Aujourd'hui, dimanche 8 août 1943, cette foule où les djellabas blanches semblent des taches d'écume sur la mer efface l'humiliation d'alors. Belle, grande revanche ! Et il en est ainsi, en ces premiers jours, dans toutes les villes du Maroc où il se rend. Rues de Rabat, ruelles de Fez, place de Marrakech : partout l'enthousiasme, partout ces voix qui hurlent : « Vive de Gaulle ! Vive la France ! » Et les cavaliers berbères soulèvent dans leur fantasia des nuages de poussière. La lumière éclatante et brûlante est tout à coup voilée, cependant qu'éclatent les détonations des fusils brandis.

L'affront subi il y a six mois est lavé. Il serre longuement les mains du sultan Mohammed Ben Youssef dont les gestes lents paraissent dessiner l'histoire d'un peuple altier et la noblesse d'une dynastie.

De Gaulle parle enfin : « Si notre peuple souffre les pires douleurs, le choc ne l'a point brisé... Une fois de plus, dans notre longue histoire, la preuve est faite de l'exceptionnelle cohésion que possède la France éternelle. »

Il lève les bras. Les acclamations montent. Il pense à ces garnisons qu'il a visitées, à ces navires qu'il a inspectés, à ces officiers qu'il a rassemblés. Chaque fois il lui a semblé, au contact de ces foules ou de ces combattants, se purifier des intrigues d'Alger.

« Les hommes si lassants à voir dans les manœuvres de l'ambition, combien sont-ils attrayants dans l'action pour une grande cause », murmure-t-il.

On lui parle de Pierre Pucheu, cet ancien ministre de l'Intérieur de Vichy en 1941-1942. Pucheu a dressé la liste des otages du camp de Châteaubriant que les Allemands devaient exécuter pour venger la mort du Feldkommandant de Nantes abattu par des résistants. Pucheu a depuis abandonné Vichy et sollicité de Giraud le droit de servir dans une unité combattante. L'ancien ministre se trouve en résidence forcée au Maroc. Que faire de lui et des collaborateurs ?

– Le pays, un jour, devra connaître qu'il est vengé, dit de Gaulle.

Il répond aux journalistes qui s'interrogent sur ce qu'ils appellent « l'épuration ».

– La justice est une affaire d'État au service exclusif de la France, dit-il.

Le 3 septembre, le Comité décide d' « assurer dès que les circonstances le permettront l'action de la justice à l'égard du maréchal Pétain et de ceux qui ont fait ou feront partie des pseudo-gouvernements formés par lui qui ont capitulé, attenté à la Constitution, collaboré avec l'ennemi, livré des travailleurs français aux Allemands, et fait combattre des forces françaises contre les Alliés ou contre ceux des Français qui continuaient la lutte ».

Giraud vote le texte.

Comprend-il que Pucheu, auquel il a assuré qu'il pourrait effacer son passé en combattant, est concerné ? Qu'on va emprisonner l'ancien ministre à Meknès ? Et que d'autres qui furent dans son entourage peuvent aussi être poursuivis ? Que tout cela marque la victoire des idées de la France Combattante ?

De Gaulle regagne la villa des Glycines. Il s'enferme dans son bureau. Les dossiers s'entassent. Rapports à lire. Décisions à prendre. Manœuvres et peut-être complots à déjouer. Giraud est co-président et commandant en chef. L'armée, puisque l'état de siège dure, conserve presque tous les pouvoirs. Les services de renseignements de cette armée, les S.R., qui hier travaillaient pour Vichy, sont maintenant au service de Giraud. Antiallemands, les officiers qui les dirigent sont aussi antigaullistes. Ils refusent de fondre les S.R. dans le BCRA. Ils agissent de concert avec les services secrets anglais. Ils espèrent sans doute détacher la Résistance de De Gaulle.

Dans le silence de la petite pièce où stagne la chaleur lourde de l'été algérois, de Gaulle médite.

Il a interdit qu'on lui passe les communications téléphoniques. Et il appelle très rarement. « Ma nature m'avertit, mon expérience m'a appris qu'au sommet des affaires on ne sauvegarde son temps et sa personne qu'en se tenant méthodiquement assez haut et assez loin. »

Autour de lui, au fur et à mesure que la victoire se dessine plus nettement, il voit « les intérêts [qui] se dressent, les rivalités [qui] s'opposent, les hommes chaque fois plus humains ».

Il faut jouer serré. Soumettre Giraud, parce que l'autorité militaire doit être subordonnée au pouvoir politique. Et empêcher Giraud et son entourage de se maintenir sur place, et, peut-être, grâce à l'état de siège, grâce aux services secrets et à l'appui des Anglo-Américains, de reprendre l'avantage.

De Gaulle dicte un télégramme à Giraud.

« Mon général,

« J'apprends que l'amiral en retraite Muselier est revenu à Alger venant d'Angleterre.

« Je dois attirer votre attention sur le fait que jamais je ne pourrai consentir à voir ce personnage exercer une fonction quelconque militaire ou civile. L'indiscipline formelle et scandaleuse dont, avec l'appui de l'étranger, il a fait preuve quand il était sous mes ordres, et qui aurait pu avoir les pires conséquences, m'oblige à faire de son exclusion absolue une question de principe. »

Il reçoit Frenay, arrivé de Londres. Il se souvient des derniers messages de Moulin, indiquant que « Charvet » – Frenay – a pris contact avec les services secrets américains en Suisse afin d'obtenir d'eux les sommes nécessaires au fonctionnement des mouvements de Résistance.

Il écoute Frenay qui se justifie.

Il se lève.

– Je suis au courant. Rex, avant sa disparition, m'en a rendu compte. Je ne pense pas cependant que vous ayez adopté la bonne solution en allant tirer la sonnette des Américains. Ils étaient trop heureux de vous accueillir, pensant faire ainsi des entourloupettes à de Gaulle.

Il hausse les épaules.

– Vous êtes là pour quelque temps... Ici, c'est une grenouillère. Les gens de Vichy, les Américains, manipulent encore ce pauvre Giraud... Votre ami Capitant vous éclairera là-dessus. Nous nous reverrons bientôt. Voyez avec mon officier d'ordonnance le jour où vous viendrez déjeuner avec moi...

Il regarde s'éloigner Frenay. Ce combattant courageux s'illusionne sur l'attitude américaine. Sait-il que, parmi les vingt-six nations qui ont reconnu le Comité français de Libération nationale, les États-Unis sont les seuls à l'avoir qualifié d'« administration de territoires outre-mer », à la différence des Anglais qui admettent qu'il conduit « l'effort français dans la guerre » et des Russes qui en font le seul représentant de l'État républicain ? Il veut revoir Frenay, d'abord parce qu'il faut reconnaître et honorer son rôle dans la naissance de la Résistance, puis tenter de le convaincre.

Le 20 août, il voit Frenay s'avancer dans le jardin de la villa des Oliviers. Une section de tirailleurs rend les honneurs. Les sonneries de deux clairons s'élèvent. Henri Frenay se met au garde-à-vous. De Gaulle fait un pas.

– Henri Frenay, nous vous reconnaissons comme notre compagnon pour la Libération de la France dans l'honneur par la victoire.

Il épingle la croix sur le côté gauche de la poitrine, puis il donne l'accolade à Frenay. Il sourit. Ce sont les moments heureux quand un chef peut, un instant, oublier les nécessités et les responsabilités du commandement et célébrer simplement l'héroïsme des hommes.

Il entraîne Frenay dans son bureau.

Il lui dit le message qu'il compte adresser aux membres du réseau NAP (Noyautage des administrations publiques), aux survivants plutôt, car ce groupe qui est issu du mouvement Combat créé par Frenay a été décimé. Il lit :

« Mes camarades,

« Ce que vous faites, ce que vous souffrez dans la Résistance, c'est-à-dire dans le Combat, l'honneur et la grandeur de la France en dépendent. La fin approche.

« Voici venir la récompense. Bientôt, tous ensemble, nous pourrons pleurer de joie. »

Puis il repose le feuillet, arpente son bureau, allume une cigarette. Il faut exposer à Frenay la situation. Dans quelques jours, il faudra remanier le comité, choisir de nouveaux commissaires, des ministres, en fait, le comité jouant le rôle de gouvernement provisoire. Une assemblée consultative se mettra en place, composée de représentants des partis politiques et des mouvements de résistance.

Frenay veut-il participer à ce gouvernement comme ministre des Prisonniers et des Déportés, avec des hommes nouveaux, comme Pierre Mendès France, Capitant et peut-être le communiste Fernand Grenier ?

Il devine les réticences de Frenay. Le fondateur de *Combat* souhaite rentrer en France, reprendre son poste dans la clandestinité.

– Voyons, Frenay, ne le sentez-vous pas ? C'est à une œuvre d'intérêt national que je vous demande de vous atteler, plusieurs millions de Français ont été arrachés à leurs foyers...

Frenay secoue la tête.

– Vous êtes tous les mêmes, ingouvernables ! lance de Gaulle. On vous dit que c'est là où vous devez servir. Immédiatement vous voulez aller ailleurs.

Il élève encore la voix.

– Je vous dis que j'ai besoin de vous. Cela vous importe peu...

Il se tait tout à coup.

– Mais, Frenay, vous êtes un homme libre.

Il va vers la porte.

– Eh bien, Frenay, je vous répète que vous êtes un homme libre. Au revoir !

Il demeure seul. La nuit est tombée. Il écoute les bruits quelques instants. Il reconnaît les pas de Marguerite Potel qui vient de coucher Anne. Et comme chaque fois qu'il pense à son « tout petit », une douleur vive le traverse, née de cette blessure que l'on s'efforce d'oublier et qui tout à coup se révèle profonde.

Il va vers la fenêtre. Les arbustes du jardin sont ployés par le vent qui souvent balaie cette colline d'El-Biar, qui échappe ainsi à la touffeur des nuits algéroises.

Il revient s'asseoir à son bureau.

C'est seulement la nuit, dans cette solitude, qu'il peut préparer ses discours, écrire à Philippe qui rêve d'entrer dans l'aéronavale. Il doit le dissuader :

« La guerre va se précipiter... Si tu passais dans l'aviation, tu ne seras pas, je crois, présent aux derniers combats, qui nous mèneront en France d'abord, en Allemagne ensuite... Il faut que la guerre se termine au plus tard dans le courant de l'année prochaine, car la France s'épuise.

« Je t'embrasse de tout mon cœur.

Ton papa affectionné. »

C'est déjà le jour dans ce mois de septembre presque aussi brûlant que l'été. Parfois, le dimanche, quand l'étau des événements se desserre un peu, de Gaulle décide de se rendre « dans une petite maison de Kabylie ». Il marche dans la campagne sur ces chemins cailloux que bordent des figuiers. Sur les terres arides, autour des bergeries de pierres sèches, les moutons paissent une herbe jaune. La mer est aussi loin que le semblent la guerre et ce siècle. Et puis surgit un vieillard qui porte des décorations, qui a servi à Verdun. L'histoire et la France ont creusé leur sillon jusqu'ici dans ce temps qui paraît immobile.

Dans son bureau de la villa des Glycines, le lendemain, avant de se rendre à la réunion du Comité, il découvre les derniers télégrammes. Et la colère se mêle à la joie. L'Italie a capitulé, mais les Alliés ont une fois de plus tenu à l'écart la France Combattante.

De Gaulle proteste, s'interroge. Des rumeurs font état de mouvements insurrectionnels en Corse. Le 9 septembre au matin, le général Giraud entre dans le bureau. « La libération de la Corse a commencé », dit-il. De Gaulle se maîtrise. Pourquoi le Comité et lui-même n'ont-ils pas été informés ? Giraud pérore. Il a rencontré ici, à Alger, le communiste Arthur Giovoni qui dirige l'insurrection. Un sous-marin, le *Casabianca*, l'a reconduit en Corse. Les services secrets anglais ont fourni 10 000 mitraillettes. Les troupes italiennes se sont retournées contre les Allemands qui résistent. Il faut, dit Giraud, envoyer des renforts dans l'île. Les premiers, le bataillon de choc du commandant Gambiez, vont y être débarqués.

De Gaulle va et vient dans son bureau. Pourquoi faut-il que ces nouvelles qui devraient soulever l'enthousiasme soient ternies par l'ombre des manœuvres ? Giraud a agi seul ! Giraud a laissé les communistes prendre la tête de la Libération, avec la complicité des Anglais, sans doute pour affaiblir de Gaulle et le Comité.

– Je suis, mon général, commence de Gaulle, froissé et mécontent de la manière dont vous avez procédé à mon égard et à l'égard du gouvernement en nous cachant votre action.

Il fixe Giraud.

– Je n'approuve pas le monopole que vous avez donné aux chefs communistes. Il me paraît inacceptable que vous ayez laissé croire que c'était fait en mon nom comme au vôtre.

Giraud a toujours prétendu ignorer l'imminence de l'armistice conclu par les Alliés avec les Italiens. Or, l'insurrection en Corse s'est déclenchée le jour de l'annonce de cet armistice. Et Giovoni en avait arrêté la date lors de son voyage à Alger. Giraud savait donc.

– Je ne m'explique pas comment vous avez pu dire à notre Conseil des ministres que vous ignoriez l'imminence de l'armistice italien, ajoute de Gaulle.

Il croise les bras.

– De tout cela, je tirerai les conséquences qui s'imposent dès que nous aurons franchi la passe où nous voici engagés. La Corse doit être secourue au plus tôt. Le gouvernement fera ensuite ce qu'il doit pour tarir une bonne fois la source de nos discordances.

Tout serait plus clair s'il y avait un gouvernement derrière un seul président. Et s'il ne fallait mener que des combats contre l'ennemi, qui résiste à Bastia, cependant que les troupes débarquées par des navires français le refoulent peu à peu avec l'aide des garnisons italiennes.

La solitude du combattant

Le 4 octobre 1943, enfin, Bastia est libérée.

Il doit se rendre au palais d'État, saluer Giraud, commandant en chef, le féliciter pour la manière dont il a conduit les opérations. Et, la page des compliments tournée, il faut répéter que « les conditions dans lesquelles ont été préparées en dehors du Comité les opérations de toutes natures tendant à la libération de la Corse » sont inacceptables.

– Vous me parlez politique, répond Giraud sur un ton agacé.

– Oui, car nous faisons la guerre, or la guerre c'est une politique.

Il faudra dans les semaines qui viennent contraindre Giraud à accepter les principes de la République qui subordonnent le pouvoir militaire au pouvoir politique.

De Gaulle, quelques jours plus tard, reçoit Henri Queuille, l'un de ces hommes politiques de la IIIe République qui ont rejoint Alger.

– Je ne puis gouverner, lui dit-il.

Donc, Giraud ou moi !

Une fois encore il faut menacer, jouer quitte ou double.

– Les responsabilités doivent être prises et connues. Quant à moi, je ne puis porter les miennes plus longtemps dans de telles conditions.

Il quitte Alger, se rend en Corse où il vient de faire nommer préfet et secrétaire général deux hommes en qui il a toute confiance, parce qu'ils ont rejoint la France Combattante aux temps d'incertitude : Charles Luizet et François Coulet.

Voici Ajaccio, puis Corte, Sartène, Bastia. De Gaulle est pris dans « la marée de l'enthousiasme national ». Il s'écrie : « C'est un peuple rajeuni qui émerge des épreuves ! »

Dans les villages qu'il traverse, il aperçoit ces soldats italiens qui ont aidé à chasser les Allemands.

« Nous ne sommes pas de ceux qui piétinent les vaincus, dit-il. Ici, nous nous trouvons au centre de la mer latine. »

Il veut penser à l'avenir, à ces peuples avec lesquels la France devra renouer une alliance. Il sourit. « Cette mer latine qui est enfin, dit-il, l'un des chemins vers notre alliée naturelle, la chère et puissante Russie. »

Il pense aux diplomates anglais que hante la menace russe et qui ne rêvent que de bloquer la Russie aux portes de la Méditerranée. Autant leur faire comprendre que la France, désormais, a reconquis sa liberté de jeu, et qu'il faut donc compter avec elle, que l'on ne peut l'écarter des négociations de paix avec l'Italie. Et en effet, de retour à Alger, de Gaulle apprend que le Comité va avoir un représentant aux côtés des alliés pour discuter avec les Italiens.

« La victoire approche, lance de Gaulle. Elle sera la victoire de la liberté. Comment voudrait-on qu'elle ne fût pas aussi la victoire de la France ? »

C'est le début du mois de novembre 1943. Pour la première fois se réunit l'Assemblée consultative provisoire au palais Carnot des Assemblées algériennes, sur le boulevard à arcades qui coupe le port d'Alger. De Gaulle monte à la tribune. Il est en uniforme de toile. Il regarde, sur les gradins de cet hémicycle semblable en réduction à celui du Palais-Bourbon, ces hommes venus de la « nuit », combattants de l'ombre, militants dont la présence fait naître sur Alger un « souffle âpre et salubre ».

« Il est vrai, dit-il, que les élections générales constituent la seule voie par où doive un jour s'exprimer la souveraineté du peuple. »

Mais cette Assemblée consultative provisoire française exprime les forces qui résistent, elle est le porte-parole – il le dit – de l'ardent mouvement de renouveau qui anime en secret la nation. Et « cette réunion n'est ni plus ni moins qu'un début de résurrection des institutions représentatives françaises ».

Maintenant, dernière étape, remanier le Comité français de Libération nationale, en faire un vrai gouvernement.

Le 9 novembre, les membres du Comité remettent leur portefeuille à la disposition du général de Gaulle pour qu'il donne à ce gouvernement une nouvelle composition.

Les généraux Georges et Giraud n'en feront plus partie.

De Gaulle a choisi chacun des hommes qui vont enfin pouvoir travailler avec efficacité. Henri Frenay a accepté finalement d'être commissaire aux Prisonniers, Déportés et Réfugiés. Aucun des autres commissaires – d'Astier de La Vigerie, Capitant, Mendès France, Philip, Pleven, Tixier, Catroux – n'a été complice de Vichy. Certains – Jean Monnet ou René Mayer – ont été des proches de Giraud. Mais il faut faire l'unité, maintenant que Giraud n'est qu'un commandant en chef soumis au pouvoir politique.

Il lui écrit. Il faut enfermer Giraud dans les propos que le général a tenus. « Mon général... Je me permets de vous féliciter de pouvoir, comme vous l'avez toujours souhaité, vous consacrer entièrement à la grande tâche de commandement qui vous est dévolue. »

Quoi d'autre pourrait faire Giraud ? Il est trop patriote, trop prudent aussi pour croire ceux de ses conseillers qui lui répètent : « Il est grand temps d'agir. L'armée est *encore* derrière vous, elle souhaite un ordre... Vous êtes à un virage décisif, mon général. Vous auriez pu être un personnage de l'Histoire de France. Vous pouvez l'être encore. Il vous suffit de faire un geste et le pays sera sauvé. »

De Gaulle repousse le feuillet qui rapporte des propos du général Chambe, un proche de Giraud. Il hausse les épaules. Comme si l'on pouvait décréter Giraud « personnage de l'Histoire de France » ! Savent-ils ce que c'est qu'un destin national, ceux qui pensent cela ?

Il est seul dans son bureau de la villa des Oliviers. Ces premiers jours de novembre, malgré l'éclat d'une lumière encore chaude, serrent le cœur par leur brièveté. Le soleil paraît aussi brillant qu'au printemps, mais tout à coup tout se dérobe, et dans le jardin l'ombre s'étend.

De Gaulle marche lentement. Il fume.

Il y a un an seulement, jour pour jour, les troupes françaises ouvraient le feu sur les Américains qui débarquaient. Et commençait ici, à Alger, au Maroc, ce grand jeu dont le but était destiné à soumettre la France Combattante et à faire que les hommes de Vichy gardent sous l'autorité anglo-américaine les pouvoirs qui étaient les leurs sous la domination allemande.

Tout cela, il l'a empêché. Il pense à ces hommes dont il a été la voix. Jean Moulin, le général Delestraint. À ceux qui, comme Pierre Brossolette, sont en mission en France. Il imagine Brossolette traqué dans Paris. Il se répète une phrase de Mauriac qui l'émeut : « On dirait que Paris, accroupi au bord de son fleuve, cache sa face dans ses bras repliés. »

Des vers lui reviennent qu'il a cités dans son dernier discours, vers d'Aragon qui parlent, parce que ainsi sont les temps de guerre, de la mort et de la patrie :

Qu'importe que je meure avant que se dessine
Le visage sacré, s'il doit renaître un jour ?...
Ma patrie est la faim, la misère et l'amour.

Et ceux de Jean Amy qui évoquent les patriotes fusillés :

Ce sang ne séchera jamais sur cette terre
Et ces morts abattus resteront exposés,
Nous grincerons des dents à force de nous taire
Nous ne pleurerons pas sur ces croix renversées
Mais nous nous souviendrons de ces morts sans mémoire
Nous compterons nos morts comme on les a comptés.

Et puis, alors qu'il rentre car brusquement avec la nuit le froid s'est installé, il se souvient de ces vers d'Edmond Rostand, qui remontent de son enfance, qui font revivre tant de souvenirs, le père, la mère, et leur passion pour la France, devenue sienne.
Il murmure :

Je ne veux voir que la victoire !
Ne me demandez pas : après ?
Après ! Je veux bien la nuit noire
Et le soleil sous les cyprès !

27.

La lettre de Philippe est là, sur le bureau, rassurante. De Gaulle la relit. Philippe raconte à sa manière, pudique, son service à bord de la frégate la *Découverte* qui escorte les convois dans l'Atlantique Nord. Facile d'imaginer les creux de plusieurs mètres de la houle, les paquets de mer sur les hommes de quart, le froid.

De Gaulle reprend la plume, il continue la lettre qu'il a commencé d'écrire à Philippe.

« Je vois aussi que tu as une tâche très importante et une responsabilité étendue. De tout cela je te félicite de tout mon cœur. Ma pensée te suit dans les missions atlantiques et arctiques qui vont t'incomber. Que Dieu te garde ! »

Il s'interrompt à nouveau. Il grelotte.

Toute cette fin d'année 1943, depuis la mi-novembre, la fièvre par saccades le secoue, revenant chaque jour le prendre par surprise, après quelques heures de répit. Il a écouté le diagnostic des docteurs Lishwitz et Lacroix. Ils ont recommandé le repos absolu. Comme s'il pouvait se décharger de ses responsabilités pour un accès de malaria ou des douleurs rénales. Déjà il a suffi qu'il ne soit pas présent à une séance de l'Assemblée consultative, cloué au lit par la fièvre, pour qu'au bar de l'hôtel Aletti on répande le bruit, qui est revenu jusqu'ici, que de Gaulle est atteint d'une maladie mortelle, que sa disparition est prochaine.

Elle arrangerait tant de gens ! À commencer par ces grands Alliés qui, déjà, mettent sur pied, pour les lendemains du débarquement en France, un Allied Military Government in Occupied Territories

302

(AMGOT) ! Les Américains veulent même imprimer des billets pour leurs troupes d' « occupation » puisque c'est ce mot-là qu'ils ont choisi !

Mais il n'y aura pas d'AMGOT. Il l'a dit à Duff Cooper, le nouvel ambassadeur britannique à Alger, un homme fin, cultivé, soucieux de respecter les droits de la France. Il l'a répété à Edwin Wilson, le nouveau représentant américain. Traiter la France en pays occupé ! Ne pas tenir compte du Comité français de Libération nationale alors que trente-sept pays l'ont reconnu ! Exclure la France des conférences qui se tiennent à Moscou, au Caire, à Téhéran, entre Churchill, Roosevelt, Tchang Kaï-chek, Staline, comme si le sort du monde pouvait se décider sans elle ! Au moment même où sa participation à la guerre devient significative.

En Italie, le général Juin conduit un corps expéditionnaire. En France même les maquis se développent, certains comme en Haute-Savoie, sur le plateau des Glières, ont libéré de larges territoires !

Il est en sueur, épuisé, mais il ne peut accepter que la maladie le terrasse. Il pense à ces résistants qui bravent tant de périls ! Émile Bollaert, un ancien préfet qui a gagné la France pour représenter le Comité français de Libération nationale. Georges Bidault, qui a succédé à Jean Moulin à la tête du CNR. De Gaulle se souvient d'avoir connu ce jeune journaliste catholique en 1938, quand Bidault condamnait les accords de Munich et était proche du groupe de Temps Présent, auquel de Gaulle avait adhéré. Il pense à Brossolette, toujours en France et dont Passy dit qu'il est en danger, qu'il devrait regagner l'Angleterre avec Bollaert au plus tôt. Mais Brossolette s'obstine et les conditions météorologiques retardent ensuite son départ.

Quand il évoque ces hommes et ces femmes qui sacrifient leur vie à la cause nationale, il ne se sent pas le droit, quelle que soit l'intensité de la maladie, d'interrompre ses fonctions. Il doit aussi défendre jusqu'au bout les intérêts de la France, même contre les alliés les plus puissants.

Il doit terminer sa lettre à Philippe.

« Toutes les difficultés que beaucoup d'étrangers convaincus d'être très malins accumulent sans relâche sous mes pas ne nous empêchent pas de nous redresser de plus en plus vigoureusement. Il sera fâcheux pour eux que nous nous soyons relevés sans eux. Mais le résultat final est certain...

« Au revoir, mon cher Philippe. Je t'embrasse tendrement.

Ton papa très affectionné. »

Il ajoute une phrase à propos de son neveu :

« Bernard est ici, comme tu sais. Après quelque repos dont il a besoin, il s'engagera dans l'artillerie. »

Il reste un moment dans l'obscurité de son bureau. Les rafales de pluie frappent de plein fouet la façade de la villa des Oliviers. Pas un membre de sa famille et de celle d'Yvonne de Gaulle qui n'ait choisi la cause de la France Combattante. Sa sœur arrêtée. Et le mari de Marie-Agnès déporté. Pierre de Gaulle a subi le même sort. Ses deux autres frères, Xavier et Jacques, ne doivent leur salut qu'à leur passage en Suisse. Et sa nièce Geneviève de Gaulle arrêtée puis déportée. Son neveu, Michel Caillau, engagé dans la Résistance, dirige un réseau de prisonniers évadés.

Sa famille est au combat, et, il le ressent ainsi, tous les combattants sont sa famille. Les résistants qui arrivent de France racontent qu'avant d'être fusillés bien des condamnés à mort crient : « Vive la France, vive de Gaulle ! » Et ils tracent son nom sur les murs des cachots ou les façades, comme une dernière invocation ou un cri de guerre. Tout cela l'exalte et le lie à jamais à son devoir, à la France. Il est comptable de ces souffrances, de ces pensées qui se tournent vers lui. Il veut connaître ces hommes.

Il reçoit le 2 décembre 1943, dans son bureau des Glycines, un jeune homme dont Michel Caillau lui a parlé dans un courrier. Ce François Mitterrand a créé lui aussi un réseau afin de rassembler les prisonniers. De Gaulle le dévisage silencieusement. Mitterrand a vingt-sept ans, mais son regard est plein de hardiesse et presque de défi. Il est arrivé en Angleterre à bord d'un Lysander. Pour gagner Alger, il a emprunté un avion britannique. Et depuis, il a pris contact avec l'état-major de Giraud.

Dès les premiers mots échangés, de Gaulle est frappé par la détermination de Mitterrand. L'homme est altier.

– Il faut unifier les mouvements de prisonniers, dit de Gaulle.

Il évoque le réseau de Michel Caillau, ceux mis en place par les communistes.

– Dans l'absolu, je ne suis pas contre, répond Mitterrand.

– Vous êtes donc d'accord.

– Pas tout à fait.

L'homme est fuyant, manœuvrier, habile.

– J'ai donné des ordres, Mitterrand. Vous n'aurez ni argent ni armement si vous ne consentez pas à fusionner avec les autres mouvements. Je crois d'autre part que Michel Caillau est le mieux qualifié pour prendre la tête de cet ensemble.

– Il serait surprenant, vous me comprendrez, que nous soyons d'accord sur ce point, répond Mitterrand.

Il ne sert à rien de poursuivre. Voilà encore un de ces hommes qui, comme Giraud, au nom de leur intérêt personnel, refusent de se soumettre à la discipline qu'impose la situation.

Comment être surpris de ce que Mitterrand quitte l'Algérie pour le Maroc afin de regagner Londres dans l'avion du général britannique Montgomery et de pouvoir mener sa guerre privée dans la guerre nationale ? !

C'est cette dispersion d'énergie qu'il faut empêcher.

Il faut donc sans cesse tirer sur les rênes. Sermonner Giraud :

– J'ai déjà eu l'occasion de vous dire que j'étais insuffisamment tenu au courant des mouvements et opérations des forces sous vos ordres.

Il faut télégraphier au général Petit, chef de la mission militaire à Moscou. Petit ne se rend pas compte qu'il se laisse prendre au jeu de la politique de Staline qui veut avaler la Pologne et a créé à cet effet un « gouvernement polonais » en Russie, ignorant celui qui, depuis 1939, est à Londres.

« Il est inadmissible, câble de Gaulle, que vous ayez assisté à une cérémonie militaire susceptible de comporter une interprétation politique... Je vous prie de vous abstenir à l'avenir de toutes initiatives de ce genre sans mon autorisation préalable. »

Comment ne saisissent-ils pas que sans la convergence des efforts, l'unité de point de vue et la rigueur intransigeante, la France ne peut peser et ne pourra pas être admise à la table des grands vainqueurs de la guerre ?

Ne jamais oublier cela : telle est sa préoccupation, devant laquelle toutes les autres doivent s'effacer.

Il se rend à l'Assemblée consultative. Il se plie au cérémonial, qui reproduit celui de la Chambre des députés, roulements de tambour quand Félix Gouin, le président, entre dans l'hémicycle. Il sait que la presse étrangère, anglaise notamment, est impressionnée par ce retour à la démocratie parlementaire. Il sera difficile à quiconque a assisté aux débats de prétendre que de Gaulle aspire à la dictature !

À sa place, au premier rang de l'hémicycle, il est sensible aux propos de Vincent Auriol. L'ancien ministre des Finances du gouvernement de Léon Blum lance de sa voix rocailleuse :

« Quand on me dit qu'il ne faut pas encourager la dictature, ce sont les ouvriers de Ferryville qui répondent à votre cri de « Vive la République », Monsieur le Président, par un double cri de « Vive la République ! Vive de Gaulle ! »... Oui, Monsieur le Président, nous sommes avec vous par amour de la France et par raison... Ce que nous faisons, nous le faisons en pleine raison et c'est parce que nous chérissons la liberté que nous vous reconnaissons comme le chef du gouvernement provisoire. »

Il est ému et pourtant il doit rester impassible, ne pas se laisser circonvenir, séduire ou ensevelir dans ces sentiments qui souvent le bouleversent. Il serait si facile de céder aux autres.

Il ouvre la lettre que lui adresse André Philip, commissaire à l'Intérieur, homme d'énergie, patriote, qui ne dissimule jamais ce qu'il pense. De Gaulle songe souvent à lui avec amitié. Il y a quelques mois, cet été, dans la chaleur étouffante d'Alger, Philip s'est présenté un matin au Comité, en short.

De Gaulle sourit en se souvenant de la question qu'il a posée à Philip : « Mais, Philip, vous avez oublié votre cerceau ? »

Et maintenant Philip écrit :

« Mon général,

« ... Il faut établir un contact humain. La tragédie avec vous, c'est que vous ne sentez pas cela : votre intelligence est républicaine, vos instincts ne le sont pas. C'est cela qui est la source de vos difficultés avec l'Assemblée. Elle souffre de votre manque d'égards, de considération pour elle, elle a le sentiment qu'on s'est servi d'elle pour améliorer la situation internationale du Comité et que maintenant, le citron étant pressé, on est prêt à la rejeter... Pour ma part, je ne puis accepter d'être ni le garde-chiourme de l'Assemblée, ni le chaouch qui lui transmet vos ordres... »

Comme s'il s'agissait de cela ! Il faut simplement tenir ensemble des hommes qui sont tentés à chaque instant de se diviser, emportés par leurs intérêts personnels ou ceux de leur parti.

Il observe durant les séances de l'Assemblée ce nouveau délégué, André Marty, qui vient d'arriver de Moscou. C'est l'un des plus déterminés parmi les communistes. Durant la guerre d'Espagne, on l'a accusé d'avoir, à Albacete, le camp des Brigades internationales, fait régner l'ordre de Staline, liquidant les opposants. Marty, « le boucher d'Albacete », a-t-on dit de lui. En 1919, il a été l'un des animateurs de la révolte des marins de la flotte française de la mer Noire. Ce « mutin » emprisonné a été élu député. Étrange retournement de l'Histoire : de Gaulle se souvient que, ces années-là, il combattait les Bolcheviks en Pologne ! Marty, comme les autres communistes, fait de belles et bonnes déclarations patriotiques.

Mais les rapports venus de France montrent qu'un peu partout le Parti cherche à dominer la Résistance, à s'infiltrer dans ses organismes dirigeants. Il contrôle le « Front national ». Et puis il y a l'exemple de la Corse où, là où ils l'ont pu, forts d'avoir dirigé l'insurrection, les communistes ont placé leurs hommes à la tête des municipalités. Voilà ce qu'il faut éviter pour la France quand elle sera libérée. Les communistes ici même, en Algérie, apportent leur soutien au Parti communiste algérien et, dans leurs réunions, assurent que l'affrontement avec de Gaulle est inéluctable.

Et pourtant, ce parti communiste est un élément clé dans le combat contre les nazis. Il faut donc l'associer, le contrôler, lui faire servir la cause nationale, tout en se méfiant de ses objectifs.

Mais qui comprend cela ? Certains – Frenay, par exemple – prétendent que de Gaulle sera le Kerenski de la France. Après lui, comme en Russie après la révolution de février, viendra la révolution d'Octobre, celle des Bolcheviks !

De Gaulle hausse les épaules. Il se confie à mi-voix à Alain de Sérigny, le directeur de *L'Écho d'Alger* :

« Si nous voulons éviter que les communistes prennent le pouvoir, il n'est d'autre solution que de faire une politique gauchisante, étayée sur les socialistes. Mais il faut aussi jouer avec les communistes la carte du patriotisme. »

« J'ai la conviction, dit-il à l'un de leurs députés, Mercier, que, dans la situation où se trouve notre pays dont l'avenir et la vie même sont en jeu, l'union de tous les Français dans la lutte pour le salut de la France est une loi qui domine toutes les autres considérations. »

Il pense cela. Il le répète. Il offre aux communistes deux postes de commissaire. Mais à la condition qu'ils servent le pays « en faisant passer le devoir national avant toute autre considération ».

Et il ne veut rien céder dès lors que les communistes cherchent à imposer leur politique.

Il lit lentement les télégrammes qu'envoie Roger Garreau, le délégué du Comité à Moscou. Garreau rapporte que Maurice Thorez, le secrétaire général du PCF, demande à rejoindre Alger.

C'est inopportun. « Thorez a déserté les drapeaux au début de cette guerre, dit de Gaulle, et trouvé d'abord abri sur le territoire ennemi. Ces faits obligeraient l'autorité militaire à le traduire devant la justice. »

Que Thorez patiente ! Et que le PCF n'impose pas ses hommes !

« Je n'entends pas donner au parti communiste, pas plus qu'à aucun autre parti ni à aucune autre organisation, un privilège à l'intérieur du gouvernement, dit-il. En particulier, il n'appartient pas au parti communiste de désigner lui-même les ministres de son obédience politique. Un gouvernement démocratique est une équipe d'hommes solidaires les uns des autres et collectivement responsables non point devant tel ou tel parti mais devant la représentation nationale. »

Ou bien les communistes acceptent de servir la France comme n'importe quels autres Français, ou bien on se passera d'eux !

Il réfléchit. Il faut dire cela sans grandiloquence. Il conclut sa lettre à Roger Garreau :

« Vous pourrez évoquer ces divers points dans une conversation éventuelle avec Maurice Thorez sans paraître y attacher une importance excessive. »

Tout est stratégie. Tout est rapport de forces. Il faut frapper ou feindre, charger ou esquiver. Mais l'affrontement ne cesse jamais.

Même la villa des Oliviers n'est plus ce refuge dont il ressent si fort le besoin.

Il faut, ce 1er janvier 1944, y recevoir les diplomates accrédités auprès du Comité. Ils viennent présenter leurs vœux. Il les entend qui se chamaillent dans le salon pour savoir qui, de Duff Cooper ou de Bogomolov, est le doyen du corps diplomatique ! Il pourrait sourire, être satisfait de cette victoire, puisque voilà qu'à nouveau les nations se pressent autour de la France.

Mais, en ce début d'année, il est las. Il voudrait un instant pouvoir déposer cette armure qu'il porte et qui est peu à peu devenue son corps même. Elle lui permet de vaincre, de recevoir tous ces coups que depuis des années on lui porte. Car les adversaires ne désarment jamais.

Un juge anglais vient même d'engager des poursuites contre un « certain nombre d'officiers français et contre leur chef, le général de Gaulle », parce qu'un agent de l'Intelligence Service, Dufour, prétend avoir subi des sévices au siège du BCRA. « Il y a obligation de comparaître, une condamnation est probable, nous n'y pouvons rien, au Royaume-Uni on respecte la séparation des pouvoirs », explique benoîtement le gouvernement anglais. Et la presse de Londres et de Washington de s'emparer de cette affaire, montée de toutes pièces, pour évoquer à nouveau ce repaire de « nazis » que seraient les sièges du BCRA, cette « Gestapo » de Duke Street et de Hill Street !

Sordide ! Mais comment, dans ces conditions, songer à retirer son heaume ? Et pourtant l'armure pèse, écrase. De Gaulle a quelquefois le sentiment d'étouffer. Peut-être cette poussée de malaria qui ne recule pas, ces douleurs rénales qui cisaillent, cette fièvre qui s'obstine en ce début d'année 1944 sont-ils le moyen que malgré lui son corps a trouvé pour échapper quelques jours aux exigences d'un tournoi dont il doit relever tous les défis, déjouer tous les pièges.

Il faut avertir le gouvernement anglais qu'un Français veut poursuivre Winston Churchill pour homicide, le père du plaignant s'étant suicidé dans les locaux de la Patriotic School où sont interrogés tous les nouveaux arrivants en Angleterre, pour que brusquement la justice anglaise oublie l'affaire Dufour.

De Gaulle ricane. Qu'est donc devenue la sainte séparation des pouvoirs ?

Mais point de repos. Chaque jour il faut déjouer une nouvelle charge.

Le commandant Boislambert arrive de Londres. Il loge au premier étage de la villa des Oliviers. Il rend compte de sa mission auprès de l'état-major allié qui, en Angleterre, prépare le débarquement en France. De Gaulle a désigné le général Kœnig pour, au Royaume-Uni, organiser la participation française à ce débarquement. Leclerc commandera la division blindée qui y serait engagée, si les Alliés l'équipent et l'acceptent !

Il écoute Boislambert. Il veut rester calme. Mais les Américains n'ont pas renoncé à leur projet d'administrer eux-mêmes le territoire libéré. L'AMGOT doit toujours, selon eux, s'appliquer à la France, comme plus tard à l'Allemagne !

Il se lève avec brusquerie. Ces Alliés piétinent les droits de la France. Ils la tiennent à l'écart. Ils confèrent à Téhéran avec Staline et n'informent pas le Comité français de leurs décisions. Les Anglais viennent même de lancer un ultimatum à la France pour sa politique au Liban. Churchill s'installe à Marrakech, en territoire sous souveraineté française, sans même daigner avertir le Comité français de Libération nationale. Eisenhower, désigné pour commander les forces alliées qui se rassemblent en vue du futur débarquement, se montre réticent à l'envoi d'une division française de plus en Italie ! Peut-être parce qu'il s'agit de la division gaulliste par excellence, celle du général Brosset, composée des hommes qui se battent depuis Koufra et Bir Hakeim !

— Roosevelt et Churchill ont pourri la guerre, lance de Gaulle.

Il va et vient à grands pas. Il fume nerveusement. Parfois il est saisi de frissons. La fièvre est toujours là.

— Oui, c'est bien cela, reprend-il. Ils ont choisi le moindre effort, et c'est ce qu'il ne faut jamais faire à la guerre. Alors – il lève les bras – vous avez vu, Pétain, Badoglio, von Papen...

Ils ont à chaque fois soutenu des hommes qui ont été complices de Hitler ou de Mussolini.

— Et ce n'est pas fini, lance-t-il.

Il reçoit le général Eisenhower à la villa des Glycines. Au moment où le général américain va quitter Alger pour l'Angleterre, il faut que rien ne reste dans l'ombre. Les combats en Italie sont importants, mais il faut des Français, au moment du débarquement en France ! La division commandée par Leclerc !

Eisenhower est un homme direct et lucide. Il devrait comprendre.

– Il nous faut au moins une division française en Angleterre, dit de Gaulle. Je vous le répète, n'arrivez pas à Paris sans troupes françaises !

Il observe Eisenhower qui approuve d'un hochement de tête :

– Soyez certain que je n'imagine pas d'entrer à Paris sans vos troupes, dit-il.

Il semble hésiter, puis reprend :

– Je demanderai maintenant au général de Gaulle de me permettre de m'expliquer avec lui sur le plan personnel. On me fait une réputation de brusquerie... Je n'ai qu'un but : mener la guerre à bonnes fins. Il m'a semblé que vous ne vouliez pas m'apporter votre entier concours... Je reconnais aujourd'hui que j'ai commis une injustice à votre égard, et j'ai tenu à vous le dire.

L'émotion qui tout à coup serre la gorge. Quand enfin un homme apparaît, vrai, juste.

– Je suis très touché de ce que vous venez de dire. *You are a man*, murmure de Gaulle.

Il toussote.

– Tout cela compte peu, poursuit-il... Nous ferons tout pour vous aider. Quand une difficulté surgira, je vous prie de me faire confiance et de prendre contact avec moi. Par exemple, je prévois déjà, et vous aussi, que c'est cela qu'il faudra faire quand se posera sur le terrain la question de Paris.

Eisenhower approuve.

De Gaulle sent que se noue avec cet homme une relation franche, il lui semble qu'il peut faire confiance à ce soldat.

– Pour la prochaine campagne de France, dit Eisenhower, j'aurai besoin de votre appui, du concours de vos fonctionnaires, du soutien de l'opinion française.

Peut-être est-ce la condamnation inattendue de l'AMGOT que vient de prononcer le général ?

Eisenhower poursuit.

– Je ne sais encore quelle position théorique mon gouvernement me prescrira de prendre dans mes rapports avec vous. Mais en dehors des principes, il y a les faits.

De Gaulle regarde Eisenhower droit dans les yeux. Le général américain ne baisse pas la tête.

– Je tiens à vous dire, continue-t-il, que dans les faits, je ne connaîtrai en France d'autre autorité que la vôtre.

De Gaulle lui serre longuement la main.

– Si nous avons éprouvé quelques difficultés dans nos rapports, ce n'est ni de votre faute, ni de la mienne, dit-il. Cela a dépendu des conditions qui ne sont pas en nous-mêmes... Quand nous aurons gagné la guerre, il n'en restera plus trace – il sourit – sauf naturellement pour les historiens.

Enfin ! Il a le sentiment de disposer d'un appui parmi ces Américains qui se sont tous montrés hostiles ou au mieux réservés. Eisenhower est l'homme qui, au moment décisif pour la France, jouera le rôle principal.

Il est presque gai.

Il croise Boislambert dans l'escalier de la villa des Oliviers. Le commandant est confus. Il a laissé l'eau du bain couler. Il sait que le plafond s'est effondré dans la chambre à coucher. Le général et Mme de Gaulle ont dormi sur des lits de camp dans le salon.

Boislambert balbutie :

– Mon général, je n'ai pas besoin de vous dire combien je suis consterné par l'incident de cette nuit. Je crois qu'il serait ridicule que je vous dise que ce n'est pas volontairement que j'ai provoqué ce désastre...

– Vous vous arrangerez avec Mme de Gaulle.

De Gaulle gagne son bureau à la villa des Glycines. Il convoque Gaston Palewski. Il est prêt à accepter l'invitation à déjeuner que Churchill, toujours à Marrakech, a lancée depuis plusieurs jours. Ce sera le 12 janvier 1944.

Il fait beau ce jour-là. Churchill est joufflu, rose, potelé. De Gaulle se souvient que souvent les proches du Premier ministre parlent de lui avec tendresse comme d'un « vieux bébé ». Churchill porte un chapeau texan. Il semble hésiter entre la mauvaise et la bonne humeur.

De Gaulle choisit de parler anglais. Il entend Churchill au moment où, après le déjeuner, on passe au jardin, dire à Duff Cooper : « Maintenant que le général parle si bien l'anglais, il comprend parfaitement mon français. »

De Gaulle l'écoute calmement. Le rapport de forces entre eux n'est plus le même. La France Combattante existe pour des dizaines de pays. Il peut laisser Churchill récriminer, conseiller : « Il est déraisonnable de s'aliéner les sympathies du président Roosevelt », regretter que le Comité français d'Alger ait décidé de faire arrêter Boisson, Peyrouton, Flandin, et qu'un tribunal militaire s'apprête à juger Pucheu.

— Le peuple veut châtier les artisans de la capitulation, explique de Gaulle. Et si l'on veut éviter des troubles d'un caractère révolutionnaire, il ne faut pas donner à l'opinion publique le sentiment d'une impunité possible pour les coupables.

Il a parlé avec détachement.

Il ne se sent plus agressé par les propos de Churchill. Il le regarde même avec une sorte de tendresse, Churchill paraît d'ailleurs ému. Il évoque le passé. Il dit :

— Dès notre première rencontre à Tours, en juin 1940, je vous ai reconnu comme « l'homme du destin ».

Parfois il dodeline de la tête.

— Il faut que l'amitié entre les deux peuples survive à cette guerre et se prolonge dans l'après-guerre.

De Gaulle approuve. Les gestes de Churchill lui paraissent comme empruntés, sa voix un peu pâteuse. La fatigue sans doute, à moins que ce ne soit le déclin ? Déjà ? !

C'est le moment du départ.

— Aimeriez-vous passer les troupes françaises en revue ? demande de Gaulle.

— J'aimerais. Je ne l'ai pas fait depuis 1939, répond Churchill.

— Eh bien, nous passerons ensemble les troupes en revue !

La foule de Marrakech crie : « Vie de Gaulle ! Vive Churchill ! » pendant que défilent les unités françaises. Les contingents sénégalais, marocains, algériens forment avec leurs chéchias, leurs turbans, leurs boubous, des groupes colorés.

De Gaulle répond d'un geste aux acclamations. Qui, dans cette foule, peut imaginer l'envers du décor ? ces oppositions brutales, ces pièges, ces questions encore pendantes ? Car Churchill s'est dérobé à propos de l'avenir des territoires français libérés. Il a plaidé contre l'épuration. Il ne s'est guère engagé sur la fourniture d'armes aux maquis au moment où la répression se déchaîne contre eux. Joseph Darnand vient d'être nommé secrétaire général du Maintien de l'ordre. Il est à la tête d'une milice qui traque les patriotes aux côtés des Allemands. Des cours martiales sont constituées qui peuvent condamner sur de simples présomptions. On fusille par milliers, on torture, on déporte. Brossolette et Bollaert sont pris au moment où ils cherchaient à gagner l'Angleterre. Leur esquif *Jouet-des-Flots* s'est brisé sur les rochers de la région d'Audierne. Brossolette, reconnu, a été transféré à Paris, torturé. Il s'est tué en se jetant de la fenêtre du siège de la Gestapo de l'avenue Foch.

Brossolette. De Gaulle se souvient de cette lettre que lui avait adressée cet homme de courage et de vertu. Il a, lorsqu'il pense à ces patriotes, la gorge nouée. Il a connu beaucoup d'entre eux : Moulin, Delestraint, Brossolette, Bollaert, mais aussi Jacques Bingen, qui fut auprès de lui à Londres dès juin 40 et qui exigea d'être parachuté.

Bingen écrit : « Je prie qu'on dise au général de Gaulle toute l'admiration que peu à peu j'ai acquise pour lui. Il a été l'émanation même de la France pendant ces dures années. Je le supplie de conserver sa noblesse et sa pureté mais de ne pas oublier après la radieuse victoire que, si la France est une grande dame, les Français seront très fatigués. Il faudra qu'il ait pour eux non seulement beaucoup d'ambition mais aussi beaucoup d'indulgente tendresse... »

À la veille d'être pris par la Gestapo, Bingen ajoute à cette sorte de testament : « Que Charles ne se croie pas attendu comme le Messie. Certes il sera à juste titre très bien reçu ici... Mais son crédit n'est pas illimité, loin de là. Qu'il se méfie et soit humain... Gare aux fidèles dociles qui ne sont que des ambitieux roublards et sans valeur. Ils peuvent le faire vite culbuter. »

Comment ne pas écouter la voix des martyrs ? Comment ne pas leur être fidèle ?

Comment pourrait-il se prendre pour le Messie ! Il sait bien qu'il n'est qu'un homme œuvrant pour d'autres hommes, parlant en leur nom.

Il murmure, lorsqu'il rencontre Georges Boris, l'un des premiers compagnons de Londres :

– On ne gouvernera jamais qu'avec les Français, et...

Il hésite :

– Ils ont été pétainistes.

Mais les martyrs ? Mais ce philosophe, Jean Cavaillès, l'un des plus grands, cofondateurs du mouvement Libération, fusillé lui aussi, mais ces maquisards des Glières, ces officiers, le lieutenant Tom Morel, le capitaine Anjot, ces jeunes combattants qui résistent aux miliciens de Darnand, puis à l'aviation et à l'armée allemandes qui viennent les achever, les traquer, les torturer avec l'aide des miliciens ?

Il écoute Maurice Schumann exalter sur la BBC ces combattants : « Allô, ceux des Glières, merci ! »

Ceux-là sont les siens. Ceux-là sont de sa famille, comme l'est sa nièce Geneviève de Gaulle, dont il sait qu'elle est déportée. Pour ceux-là, il doit parler d'une voix forte, inaltérable, intransigeante. Pour ceux-là, il doit porter haut l'oriflamme.

Il monte à la tribune de l'Assemblée consultative. Il veut trouver les mots accordés au sacrifice des héros. Il parle d'une voix émue : « La résistance française, dans la nuit de son cachot, dans les ténèbres de la clandestinité, peut dire ce que disait le martyr devant le tyran : "Ma nuit n'a pas d'ombre". »

Il pense à la mort de ces hommes et à cette autre vie d'homme telle qu'il la découvre, dans le dossier qu'il a ouvert sur le bureau de la villa des Glycines.

« Pierre Pucheu, condamné à mort par le tribunal militaire d'armées siégeant à Alger, le 11 mars 1944. »

Il a suivi les débats. Les accusations lancées par le communiste Fernand Grenier échappé du camp de Châteaubriant. Il a lu les lettres de Pucheu. L'ancien ministre de l'Intérieur de Vichy se défend, accuse Giraud de lui avoir garanti la possibilité de servir dans une unité combattante. Et qu'ainsi seraient effacées ses responsabilités. Et pourtant, chaque fois, au Comité, Giraud s'est tu quand il s'est agi de décider des poursuites contre les ministres de Vichy. Et maintenant cette lettre de Giraud demandant la commutation de peine ou le sursis d'exécution de Pucheu.

Lâcheté, habileté ou inconscience de Giraud ? Il s'en remet à de Gaulle pour décider du sort d'un homme.

Une vie ! Qui donne le droit de la prendre ?

De Gaulle relit une nouvelle fois le dossier, ces lettres, cette déclaration, la dernière que Pucheu ait prononcée devant ses juges : « Celui-là qui porte aujourd'hui l'espérance suprême de la France, si ma vie peut lui servir dans la mission qu'il accomplit, qu'il prenne ma vie, je la lui donne. »

De Gaulle convoque Frenay, qui, bien que résistant, a été reçu à Vichy par Pucheu. Que Frenay lui parle de cet homme, de sa théorie du double jeu.

— Ce procès est affreux, dit de Gaulle après avoir écouté Frenay. Cet homme n'est pas un traître au sens qu'on donne habituellement à ce mot, peut-être, probablement même, il a cru servir...

Il se tait longuement.

— Il a mis sa valeur, ses qualités, son talent au service d'une mauvaise cause, reprend-il, risquant ainsi d'entraîner les Français du mauvais côté. En 1940, la foudre est tombée. Tout le monde a plus ou moins perdu la tête. On peut se montrer indulgent. Mais en 1941, Pucheu ! Un homme de cette intelligence... Il a accru la confusion en collaborant avec l'ennemi. On ne peut pas le gracier. Il a commis le péché contre l'esprit...

— Mon général, il doit aller au bout de son destin, dit Frenay.

De Gaulle reste seul. Ce n'est pas Frenay qui prend la décision, mais lui, lui seul.

Une vie.

Il reçoit les avocats de Pucheu. Que l'on dise au condamné qu'il lui garde son estime et qu'il fera élever ses enfants dans le respect de leur père.

Et puis la lettre qu'il faut écrire à Giraud pour lui rappeler ses responsabilités, ses engagements à l'égard de Pucheu et son attitude lors des réunions du Comité qui débattait de la question « en votre présence et en votre approbation ».

Dès lors, « pour ce qui concerne la commutation de peine... la décision a été prise d'après la raison d'État dont le gouvernement responsable de l'État est le seul juge qualifié ».

La nuit, l'aube. De Gaulle n'a pas dormi. On lui rapporte que Pucheu a voulu commander lui-même le feu pour qu'aucun officier français ne se croie responsable de sa mort. Il a serré la main de chaque soldat du peloton d'exécution.

De Gaulle ne cesse de penser à ce moment, à cette vie, à cette mort. Il dit à Louis Joxe :

« Si je l'avais gracié, les criminels de cette nature prendraient tous le chemin d'Alger. Nos prisons se rempliraient et leurs locataires attendraient paisiblement la fin de la guerre et l'oubli. »

Il refuse la proposition de Darnand – Darnand le responsable du Maintien de l'ordre et des miliciens – de rejoindre lui aussi une unité de la France Combattante !

Il éprouve du dégoût et de la pitié pour ces hommes qui ont du sang sur les mains et qui espèrent se laver ainsi, par une nouvelle trahison. Il pense à Darnand, soldat courageux, dévoyé parce qu'il a suivi ces hommes qui n'ont aucune excuse : les Pétain, les Darlan, les Laval, les Pucheu !

Il faut juger les hommes non à leurs intentions mais à leurs actes.

« Quoi qu'ils aient cru, quoi qu'ils aient voulu, dit-il, il ne saurait aux uns et aux autres être rendu que suivant leurs œuvres. Mais ensuite ? Ensuite ? Ah ! que Dieu juge toutes les âmes ! Que la France enterre tous les corps ! »

Heureusement, il y a l'avenir qu'il faut dessiner. De Gaulle intervient à l'Assemblée consultative. La victoire est là, proche. Dans quelques mois ce sera le débarquement en France. Et la France qu'il faudra gouverner : « C'est la démocratie renouvelée dans ses organes et surtout dans sa pratique que notre peuple appelle de ses vœux », dit-il.

Il faut aussi que « le vieux continent renouvelé puisse trouver un équilibre correspondant aux conditions de notre époque ». Il est sûr que, dans les temps nouveaux qui s'annoncent, il faut être audacieux.

Il se rend à Constantine. La place de la Brèche déborde d'une foule enthousiaste. « Après cette guerre, commence-t-il, dont l'enjeu est la condition humaine, chaque nation aura l'obligation d'instaurer au-dedans d'elle-même un plus juste équilibre entre ses enfants. » Il faut changer la « condition des Français musulmans ». Qu'ils « obtiennent leurs droits entiers de citoyens » !

Autour de lui il devine, aux regards, à quelques questions qu'on lui pose, l'inquiétude et l'opposition. Il secoue la tête. Encore une fois, ces hommes sont myopes, comme dans les années 30. Pourquoi ne voient-ils pas ce qui va soulever les foules ici, le désir d'indépendance, et que c'est cela qu'il faut devancer, conduire ? Il dit à Maurice Schumann : « Ceux qui s'imaginent qu'au lendemain d'une guerre comme celle-ci le statu quo peut être prolongé et l'Algérie rester ce qu'on nous a enseigné... se trompent lourdement. » Mais c'est tout l'Empire auquel il faut donner d'autres fondations.

En Afrique-Occidentale et Équatoriale, il va de ville en ville. Dakar, Cotonou, Abidjan, Brazzaville. Il répète : « L'enjeu de cette guerre est en réalité la condition de l'homme. »

À Brazzaville, il promet que « les hommes qui vivent dans leur terre natale à l'ombre de notre drapeau » doivent être « un jour associés chez eux à la gestion de leurs propres affaires. Voilà ce qui est le devoir de la France. Tel est le but vers lequel nous devons marcher ».

C'est le crépuscule si bref des jours africains. Il s'avance sur la rive du fleuve Congo. Il décore et donne l'accolade à la fille du roi qui a traité avec Brazza. La nuit tombe. Les rumeurs et les cris de la forêt déferlent. Il a la conviction qu'il a ouvert une voie. Il faudra honorer ce contrat qu'il vient d'esquisser. Il faudra répondre à l'attente de ceux, Algériens, Africains, qui « ont fait crédit à la France. À la France, c'est-à-dire à l'évangile de la fraternité des races, de l'égalité des chances, du maintien vigilant de l'ordre pour assurer à tous la liberté ».

Mais d'abord il faut vaincre. Il se rend sur le front italien. Il arpente aux côtés du général Juin ces collines rocailleuses que les goumiers, les tabors et les tirailleurs marocains et algériens ont conquises. Leur rôle a été décisif sur ce revers sud des Abruzzes. Les pertes sont lourdes. Il voit les généraux Clark et Alexander. Il écoute leurs éloges. Enfin l'humiliation de la défaite s'efface. Et ce ne sont plus quelques unités, comme à Bir Hakeim ou à Koufra, mais des divisions qui se battent.

Et pourtant il est soucieux. Ce front d'Italie est secondaire pour la France. Il faut que les troupes françaises, comme Eisenhower l'a admis, soient engagées en France. C'est à cela qu'il doit veiller, en ce printemps 1944, alors que tout annonce que le débarquement est proche et qu'il aura lieu en France.

Il faut donc rassembler toutes les forces. Les communistes François Billoux et Fernand Grenier entrent au Comité, l'un en qualité de commissaire d'État, l'autre comme commissaire à l'Air. Le socialiste André Le Troquer devient commissaire à l'administration des territoires métropolitains libérées. À Paris, Alexandre Parodi sera le délégué général clandestin.

Il ne peut plus y avoir de division dans l'action. Le président du Comité doit être aussi le chef des Armées.

Le Comité se prononce le 8 avril 1944, pour que le général Giraud cesse d'être commandant en chef et soit nommé inspecteur général des Armées.

De Gaulle imagine les réactions de Giraud. Il sait ce que la décision prise peut comporter d'injustice aux yeux de cet homme. « Mais quel regret peut compter s'il s'agit de l'ordre dans l'État ? »

Il écrit à Giraud :

« À la lettre que je vous adresse ci-joint officiellement, je joins celle-ci tout à fait personnelle et que je vous demande de recevoir comme venant simplement d'un de vos anciens subordonnés qui a conservé à votre égard son respect et tout son attachement.

« Mon général, vous ne *pouvez* pas, dans la situation où se trouve notre pauvre et cher pays, prendre – pour une raison personnelle – une attitude de refus vis-à-vis de ceux qui ont la terrible charge de gouverner devant l'ennemi et au milieu des étrangers...

« Quels que soient les griefs que l'on puisse avoir, *il faut*, quand on est le général Giraud, donner jusqu'au bout l'exemple de l'abnégation et, je dois ajouter, de la discipline (au sens le plus élevé de ce mot).

« J'attends votre réponse avec confiance et vous prie de croire, mon général, à mes sentiments profondément et fidèlement dévoués. »

Giraud acceptera-t-il ? De Gaulle l'imagine blessé, hautain, enfermé dans sa morgue et ses certitudes.

Mais il faut répondre aux journalistes : « Dans tous les cas, je dis bien haut que la magnifique carrière militaire du général Giraud fait extrêmement honneur à l'armée française. Je dis bien haut que son évasion légendaire de la forteresse allemande de Königstein... »

De Gaulle parle et il songe à cette dépêche qu'il vient de recevoir de Washington. Le secrétaire d'État Cordell Hull répète que le CFLN n'est pas le gouvernement de la France, et que dans les territoires libérés le Comité sera sous contrôle du « commandant en chef allié ».

Hull a parlé le 3 avril ! Est-ce une réponse au départ de Giraud ?

De Gaulle s'emporte.

Les Américains n'ont pas renoncé à jouer les tuteurs ! Comme si « le fier, le brave, le grand peuple français dont nous sommes » était prêt à accepter un nouveau maître !

Il rentre villa des Oliviers et trouve sur son bureau un livre, *Les Interviews imaginaires*, qu'André Gide vient de lui faire parvenir. Il le feuillette, se laisse prendre.

« Je l'ai relu avec un grand plaisir, écrit-il à Gide. Avec vous je dis : " Ô délivrance, ne tarde pas... "

« Les vœux des poètes ont toujours chance d'être exaucés. »

28.

De Gaulle se penche en avant, les coudes posés sur la petite table, les avant-bras dressés, les mains ouvertes de part et d'autre de son visage.

– C'est là une vieille histoire ! lance-t-il.

Le ton est las. Il hoche la tête. Il se tourne vers la fenêtre ouverte. Il fait chaud déjà à Alger en cette fin du mois d'avril 1944. Il aperçoit les lauriers qui forment au pied des palmiers des touffes roses. Il regarde à nouveau la vingtaine de journalistes assis devant lui dans ce salon de la villa des Glycines. Le correspondant américain qui a posé la dernière question est installé au premier rang. De Gaulle l'observe quelques instants avec une sorte de commisération. Tant de fois déjà on l'a interrogé sur l'intention qu'il aurait d'établir une « dictature, sa dictature, en France, après la Libération » ! N'est-ce pas à cause de ce risque que les Alliés sont réservés à son égard ? a interrogé le journaliste. Et il faut une nouvelle fois répondre à cette accusation.

– C'est là une vieille histoire, reprend de Gaulle. Vous savez que, depuis quatre ans que je joue ce jeu terrible, les uns ont dit que le général de Gaulle veut être dictateur, d'autres qu'il veut rétablir la IIIe République avec les hommes du passé, d'autres encore que le général de Gaulle va livrer la France au communisme. Quelques-uns disent que le général de Gaulle est l'homme des Américains, ou des Anglais, ou de Staline...

Les journalistes rient.

– Peut-être un jour toutes ces contradictions s'accorderont-elles, ajoute-t-il. En attendant, je ne me fatiguerai pas à leur répondre. Les Français n'accepteraient aucune dictature française.

Il se redresse.

– A fortiori, je vous le garantis, aucune dictature étrangère. Mais les Français veulent que leur gouvernement les gouverne. C'est ce qu'il s'efforce de faire.

Gouverner ? Chaque jour, au Comité, à l'Assemblée consultative, avec son état-major, il prend ou fait prendre des décisions. Il faut que, dès le jour du débarquement, une administration française se mette en place, empêche les Alliés, comme ils en ont l'intention, de régenter les régions qu'ils auront libérées, ou d'y diffuser cette « fausse monnaie » qu'ils ont imprimée. Mais à toutes les demandes qu'il adresse pour se concerter avec eux, faire entendre son point de vue, celui de la France, Washington répond par la réaffirmation de ses projets. Et Londres suit.

Il s'installe dans son bureau.

Voilà le dernier « outrage » commis par les Alliés : tous les télégrammes chiffrés entre Londres et Alger sont interdits sous prétexte de garantir le secret des opérations militaires imminentes ! Donc, toute possibilité de négociation entre le Comité et les Alliés est impossible, puisque Alger ne peut plus communiquer avec le général Kœnig, qui dirige la mission française à Londres, ou avec Pierre Viénot, l'ambassadeur.

De Gaulle croise les bras. Il ne recevra plus l'ambassadeur Duff Cooper tant que les communications ne seront pas rétablies. Il ne se rendra pas à Londres et encore moins il ne sollicitera une entrevue avec Roosevelt, comme les représentants français à Washington le lui suggèrent.

Est-ce qu'on lui communique les projets militaires qui concernent pourtant le territoire français ? Est-ce qu'on lui indique la date approximative du débarquement ? Est-ce qu'on répond à ses demandes concernant l'administration des territoires libérés ?

La France, c'est quoi pour les Alliés ? Une zone de passage ? Un pays à occuper ? Des soldats et des résistants à utiliser sans qu'ils sachent à quelles fins ? Des villes à écraser sous les bombes sans se soucier du nombre des victimes ?

Il lit les rapports qui proviennent de France : plus de 1 500 morts dans les bombardements des gares de Paris-La Chapelle et de Ville-neuve-Saint-Georges.

Il se souvient d'avoir répondu, il y a un peu plus d'un an, à un Français de Londres qui s'indignait des premiers bombardements anglais sur les usines Renault. « Dans la situation atroce où est notre patrie, le devoir est très dur mais c'est le devoir. »

Il feuillette les journaux espagnols arrivés à Alger. Ils publient des photographies des « victimes de l'aviation anglaise », corps étendus au milieu des décombres. Il se souvient des bombardements de la Première Guerre mondiale. Il s'était confié à ce correspondant et les mots lui reviennent : « Je puis même vous dire, en confidence, que cela a été cause d'un des plus grands chagrins personnels de ma vie, car une jeune fille qui était alors presque ma fiancée fut tuée à Lille de cette façon par un obus anglais en 1917. »

Vieille souffrance engloutie mais jamais disparue et qui resurgit.

Il demande au Comité d'établir un mémorandum à adresser aux gouvernements anglais et américain. « Il faut y souligner que depuis quelque temps et dans nombre de cas les pertes et les dommages que les bombardements ont entraînés pour les populations paraissent hors de proportion avec les résultats militaires obtenus. »

Mais comment éviter cela s'il n'y a pas de collaboration entre les Alliés et la France ? Si l'on tient pour négligeables les vies et les intérêts français ?

Il reçoit l'ambassadeur d'URSS, Bogomolov. Bonnes et belles paroles du diplomate. De Gaulle l'écoute d'abord avec une sorte de bienveillance. La Russie est une carte dans le jeu de la France. Il suffit que de Gaulle ait dit que « vis-à-vis de l'Est, c'est-à-dire d'abord de la chère et puissante Russie, la France veut être une alliée permanente » pour que Churchill s'emporte. C'est bien ! Il faut que le Premier ministre mesure que la France est redevenue, alors même qu'elle n'est pas encore libérée, une nation indépendante et souveraine.

C'est maintenant, dans les jours qui précèdent le débarquement, que se joue l'avenir. Il ne faut rien céder, utiliser chaque situation pour arracher aux Alliés la reconnaissance des droits de la France.

Mais ne jamais être dupe.

Il interrompt Bogomolov.

– Nous avons entendu dire, commence-t-il sur un ton ironique, qu'il y avait eu une conférence à Téhéran ? Cependant le gouvernement de l'Union Soviétique, pas plus que ceux de Londres et de Washington, ne nous a jamais informés du but et du cours de ces négociations. « Les intérêts d'État de la République française », dont l'URSS a reconnu que le Comité les représente, n'ont-ils donc rien à faire avec le règlement de la paix en Europe et en premier lieu avec le sort futur de l'Allemagne ?

Bogomolov sourit, prononce quelques phrases confuses puis prend congé.

Qu'imaginait-il ? Que la France ne défendrait ses droits que face aux Alliés de l'Ouest ? Elle ne quémande pas. Il le répète à ses ambassadeurs, aux commissaires : « Nous ne sommes demandeurs sur aucun point. »

Il devine les hésitations, les prudences, la tentation du compromis chez tel ou tel.

Et naturellement, chez les Alliés, « ces amis anxieux », la crainte, ils le disent, de « trouver au cours de la Libération une France encore féodale, qui se répartirait elle-même entre plusieurs pouvoirs différents ».

Soupçons indignes, puisqu'ils font tout pour dénier au Comité français le droit de représenter la France. Ridicule, « car nous savons où est la France ».

Il le scande, du haut de la tribune dressée dans le vélodrome du Belvédère à Tunis. La foule est chaleureuse. Elle se dresse sur les gradins. Elle crie : « Vive de Gaulle ! »

Il répète : « Nous savons où est la France... et à ceux qui n'auraient pas les mêmes certitudes... Nous leur proposons en toute amitié de venir demain avec nous, aux rendez-vous du peuple de France, sur la Canebière à Marseille, sur la place Bellecour à Lyon, sur la grand-place à Lille, sur la place de Broglie à Strasbourg ou dans n'importe lequel de nos villages une fois délivrés, ou enfin quelque part entre l'arc de Triomphe de l'Étoile et Notre-Dame de Paris. »

Il s'interrompt. Il laisse la marée des applaudissements tout recouvrir. Il imagine le jour où il sera sur ces places, dans ces rues, sur cette avenue, la plus grande. Il en frissonne. Il dit à voix basse sans se soucier de ceux qui l'entourent : « Les grandes affaires humaines ne se règlent point uniquement par la logique. Il y faut l'atmosphère qui seule peut créer l'adhésion du sentiment. »

Plus personne, il en est sûr, ne peut empêcher le mouvement autour de lui, derrière ce qui, par le vœu de l'Assemblée, devient officiellement le Comité français de gouvernement provisoire de la République française. Un défi, lancé à Roosevelt, à Churchill.

− Le gouvernement américain a délibérément cherché à me rabaisser, dit-il à Edwin Wilson, l'ambassadeur des États-Unis à Alger.

Wilson conteste.

− Il voulait me mettre à une place subordonnée pour hisser sur le pavois d'autres Français avec qui il préférait traiter.

Darlan, Giraud, et avant eux Pétain. Quant aux Anglais... Il a une moue de dédain.

− L'Angleterre est gouvernée par des hommes tortueux, confie-t-il à un chef de la Résistance qui arrive à Alger, pas très intelligents, qui méprisent et craignent l'intelligence. Les Anglais ne peuvent pas vouloir que la France devienne un grand pays... Et puis, le gaullisme représente quelque chose qu'ils ne connaissent pas : il était si facile de gouverner la France de la IIIe en achetant les généraux et les hommes politiques.

C'est la fin d'une de ces journées printanières qui se prolongent dans la douceur rose du crépuscule. Du perron de la villa des Glycines, il regarde Alger encore blanche sous le soleil rasant.

Dans quelques jours ou quelques mois, il quittera cette ville. Le débarquement en France est proche. La 2e division blindée que commande le général Leclerc vient de quitter le camp de Temara, près de Rabat, pour la Grande-Bretagne, où elle sera équipée. Il est d'autres signes, plus révélateurs encore : le nombre de messages émis à destination de la France par Londres a augmenté considérablement. Le commandement allié s'adresse à la Résistance, par-dessus la tête du gouvernement provisoire. Soit.

− Nous ne demandons rien, martèle-t-il. Il y a nous ou bien le chaos. Si les Alliés de l'Ouest provoquent le chaos en France, ils en auront la responsabilité et seront les perdants.

Il faut utiliser cette situation. Il répète ce qu'il vient d'écrire à Sa Sainteté Pie XII : « Des circonstances, peut-être providentielles, ont groupé derrière nous en une seule volonté de vaincre et de refaire la France... tous ceux qui défendent contre l'envahisseur l'unité et la souveraineté nationales. »

Voilà notre force. Les Alliés paraissent disposer de toutes les cartes ? Il secoue la tête. Il pense à juin 40, à sa solitude. Maintenant, il existe une armée française, qui se bat en Italie, des divisions qui s'apprêtent à débarquer, une marine, un gouvernement provisoire administrant un Empire. Et surtout, l'adhésion de ces dizaines de milliers d'hommes qui se battent en France.

– Si nous tenons, dit-il, les Anglo-Américains finiront par s'incliner. Du reste, il en a toujours été ainsi : ils nous ont toujours tout refusé et ont toujours accepté le fait accompli.

Il va et vient dans le jardin de la villa des Glycines. Il a besoin de se retrouver seul. Il a accepté, ce matin du 2 juin, de recevoir Duff Cooper. À la condition que les communications soient rétablies entre Londres et Alger. L'ambassadeur a accepté. Il a été conciliant, insistant. Il a transmis un message du Premier ministre. De Gaulle le relit : « Venez maintenant, je vous prie, ici avec vos collègues aussitôt que possible et dans le plus grand secret, écrit Churchill. Je vous donne personnellement l'assurance que c'est dans l'intérêt de la France. Je vous envoie mon propre York ainsi qu'un autre York pour vous. »

L'avion personnel du Premier ministre, a insisté Duff Cooper. « Vous serez l'hôte du gouvernement de Sa Majesté », a-t-il précisé.

Bien sûr, cela signifie que le débarquement est pour dans quelques jours, peut-être quelques heures. Mais il ne faut pas céder à ce qui peut être aussi une manœuvre, car aucune négociation n'a abouti à propos de l'administration des territoires libérés. Il faut convoquer le gouvernement provisoire. L'atmosphère est tendue. Les commissaires divisés.

– Ce n'est qu'une machination pour m'amener à prononcer un discours qui fera croire aux Français que je suis d'accord avec les Anglais et les Américains alors qu'en fait je ne le suis pas, dit-il.

Longs débats. Peut-on être absent alors que le débarquement a lieu ? On vote. Seuls quatre commissaires sont opposés au voyage.

– Je n'ai pas l'honneur d'avoir la majorité, dit de Gaulle.
Il partira donc pour Londres.

Il reste longtemps éveillé dans cette nuit du 2 au 3 juin. Il n'a pas encore donné sa réponse à Duff Cooper. Jusqu'au bout, il faut soupeser, faire sentir aussi que l'on ne cède pas. À 10 heures, il reçoit l'ambassadeur britannique. À 11 heures, il serre la main de chacun des membres du gouvernement. Il se sent ému, grave. Il approche du moment où l'espoir qu'il avait eu en juin 1940 va enfin devenir réalité. Mais il faut déjà voir au-delà.

– Il faut regarder loin dans l'avenir, dit-il aux ministres, celui des Relations franco-britanniques. Il ne faut pas qu'on puisse dire que la France était absente du quartier général dans l'assaut de l'Europe.

Il ne veut pas qu'un ministre l'accompagne afin de pouvoir refuser à Churchill toute négociation. Il partira avec Palewski, le général Béthouart, Billotte, ainsi que Geoffroy de Courcel et Teyssot, Hervé Alphand et Soustelle.

En arrivant sur l'aéroport de Maison-Blanche, il devine le soulagement de Duff Cooper qui se tient près de l'échelle du York de Churchill.

Puis c'est l'envol, une escale à Casablanca, et l'entrée dans cette grisaille qui couvre la Manche et les îles Britanniques. Il pleut, ce 4 juin au matin, quand de Gaulle regarde par le hublot cette fanfare qui se tient au pied du hangar devant lequel s'immobilise le York. Il descend. Elle joue *La Marseillaise*.

Il se souvient de son arrivée ici, le 17 juin 1940. Et dans la voiture qui le conduit vers l'hôtel Claridge, à chaque regard, un souvenir revient. Si longues, ces années de solitude et de combat ! Il lit les messages qu'on lui remet. Le premier est du général Juin. Les troupes françaises sont entrées à Rome ! Il a une bouffée de joie et d'orgueil. Il dicte, tout en allant et venant, les mots qui surgissent d'un seul élan : « L'armée française a sa large part dans la grande victoire de Rome. Il le fallait ! Vous l'avez fait ! Général Juin, vous-même et les troupes sous vos ordres sont dignes de la patrie. »

Il se sent renforcé. Dans un message, Eisenhower parle de « la courageuse action du corps expéditionnaire français », de la « tenue superbe des troupes ».

Tout cela est de bon augure, mais il contient aussitôt son optimisme. On essaie peut-être aussi, avec cet accueil en fanfare, de le préparer à accepter ce qu'il a déjà refusé : AMGOT et monnaie étrangère.

Il lit le dernier message. Il est écrit par Winston Churchill. Dieu, qu'il est aimable !

« Mon cher général de Gaulle,

« Bienvenue sur ces rivages ! De très grands événements militaires vont avoir lieu. Je serais heureux que vous puissiez venir me voir, ici, dans mon train, qui est près du quartier général du général Eisenhower, et que vous ameniez une ou deux personnes de votre groupe. Le général Eisenhower espère votre visite et vous exposera la situation militaire qui est extrêmement importante et imminente. Si vous pouvez être ici pour 13 h 30, je serais heureux de vous offrir à déjeuner. Nous nous rendrions ensuite au quartier général du général Eisenhower. Faites-moi parvenir de bonne heure un message par téléphone de façon à ce que je sache si cela vous convient ou non.

Sincèrement à vous. »

Il donne son accord. Les voitures partiront vers 11 heures. Il invite Béthouart et Billotte, Kœnig et Viénot à l'accompagner. Une ou deux personnes, a dit Churchill. Ce sera quatre !

On roule vers Portsmouth. La pluie parfois, le ciel bas et gris toujours. À Droxford, un train. De Gaulle aperçoit Churchill, le corps serré dans un uniforme de la Royal Air Force, qui avance sur le ballast, les bras ouverts. Il voit aux côtés du Premier ministre le maréchal Smuts, le gouverneur de l'Afrique du Sud, qui, il y a quelques semaines, a affirmé que la France ne retrouverait plus sa grandeur passée et n'aurait pas d'autre choix que d'entrer dans le Commonwealth ! Comment être chaleureux ? !

Dans le wagon-salon, de Gaulle s'assied en face de Churchill. Une table recouverte d'un tapis vert les sépare.

Il observe Churchill qui semble surexcité, les joues rouges, l'œil brillant. Et naturellement, il serre son cigare éteint entre ses dents.

– Je prends sur moi de vouloir vous mettre dans le secret, commence Churchill. Le débarquement, l'opération, devait avoir lieu ce matin, mais le mauvais temps nous en a dissuadés.

Il se lève, il gesticule devant une carte, parle des sites choisis entre la Seine et le Cotentin. De Gaulle se souvient du plan que Billotte avait esquissé en 1942, et qu'il avait soumis en vain aux généraux américains.

— Il ne reste plus beaucoup d'espoir de commencer l'opération avant le jour J + 3, explique Churchill, mais la situation sera réexaminée toutes les vingt-quatre heures.

— Bien entendu, je n'ai pas été informé de la date au préalable, répond de Gaulle. Quoi que les événements prochains doivent coûter à la France, elle est fière d'être en ligne aux côtés des Alliés, continue-t-il.

Il sent « un souffle d'estime et d'amitié » unir un instant tous les présents.

Il dit son admiration pour cette opération d'une importance exceptionnelle.

On échange encore quelques informations, puis, à 14 h 15, on passe dans le wagon voisin pour le déjeuner.

En attendant le déclenchement du débarquement, dit Churchill au dessert, « nous pourrions parler politique ».

De Gaulle se raidit. Il fixe le Premier ministre. C'est le moment. Peut-être la vraie raison de cette réception, de ces amabilités. Lui faire accepter les solutions américaines.

— Voilà un certain temps que je corresponds avec le Président, commence Churchill.

De Gaulle ne répond pas quand le Premier ministre puis Eden, puis le leader travailliste Bevin insistent pour que de Gaulle se rende aux États-Unis afin de rencontrer Roosevelt. Ils veulent aussi commencer ici même des conversations politiques.

— C'est la guerre, faites-la, on verra après, répète de Gaulle.

— Si cette offre est rejetée, dit Bevin, le parti travailliste en sera offensé.

De Gaulle se tourne, fixe le ministre travailliste. Oui, la colère peut et doit s'exprimer. C'est aussi une arme.

— Comment ! s'exclame-t-il. Nous vous avons envoyé des propositions depuis septembre dernier. Vous ne nous avez jamais répondu. Le gouvernement français existe, je n'ai rien à demander dans ce domaine aux États-Unis, non plus qu'à la Grande-Bretagne.

Il parle d'une voix tonnante. Il dit que les Anglo-Américains ont toujours refusé d'évoquer la question de l'administration des territoires libérés.

– Comme demain les armées vont débarquer, je comprends votre hâte de voir régler la question. D'ailleurs, Londres et Washington ont pris leurs dispositions pour se passer d'un accord entre nous. Je viens d'apprendre par exemple qu'en dépit de nos avertissements les troupes et les services qui s'apprêtent à débarquer sont munis d'une monnaie soi-disant française, fabriquée par l'étranger. Comment voulez-vous que nous traitions sur ces bases ?

Il s'interrompt. Le silence est lourd.

– Allez, faites la guerre avec votre fausse monnaie ! lance-t-il sur un ton de mépris.

Le visage de Churchill est empourpré.

– Que le général de Gaulle aille ou non rendre visite au Président, cela le regarde, dit-il. Mais je le lui conseille fortement.

Quelques échanges encore, puis tout à coup de Gaulle voit Churchill qui se dresse à demi, qui vocifère :

– Sachez-le ! Chaque fois qu'il nous faudra choisir entre l'Europe et le grand large, nous serons toujours pour le grand large. Chaque fois qu'il me faudra choisir entre vous et Roosevelt, je choisirai Roosevelt !

Bevin murmure que Churchill a parlé pour son compte et nullement au nom du cabinet britannique.

Silence. De Gaulle ne bouge pas. Churchill lève son verre.

– À de Gaulle, qui n'a jamais accepté la défaite, dit-il d'une voix lente et sourde.

– À l'Angleterre, à la victoire, à l'Europe ! lance de Gaulle.

Il est 16 heures. On marche dans la bruine jusqu'à une grande tente située à quelques centaines de mètres dans la forêt. Eisenhower est aimable. Il expose devant des cartes le déclenchement de l'opération Overlord et son plan de bataille. Mais il devra peut-être la retarder compte tenu des mauvaises conditions météorologiques.

– À votre place, je ne différerais pas, dit de Gaulle.

Comment garder le secret, maintenir un moral élevé pendant plusieurs semaines ?

Eisenhower paraît gêné, hésitant.

– Mon général, dit-il enfin, j'adresserai le jour du débarquement une proclamation à la population française, et je vous demanderai d'en faire une également.

Voilà le second piège.

– Vous, une proclamation au peuple français ? dit de Gaulle d'un ton glacial. De quel droit ? Et pour leur dire quoi ?

Il prend le texte d'un mouvement vif, le parcourt. Colère. Indignation. Le peuple français est invité à « exécuter les ordres » d'Eisenhower. L'administration doit rester en place. Une fois la France libérée, les Français choisiront eux-mêmes leurs représentants et leur gouvernement. Pas une seule référence au gouvernement provisoire, à de Gaulle. Une fois de plus, la France est traitée en mineure, les hommes de Vichy sont maintenus en place ! C'est la politique de Roosevelt qui continue. Et à quoi bon proposer de modifier ce texte alors qu'il est déjà tiré à quarante millions d'exemplaires ? ! Quel serait dans ces conditions le sens d'une intervention à la radio, sinon d'accepter cette soumission de la nation, cet effacement de la France Combattante, de l'indépendance de son gouvernement provisoire ?

De Gaulle refuse de rentrer à Londres avec le train de Churchill. Il va regagner la capitale en voiture avec ses compagnons.

Il apprend que la BBC, sans consulter le général Kœnig ou le BCRA, vient de lancer l'équivalent d'un appel à l'insurrection générale !

Fureur. Amertume.

De Gaulle, les dents serrées, se laisse aller à la colère. Churchill est un gangster.

– On a voulu m'avoir. On ne m'aura pas. Je leur dénie le droit de savoir si je parle à la France.

Il refuse que les officiers français de liaison administrative pourtant formés dans ce but débarquent avec les Alliés. Ce n'est pas une question de stupide orgueil, mais le principe de la souveraineté nationale qui est en cause. La France est-elle une nation indépendante ou bien sera-t-elle traitée par les vainqueurs comme un pays de second rang auquel on impose des lois, une « fausse monnaie » ?

C'est la nuit du 5 au 6 juin. Le diplomate Charles Peake lui explique que tous les chefs d'État en exil prendront la parole demain matin à l'aube, puis viendra la proclamation d'Eisenhower et enfin le général de Gaulle.

De Gaulle secoue la tête, refuse.

– Je paraîtrai avaliser ce qu'il aura dit et que je désapprouve et je prendrai dans la série un rang qui ne saurait convenir. Si je prononce une allocution, ce ne peut être qu'à une heure différente, en dehors de la suite des discours.

La France a près de 130 000 hommes engagés dans la guerre. Elle est la quatrième puissance belligérante dans le camp des Alliés. De Gaulle ne se laissera pas traiter comme la grande-duchesse de Luxembourg ou la reine des Pays-Bas !

On lui rapporte que Churchill, fou de rage, s'est écrié : « Qu'on mette de Gaulle en avion et qu'on le renvoie à Alger enchaîné si nécessaire. Il ne faut pas le laisser rentrer en France. Tant que le général de Gaulle restera à la tête des affaires françaises, il n'y aura pas de bonnes relations entre la France, la Grande-Bretagne et les États-Unis. Le général de Gaulle est un ennemi. »

Il hausse les épaules. Puis il écoute Viénot présenter à nouveau les arguments d'Eden. Il faudrait, selon le secrétaire d'État, que les officiers de liaison administrative puissent débarquer avec les Alliés.

Viénot ne comprend donc pas qu'il s'agit de notre avenir !

De Gaulle tempête. Il va et vient dans le salon de l'hôtel Connaught, puis tout à coup il s'apaise. Cette nuit est celle où les premiers parachutistes vont toucher la terre de France, et parmi eux les Français du 2ᵉ régiment de parachutistes de l'air. Bientôt prendront pied avec la première vague d'assaut les hommes du bataillon de choc du commandant Kieffer, qui vont se jeter hors des barges de débarquement.

Il retrouve le petit appartement de Seymour Place où Philippe l'attend. Il veut passer cette nuit avec lui. Dîner calme. Il observe son fils qui a choisi, pour participer aux combats de la libération, d'être versé dans un régiment de fusiliers marins. Dîner en tête à tête. Prendre le temps de le regarder, de lui parler en cette nuit décisive. Évoquer les héros : Moulin, torturé à mort, Fred Scamaroni, délégué de la France Libre en Corse, et Jacques Bingen qui, il le sait maintenant, se sont suicidés après avoir été arrêtés. Comme Brossolette.

– Les Anglo-Saxons, dit-il d'une voix sourde, s'apprêtent à traiter les Français comme des autochtones à administrer !

Ce n'est pas pour ce résultat-là que ces héros sont tombés.

Il aime ce silence recueilli qui s'établit avec son fils, puis cette évocation grave de leur famille, de ceux qui sont entre les mains des nazis, Marie-Agnès, Alfred Caillau, Pierre de Gaulle et Geneviève de Gaulle.

Le temps passe. De Gaulle regarde la pendule.

– Ça y est, dit-il. Maintenant, c'est le débarquement.

Peu après, il reconduit son fils.

– J'ai confiance en la réussite du débarquement, dit-il. Les Alliés disposent de forces considérables.

Il s'interrompt. Si une première opération ne réussissait pas, il y en aurait une seconde, une troisième...

– Mais comme nous le pensions dès le début, les Allemands perdront la guerre, quoi qu'il en soit.

C'est le matin du 6 juin. Les premières nouvelles sont encourageantes. Il reçoit Charles Peake.

Tout le monde a parlé, dit le diplomate. Il faut vous adresser au peuple français à votre tour, insiste-t-il.

Maintenant qu'il sera seul à l'antenne, de Gaulle peut accepter. Il enregistrera son émission vers midi. Il n'en communiquera pas le texte, naturellement. Il mesure l'hésitation et les craintes de Peake et, au-delà de lui, celles du Foreign Office et sans doute de Churchill. Mais ils vont s'incliner parce que la France s'est rassemblée, parce que la résistance montre déjà son efficacité, paralysant les divisions allemandes. Parce que Pétain vient de déclarer que les Français doivent s'abstenir de participer aux combats qui commencent.

À 12 heures, il entre dans les studios de la BBC de Bush House. Il marche lentement le long des couloirs. Une émotion intense lui serre la gorge. Il se souvient de l'appel du 18 juin 1940 à partir duquel tout a commencé. Ce qu'il va dire, ces phrases qui se pressent en lui, est issu de ce jour-là.

Il s'assied. On règle le micro. Il se remémore chaque mot. Il doit appeler au combat au nom du gouvernement français, et il doit faire comprendre que cette bataille sera dure.

Lampe rouge. Geste du technicien derrière la vitre. Il commence :

« La bataille suprême est engagée... C'est la bataille de France et c'est la bataille de la France... Pour les fils de France, le devoir est simple et sacré : il s'agit de détruire l'ennemi, l'ennemi qui écrase et souille la patrie... Cette bataille, la France va la mener avec fureur. Elle va la mener en bon ordre. C'est ainsi que nous avons depuis quinze cents ans gagné chacune de nos victoires... [Il faut] que les consignes données par le gouvernement français et par les chefs français qu'il a qualifiés pour le faire soient exactement suivies... [Il faut] que l'action soit conjuguée avec celles que mènent de front les armées alliées et françaises... L'action des armées sera dure et sera longue. C'est dire que l'action des forces de la Résistance doit durer jusqu'au moment de la déroute allemande... La bataille de France a commencé. Il n'y a plus dans la nation, dans l'Empire, dans les armées, qu'une seule et même volonté, qu'une seule et même espérance. Derrière le nuage si lourd de notre sang et de nos larmes, voici que reparaît le soleil de notre grandeur ! »

Les heures, les jours.

C'est comme si d'avoir prononcé ces phrases l'avait épuisé, peut-être s'est-il laissé jouer ? Il prépare un télégramme pour Alger. Il faut que le gouvernement provisoire soit averti de ce qui se passe ici.

« Mon voyage a pour principal objet de couvrir leur marchandise... »

Il hésite à poursuivre. Il sait que l'opinion anglaise, les journaux, les parlementaires commencent à protester contre « l'asservissement de Churchill à Roosevelt ». Il sent des signes d'apaisement. Il reçoit Eden, accepte que Kœnig, qu'il nomme commandant en chef des Forces françaises de l'intérieur (FFI), envoie des officiers de liaison auprès des forces alliées. Mais comment ne pas s'indigner quand Eisenhower annonce la mise en circulation en France de ces billets étrangers ?

« Il est honteux, dit-il à Eden, que les Anglais soient à la remorque de l'Amérique et aient accepté leur fausse monnaie. »

Il reprend son télégramme destiné à Alger. Il faut qu'on sache là-bas que « toutes nos protestations ont été inutiles »... Washington a imprimé pour quarante milliards de « francs d'occupation ». « Churchill est devenu aveugle et sourd. » Le Premier ministre s'est rendu le 12 juin sur les plages du débarquement en compagnie du maréchal Smuts. Sans même songer à y inviter le chef du gouvernement provisoire de la République Française, qui se bat contre l'Allemagne depuis aussi longtemps que lui, et avec lui !

Il faut que l'opinion anglaise et américaine condamne cette politique, pèse davantage encore. Déjà Roosevelt lui a fait parvenir une invitation à le rencontrer à Washington.

De Gaulle convoque un journaliste de l'Agence française d'information.

« Il n'existe aucun accord entre le gouvernement français et les gouvernements alliés au sujet de la coopération de l'administration française et des armées alliées..., déclare-t-il. Cette situation est inacceptable pour nous et risque de provoquer en France même des incidents qu'il nous paraît nécessaire d'éviter. D'autre part, l'émission en France même d'une monnaie soi-disant française sans aucun accord et sans aucune garantie de l'autorité française ne peut conduire qu'à de sérieuses complications... »

Voilà, les choses sont dites.

La presse s'enflamme contre la politique de Churchill. Le cabinet désavoue le Premier ministre qui veut empêcher de Gaulle de se rendre en France.

Le 13 juin, de Gaulle peut enfin embarquer à bord du contre-torpilleur la *Combattante* qui appareille à l'aube du 14 pour la côte française.

29.

De Gaulle est sur la passerelle de la *Combattante* dans l'aube grise. La mer est mauvaise.

Il enfonce ses mains dans la longue capote kaki boutonnée jusqu'au cou. Il voudrait que la joie le soulève, mais il se sent enveloppé par une chape lourde comme ce manteau. Il est grave. Il s'étonne d'être soucieux.

Ce peuple qu'il va découvrir, qu'est-il devenu ? Correspond-il à celui qu'il a si souvent invoqué, exalté durant quatre ans ? Et ce peuple qu'il a vu encore il y a peu, lors de la projection d'un film, se rassembler autour de Pétain de passage à Paris reconnaîtra-t-il de Gaulle ?

Et puis, il y a l'avenir du pays. La guerre qui continue. Les communistes qui contrôlent une grande part de la Résistance. Les Alliés qu'il va falloir placer devant le fait accompli.

Il se tourne, cherche des yeux François Coulet qu'il a nommé commissaire de la République de la zone libérée. Le colonel de Chevigné, lui aussi Français Libre de 1940, doit commander la subdivision militaire. Il faut imposer ces deux hommes dès aujourd'hui pour qu'ensuite des nominations de ce type se généralisent dans chaque région libérée et que l'AMGOT tombe en poussière.

Tant d'autres problèmes !

Il fume cependant que le navire roule et tangue. Le commandant Patou, qui commande la *Combattante*, s'approche.

— Patou, je ne céderai pas, dit de Gaulle à mi-voix.

Il dévisage Patou, qui est interloqué.

– Sur l'affaire des billets de banque émis par les Américains, poursuit-il. C'est de la fausse monnaie.

L'amiral d'Argenlieu, Palewski, Béthouart, Boislambert et Viénot montent à leur tour sur la passerelle. La côte, mince liséré, apparaît.

– Vous rendez-vous compte, mon général, qu'il y a quatre ans jour pour jour les Allemands entraient dans Paris ? dit Viénot.

– Eh bien, ils ont eu tort ! répond de Gaulle sèchement.

Les mots ne viennent pas. La poitrine est serrée. La joie écrasée sous l'émotion. Et pourtant, la plage de Grave, à l'ouest de la Seulles, sur laquelle vient de s'arrêter la vedette amphibie qui l'a conduit depuis la *Combattante*, c'est le sol de France. Il allume une cigarette, mais reste silencieux, entouré par ses compagnons et des officiers écossais et canadiens qui viennent de débarquer.

Il aperçoit Boislambert qui le photographie. Il se souvient de Dakar, de cette nuit d'abîme après l'échec, les tirs de Français sur des Français. D'Argenlieu avait été blessé là-bas. Il est là, et c'est bien.

De Gaulle monte dans une jeep.

On se dirige vers le quartier général de Montgomery. Des Français enfin, sur la route encombrée de véhicules militaires. Des femmes en noir. Un curé qui crie : « Mon général, j'ai entendu votre appel... » Il vient de voir passer la jeep. Il l'a suivie avec sa voiture à cheval. Il veut serrer la main du général de Gaulle.

– Monsieur le curé, je vous embrasse.

Dans sa poitrine, quelque chose cède qui libère les mots, la joie. Il interpelle deux gendarmes, effarés, les charge de se rendre à Bayeux, annoncer son arrivée. Il les regarde s'éloigner sur leurs bicyclettes. La route, à l'exception de ces deux silhouettes noires, est déserte. La campagne verdoyante, tranquille sous le ciel voilé. La France paraît si paisible, comme si elle avait ignoré la guerre.

Ce n'est que l'impression d'un instant, puisque voici des maisons détruites, des colonnes de soldats britanniques, puis le quartier général de Montgomery installé dans la cour d'un château. Il écoute le général anglais donner, dans le camion qui lui sert de bureau, les explications concernant la bataille en cours. Montgomery est souriant, calme, assuré, prudent aussi. Aux parois du camion, il a accroché deux photos, l'une d'Eisenhower et l'autre de Rommel. De Gaulle reste quelques instants dans la cour du château. C'est cela, la réalité : ce puzzle de situations et de moments qu'il faut rassembler pour leur donner un sens. Il dit négligemment à Montgomery : « Derrière moi, je laisse le commandant Coulet qui s'occupera de la population. »

Montgomery approuve d'un mouvement de tête. De Gaulle jubile. L'AMGOT est morte avant d'avoir vécu.

Il entre dans Bayeux. La ville a peu souffert. Ces pavés, ces maisons basses, cette place du Château et cette foule qui se rassemble, qui lui fait cortège, lance des vivats, ces femmes qui éclatent en sanglots, ces enfants qui marchent près de lui au milieu de la rue, c'est la France. Il se sent charnellement de ce pays qu'il retrouve dans chaque visage, chaque pierre.

Il est ému à ne pouvoir parler, et il ouvre un peu les bras. Il avance comme dans un rêve, entouré, pressé.

« Nous allons ainsi tous ensemble, bouleversés et fraternels, sentant la joie, la fierté, l'espérance nationales remonter du fond des abîmes. »

Il voit Maurice Schumann qui a débarqué avec les premières vagues alliées, qui a fait préparer cette estrade sur la place du Château. Près de deux mille personnes sont rassemblées. De Gaulle embrasse les enfants. On lui tend des bouquets. Il monte sur l'estrade. On crie : « Vive de Gaulle ! »

Il veut garder le souvenir de cet instant, de cette foule dans la première ville libérée, de ce premier discours sur le sol de la patrie.

– Honneur et patrie, voici le général de Gaulle ! lance Schumann.

C'est comme si la place du Château se remplissait de silence. Il voit ces soldats britanniques appuyés à leurs jeeps, à peine attentifs, et ces visages français avides, tendus, guettant les mots qu'il va prononcer. Il devine leur attente où se mêlent espérance et anxiété, émotion et sentiment de délivrance. Il est à l'unisson.

– Nous sommes tous émus en nous retrouvant ensemble dans l'une des premières villes libérées de la France métropolitaine, mais...

Il s'interrompt. Il voudrait laisser la voix lyrique tout emporter.

– Mais... ce n'est pas le moment de parler d'émotion.

Il regarde ces soldats étrangers qui bavardent entre eux, indifférents.

– Notre cri maintenant comme toujours est un cri de combat, poursuit-il, parce que le chemin du combat est aussi le chemin de la liberté et le chemin de l'honneur... Je vous promets que nous continuerons la guerre jusqu'à ce que la souveraineté de chaque pouce de territoire français soit rétablie.

Il hausse la voix.

– Personne ne nous empêchera de le faire. Et la victoire que nous remporterons sera la victoire de la liberté et la victoire de la France.

« Je vais vous demander de chanter avec moi notre hymne national, *La Marseillaise*. »

Il ferme à demi les yeux. Voilà ce qu'il n'oubliera plus.

On repart. Isigny est dévastée. Les hommes penchés sur les décombres cherchent des survivants et trouvent des cadavres. On se redresse. Il va vers ces hommes, ces femmes, ces enfants. Ici, il rencontre la France blessée, en ruine, mutilée. Elle est là autour de lui, devant le monument aux Morts. Il faut dire l'espoir. On lui serre les mains avec ferveur. Il voudrait demeurer là, parmi eux, mais il faut partir, traverser un bourg de pêcheurs, Grandcamp, détruit lui aussi, rembarquer à bord de la *Combattante*.

Il reste sur la passerelle. La nuit l'entoure. Elle cache son émotion et sa joie. Le général Béthouart vient se placer près de lui.

– Tu vois, lui murmure-t-il, il fallait mettre les Alliés devant le fait accompli. Nos autorités nouvelles sont en place. Tu verras qu'ils ne diront rien.

Que pourraient-ils opposer à ce rassemblement spontané autour de lui, de ces Français sur la place de Bayeux ou au milieu des ruines d'Isigny ?

À Carlton Gardens, dans l'après-midi du 15 juin, il veut que l'on accueille Anthony Eden avec solennité. Il faut une garde d'honneur devant le bâtiment, des officiers postés le long de l'escalier. La France souveraine reçoit un allié. Le gouvernement provisoire a été reconnu par la plupart des États européens. Les FFI se battent partout. Les massacres accomplis par la division Das Reich sont l'aveu criminel de cette bataille de la France : 99 pendus à Tulle, plusieurs centaines de victimes à Oradour-sur-Glane. Voilà la France martyre et debout. Il a le sentiment, en serrant la main du secrétaire d'État au Foreign Office, de parler au nom de cette France-là.

Les journaux anglais ont fait le récit de son voyage à Bayeux. Ils ont parlé de l'enthousiasme et des cris « Vive de Gaulle ». Et même du manque d'égards des autorités militaires britanniques. Mais tout cela n'a plus désormais que peu d'importance. On réglera la question de la monnaie. Il se rendra à Washington pour rencontrer Roosevelt. Dès lors que la souveraineté française est entrée dans les faits, la colère et le refus ne sont plus de mise. On doit, on peut se montrer magnanime.

Il écrit à Churchill. Il le remercie de l'avoir accueilli en ce « moment d'une importance décisive ». Il salue l'effort de guerre du peuple britannique.

« Pour votre pays qui fut dans cette guerre sans exemple le dernier et imprenable bastion de l'Europe et qui en est à présent l'un des principaux libérateurs, comme pour vous-même, qui n'avez cessé et ne cessez pas de diriger et d'admirer cet immense effort, c'est là, permettez-moi de vous le dire, un honneur immortel. »

Il va quitter Londres pour Alger. On lui apporte la réponse de Churchill. Il la lit lentement. Les phrases sont pleines d'aigreur, de regrets et de ressentiments. « Aussi est-ce pour moi un grand chagrin qu'aient été et soient élevés des obstacles, écrit Churchill. Si je peux néanmoins me permettre un conseil... »

De Gaulle plie la lettre. Il imagine Churchill maugréant, disant comme on vient de le rapporter : « Je dénoncerai de Gaulle comme l'ennemi mortel de l'Angleterre. »

Mais ce soir du 16 juin 1944, de Gaulle veut un instant oublier ces conflits.

Il pense à ces années passées ici, à Londres la Courageuse qui reçoit, après des milliers de bombes, le premier V1. Il a tant de souvenirs. Philippe de Gaulle demeure encore en Angleterre, achevant ses cours à l'école militaire de l'armée de terre à Ribbesford. Quand le reverra-t-il ? Il lui écrit.

5 juin 1943 – 16 juin 1944

« Mon bien cher Philippe,

« Quittant l'Angleterre ce soir, je t'envoie mes meilleures et profondes affections, sûr que tu feras honneur à ton nom et à la marine dans la bataille de France où tu seras engagé...

« Mon voyage en Normandie a été très réconfortant...

« Je t'embrasse de tout mon cœur, mon bien cher petit Philippe.

Ton papa très affectionné. »

Septième partie

17 juin 1944 – 31 août 1944

*Il y a là des minutes qui dépassent chacune
de nos pauvres vies...*

Charles de Gaulle à Paris, le 25 août 1944.

30.

De Gaulle est à la tribune. Les délégués à l'Assemblée consultative l'applaudissent debout. Il fait un geste, il voudrait que cesse cette ovation qui depuis qu'il est entré dans le palais Carnot, ce 18 juin 1944, l'accompagne. Il est arrivé à Alger hier soir, venant de Londres. Et déjà, à la villa des Glycines et sur la route qui conduit à la villa des Oliviers, de petits groupes enthousiastes l'ont acclamé.

Il attend. L'hémicycle aux boiseries sombres est surpeuplé. Des huissiers, des secrétaires, des fonctionnaires du gouvernement provisoire se pressent dans les travées et devant les issues. Presque tous les délégués sont présents, continuant d'applaudir.

Il se souvient de la solitude d'il y a quatre ans. Et cependant rien de ce qui s'est produit ces jours derniers, l'accueil de la population de Bayeux, les larmes dans les yeux des femmes, les hommes qui le saluaient dans un grand mouvement déférent, agitant leur béret, les enfants qui marchaient près de lui, levant leur tête, rieurs, et rien ici, dans cet hémicycle à Alger, ne le surprend.

Il savait qu'un jour son action serait reconnue et que le peuple et ses représentants se rassembleraient autour de lui.

Rien ne le surprend, sinon cet écoulement de temps. Ce matin, à la villa des Oliviers, peut-être parce que ce jour est le 18 juin et que l'on va célébrer cette date, qui n'était avant lui que l'anniversaire de Waterloo, il s'est un peu attardé. Dans cet homme qu'il contemple, aux traits creusés et lourds, à la peau un peu grise et flasque et dont le corps s'est épaissi, le temps a laissé sa marque. Il va avoir cinquante-quatre ans en novembre 1944. Il est président du gouvernement provisoire de la République française. Il est devenu, il l'a éprouvé dans les rues de Bayeux ou d'Isigny, l'un de ces hommes qui incarnent un moment de l'histoire de France. C'est ainsi. Le destin qu'il portait en lui est devenu réalité.

Les délégués se sont assis dans l'hémicycle du palais Carnot. Il commence à parler.

« Je ne me permettrai pas d'évoquer dans cette grande séance quoi que ce soit de personnel. »

Sa vie, ses souvenirs, ses sentiments mêmes s'effacent derrière ce qu'il représente.

« Si l'appel du 18 juin 1940 a revêtu sa signification, poursuit-il, c'est simplement parce que la nation française a jugé bon de l'écouter et d'y répondre... »

Plus tard, de retour à la villa des Glycines, avant de consulter les lettres, les télégrammes qui se sont accumulés, il s'interroge sur les raisons de cette adhésion, de l'écho des mots qu'il a lancés le 18 juin, il y a quatre ans jour pour jour, alors qu'il était seul, presque inconnu. Il y a chez un « vieux peuple façonné par les leçons d'une dure histoire une instinctive volonté » de ne pas se soumettre.

Il écrit :

« Le 18 juin 1940, c'est le cœur qui avait raison. Quelques-uns, ce jour-là, ont écouté leur cœur. C'étaient donc les vrais raisonnables. Aujourd'hui, ils sont des guides pour tous les autres et, entre eux, des compagnons. »

Et puis il y a ceux qui se sont ralliés au cours de ces quatre années et qu'il ne faut pas rejeter.

Le général Juin, son condisciple de Saint-Cyr, dont les troupes, après avoir conquis Rome, avancent vers le nord, lui dit : « Fais ce que tu crois devoir faire. Ma personne est une bien petite chose au regard des intérêts sacrés dont tu as la charge. » Ou bien le général de Lattre de Tassigny – qui fut élève d'Henri de Gaulle, son père, et qui vient de s'emparer de l'île d'Elbe – écrit : « Je suis profondément heureux que ce succès ait coïncidé avec l'anniversaire historique du 18 juin. »

S'ils avaient, ceux-là et tant d'autres, presque tous, entendu l'appel du 18 juin, comme les choses eussent été simples, comme ces quatre années eussent été moins douloureuses !

Mais il n'éprouve aucun ressentiment. Il en va toujours ainsi. On commence par prêcher dans le désert. On ne peut trop demander aux hommes. Même aux meilleurs : « La fierté de la victoire a réuni des âmes qu'avaient pu disperser le désastre et le chagrin. »

Il sent que, comme une banquise qui fond, les résistances et l'hostilité de beaucoup se fragmentent ou plutôt n'osent plus s'affirmer.

Un accord est conclu avec les Anglais sur l'administration des zones libérées et même sur la « fausse monnaie » ! C'est un « succès à 90 % », lui écrit l'ambassadeur Pierre Viénot, et cela équivaut à une reconnaissance de fait du gouvernement provisoire.

Les Américains eux-mêmes sont bien contraints d'admettre ce qui est. Roosevelt l'invite de nouveau à Washington. Soit. On se rendra aux États-Unis du 6 au 10 juillet. Mais, dit de Gaulle, « je suis tout à fait décidé à n'entreprendre et à n'accepter aucune négociation proprement dite sur aucun sujet ! ». Car il faut toujours rester sur ses gardes. La presse américaine reproduit les propos amers du département d'État : « Les Américains se font tuer pendant que les Français font de la politique, et de Gaulle gêne l'effort allié ! »

Quant à l'aimable et souriant Roosevelt, il continue de dire « que de Gaulle va s'effondrer, que d'autres partis apparaîtront au fur et à mesure que la libération progressera, et qu'il connaît déjà quelques-uns de ces partis. »

Bien sûr, puisque Roosevelt les suscite et les soutient ! Roosevelt n'a en fait renoncé à aucun de ses préjugés ni à sa haine même. Il répète : « De Gaulle est un Français fanatique, à l'esprit étroit, dévoré d'ambition et ayant de la démocratie une conception plutôt suspecte... C'est un dingue ! »

Voilà l'homme qui lance une invitation à le rencontrer !

Mais il faut l'accepter dans l'intérêt de la France, pour s'informer, rendre hommage au peuple américain. Et veiller à chaque détail du voyage.

Tout en marchant dans son bureau, de Gaulle dicte des télégrammes pour Henri Hoppenot, l'ambassadeur à Washington.

« Il serait ridicule que j'aille aux États-Unis sans me rendre à

New York. Il serait inconvenant que j'aille à New York en me cachant. Veuillez le comprendre et le faire comprendre. »

« Je ne veux naturellement rencontrer ni Alexis Léger – Saint-John Perse –, ni Labarthe, ni Tabouis, ni Kérillis, ni Géraud, ni Chautemps. »

Que ce diplomate-poète, ces journalistes, cet homme politique qui ont durant quatre ans dénoncé la France Combattante et « de Gaulle, dictateur » auprès des Américains, restent à l'écart.

« Je ne fais pas d'exclusive pour les autres. »

Maintenant, en attendant le départ pour les États-Unis, de Gaulle peut se rendre en Italie auprès des troupes françaises. Ici, la France se bat à armes égales avec l'ennemi. Il se rend sur le front, loin au nord de Rome. Les Allemands résistent. Les Alliés ne veulent pas attaquer, soucieux de ménager leurs hommes et de préparer le débarquement sur les côtes de Provence, prévu pour la mi-août. Il approuve ce plan car la France doit être libérée au plus vite.

Là-bas, dans le Massif Central, dans le Vercors, en Bretagne et dans les villes, la répression tue. Les miliciens assassinent Jean Zay, l'ancien ministre de Léon Blum. La Résistance abat Philippe Henriot qui, à Radio Paris, chaque jour, dénonçait la France Combattante et exaltait les succès nazis et la collaboration. Chaque jour qui passe risque de rendre plus difficiles ce retour au calme du pays, cette « remontée de l'abîme » de la nation.

Il a cela en tête quand il s'incline devant le pape Pie XII qui le reçoit en audience le 30 juin. Moment intense. Il observe le souverain pontife. De sa voix grêle, Pie XII exprime l'angoisse qu'il ressent devant les persécutions qui frappent déjà les catholiques là où l'armée soviétique règne, dans toute l'Europe centrale.

« La chrétienté va subir, dit le Souverain Pontife, de très cruelles épreuves et seule l'union étroite des États européens inspirée par le catholicisme pourra endiguer le péril. »

De Gaulle ressent « la charge surnaturelle dont seul au monde [le Pape] est investi ». Lui, chef de gouvernement, il doit travailler la lourde pâte humaine, sans jamais oublier la foi qui est la sienne, mais en prenant l'histoire telle qu'elle est.

Il s'incline. Pie XII le bénit.

Puis, dans la magnificence d'une journée printanière, de Gaulle s'arrête un instant place Saint-Pierre. Des Romains l'applaudissent. Il entre au palais Farnèse, l'ambassade de France, où l'attendent les Français de Rome, des religieux pour la plupart.

Il écoute le cardinal Tisserant les lui présenter. Ces hommes et ces femmes, dans leurs vêtements d'église, paraissent si loin des tumultes de cette guerre. Comme les grandes salles du palais Farnèse, ou cette ville qu'il aperçoit depuis les salons de l'ambassade et dont la beauté et la sérénité, dans la lumière rose qui embrase les rives du Tibre et les pins parasols des collines, l'émeuvent.

Ici, il a le sentiment de l'Histoire qui passe et de la permanence des institutions et des lieux.

Il demeure longuement à regarder la ville, dont il a lu, traduites du latin, enfant, collégien, tant de descriptions, et dont il a appris l'histoire millénaire. Il pense à nouveau au souverain pontife. À cette maîtrise du temps que tente l'Église pour maintenir son visage hors des événements, tout en étant entraînée par eux.

C'est ce qu'il voudrait pour la France. Adapter, bâtir et conserver.

Il se tourne, il dit :

« Je suis très sensible à tout ce qui se dégage de ces pierres comme à l'esprit des hommes et des femmes qui les habite... Comment un Français ne serait-il pas ému de cette rencontre avec une grande capitale de l'Europe imprégnée de civilisation latine ? »

Il regagne Alger. La mort rôde encore sur toute l'Europe, s'attarde sur la France. Elle moissonne, cruelle, ces combattants des Forces françaises de l'intérieur qui ont cru trop tôt que l'ennemi allait s'effondrer. Or, même si leur « destinée est sombre », les Allemands continuent de se battre avec courage et énergie. Et ils tuent.

Il pense à Philippe qui va bientôt avec la 2e division blindée du général Leclerc prendre part aux combats.

La mort paraît plus menaçante encore quand approche la victoire. Il ne dit rien de ses craintes à Yvonne de Gaulle. Mais il lui suffit d'un regard pour savoir qu'elle les partage.

Et, pareille à lui, elle les garde au plus profond d'elle-même comme un intime secret, que seule la prière permet d'exprimer.

Il embrasse les siens.

Il part pour Washington le 5 juillet 1944.

31.

De Gaulle baisse la tête pour s'extraire de l'avion. Il porte son képi aux deux étoiles et un uniforme de tissu léger couleur sable. Il se redresse et, en même temps qu'il aperçoit les bâtiments de l'aéroport de Washington et les troupes alignées, il reçoit dans le visage un souffle humide. La lumière est brouillée par la chaleur. Les guêtres, les gants, les foulards des soldats forment des pointillés blancs sur les barres kaki et bleu des uniformes. Les drapeaux français et américain flottent au sommet de la tour de contrôle, à peine remués par une brise moite. Dans le soleil voilé, de Gaulle voit des généraux qui se dirigent vers le pied de l'escalier métallique. Il commence à descendre lentement. Il veut éprouver pleinement cet instant, cette revanche sur la politique américaine. Ils ont voulu, ils veulent sans doute toujours instaurer en France, comme ils l'ont tenté à Alger avec Giraud, avec Darlan, un régime de leur choix. « Quelque chose du genre Vichy avait – a – évidemment toutes leurs préférences, avec un badigeon de victoire et de démocratie », bien sûr.

Mais ils sont contraints de faire tirer une salve d'honneur.

De Gaulle franchit la dernière marche alors que se succèdent les coups de canon, qu'il serre les mains des généraux américains. Seuls des militaires sont présents. Peut-être est-ce encore un effet des réticences du gouvernement américain. Mais peu importe. Il a bien fallu que Roosevelt mette son avion personnel à la disposition du président de ce gouvernement provisoire de la République Française qu'il refuse de reconnaître.

350

De Gaulle se retourne. Il voit Gaston Palewski, le général Béthouart, le capitaine Teyssot qui se rangent aux côtés d'Hervé Alphand. Durant les trente heures de voyage, il a dit à chacun de ceux qui l'accompagnent qu'il faut rester intransigeant tout en montrant la plus grande amabilité. Ne pas se laisser enfermer dans une « négociation concrète ». Il faut transmettre cette consigne, a-t-il indiqué à Jean Monnet et à Pierre Mendès France qui se trouvent ici à Washington ou à Bretton Woods où vient de s'ouvrir une conférence monétaire internationale. Quelles que soient les bonnes dispositions d'un Morgenthau, le secrétaire d'État au Trésor, le plus favorable aux thèses françaises, il ne faut pas négocier avant d'obtenir la reconnaissance des droits du gouvernement provisoire.

Il fait quelques pas aux côtés des généraux américains. On lui annonce qu'il va être reçu aussitôt par le président Roosevelt à la Maison-Blanche, puis on le conduira à la résidence des hôtes de marque, Blair House.

Il écoute. Une sorte d'âpre et ironique gaieté l'envahit. Il est ici, malgré toutes ces chausse-trapes, ces injures, ces calomnies, ces campagnes de presse, cette quarantaine, ces pièges que Roosevelt et ses secrétaires d'État, Cordell Hull d'abord, ont déversés sur lui et ont organisés contre lui.

Il se souvient de tout cela, mais il n'a aucune rancœur. Il se sent vainqueur. Ils vont tout tenter encore, tant que le gouvernement provisoire ne sera pas installé à Paris, pour l'affaiblir et peut-être l'écarter, promouvoir tel ou tel moins coriace.

Il a appris que le général Revers, qui est à la tête d'une Organisation de résistance de l'armée – ORA –, est entré en contact avec les Anglais et l'état-major d'Eisenhower. Revers prétend pouvoir rassembler trois cents personnalités politiques – députés, sénateurs, élus locaux – modérés et anticommunistes, inquiets des agissements du Front national, du Comité militaire d'action – le COMAC – contrôlés par les communistes et auxquels de Gaulle accorderait trop de pouvoirs. Ces élus seraient prêts à préparer la succession du gouvernement de Vichy en écartant ainsi l'hypothèque de Gaulle, à la fois dictatoriale et soumise aux pressions communistes.

Tel serait aussi le point de vue du général Giraud, qui s'est retiré dans une propriété réquisitionnée à son intention dans la région de Mazagran. Giraud rêve de s'évader, de rentrer en France où il a conservé des fidèles. Les Américains peuvent être tentés de soutenir une nouvelle fois ces entreprises, d'autant plus que la menace communiste est une réalité. De Gaulle le sait. Il doit avancer entre ces deux dangers, l'un renforçant l'autre, les manœuvres politiciennes destinées à sauver la mise aux anciens de Vichy, poussant vers les communistes, habilement patriotes, des résistants scandalisés. Il faut jouer serré. Même si, de Gaulle répète sa conviction, les communistes « ne feront rien ». Mais ils peuvent créer suffisamment de troubles et effrayer au point de donner aux Américains prétexte à intervenir.

C'est pour cela aussi qu'il est ici, qu'il monte sur l'estrade pavoisée. Il regarde la troupe de photographes et de journalistes, les micros qui sont placés devant lui.

S'il a pu écarter tous les obstacles, s'imposer ici, à Roosevelt, alors que la France Combattante était si démunie, comment ne l'emporterait-il pas maintenant ?

Il se sent dispos et envahi par une sorte d'allégresse.

Il toussote. Il va les étonner une nouvelle fois.

« I am happy to be on American soil to meet President Roosevelt. I salute and pay tribute to all those Americans... »

Il observe tout en parlant les visages des journalistes et des personnalités qui sourient, surpris, amusés, flattés.

« The whole French people is thinking of you and salutes you, Americans, our friends.

« The war goes well... to the common victory. »

Sur le perron de la Maison-Blanche, Roosevelt est assis dans son fauteuil d'infirme. Son lorgnon lui pince le haut du nez. Il porte un costume clair et un nœud papillon à pois. Il tend la main. Il souhaite la bienvenue en français. Il sourit.

Est-ce le même homme, celui qui présente ses secrétaires d'État, les membres de sa famille et l'amiral Leahy – qui fut ambassadeur auprès de Pétain à Vichy autant qu'il le put ! –, qui invite à dîner, qui offre le thé, qui montre la piscine où il nage pour combattre son infirmité, est-ce « cet artiste, ce séducteur », cette « personnalité étincelante », celui qui, il y a quelques jours encore, traitait de Gaulle de « dingue » ?

De Gaulle écoute, souriant, aimable. Il passe de réception en dîner, en conversation en tête à tête avec le Président. « Mon séjour à Washington se déroule d'après le plan prévu dans une ambiance que de part et d'autre on veut rendre cordiale, télégraphie-t-il à Queuille, Pleven et Massigli demeurés à Alger. J'ai revu longuement ce matin le Président seul à seul avant de déjeuner à la Maison-Blanche. Je le reverrai encore une fois demain matin... J'ai l'impression d'une volonté arrêtée de finir la guerre contre l'Allemagne par une victoire militaire complète, mais aussi une grande incertitude quant à la solution à donner aux problèmes d'après-guerre. »

Il dépose une couronne au cimetière militaire d'Arlington. Il rend visite au général Pershing qui achève sa vie dans un hôpital militaire et demande des nouvelles de son vieil ami « le maréchal Pétain ».

Il reçoit les journalistes. Il faut être disert, prévenant. Ce sont les mêmes qui ont écrit parfois les pires calomnies, mais ils font l'opinion de ce pays.

Il lit le matin, avant de se rendre à un déjeuner avec le Président, les articles commentant sa visite. Banalités : « Le général a fait revivre ici à Washington la vieille amitié entre la France et les États-Unis. » Aigreur et aveuglement : « Un de Gaulle plus humble consent maintenant à rencontrer Roosevelt à mi-chemin. » Et puis, dans le *New York Times*, ce portrait que de Gaulle relit : « Le général de Gaulle en chair et en os paraît subtilement différent de ses photographies. Il est plus humain, moins austère, moins formidable au sens français du terme. En comportement comme en stature, il n'a rien du type habituel du Français. » Et cette conclusion : « La France qui sera traitée sur un pied d'égalité inclinera de plus en plus à accepter les nécessités de l'interdépendance. »

Que signifie, pour un Américain, « l'interdépendance » ? De Gaulle écoute Roosevelt. Le Président est toujours souriant. Il commence à exposer le fond de sa pensée. Il est confiant : « Comme l'optimisme va bien à qui en a les moyens. » Il voit l'avenir dirigé par quatre puissances : URSS, Grande-Bretagne, Chine, USA, ces derniers régissant en fait le monde, établissant des bases aux points stratégiques, dans ces jeunes nations qui vont naître sur les débris des Empires. Quant à la France, Roosevelt a un sourire attristé. Elle est reléguée parmi les nations de second ordre.

« Je me suis trouvé parfois hors d'état de me rappeler le nom du chef épisodique du gouvernement français, dit Roosevelt. Pour le moment vous êtes là, et vous voyez avec quelles prévenances mon pays vous accueille. Mais serez-vous encore en place après la fin de la tragédie ? »

De Gaulle reste impassible. Il regarde Roosevelt. « Comme cela est humain, l'idéalisme y habille la volonté de puissance », parce que, « dans les affaires entre États, la logique et le sentiment ne pèsent pas lourd ».

Roosevelt, de plus en plus aimable, montre sur son bureau les objets, les fétiches porte-bonheur qui l'encombrent. Il fait quelques confidences. Il tient à raccompagner de Gaulle. On le pousse dans son fauteuil roulant jusqu'au perron. Nouvelle longue poignée de main, nouveau sourire. Plus tard, en échange d'une maquette de sous-marin offerte par de Gaulle, il enverra une photo dédicacée : « Au général de Gaulle qui est mon ami ».

Comment être dupe de ces démonstrations d'amitié ? De Gaulle relit la lettre confidentielle que le Président a adressée à un membre de la Chambre des représentants. Quelqu'un l'a fait parvenir à l'ambassade de France. Voilà ce qu'écrit « l'ami ». « Quand il s'agit de problèmes futurs, de Gaulle semble tout à fait traitable, du moment que la France est traitée sur une base mondiale. Il est très susceptible en ce qui concerne l'honneur de la France, mais je pense qu'il est essentiellement égoïste. »

Pourquoi ? Parce qu'on ne se soumet pas à la loi de Washington ?

« Je ne veux pas négocier ici, répète de Gaulle. La France, pour retrouver sa place, ne doit compter que sur elle-même... Ce qui importe, c'est ce que l'on prend et ce que l'on sait tenir. »

Il quitte Washington pour New York. Il doit se baisser pour serrer la main du maire Fiorello La Guardia, petit homme rond débordant d'enthousiasme. La foule se presse devant l'hôtel de ville, chante *La Marseillaise*, crie « Vive de Gaulle, Vive le père de

Gaulle ». C'est le peuple qui est là, au comportement si différent de l'hypocrisie compassée des notables de Washington.

Il se rend dans les salons de l'hôtel Waldorf Astoria. Ici, il suffit d'un regard pour reconnaître les Français. Il passe parmi eux. Il perçoit de la curiosité. Il sait que, à New York, une partie de la colonie française lui a été hostile. Mais il veut balayer cela.

Il commence à parler de la France, de sa résurrection, et peu à peu sa voix se fait sourde, il sent que l'émotion de la salle le gagne. Ici, comme dans les rues de Bayeux, des femmes pleurent, des hommes tentent de cacher qu'ils sont bouleversés. *La Marseillaise* s'élève.

Il pense aux propos de Roosevelt qui, sous le sourire séducteur, manifestent la volonté de maintenir la France hors du cercle de ceux qui décident. Il y aura la façade d'un parlement des Nations unies, et derrière le pouvoir des quatre grands, et, masquée par celui-ci, la domination des États-Unis.

De cela il ne veut pas pour la France, parce qu'il voit ces visages bouleversés, qu'il entend ces voix qui chantent l'hymne national.

Plus tard, à Madison Square Garden, c'est la même émotion quand une voix, celle de la chanteuse noire Maria Anderson, entonne *La Marseillaise*, cependant que la salle se lève.

La France vit dans les cœurs, donc la France reprendra sa place.

Lorsqu'il arrive à Québec puis à Montréal et à Ottawa, il éprouve de la fierté et de la douleur. La France a laissé sa trace ici. Le maire de Montréal lance à la foule rassemblée Square Dominion et dans les rues avoisinantes : « Montrez au général de Gaulle que Montréal est la deuxième ville française du monde. »

Les cris et les acclamations déferlent.

De Gaulle se sent comptable de cette ferveur, de cette adhésion, de cette émotion. De cette identité, aussi, à la nation.

À Ottawa, il reçoit les savants français – Auger, Goldschmidt et Guéron – qui participent aux recherches atomiques américaines ultrasecrètes. La contribution française est importante, précisent-ils avec gravité. De Gaulle se souvient du stock d'eau lourde qui se trouvait à bord du contre-torpilleur *Milan* qui, le 16 juin 1940, le conduisit de Brest à Plymouth. Goldschmidt, maintenant, évoque la mise au point d'une arme atomique qui donnera aux États-Unis, dans quelques mois, les moyens de conclure la guerre et peut-être de dominer le monde. Il faut que la France, insistent les savants, reprenne dès que possible les recherches atomiques.

De Gaulle s'est figé. Tout à coup, un pan de l'avenir s'ouvre et cette certitude est une nouvelle charge dont il sent déjà le poids.

Il observe les savants. Leur gravité le frappe. S'ils ont raison, c'est tout le système des relations internationales qui sera modifié. Et que pourra une nation si elle ne dispose pas de ce nouvel instrument de la puissance et donc de l'indépendance ?

La France, une nouvelle fois, comme dans les années 30, demeurera-t-elle à l'écart des nouvelles données stratégiques ? Hier le tank, aujourd'hui cette arme qui s'ébauche ?

Il remercie les savants, dont le patriotisme le touche, le rend encore plus sensible à ses responsabilités.

Il quitte le Canada le 12 juillet.

Il apprend que les États-Unis viennent de reconnaître *de facto* l'autorité du gouvernement provisoire. Enfin ! Après des mois. Il est satisfait. Puis il poursuit la lecture de la dépêche. Les États-Unis précisent que cette reconnaissance vaut pour la « période de la libération ». Et après ? Se réservent-ils la possibilité de peser, de dicter leur loi ?

Craignent-ils que le peuple français ne soit pas souverain ? Ou redoutent-ils le choix de ce peuple ?

Près de lui, on se félicite de l'accueil si enthousiaste que le général de Gaulle a reçu de la population de New York.

Il pense à ces hypocrisies de Washington, à leurs réserves quant à la reconnaissance par les États-Unis du gouvernement provisoire, à cette puissance dont ils vont être dotés par l'arme atomique et aux projets de Roosevelt pour régenter le monde.

Il murmure en souriant :

— J'ai été acclamé par les Nègres, les Juifs, les estropiés et les cocus.

32.

Est-ce la longueur de ce voyage de retour ? Ou bien la chaleur bruyante d'Alger ce 13 juillet 1944 ? De Gaulle se sent écrasé de fatigue. Les traits de son visage sont comme affaissés. Le teint est plus gris. Il fume avec nervosité. Il veut rester seul dans ce bureau de la villa des Glycines dont on a tiré à demi les volets. Mais la lumière s'infiltre, dessine de larges traces incandescentes sur l'une des cloisons.

De Gaulle ferme les yeux. Il a l'impression, dès l'aéroport de Maison-Blanche et les premiers mots de Soustelle, d'être plongé dans une fournaise. Tout ici est chauffé à blanc. Les façades, les gens, la chaussée, ce bureau. Quel contraste avec Washington, New York ou Montréal ! La guerre y paraissait comme une abstraction, une référence lointaine.

Ici tout est brûlure, tragédie, souffrance et espoir, vie et mort.

Les premiers mots de Soustelle ont suffi pour faire jaillir le feu.

Mandel a été assassiné il y a quelques jours par la milice. Les Alliés refusent le plan Caïman destiné à transformer le Massif Central en forteresse libérée par des troupes aéroportées françaises. Et puis, le pire : les Allemands donnent en ce moment même l'assaut au maquis du Vercors. Des SS mongols ont été déposés en planeurs au centre de la zone. Ils massacrent. Ils torturent. Les maquisards appellent à l'aide. On ne peut rien.

Vie et mort.

Il se souvient de Mandel en juin 1940. Le ministre de l'Intérieur de Reynaud lui avait conseillé de ne pas démissionner du gouverneur Mandel menacé à Bordeaux, arrêté au Maroc par le souverain Noguès, Mandel auquel il a plusieurs fois écrit. A-t-il reçu cette dernière lettre : « La guerre est dure. L'issue est toujours incertaine. Mais il faut tâcher de tout prévoir, même le succès... Je tiens pour capital qu'une conjonction soit établie... entre vous et moi. Cela, sans interférence de personne. »

Mort, Mandel.

Torturés, morts, les combattants et les paysans du Vercors. Sans doute ont-ils cru qu'on pourrait les secourir. L'espoir d'une victoire rapide les a exaltés. Et puis sont venues les erreurs humaines.

Il se lève, appelle Soustelle, murmure : « Nous n'attendons la perfection ni des hommes ni des choses. » Mais que peut-on faire avec les hommes si on ne parie pas sur le meilleur d'eux-mêmes ?

Il a cette pensée en tête lorsque, quelques jours plus tard, il passe en revue les élèves aspirants de l'école militaire de Cherchell. La chaleur est si sèche, à cause du vent chargé de sable, qu'elle coupe le souffle, fouette. De Gaulle marche à pas lents. La garde du drapeau est figée dans un garde-à-vous minéral.

De Gaulle s'arrête en face de ces jeunes hommes. Il avait été si fier d'envoyer à son père la photo d'une revue de Saint-Cyr sur laquelle on l'apercevait. Il se trouvait à quelques hommes du porte-drapeau.

Il pense à Philippe. Il a la gorge nouée.

« Mes chers enfants, commence-t-il. Je suis content, très content et très honoré de voir aujourd'hui les élèves aspirants de l'école de Cherchell. »

Il regarde ces futurs officiers auxquels on a commandé de se mettre au repos, mais qui demeurent pour la plupart figés, les yeux tournés vers lui.

« L'atmosphère y est simple, claire, nette, militaire, reprend-il. On sent qu'il règne ici l'esprit de guerre, de renouveau... »

Il parle de la guerre, de l'œuvre qui restera à accomplir. Il ne peut détacher ses yeux de ces rangs immobiles. Il est étreint par la nostalgie de ce moment de la vie où l'on ignore les ombres et les marécages. La jeunesse, la sienne, avant, avant 1914.

« Mes enfants, reprend-il d'une voix forte, pour le moment,

vous avez la joie de servir, l'orgueil des armes, l'espoir des ambitions, et vous faites en même temps le plus joli rêve : le rêve de gloire auprès d'un étendard. »

Il se redresse. Il lance :

« Garde à vous !... Au revoir. »

À nouveau la fournaise. La lumière et la brûlure, l'espoir et l'inquiétude. Le chaos de l'histoire. Et la nécessité de maîtriser cette situation que chaque minute modifie.

Un télégramme de Parodi, qui, sous le nom de Quartus, représente à Paris le gouvernement provisoire, vient d'être déchiffré.

De Gaulle lit les premières phrases et l'émotion l'étreint. Son nom crié, le 14 juillet, dans les cortèges qui se sont formés un peu partout dans la capitale et la banlieue. Les drapeaux à croix de Lorraine ont été brandis. Des miliciens lynchés. « De Gaulle au pouvoir ! Vive de Gaulle ! »

Il lui semble entendre ces voix qui viennent à sa rencontre, enfin ! Et aussitôt, il se sent glacé par la responsabilité que cet élan risquait d'entraîner.

Maintenant, alors que la victoire est si proche, qu'on annonce même que des officiers de la Wehrmacht ont le 20 juillet 1944 tenté de tuer Hitler dans sa Wolfschanze, la « tanière de loup » – son quartier général de Rastenburg, en Prusse-Orientale –, une hésitation, une erreur, une faiblesse peuvent être fatales. Quatre années d'obstination et de sacrifices peuvent se consumer en un instant. Il faut tenir la barre, rester lucide et froid. L'émotion doit être refoulée, contenue au plus profond de soi. Il dit sèchement à Emmanuel d'Astier, commissaire à l'Intérieur :

– Vous êtes le ministre de l'État et non plus le chef d'un des mouvements de la Résistance.

Finies les querelles de clocher. Il s'agit de prévoir les tâches à venir.

Il monte à la tribune de l'Assemblée consultative. Il veut déjà dresser le programme du gouvernement de la France. Il martèle : « Régler la consommation, exclure le luxe, créer parmi les Français l'égalité de la capacité d'achat en un moment où le ravitaillement est insuffisant », voilà ce qu'il faut décider.

« J'ai dit rétablir l'État. Dans l'ordre politique nous avons choisi. Nous avons choisi la démocratie et la république », et nous voulons « rendre la parole au peuple ».

Le pays a besoin de renouveau, d'ardeur et d'ordre.

Il a un mouvement de mépris quand on lui apporte en hâte un télégramme en provenance de la Résistance, zone Sud. « Pétain propose de se mettre sous la sauvegarde des Forces françaises de l'intérieur et de faire une déclaration indiquant qu'il se retire et conseillant aux Français de suivre le général de Gaulle. »

Il lève les yeux, repousse ces feuillets. Voilà donc que se noie le naufragé de la vieillesse ! Pétain.

Et d'autres comme lui qui tentent de sauver leur mise !

Dépêches de Paris : Laval est allé libérer Édouard Herriot de son internement à l'hôpital de Mareville, près de Nancy. Puis on a déjeuné à trois avec Abetz, l'ambassadeur allemand. Laval rêve de convoquer à Paris la Chambre des députés de 1940 sous l'autorité d'Herriot, son dernier président. Elle assumerait le pouvoir après le départ des Allemands. Et naturellement, les Américains sont avertis, suscitent peut-être cette manœuvre. Le gendre de Laval n'est-il pas l'un des proches de Roosevelt ?

Tout pour écarter de Gaulle. Même ce « complot désespéré ».

Ils craignent tant une France souveraine qu'ils sont peut-être prêts à tout pour l'empêcher de surgir de cet abîme.

À Londres, les journaux lancent à nouveau leurs calomnies contre Passy, accusé d'être un « cagoulard » qui aurait ordonné de torturer des prisonniers au siège du BCRA.

Mépris : « Sachez et faites savoir à vos officiers que les attaques de l'étranger n'ont jamais en définitive fait aucun mal à un Français. »

Dans ces conditions, pourquoi accueillir Churchill qui passe par Alger ?

De Gaulle écoute l'ambassadeur Duff Cooper qui argumente toute une fin de journée, suggère, sollicite une entrevue, une visite au Premier ministre.

– Je n'ai rien à lui dire, répète de Gaulle.

Chaque jour il découvre une tentative des Alliés, plus ou moins importante, pour entamer la souveraineté française ou ne pas la reconnaître.

Intransigeance : voilà la seule attitude qui convient.

Les Anglais veulent réarmer les gendarmes dans les zones libérées ?

« Les gendarmeries dépendent de nous... dit de Gaulle, et si les Anglais ont des armes à nous fournir pour cela, ils n'ont qu'à nous les remettre à nous. Il faut absolument tenir bon. D'autant plus que nous allons l'emporter. »

Quant à Churchill, un petit mot.

« Mon cher Premier Ministre,

« M. Duff Cooper m'a dit hier que vous passiez ce matin quelques instants à Alger... À la réflexion, je pense qu'il vaut mieux que je renonce à vous voir cette fois et que vous puissiez prendre un peu de repos entre vos deux vols. »

Il faut que les Alliés réapprennent à respecter la France.

Il nomme le général Juin chef de son état-major. Car désormais la France a une armée de plusieurs centaines de milliers d'hommes, et on dénombre près de 50 000 combattants de la Résistance. Pour le débarquement de Provence qui doit se produire le 15 août, sept des onze divisions sont françaises sous le commandement du général de Lattre.

Il faut que les Français prennent conscience de leur renaissance.

La chaleur est étouffante dans ces petites pièces. Il se rend dans les studios de Radio-Alger. Son visage ruisselle. Mais peut-être est-ce aussi la tension de ces jours où les événements déferlent. Les Américains viennent de percer le front allemand à Avranches et se ruent vers l'est, la Seine, Paris, la Lorraine.

« Voici venue l'heure de la grande revanche, commence de Gaulle.

« Courage ! Union ! Discipline ! Français, debout, au combat ! »

Il est ému. Il vient de lancer l'appel au soulèvement national. Il fait quelques pas dans les couloirs, où l'on s'écarte, déférent. Il murmure :

« Nous rapportons à la France l'indépendance, l'Empire et l'Épée. »

Il rentre à la villa des Glycines. Il s'indigne. C'est cette France-là qui se bat, dont les Alliés continuent d'ignorer la souveraineté.

Il dicte pour le gouverneur militaire de la Corse :

« M. Winston Churchill n'a pas fait savoir au gouvernement français qu'il se rendait en Corse. En conséquence, je vous prescris, ainsi qu'à toutes autres autorités militaires et civiles en Corse, d'ignorer totalement sa présence. Veuillez communiquer ceci au préfet. »

Il éprouve une sensation nouvelle. Un étau le serre. Tout le corps est contraint. Il ne peut accomplir que peu de mouvements, comme si autour de lui la réalité s'était épaissie, de tous ces événements décisifs qui se succèdent. Il ressent le besoin d'économiser son énergie. Elle doit toute s'appliquer aux décisions à prendre.

Ce n'est que quand la nuit tombe et qu'il marche à pas lents dans le jardin de la villa des Oliviers que son corps se détend. Mais dès qu'il retrouve le bureau de la villa des Glycines, la pression s'exerce. Il a le sentiment d'être un chevalier qui doit prendre garde à droite, à gauche.

Il découvre une lettre personnelle de Fernand Grenier. Le commissaire communiste à l'Air dénonce ce qu'il appelle « la politique criminelle » qui a conduit à la mort des combattants du Vercors, « abandonnés », dit-il.

La colère saisit de Gaulle. Le parti du déserteur Thorez, des démarches auprès de l'occupant allemand, donne maintenant des leçons de patriotisme ! Voilà l'instant de la première épreuve de force. Il faut soumettre les communistes à la règle de l'intérêt national. C'est le moment.

Il entre dans la salle de réunions du gouvernement au palais Carnot. Il est sombre. Grenier a écrit : « L'heure est venue de fixer les responsabilités d'où qu'elles viennent. » En effet. De Gaulle s'assied. Il ne veut pas serrer de mains.

– Je vais vous donner lecture d'une lettre reçue ce matin, dit-il.

Il lit. Silence. Il se tourne vers Grenier.

– Vous désavouerez la lettre écrite par vous, sinon vous sortirez d'ici n'étant plus commissaire.

Il interrompt Grenier qui veut expliquer ses mobiles.

– Vous savez exploiter les cadavres ! lui lance-t-il.

Quelques minutes après, il suspend la séance. Il voit Grenier dialoguer avec François Billoux, l'autre commissaire communiste, puis rédiger sa lettre. Grenier la lit devant le Conseil d'une voix altérée.

— Bien, dit de Gaulle. L'incident est clos. Il n'en restera rien.

Les communistes ont plié. Ils plieront en France aussi, même s'ils contrôlent nombre des organisations militaires de la Résistance. Le chef régional des FFI pour l'Île-de-France est le colonel Rol-Tanguy, un ancien des Brigades internationales. Le COMAC, le Comité militaire d'action, le bras armé du CNR, a à sa tête deux communistes, Kriegel-Valrimont et Pierre Villon.

Il s'agit là de deux patriotes courageux, mais Paris est une tentation pour des hommes de parti. Qui le contrôle donne le ton à toute la France.

Il nomme Charles Luizet préfet de police de Paris, le général Chaban-Delmas délégué du général Kœnig dans la capitale, où se trouve déjà Alexandre Parodi, désormais commissaire du gouvernement, parce qu'il lui faut une autorité incontestée pour faire face aux éventuelles manœuvres communistes, ou à la volonté d'autonomie de la Résistance.

— Je vous recommande, lui dit-il, de parler toujours très haut et très net, au nom de l'État. Les formes et les actions multiples de notre admirable résistance intérieure sont des moyens par lesquels la nation lutte pour son salut. L'État est au-dessus de toutes ces formes et de toutes ces actions.

Il se voûte, se tasse, les poings fermés, les avant-bras repliés, appuyés au rebord de la table. Il est seul.

Sur le bureau, cette dépêche de Koenig qui annonce que la 2e division blindée du général Leclerc, après avoir débarqué le 1er août à Utah Beach, est engagée depuis le 11.

Il connaît Leclerc. Il sait que, pour lui, avoir sous ses ordres le fils du général de Gaulle signifie le placer en pointe, en première ligne. Juste conception de l'honneur et du devoir. Il pense à Philippe, au rôle de la 2e DB qui va être déterminant et symbolique : entrer dans Paris.

« Je tiens, écrit-il à Kœnig, à être constamment et personnellement tenu par vous au courant des opérations. »

Il consulte les dernières nouvelles du débarquement en Provence. L'opération a réussi, les Allemands se replient partout. Toulon et Marseille vont être libérées par des troupes françaises.

C'est donc maintenant qu'il peut se rendre en France. Il partira le 18 août.

Le 17, les Américains insistent pour qu'il n'utilise pas son avion personnel, peu sûr, disent-ils, mais une forteresse volante qu'ils mettent à sa disposition.

« Je vous remercie vivement de l'offre que vous voulez bien me faire, mais je compte utiliser le *Lockheed Lodestar* qui me sert habituellement. »

Il a confiance dans le colonel de Marmier qui pilotera. Le général Juin et les officiers d'état-major suivront dans la forteresse volante prêtée par les Américains.

Escale à Casablanca, exigent les Alliés. Visite incognito de la ville. La foule rassemblée, pourtant silencieuse et ardente, bras levés. Émotion.

« Quel destin que le vôtre », lui murmure le résident général.

Escale à Gibraltar encore, au nom de la sécurité. Forteresse volante en panne. Les Alliés insistent : le Lockheed n'est pas armé. Il faut une escorte, différer le départ.

Est-ce une ultime manœuvre pour l'empêcher de gagner la France ?

De Gaulle se lève. Il partira.

Il fume calmement dans la cabine. Moment où le destin peut disposer de sa vie : un incident mécanique, une attaque allemande et il n'atteindrait jamais le sol de France. Il n'a pourtant aucune inquiétude. Sa vie ne peut s'interrompre à cet instant. Il doit conduire sa tâche à son terme.

Le dimanche 20 août, vers 8 heures, il atterrit sur l'aérodrome de Maupertuis, près de Saint-Lô.

33.

Enfin ! Il marche sur ce sol. Il se moque de cette boue, de ce crachin qui devient pluie fine pénétrante, de ce vent aigre qui balaie la piste à peine balisée de Maupertuis. Il fait presque froid, ce 18 août. Il est sur la terre de France, non pas en visiteur toléré, regardé avec indifférence par les soldats étrangers, comme à Bayeux, mais en chef de gouvernement.

Il avance à grands pas vers cette grange transformée en une sorte de tour de contrôle. Une vieille voiture à gazogène, une celtaquatre, est arrêtée. Il voit le général Kœnig et François Coulet venir vers lui.

Enfin il va savoir. Paris ? interroge-t-il. Il n'y a, à cette heure, que cette priorité. Paris. Leclerc et sa 2ᵉ DB marchent-ils vers Paris ? Que font les Allemands de von Choltitz qui commande en chef dans la capitale ? On a capté un message de Hitler ordonnant de défendre Paris à tout prix, de détruire s'il le faut les ponts, les monuments, les bâtiments officiels.

Il faut voir Eisenhower. Paris doit être libéré.

Il écoute Kœnig tout en regardant cette campagne normande voilée par des nuages si bas qu'ils semblent coller aux prés et aux haies.

C'est l'été mais il est masqué. Comme la liberté de ce pays, tout enveloppée encore de manœuvres, d'ambitions et de périls.

Paris s'est insurgé, répète Kœnig. Tous les transports sont paralysés, et surtout, depuis hier, on tire dans les rues. La police s'est retranchée dans la préfecture de police et fait le coup de feu contre les Allemands. Rol-Tanguy et ses FFI se sont lancés dans l'insurrection. Détermination, enthousiasme, mais pas d'armes antichars. Les Allemands disposent de plusieurs milliers de soldats aguerris, de tanks qui pourront balayer les barricades qui commencent à surgir partout.

Il a une bouffée d'orgueil. Paris reprend le fil de son histoire. Puis il s'assombrit. Paris peut être écrasé et détruit. Des milliers de morts. Il pense à ces images de Varsovie en flammes, Varsovie insurgée elle aussi, le 1er août, et fusillée par les Allemands cependant que les Russes restaient l'arme au pied sur la rive de la Vistule, laissant égorger les patriotes polonais.

Paris ne doit pas être Varsovie. La situation ne doit pas être symétrique. Des Alliés craignant une prise de pouvoir par les communistes ou par de Gaulle et tardant comme les Russes à aider les insurgés.

Cela ne sera pas. Il le faut. Il le peut. Il compte sur Leclerc, sur le sens national des résistants, même communistes, sur l'intelligence de Parodi, de Luizet, de Chaban.

Il baisse la tête. Il y a péril. Il faut battre la puissance allemande ou la neutraliser. Il faut contrôler l'ambition communiste ou les débordements d'une population en armes. Il faut que Paris soit libéré par une troupe française. Il faut déjouer peut-être la « suprême intrigue » de Roosevelt, son soutien à la manœuvre de Laval, la résurrection sous le patronnage d'Herriot d'une Chambre des députés morte en juillet 1940.

Comment les Américains ne comprennent-ils pas que c'est là le meilleur moyen de faire naître le désordre, en poussant vers les communistes des Parisiens indignés ? Est-ce cela que l'on veut ?

La voiture s'arrête. De Gaulle aperçoit au-delà de la clairière la tente qui sert de quartier général à Eisenhower. Elle est dissimulée sous les arbres de la forêt proche de Granville. Il traverse à grandes enjambées la clairière. C'est comme si le ciel, les arbres et la terre suintaient.

Il entend la pluie, plus drue, marteler la tente. Eisenhower est chaleureux et cependant de Gaulle perçoit, au fur et à mesure qu'Eisenhower situe en montrant sur la carte les points atteints par les avant-gardes alliées, de la gêne.

Une flèche manque. Personne ne marche sur Paris.

« Du point de vue stratégique, commence de Gaulle, je saisis mal pourquoi, passant la Seine à Melun, à Mantes, à Rouen, bref partout, il n'y ait qu'à Paris que vous ne la passiez pas. »

De Gaulle fixe Eisenhower. Paris est pourtant le centre des communications. Et ce n'est pas un lieu quelconque, faut-il le dire !

– Le sort de Paris, de Gaulle hausse le ton, intéresse de manière essentielle le gouvernement français. C'est pourquoi je me vois obligé d'intervenir et de vous inviter à y envoyer des troupes. Il va de soi que c'est la 2ᵉ division blindée française qui doit être désignée en premier lieu.

Il faut que les choses essentielles soient claires et soient dites.

Eisenhower paraît mal à l'aise. Il promet que la décision d'offensive sur Paris va être prise, et la division de Leclerc sera chargée de cette opération.

– La Résistance s'est engagée trop tôt, ajoute-t-il.

– Pourqui trop tôt, répond de Gaulle, puisqu'à l'heure qu'il est vos forces atteignent la Seine ? Je suis prêt, si le commandement allié tarde trop, à lancer moi-même sur Paris la 2ᵉ division blindée.

Il est à nouveau dans la clairière, sous la pluie, se dirigeant lentement vers la voiture. Pourquoi cette réticence américaine à marcher sur Paris ? Pourquoi la division Leclerc est-elle passée sous la tutelle de la Vᵉ armée américaine et est-elle maintenue dans la région d'Argentan ? Est-ce pour permettre à une manœuvre politique – celle de Laval ? – de réussir à Paris ?

Il monte dans la voiture. Se rendent-ils compte, ceux qui jouent cette carte, des risques qu'ils font prendre à la population parisienne ? Leur politique qu'ils croient habile n'est que la politique du pire.

Tout à coup, des cris : « Vive de Gaulle ! », le son des cloches. On traverse un village qui, à l'exception de l'église, est détruit. Il faut s'arrêter, descendre, le maire pleure. On chante *La Marseillaise*, on repart et c'est le champ de ruines de Cherbourg. Le soleil perce. Les gravats encombrent les rues.

Les mêmes cris, la même ardeur. Il se sent soulevé par cet enthousiasme. Comment ne balaierait-il pas les derniers obstacles ?

« Allons, dit-il, la France doit vivre puisqu'elle accepte de souffrir. »

Il parle au milieu des ruines.

« Le calvaire que nous gravissons, dit-il, est la plus grande épreuve de notre histoire. Mais nous savons de quel abîme nous émergeons et nous savons vers quel sommet nous montons ! »

La Marseillaise est reprise plus tard à Coutances, à Avranches, à Fougères, à Rennes enfin.

La foule s'est rassemblée dans la nuit et sous la pluie d'averse. De Gaulle entend depuis le balcon de l'hôtel de ville cette rumeur de houle, ce nom scandé : « De Gaulle, de Gaulle ! »

Puis la nuit si courte, les nouvelles qui arrivent de Paris. L'échec du « complot désespéré » de Laval cependant que l'insurrection s'amplifie et que tout commence à manquer dans une ville paralysée. Hier, dit-on aussi, Pétain a été contraint de suivre les Allemands.

La fin.

Il regarde ces hommes rassemblés autour de lui dans les salons de la préfecture de Rennes. Tous les rouages administratifs recommencent à fonctionner. L'État reprend sa place avec les responsables nommés par le gouvernement provisoire. Il en est sûr. Il n'y aura pas de désordre majeur.

– Il faut maintenant rassembler la nation, dit-il, dès qu'elle sortira du gouffre. Mais tout dépend de Paris. Si Paris devient un brasier, un foyer de troubles, le lieu où s'affronteront les passions, alors tout peut basculer.

Il s'isole dans l'un des bureaux de la préfecture. Il va écrire à Eisenhower.

« Rennes, le 21 août 1944

« Mon cher général,

« Les informations que je reçois aujourd'hui de Paris me font penser qu'étant donné la disparition complète des forces de police et des forces allemandes à Paris, et dans l'état d'extrême disette alimentaire qui y règne, de graves troubles sont à prévoir dans la capitale avant très peu de temps.

« Je crois qu'il est vraiment nécessaire de faire occuper Paris au plus tôt par des forces françaises et alliées, même s'il devait se produire quelques combats et quelques dégâts à l'intérieur de la ville.

« S'il se créait maintenant une situation de désordre, il serait ensuite difficile de s'en rendre maître sans sérieux incidents et cela pourrait même gêner les opérations militaires ultérieures.

« Je vous envoie le général Kœnig, nommé gouverneur militaire de Paris. »

Eisenhower comprendra-t-il ?

Le jour du 22 août se lève. Il fait beau. Sur la place, devant l'hôtel de ville, des camions viennent se ranger. Ils assureront le transport de vivres vers la capitale dès qu'elle sera libérée. Mais quand ?

On apporte les dernières informations. Une trêve a été conclue à Paris, grâce à l'ambassadeur de Suède Nordling, entre le général von Choltitz et les représentants de la Résistance, Chaban-Delmas, Parodi. Les communistes avec à leur tête Rol-Tanguy ont condamné cette initiative. Trêve ?

De Gaulle a une « désagréable impression ». Voilà l'effet des lenteurs de l'offensive sur Paris. Le pourrissement d'une situation, l'absence de clarté, alors qu'il faudrait agir vite, trancher.

Il prend la route du Mans. Il s'arrête à Alençon, à Laval. Le commissaire de la République Michel Debré l'accueille à la préfecture. Un officier se présente, capitaine Trévoux, de la 2ᵉ DB. Il apporte une lettre du général Leclerc.

De Gaulle la parcourt. Et il est envahi par la joie. Il reconnaît bien là Leclerc, sachant décider et prendre des risques.

« Depuis huit jours, le commandement nous fait marquer le pas..., écrit Leclerc. Devant une pareille paralysie, j'ai pris la décision suivante : le commandant de Guillebon est envoyé avec un détachement léger, chars, automitrailleuses, infanterie, direction Versailles avec ordre de prendre le contact, de me renseigner et d'entrer dans Paris si l'ennemi se replie. Il part à midi et sera à Versailles ce soir ou demain matin. Je ne peux malheureusement en faire de même pour le gros de ma division, pour des questions de carburant et afin de ne pas violer ouvertement toutes les règles de subordination militaire... »

Voilà bien Leclerc. De Gaulle reste un instant rêveur, pensant à cet homme si proche de lui, qui dès le premier regard a conquis sa confiance et qui va libérer Paris après être parti du cœur de l'Afrique.

369

Il écrit rapidement.

                          « Laval, le 22 août 1944, 12 h

« Pour le général Leclerc

« J'ai vu Trévoux et lu votre lettre.

« J'approuve votre intention. Il faut avoir un élément au moins au contact de Paris sans délai.

« J'ai vu Eisenhower le 20.

« Il m'a promis que vous alliez recevoir Paris comme direction...

« Je coucherai ce soir au Mans et tâcherai de vous rencontrer demain. »

Nuit, longue nuit du Mans. Il entend les chants patriotiques qu'on entonne dans les rues. Il s'approche de la fenêtre. Il s'étonne du calme qui l'habite. Et pourtant les nouvelles venues de Paris ne sont pas qu'heureuses... Kœnig vient de câbler que « l'insuffisance de son armement rend indispensable l'arrivée des troupes alliées » même si « après trois jours de lutte tous les édifices publics sont aux mains de la Résistance ». Seulement, les Allemands disposent encore de plus de 20 000 hommes et de 80 chars.

Il se remet à arpenter ce salon de la préfecture. Les combats ont repris à Paris. La trêve est de fait rompue. Le pire est possible même s'il ne le croit pas probable.

Des heures passent. Les chants se sont éteints. Et tout à coup, ce bruit de voix, cette porte qui s'ouvre, « Leclerc a reçu l'autorisation d'Eisenhower de marcher sur Paris ».

Comment dormir alors que s'approche le moment tant attendu ?

Le lendemain matin, 23 août, sur la route de La Ferté-Bernard à Nogent-le-Rotrou, il se sent « entraîné par un fleuve de joie ». Et tout à coup c'est Chartres, pavoisée, les rues envahies par la foule.

Il dicte un câble pour le gouvernement à Alger.

« Je vous télégraphie de Chartres où je viens d'arriver. »

Et brusquement il s'interrompt, tant la phrase lui paraît miraculeuse. Il est à Chartres. Il lui vient sur les lèvres des vers de Péguy. Il murmure :

« Mère, voici tes fils qui se sont tant battus. »

Puis il recommence d'un ton froid à dicter. Quelle que soit l'émotion, le moment est à la maîtrise de soi.

« À Paris la situation est très tendue...

« L'accord avec les Alliés n'est toujours pas signé... Je comprends mal les raisons de ce retard.

« L'enthousiasme de la population est extraordinaire. Mais les problèmes demeurent.

« En attendant que l'ensemble du gouvernement vienne à Paris, il convient de constituer tout de suite autour de moi une délégation pour régler les problèmes immédiats... »

Il est un peu plus de 14 heures, ce 23 août, et le soleil illumine les vitraux de la cathédrale de Chartres. Au loin, l'ocre océan de la Beauce. France millénaire, France des blés où le regard se perd.

Un capitaine de la 2ᵉ DB, Janney, apporte un pli de Leclerc.

« Je viens d'arriver à Rambouillet avec un petit détachement précurseur de quelques voitures, écrit Leclerc. Malheureusement, les troupes de ma division ne peuvent être là avant ce soir... J'engagerai donc l'opération demain matin, au petit jour.

« Respectueusement. »

Demain 24 août, des soldats de la France Combattante, les meilleurs, ceux de juin 40, ceux du Fezzan, entreront dans Paris. L'histoire parfois rend justice.

Il écrit :

« Pour le général Leclerc

« Je reçois le capitaine Janney et votre mot.

« Je voudrais vous voir aujourd'hui.

« Je compte être à Rambouillet et vous y voir. »

Il hésite un instant, puis il ajoute :

« Je vous embrasse. »

Il roule vers Rambouillet, doublant les colonnes de chars et de véhicules blindés de la 2ᵉ DB. Philippe est dans l'un de ces engins. Que Dieu le laisse en vie !

Il le verra plus tard, à Paris, au moment de cette victoire qui s'annonce. Il a, aux moments les plus importants de cette guerre et de son destin, en juin 40 et lors de cette nuit du 5 au 6 juin 1944, voulu que son fils soit à ses côtés, comme le témoin intime de l'histoire, et comme celui qui, demain, continuerait les de Gaulle, en France, comme ils le firent depuis Azincourt. Il faut qu'il voie son fils à Paris.

Il est serein comme si l'émotion était un fleuve souterrain qui coule, tumultueux, mais dont on ne perçoit rien.

Il a reçu au Mans un groupe étrange, le frère du consul général de Suède, Rolf Nordling, le baron autrichien Pock-Pastor, officier de l'armée allemande, aide de camp de Choltitz et sans doute agent américain, et Jean Laurent, son ancien directeur de cabinet en 1940, aujourd'hui directeur de la Banque d'Indochine, accompagné du banquier Alexandre de Saint-Phalle. Ils ont proposé de réunir l'Assemblée Nationale de 1940, une nouvelle version du plan Laval-Herriot. Tout ce petit monde se soucie de la « transition » dans la légalité. Encadrer de Gaulle puisqu'on n'a pu l'écarter ! Il est resté impassible. Ils n'ont pas entendu l'émotion et la colère gronder.

Maintenant, il est installé dans un appartement du château de Rambouillet, sous les combles. Il pleut de nouveau à verse. Des éléments avancés de la 2e DB, commandés par le capitaine Dronne, sont parvenus jusqu'à l'Hôtel de Ville. Les cloches de la capitale ont sonné à toute volée.

Il imagine. Le fleuve en lui jaillit plus fort encore, impatient, mais il faut attendre avant de se mettre en route.

Il marche dans le parc, sous la pluie. Il arpente la terrasse. Il fait transmettre un message à Charles Luizet, préfet de Paris. Il compte, dit-il, à son entrée dans la capitale, se rendre non point à l'Hôtel de Ville où siègent le CNR et le Comité parisien de Libération, mais au « centre », au ministère de la Guerre, rue Saint-Dominique, parce que la France est en guerre, « parce qu'il faut établir que l'État, après les épreuves qui n'ont pu ni le détruire ni l'asservir, rentre d'abord tout simplement chez lui ».

On lui apporte les premiers journaux libres parus à Paris : *Combat*, *Défense de la France*, *Franc-Tireur*, *Front National*, *Libération*, *Le Figaro*, *L'Humanité*. Certains d'entre eux publient en grosses lettres :

« UN SEUL CHEF, DE GAULLE

UN SEUL AMOUR, LA FRANCE ».

Mais derrière ces proclamations, il devine les intentions politiques divergentes. Il lit l'article que publie François Mauriac dans *Le Figaro* : « Tandis que les pas de l'officier allemand ébranlaient le plafond au-dessus de nos têtes... nous écoutions les poings serrés, nous ne retenions pas nos larmes... " Le général de Gaulle va parler, il parle ! " Au comble du triomphe nazi, tout ce qui s'accomplit aujourd'hui sous nos yeux était annoncé par cette voix prophétique... »

Lui, si seul en juin 40, lui que Mauriac ne voulait pas écouter alors, ému seulement par les propos de Pétain.

C'est ainsi.

Il va marcher à nouveau sur la terrasse. Il fume un cigare en regardant passer les chars de la 2ᵉ DB.

Il faut qu'il entre rapidement dans Paris, dans les heures qui viennent, pour rassembler dans l'État ces forces qui, sans cela, il le sent déjà à lire ces journaux, peuvent diviser le pays.

Courcel vient lui annoncer que la radio britannique annonce la libération de Paris avec enthousiasme. On vient de recevoir un télégramme du roi George VI qui exprime sa « profonde émotion ». *La Voix de l'Amérique* a elle aussi diffusé la nouvelle, mais sans chaleur.

Il a un instant d'inquiétude. Cette annonce prématurée alors que rien n'est définitivement joué démoralisera-t-elle les troupes allemandes ou au contraire suscitera-t-elle une réaction du Führer ? L'envoi de renforts ? Le bombardement de Paris ? Tout à coup, voici Leclerc, vif, énergique, les yeux bleus dans son visage émacié à la peau tannée.

De Gaulle écoute Leclerc expliquer qu'il entrera demain dans Paris. Qu'il a chargé Billotte de diriger l'assaut en direction de l'hôtel Meurice où se trouve von Choltitz. Juste gloire pour Billotte, évadé de Poméranie, interné par les Russes et depuis fidèle et talentueux chef d'état-major.

De Gaulle fait quelques pas, s'éloignant de Leclerc. Il eût suffi de quelques divisions blindées commandées par des hommes comme ceux-là pour qu'en juin 1940 la France ne basculât pas dans l'abîme. Il en fait le serment, il ne laissera plus l'État, s'il le peut, s'enliser.

Il murmure à Leclerc : « Vous avez de la chance. »

Il regarde le général Leclerc s'éloigner d'un pas rapide, lançant sa canne en avant d'un mouvement nerveux. C'est comme une image de la jeunesse héroïque. La nostalgie, un instant, s'installe. Il pense à ce qu'il aurait ressenti s'il avait eu l'honneur de libérer Paris à la tête d'une division combattante.

Et tout à coup, cette angoisse, cette question qu'il n'a pas voulu poser à Leclerc : « Où est mon fils ? » Que Philippe vive cela, la libération de Paris.

Il entre dans sa chambre, commence à préparer le discours qu'aujourd'hui ou demain il devra prononcer. Il faut que les mots aient une force telle et soient chargés d'une si grande émotion qu'ils s'inscrivent dans les mémoires, qu'ils soient à la hauteur de l'événement.

Il sursaute. Le lieutenant Claude Guy, l'officier d'ordonnance, pose devant lui deux tomes des *Chroniques* de Froissart, trouvés dans la bibliothèque du château.

À quoi bon continuer à écrire ? Il commence à lire. L'histoire de la France à ses origines est là, dans ce récit qui souvent prend les accents d'une légende. Voilà le souffle qu'il doit retrouver demain, puisqu'il est celui qui continue l'histoire de la France.

C'est le matin du 25 août 1944. Il se promène dans le parc en compagnie de Claude Guy et de Geoffroy de Courcel. Il veut desserrer l'émotion qui le tenaille à la pensée de cette journée qui commence et qui va, comme le 18 juin, marquer toute sa vie.

Il s'arrête devant une statue de Diane. Il se souvient de son enfance, de son père, des vers de *Phèdre* qu'il récitait. Il les scande en grec.

Puis il revient lentement au château.

– Je me demande où est mon fils, murmure-t-il.

Il est 13 h 45, ce 25 août 1944. Il dicte une note pour le colonel de Chevigné, de la 2ᵉ DB.

« Je partirai de Rambouillet à 15 heures.

« Première destination : gare Montparnasse, où je compte vous retrouver.

« Mon itinéraire sera :   Porte d'Orléans
                          Avenue d'Orléans
                          Avenue du Maine
                          Rue du Départ
                          Hall de la gare Montparnasse.

« Veuillez prévenir le général Leclerc. »

34.

D'un geste, de Gaulle refuse la voiture blindée que le lieutenant Guy a prévue. Il s'indigne : c'est la voiture de Laval ! Et qu'est-ce que ces quatre automitrailleuses ? Va-t-il entrer dans une ville hostile, ennemie ? Il veut à sa suite deux ou trois voitures. Le général Juin et Boislambert dans la première. Il fait avancer devant le perron du château de Rambouillet une Hotchkiss noire, découverte. Il y monte. Il lève les yeux. Le ciel est d'un bleu méditerranéen. Il fait un signe. La voiture commence à rouler. Il se sent à la fois « étreint par l'émotion et rempli de sérénité ».

D'abord la forêt, puis la campagne et déjà des groupes qui crient : « Vive De Gaulle », et tout à coup la foule, envahissant les rues pavoisées de Longjumeau. Il faut ralentir. Il voit une femme avec un enfant dans les bras. Elle semble hypnotisée. Elle s'avance sur la chaussée. Il faut arrêter la voiture.

Porte d'Orléans. La multitude. Il se souvient de ce départ en juin 1940, de ce printemps noir où le ciel avait, comme aujourd'hui, les couleurs de l'été, comme pour rendre la tragédie plus sombre. Tout cela racheté, la fierté de la nation reconquise et cette « exultante marée » qui cerne la voiture, malgré les tirs qui crépitent. On se bat.

Il voudrait voir Philippe.

Il aperçoit la foule qui l'attend avenue d'Orléans, et sans doute est-elle ainsi rassemblée tout au long du boulevard Saint-Michel, jusqu'à l'Hôtel de Ville où sont réunis les membres du Comité parisien de Libération et du Conseil national de la Résistance.

Qu'ils attendent ! L'État doit marquer sa prééminence.

L'avenue du Maine est déserte.

Voici la gare Montparnasse, la foule impatiente, tumultueuse, encerclant les salles où sont rassemblés les prisonniers allemands. Leclerc s'avance sur le quai de la voie 21.

Il a obtenu la reddition du général von Choltitz, qui est en train de signer des ordres appelant les points d'appui de la Wehrmacht qui résistent encore à cesser le feu. Des officiers français, explique Leclerc, vont partir avec ses ordres accompagnés d'officiers allemands.

Maîtriser son émotion, s'asseoir calmement, lire le texte de la capitulation allemande. Chaque mot comme une poussée de joie. C'est le représentant du gouvernement de la République française qui a reçu la capitulation. De Gaulle lit lentement. Pourquoi cette phrase qui précise que la capitulation a aussi été reçue par le colonel Rol-Tanguy, commandant des FFI de l'île-de-France ? Pourquoi ces deux signatures au bas du document ? Il lève la tête. Cet homme jeune au visage régulier, coiffé d'un calot, c'est le général Chaban-Delmas. De Gaulle hésite. Si jeune, ce général ! Il lui donne l'accolade. Cet homme qui se tient près de Chaban-Delmas est Rol-Tanguy.

Cette signature à côté de celle de Leclerc, c'est la sienne.

Erreur et faute politique.

Ce matin même, le CNR, dans un communiqué, s'est présenté comme « la nation française ». Aucune allusion au gouvernement provisoire, à de Gaulle. Comment Leclerc n'a-t-il pas saisi que le risque existe de voir l'État dépossédé de ses pouvoirs, concurrencé par un deuxième pouvoir, celui des milices patriotiques, du Comité d'action militaire, dominé par les communistes ? Et dont Rol, valeureux combattant, patriote, est aussi le porte-parole ?

Il fixe longuement Rol. La France sera la plus forte. Il serre la main de Rol. Puis il entraîne Leclerc à l'écart.

Choltitz ne s'est pas rendu à Rol-Tanguy mais aux hommes de la 2ᵉ DB, commence-t-il.

– D'autre part, vous êtes, dans l'affaire, l'officier le plus élevé en grade, par conséquent seul responsable. Mais surtout, ce libellé procède d'une tendance inacceptable.

Il fait quelques pas. Même au cœur de la joie, dans ces instants suprêmes d'unité, il faut être vigilant.

« Sous les flots de la confiance du peuple, les récifs de la politique ne laissent pas d'affleurer. »

Il se tourne vers Leclerc :

– Pourquoi croyez-vous que je vous avais nommé gouverneur militaire de Paris par intérim dès Alger, si ce n'est pour prendre sous votre autorité toutes les forces avant l'arrivée de Kœnig ?

Les choses sont dites.

Il donne l'accolade à Leclerc et le serre longuement contre lui.

Tout à coup, au moment de quitter la gare et alors que les clameurs continuent de retentir, il aperçoit dans la foule des officiers ce visage maigre qui paraît encore plus émacié sous la large casquette d'officier de marine.

Émotion. Philippe, enfin.

– Viens avec nous, tu m'accompagnes, lance de Gaulle.

Philippe paraît hésitant. Il y a eu confusion. On l'a convoqué à la gare Montparnasse pour y rencontrer le général de Gaulle et sur place on a cru qu'il était l'un des officiers chargés de se rendre comme parlementaire auprès des points de résistance allemands.

– Mon général, dit Leclerc, l'enseigne de vaisseau de Gaulle a une mission. Il faut qu'il aille la remplir.

Déception. Angoisse. Ce fils à peine entrevu est à nouveau lancé dans le danger. De Gaulle le prend aux épaules, le serre, l'embrasse sans dire un mot.

Le devoir déchire.

Il garde cette image de son fils devant les yeux. Elle masque tous ces visages qui l'entourent alors qu'il sort de la gare, qu'on lui fraie un passage parmi la foule. Il monte dans la voiture découverte. Il aperçoit Boislambert et Juin qui sont dans la voiture qui précède. Le Troquer, membre du CNR au titre du parti socialiste, est dans la dernière voiture.

On emprunte le boulevard des Invalides. Il a la curieuse impression, émouvante, de remonter le cours du temps. Si brève, une vie. Il reconnaît les façades des immeubles. Tout semble immuable. Et pourtant si extraordinaire, ce périple de sa vie, qui le reconduit ici, place Saint-François-Xavier.

Tout à coup, des rafales. On tire depuis des balcons. Le cortège se disloque. Il voit Boislambert et Juin bondir, armes à la main, s'engouffrer dans un immeuble. Il reste impassible, la voiture accélère, prend la rue Vaneau et la rue de Bourgogne.

Voici la rue Saint-Dominique, le 14, l'hôtel de Brienne, ministère de la Guerre. On tire des immeubles voisins. Il descend dans la cour. Il est de retour.

Rien n'a changé. Il reconnaît les armures dans le vestibule, les huissiers, les tentures. Il entre dans le bureau de Paul Reynaud. Il se souvient de cette nuit du 10 juin 1940, quand Mandel téléphonait pour avertir que Paris n'était plus sûr, qu'il fallait le quitter.

Mandel est mort. Mais « sur la table, le téléphone est resté à la même place et l'on voit inscrits sous les boutons d'appel exactement les mêmes noms ».

La mesure des vies. La mesure de l'Histoire. Il a un sentiment étrange. Rien ne manque ici « excepté l'État. Il m'appartient de l'y remettre ».

Il va et vient en fumant dans ce qui fut son bureau. Les portraits de Carnot et du Dauphin, fils aîné de Louis XV, sont toujours accrochés de part et d'autre de la cheminée. Il se réapproprie l'espace et le présent. Il écoute Alexandre Parodi et Charles Luizet qui rendent compte de la situation. Ils insistent pour qu'il se rende immédiatement à l'Hôtel de Ville où les membres du CNR s'impatientent.

Qu'ils attendent, dit-il avec un mouvement d'impatience. Il se rendra d'abord à la préfecture de police. Puis, tout en allant et venant, il précise que demain, samedi 26 août, il descendra les Champs-Élysées, de l'Arc de Triomphe à la Concorde. Ensuite, il se rendra à Notre-Dame pour le Magnificat.

Des risques ? Il sent Luizet et Parodi enthousiasmés et inquiets. Les Allemands, des collaborateurs, des miliciens, grouillent dans Paris en armes. On se bat au Bourget. Un retour des Allemands en force n'est pas impossible. Hitler peut déclencher une attaque aérienne sur la foule qui se rassemblera par millions. Des troubles peuvent éclater à tout instant. La panique, affoler les présents. Un attentat contre le général de Gaulle peut être tenté.

La 2ᵉ division blindée participera à la cérémonie, dit-il seulement.

Il ne veut pas entendre les objections de Parodi et de Luizet. Il sait bien qu'à chaque instant une tragédie peut couvrir d'un grand voile de sang ces heures d'enthousiasme. Mais la France a besoin de cette apothéose, de cette fusion des Français qui vont se reconnaître, après ces années de honte et d'oubli. Ce sera le signe de la résurrection.

– Le défilé, dit-il, fera l'unité politique de la nation.

Il sent l'angoisse de ceux qui l'entourent, Luizet, Parodi, Juin, Le Troquer. Il devine leurs pensées lorsqu'il entre dans la cour de la préfecture de police, et passe en revue ces hommes qui, il y a quelques semaines encore, saluaient avec respect les officiers ennemis et appliquaient souvent avec zèle des lois indignes. Mais à la fin des fins, ils se sont insurgés. Ils ont lavé leurs fautes et leur lâcheté dans le sang de ceux qui sont tombés dans les combats. Ils sont fiers à nouveau.

Ils lancent des hourras qui l'accompagnent alors qu'il sort de la préfecture et se dirige à pas lents vers l'Hôtel de Ville. La foule l'entoure. Elle s'ouvre pour le laisser passer. Il est la figure de proue. Chacun, ici, par lui, veut recouvrer sa dignité. Pour chacun, ce moment est un acte de baptême. Pour lui aussi.

Il lève la tête. Le long crépuscule d'août incendie le ciel, sous lequel roulent les clameurs.

Voici l'Hôtel de Ville, une garde d'honneur de jeunes hommes. Il salue Bidault, président du CNR, qui lui présente les membres du Conseil et les représentants du Comité parisien de Libération réunis dans ce grand salon dont les fenêtres ouvrent sur la rumeur enthousiaste qui ne cesse pas.

Il suffit d'un regard. L'union, à cet instant, est faite, quelles que soient les divergences, les arrière-pensées, qu'il faudra surveiller, contenir, combattre. Mais c'est le moment de l'élévation.

– Moi, ce soir, je crois à la fortune de la France, dit-il.

Il écoute les discours. Les mots sont dignes. Les gestes comme ralentis. Et brusquement, c'est le silence. Il fait un pas. Il écarte les bras, les phrases le traversent, lui d'abord, de part en part, et c'est comme s'il lisait ces mots qu'il a médités depuis hier soir, lorsqu'il feuilletait à Rambouillet les *Chroniques* de Froissart. Il en a les larmes aux yeux, mais la voix est ferme et forte. C'est lui qui parle et ce sont les mille voix de la nation qui s'expriment.

« Ah, pourquoi voulez-vous que nous dissimulions l'émotion qui nous étreint tous, hommes et femmes qui sommes ici chez nous, dans Paris debout pour se libérer et qui a su le faire de ses mains ? Non ! Nous ne dissimulerons pas cette émotion profonde et sacrée. Il y a là des minutes qui dépassent chacune de nos pauvres vies !

« Paris ! Paris outragé ! Paris brisé ! Paris martyrisé ! Mais Paris libéré, libéré par lui-même, libéré par son peuple avec le concours des armées de la France, avec l'appui et le concours de la France tout entière, de la France qui se bat, de la seule France, de la vraie France, de la France éternelle. »

Il parle et la foule, dehors, sans l'entendre, porte ses paroles : « La guerre, l'unité, la grandeur », dit-il. « Le libre suffrage universel. » Un régime où « aucun homme, aucune femme ne puisse redouter la faim, la misère, les lendemains ». Et puis ce « devoir de guerre qui exige l'unité nationale ». « La nation n'admettrait pas, dans la situation où elle se trouve, que cette unité soit rompue. »

Il crie : « Vive la France ! »

Il monte sur le rebord d'une fenêtre. Il se tient debout dans l'embrasure. Il sent qu'on le retient, qu'on s'inquiète. Il est une cible si facile à atteindre. Mais il ne craint rien. Comment ne comprennent-ils pas que, ce soir, le ciel comme une mer Rouge s'est ouvert pour laisser passer la France ?

Il se retrouve dans le salon. Georges Bidault, entouré des membres du CNR, s'avance. Les visages sont à nouveau crispés. C'en est fini pour ce soir de la grâce.

– Mon général, commence Bidault, nous vous demandons de proclamer solennellement la République devant le peuple ici rassemblé.

De Gaulle fait une moue de dédain.

– La République n'a jamais cessé d'être, dit-il. La France Libre, la France Combattante, le Comité français de Libération nationale l'ont tour à tour incorporée. Vichy fut toujours nul et non avenu. Moi-même suis le président du gouvernement de la République. Pourquoi irais-je la proclamer ?

Il observe un instant ces hommes courageux, ces patriotes. Il devine à leur expression leur déception et déjà leur rancœur. Il leur tourne le dos. Il faut qu'ils l'apprennent, leur histoire, leur combat doit prendre sa place, mais seulement sa place dans l'histoire de la nation. Leur lutte n'est que la pièce d'un puzzle. Mais c'est la nation et l'État qui sont le tout. Et il ne recommence pas la France, il la continue.

De Gaulle regagne le ministère de la Guerre. On tire encore ici et là. On se bat toujours au Bourget.

Dans les salons du ministère qu'il traverse, dans la salle à manger qu'éclairent des lampes à pétrole et des bougies, car le courant vient d'être coupé, il se tait. Les mots se sont taris. Il perçoit déjà autour de lui le murmure des ambitions, des divisions, des rivalités. Il ne veut pas être mêlé à cela.

– Que pensez-vous, mon général, des chefs de la Résistance ? lui demande-t-on.

Il lève à peine les yeux.

– Ils ont besoin de dormir, dit-il.

Nuit déchirée par les détonations sèches des armes automatiques. Mais le matin, à l'aube, les chants d'oiseaux montent du parc. Le ciel est comme un dais bleu de France. C'est aujourd'hui, samedi 26 août, que doit se refermer la plaie ouverte sous le ciel aussi bleu du printemps de 1940.

Un officier lui apporte l'ordre du général américain Gerow, communiqué à l'aube, ce matin, par le général Leclerc.

« Je crois savoir que vous avez reçu du général de Gaulle l'instruction de faire participer vos troupes à une parade cet après-midi à 14 heures, écrit Gerow. Vous ne tiendrez pas compte de cet ordre... Les troupes sous votre commandement ne participeront pas à la parade ni cet après-midi, ni à aucun moment, sauf sur ordre que j'ai j'aurai signé personnellement... »

S'il ne fallait pas garder ce message pour les archives, il le déchirerait. Un général américain demande à être reçu. Il confirme l'ordre de Gerow. De Gaulle l'écarte d'un mot :

– Leclerc a toujours fait ce que je lui demandais... même quand je ne lui demandais rien !

Il regarde l'officier américain s'éloigner, décontenancé. Resteront-ils toujours aussi aveugles et sourds devant les exigences d'une nation qui répond à l'appel de son histoire ?

Elle est là, l'Histoire, le 26 août 1944. Devant lui, de l'Étoile à la Concorde, vivante dans cette foule.

« Ah ! c'est la mer ! »

Des millions de visages, les drapeaux, les uniformes des hommes de la 2ᵉ DB et les croix de Lorraine sur les brassards. Des groupes sur les toits, d'autres « accrochés à des échelles, des mâts, des réverbères ». « Ce n'est qu'une houle vivante dans le soleil sous le tricolore. »

Il avance sur la place de l'Étoile, qu'un barrage de chars coupe par le milieu. Mais la foule déborde pendant que la musique des gardiens de la paix ouvre le ban. Les cris « Vive De Gaulle » déferlent. Il marche lentement. Il faut vivre cet instant et en même temps ne pas se laisser engloutir par ce flot.

Il est celui que la nation doit porter, soulever, soutenir, et qui ne doit pas cesser de veiller.

Il dit : « Quelle pagaille, qui est-ce qui est responsable de l'ordre ici ? »

Il entend, dominant parfois la clameur, les annonces des voitures haut-parleurs qui descendent et remontent les Champs-Élysées : « Le général de Gaulle confie sa sécurité au peuple de Paris. Il lui demande de faire lui-même le service d'ordre et d'aider dans cette tâche la police et les FFI fatigués par cinq jours de combat. »

Il voit quatre chars s'ébranler, puis un cordon d'agents, de FFI, de secouristes, de soldats derrière eux, des motocyclettes, des side-cars, des jeeps, et, seul dans un espace vide, un huissier en habit noir, plastron blanc, chaîne d'argent.

Allons.

Il marche d'un pas lent. Il répond aux vivats. Il entend. Il voit et se voit, levant et baissant les bras. Il voudrait croiser chaque regard, s'attarder sur chaque visage. Toutes ces vies rassemblées et chacune exprimant un destin singulier.

Il se tourne à droite, à gauche. Ils marchent près de lui, ceux de la Résistance, Le Troquer, Bidault. Et puis Parodi, Pleven, Leclerc, Juin, Thierry d'Argenlieu, Kœnig, tous les autres, compagnons de juin 40.

Il pense aux siens. À Philippe, qui se bat au Bourget, à son père. Il voit dans la foule « ces enfants si pâles » et la douleur le leste tout à coup. Anne, petite Anne, ma souffrance au cœur de l'espérance.

Là, une vieille pleure, ici un homme crie merci. Des femmes sourient.

« Il se passe en ce moment un de ces miracles de la conscience nationale, un de ces gestes de la France qui parfois au long des siècles viennent illuminer son histoire. »

Il va à la tête d'une foule qui s'écoule au milieu de deux foules, dans le soleil d'août. Il se sent à la fois tout et rien. « Il remplit une fonction qui dépasse de très haut sa personne. » Il ne sert que d' « instrument au destin ».

Il marche au milieu de ces « innombrables Français ». « Ah, comme vous vous ressemblez ! »

Cette foule lave l'avenue souillée par l'occupant, et « l'histoire ramassée dans ces pierres et dans ces places, on dirait qu'elle nous sourit ».

Il monte dans la voiture découverte place de la Concorde. Et tout à coup, des tirs. Les gens se jettent à terre. Et à nouveau des tirs quand il entre dans Notre-Dame. Des éclats de pierre giclent. On tire depuis les galeries au-dessus de la nef. Il ne regarde que les vitraux. Il chante le Magnificat. Il n'a pas voulu que Mgr Suhard, qui a accueilli Pétain ici il y a quatre mois, célèbre la cérémonie. Les tirs continuent. Il descend l'allée centrale. Les gens se sont couchés. Il voit une femme qui a même relevé ses jupes pour se cacher la tête.

On tire sur le parvis. Il est debout, immobile, ne voyant sur le parvis que ces gens allongés. Leclerc, de sa canne, frappe la tourelle d'un tank pour que celui-ci cesse le feu.

Mourir ici ? Dieu décide.

Allons. Il monte dans la voiture.

Des coups de feu encore rue Saint-Dominique. Et il apprend que des fusillades ont éclaté à l'Étoile, au Rond-Point des Champs-Élysées, à l'Hôtel de Ville.

Qui ? Allemands, miliciens ? On a arrêté deux d'entre eux, dont l'assassin de Mandel, qui se préparaient à l'Hôtel de Ville, hier soir, à tenter de l'abattre.

Qui ? Peut-être ceux qui, en maintenant un climat de désordre et d'inquiétude, espèrent contrôler le pays, s'emparer du pouvoir.

Il regagne son bureau. C'en est fini des défilés. Il faut rétablir partout l'autorité de l'État, l'ordre, le règne de la loi républicaine.

La nation est à reconstruire, elle est en guerre. Ces ébranlements sourds sont les explosions des bombes que l'aviation allemande lâche sur Paris, comme pour se venger de ce triomphe qu'elle n'a pu interdire.

C'est la guerre. Philippe qui se bat et qui, comme des dizaines de milliers d'hommes, peut mourir.

Il lit en marchant dans le bureau la lettre du général Leclerc écrite à son PC avancé.

« Combats sérieux », commente Leclerc.

De Gaulle s'interrompt. Stains, Le Bourget. Un flot de souvenirs, Henri de Gaulle qui racontait ses combats à Stains et au Bourget en 1871.

« Quelques-uns de nos bons officiers de la première heure y sont encore restés..., poursuit Leclerc. Un de mes cousins germains, lieutenant au régiment du Tchad, a été tué. Je croyais nos types épuisés par les efforts de ces derniers jours. Ils ont une fois de plus atteint les objectifs fixés par le commandement allié pendant que les Américains, à droite et à gauche, sont en retard. »

De Gaulle s'assied. C'est notre sol.

« L'énorme majorité de la population magnifiquement française et nationale, ajoute Leclerc, ne demande qu'à être commandée pour refaire la France (On veut de l'autorité).

« J'ai eu des contacts intéressants avec des officiers FFI... Ils m'ont affirmé que le Front National avait tout essayé pour utiliser au profit du " parti " l'enthousiasme français. L'affaire a manqué... Les dirigeants, même nommés par votre gouvernement, sont bien timides. Voilà, je crois, un des nœuds du problème... Votre tâche n'en sera pas facilitée, mon général.

« Veuillez croire, mon général, à l'assurance de mon entier et respectueux dévouement qui n'a fait que croître depuis le Cameroun 1940. »

Leclerc fidèle, héroïque, enthousiaste, le plus proche de ses compagnons. Il relit les dernières lignes de sa lettre. Sans doute les « tirailleries » du 26 août étaient-elles bien une tentative de provocation. Il feuillette les journaux de ce dimanche 27 août. *L'Humanité* titre : « Paris vainqueur salue en la personne du général de Gaulle la France maintenue, la Résistance victorieuse, la lutte armée qui a sauvé le pays. » Phrase habile. Il découvre un article en première page, selon lequel « une délégation des femmes et des Francs-tireurs et partisans français s'enquiert à *L'Humanité* du retour de Thorez ». Et une photo titrée : « Des officiers du général Leclerc rendent visite à *L'Humanité* ». Un encart précise : « Il reste encore la 5ᵉ colonne à écraser. » C'est comme si la stratégie du parti communiste se déployait sur cette première page du journal communiste : assimiler la Résistance aux communistes, tenter même d'annexer l'armée, obtenir par une pression populaire organisée le retour du déserteur Thorez, et se servir de l'« épuration », de la traque de la « 5ᵉ colonne » pour tenir le pays. Mais il faudrait pour cela réussir à « noyer » de Gaulle sous les éloges. Et le compromettre.

Ils se trompent. Il va réagir.

Il reçoit le Conseil National de la Résistance. Ces hommes se sont bien battus. Il les félicite. « Mais, dit-il, c'est le gouvernement qui assume la responsabilité entière. »

Il précise d'une voix abrupte : « Les organismes supérieurs du commandement et des états-majors des Forces de l'intérieur existant à Paris sont dissous à compter du 29 août 1944. » Immatriculation de tous les officiers, gradés et hommes des Forces de l'intérieur, ainsi que recensement des armes et du matériel.

Il demeure impassible alors que des membres du CNR protestent, s'indignent, quittent le bureau en marmonnant, peut-être des avertissements et, qui sait, des menaces.

Qui craindre quand on fait son devoir ?

Il s'abandonne, le temps d'un dîner, à un regain d'amertume, comme si, après ces moments d'exaltation, patauger dans le marécage quotidien devenait insupportable :

« Incorrigibles et ingouvernables..., lance-t-il. Mouscaille de la France malgré tout ! Resquille de tous bords ! »

Personne ne commente.

On dîne de rations américaines, de bœuf en gelée, de sardines à l'huile provenant de stocks de l'armée allemande. Heureusement, le vin est convenable et le pain frais. Il tourne la tête vers Philippe, venu dîner. Le fils de François Mauriac, Claude, qui depuis deux jours travaille au secrétariat, est assis près de lui. Maurice Schumann voisine avec le lieutenant Guy et l'aide de camp Teyssot.

De Gaulle allume un cigare.

– J'admire la monarchie, dit-il, qui a pu se maintenir en France pendant si longtemps. C'est que les rois ont su rester populaires... Avec Louis XIV, le pouvoir royal s'éloigne du peuple, et c'est la fin...

Il se lève. Si le peuple est avec soi, tout est possible. S'il se dérobe, alors il faut partir, car au bout il n'y a que le désastre, pour soi, pour le pays.

Il se répète cela, lorsqu'il apprend que Pétain est à Sigmaringen, en Allemagne, et qu'il a vainement essayé de prendre contact avec lui.

« Quel aboutissement ! Quel aveu ! »

Il songe au chef militaire glorieux qu'il a connu, il y a si longtemps, avant sa « mort » en 1925, il pense à l'extrême vieillesse du Maréchal, à sa politique de collaboration et d'asservissement à l'ennemi. Une « tristesse indicible » l'étreint. Il a besoin de s'épancher, de parler aux siens.

Il commence à écrire :

« Ma chère petite femme chérie,

« J'ai vu Philippe qui va parfaitement et s'est très bien battu et se bat encore.

« Tout va très bien. Hier, manifestation inouïe. Cela s'est terminé à Notre-Dame par une sorte de fusillade qui n'était qu'une tartarinade. Il y a ici beaucoup de gens armés qui, échauffés par les combats précédents, tirent vers les toits à tout propos. Le premier coup de feu déclenche une pétarade générale aux moineaux. Cela ne durera pas. Je suis au ministère de la Guerre, rue Saint-Dominique. Mais c'est provisoire. Quand tu viendras, nous prendrons un hôtel avec jardin du côté du bois de Boulogne pour habiter et j'aurai mes bureaux ailleurs.

« Donne une réponse au général Juin qui repartira pour Paris deux jours après son arrivée à Alger et qui te porte cette lettre. Donne-lui aussi du linge et des souliers pour moi...

« Je t'embrasse de tout mon cœur... Mille affections à Élisabeth et Anne.

« Ton pauvre mari,

Charles. »

Oui, il se ressent « pauvre ».

Il se tasse au fond de la voiture qui roule lentement dans les rues de Paris. Il veut voir les quartiers. La voiture ralentit. On le reconnaît. On applaudit, un attroupement se forme. Il répond d'un geste de la main. Cette popularité l'écrase autant qu'elle l'exalte. Il est si conscient de l'immensité de la tâche et de la faiblesse de ses moyens. Pauvre homme face au destin d'une nation qu'il doit assumer seul.

Il écrit à Henri Queuille à Alger :

« J'attends avec beaucoup d'impatience l'arrivée du gouvernement ici... »

Un jour plus tard, il dicte un câble : « Je ne puis comprendre comment ni pourquoi les membres du gouvernement ne sont pas arrivés à Paris malgré mes appels réitérés. Je ne puis comprendre davantage comment ni pourquoi vous me laissez sans aucune communication de vous depuis mon départ d'Alger... Je vous invite donc tous de nouveau de la manière la plus formelle à me rejoindre... »

Le sentiment d'urgence ne le quitte pas.

Il voit les queues devant les boutiques. Chaque jour, des coupures d'électricité paralysent l'activité. Et le soir, on apporte dans son bureau une lampe.

Il faut redresser le pays. Dans quelques départements du Sud-Ouest, dans certaines villes, l'autorité du gouvernement est contestée par des « résistants », communistes le plus souvent.

Il ne s'inquiète pas. Mais il faut que la situation rentre dans l'ordre. Car il suffirait que le chaos s'installe pour que les alliés en profitent pour refuser à la France sa place et qu'ils trouvent dans le pays des appuis.

Il a reçu Eisenhower au ministère. Le général est compréhensif mais il n'apporte qu'une reconnaissance du gouvernement par les seules autorités militaires américaines. Washington n'est pas encore allé au-delà ! Il faut qu'à compter du 31 août le gouvernement ait son siège à Paris, que la France assure partout, à l'intérieur de ses frontières et dans l'Empire, sa souveraineté.

Il écoute Maurice Schumann qui rapporte les propos des uns et des autres.

« Certains Français pensent encore, dit Schumann, que vous avez payé la France au prix de l'Empire. »

Il évoque la présence des Anglais et des Américains en Afrique du Nord, en France. De Gaulle le regarde longuement, puis, d'un ton rogue, lance :

– Dites-vous bien qu'ils ne s'en iront que lorsque nous les foutrons dehors !

C'est la fin de l'après-midi du 31 août 1944. Voilà une semaine que le capitaine Dronne est arrivé sur la place de l'Hôtel-de-Ville, en avant-garde de la 2e DB.

Il pense à ces centaines d'hommes qui sont tombés pour la libération de Paris : 600 soldats, 28 officiers, 2 500 membres des FFI, et plus de 1 000 civils.

Vrais combats. Mais Paris intact, Paris vivant, Paris qui a échappé au sort de Varsovie, comme si, oui, la main de Dieu, en ce mois d'août, s'était étendue au-dessus de la ville.

Il est seul dans son bureau. Il écrit à Yvonne de Gaulle. Leur fils est vivant. Et de cela aussi il faut remercier Dieu.

« Philippe a regagné son régiment qui est au Bourget après avoir contribué à le prendre, écrit-il. Ils sont maintenant au repos et l'ont bien mérité... Philippe s'est parfaitement bien conduit. Nous pouvons en être fiers. »

Huitième partie

1er septembre 1944 – 18 juin 1945

Pour ce qui est des rapports humains, mon lot est donc la solitude.

Charles de Gaulle, *Mémoires de guerre*, tome II, *L'Unité*.

35.

De Gaulle est assis, les yeux mi-clos, dans la salle à manger d'apparat du ministère de la Guerre. On vient de servir le dessert. Il allume son cigare, aspire les premières bouffées et, durant quelques secondes, n'écoute plus Georges Duhamel. L'écrivain est placé en face de lui.

Il n'entend plus qu'un murmure, comme s'il s'était tout à coup éloigné, détaché. Il s'aperçoit dans la grande glace au cadre doré qu'entourent deux lourdes draperies. Il regarde son image voilée par la fumée. Il est cet homme aux cernes profonds, aux cheveux plaqués, aux traits creusés mais vigoureux. Il se sent jeune. Il serre le cigare entre ses dents, se penche vers Georges Duhamel.

Le secrétaire perpétuel de l'Académie française n'en finit plus d'évoquer les problèmes de la Compagnie. L'Académie vient d'expulser deux de ses membres compromis dans la collaboration. Mais elle a refusé de chasser Maurras de ses rangs.

— Même ton père, dit Duhamel en se tournant vers Claude Mauriac. Et maintenant, continue Duhamel, se pose le cas Pétain. L'Académie est unanime pour faire silence.

De Gaulle hoche la tête.

Duhamel interroge :

— Que feriez-vous du Maréchal ?

— Et que voulez-vous que j'en fasse, cher Maître ? Je lui assigne-rai une résidence dans le Midi, et il attendra que la mort vienne l'y prendre...

De Gaulle se lève. Il se souvient.

— J'ai vu mourir Pétain en 1925, dit-il.

L'ambition sénile. L'entourage. À partir de cette date, le Maréchal abdiqua toute conscience.

— Dans les années 34, murmure-t-il, cela le conduisit à faire partie de la cinquième colonne.

Il salue Duhamel. Il se retire dans son bureau.

On attend tout de lui, qu'il juge et qu'il fasse des miracles. Qui se rend compte des difficultés ?

Il a reçu ces derniers jours François Mauriac, Paul Valéry, et aujourd'hui Duhamel. Ces écrivains sont comme n'importe quel Français. Ils sont pleins d'illusions. Ils oublient la « règle de fer des États » : on ne donne rien pour rien et on ne reprend rang qu'à condition de payer. Avec quoi ? Les vivres manquent. Les trains ne circulent pas. Dans certains départements, des groupes armés pillent, tondent les femmes suspectées de relations avec les Allemands, fusillent, veulent établir leur loi.

Ils s'installe à sa table. Le cigare s'est éteint. Il relit les phrases qu'il a soulignées dans les rapports qui sont parvenus du sud de la France.

« L'indiscipline est si répandue qu'elle conduit souvent à un état voisin de l'anarchie, constate le haut fonctionnaire en mission. Des chefs de bande surgissent qui s'assurent une clientèle. À ces bandes, il faut du pain et des jeux. Leurs chefs les entraînent dans les villes libérées pour y trouver ceci et cela. Quand l'ocasion s'en présente, ils tâchent au surplus de s'emparer du pouvoir (exemple : Limoges)... Le mois qui commence sera vraisemblablement décisif pour le gouvernement et peut-être pour le pays... Hier, j'ai entendu cette phrase qui résume bien la situation actuelle : " La résistance du 6 juin 1944 écrasera la Résistance du 18 juin 1940. " Le mois qui s'ouvre montrera si le général de Gaulle est vraiment un chef de gouvernement ou bien un Kerenski. »

Voilà le péril. Qu'une partie de l'opinion craigne la révolution, le désordre. Et que cette menace débouche réellement sur l'anarchie générale. Que les Alliés se saisissent de cette situation pour empêcher la France de s'asseoir parmi les « grands » États, à la table des vainqueurs.

Il rallume le cigare. Le goût en est âcre. De Gaulle se lève, se met à marcher dans le bureau.

L'urgence est là. Rétablir l'ordre et l'État.

Il faut que le pays le voie, l'entende.

Il va se rendre dans toutes les régions, et d'abord celles qui sont le plus troublées, le Sud-Est, le Sud-Ouest. C'est de lui que tout dépend.

Kerenski ? Ils ne le connaissent pas et l'imaginent en un chef hésitant qui pourrait ouvrir la porte aux « bolcheviks ». Il a confiance. Mais les semaines qui viennent seront les plus dures. La guerre continue. Les Allemands tiennent encore Dunkerque, Strasbourg, des poches sur l'Atlantique. Les ports sont détruits, les lignes téléphoniques coupées. La misère et la faim, bientôt le froid tenaillent les habitants des grandes villes. Le marché noir sévit. Et sourd partout l'aspiration à une transformation sociale profonde.

C'est tout cela qu'il doit affronter.

« Il me faut me jauger moi-même », murmure-t-il.

C'est le dimanche 3 septembre 1944. Il a demandé à ce que l'on célèbre une messe au ministère. Il entre dans la petite pièce qui a été aménagée à cet effet. Il salue le révérend père Daniélou, se tient seul au premier rang devant Palewski, Claude Mauriac, Claude Guy. Une console placée entre deux fenêtres sert d'autel.

Il voit les feuillages des arbres du jardin et, dans le ciel, ces traînées qui rayent de blanc le bleu, signalent une escadrille qui passe.

Il a besoin de ce moment de recueillement, de ce rituel qui est aussi, en même temps, évasion vers d'autres réalités. Il pense aux siens. Yvonne de Gaulle, Élisabeth et Anne vont dans quelques jours venir s'installer dans une villa proche de Neuilly et du château de Madrid, 4, rue du Champ-d'Entraînement. On est en train de l'aménager.

Il pourra ainsi quitter le ministère chaque soir, dîner avec les siens, desserrer l'étreinte, retrouver la dimension humaine et privée de la vie, et redonner aux événements leur juste mesure.

Il sort de la petite pièce, serein. Les tâches à accomplir sont évidentes. Faire la guerre d'abord pour libérer toute la nation mais aussi entrer en Allemagne. Il sent bien que les Alliés sont réticents à fournir les équipements nécessaires aux nouvelles divisions que la France peut constituer. Et pas encore de reconnaissance officielle du gouvernement !

Il s'emporte tout à coup. Adieu, sérénité ! Il se tourne vers Claude Mauriac qui vient présenter le courrier à signer.

– Hein, les Alliés, ils nous trahissent. Ils trahissent l'Europe, les salauds, mais ils me le paieront...

Il s'interrompt.

– Ils me le paieront, répète-t-il. Ils ont du reste commencé à payer, surtout les Anglais. Ils me disent : « Ce sont les Américains. » Les lâches ! Ils n'avaient qu'à faire comme moi... Des Américains qui prennent Bruxelles ! C'est du propre... Ils auraient bien pris Paris, si je n'avais pas été là.

Il se calme. Il va jusqu'à la fenêtre.

– Avez-vous vu les coiffures des femmes et leurs robes ? Ce sont des parterres de fleurs.

Il se retourne, revient vers le bureau. On ne peut pas regarder longtemps les fleurs quand on lit cela.

Il montre cette lettre du commandant des FFI – le colonel Richelieu – des régions de l'Ouest. Elle est adressée au général Malleret-Joinville, chef de l'état-major national des FFI. On a pu se procurer cette véritable déclaration de refus d'obéissance. Ce « colonel » écrit qu'il faut « obtenir l'annulation de la décision du général de Gaulle au sujet des Forces de l'intérieur ». Refus d'incorporation dans l'armée. Refus de dissolution des états-majors. « Tous nos cadres et nos troupes sont prêts à seconder les efforts de l'état-major national... Considérez que vous avez 85 000 hommes derrière vous ! »

Voilà pour l'Ouest.

De Gaulle reçoit Raymond Aubrac, commissaire de la République à Marseille. Aubrac avoue qu'il ne se sent pas sûr de pouvoir maintenir l'ordre.

De Gaulle le toise.

– Vous m'affligez, Aubrac ! Vous représentez l'État. Vous vous devez de remplir votre mission.

Comment ces responsables ne saisissent-ils pas que ce qui se joue en ce moment, ce n'est pas seulement la question de la paix civile, de l'ordre républicain, mais aussi celle de la place de la France dans le monde, demain ?

– Plus le trouble est grand, dit de Gaulle, plus il faut gouverner.

Il doit aller vite, recomposer le gouvernement provisoire.

Il consulte les représentants des partis, des mouvements de résistance, puis il s'isole, dresse des listes de ministres, hésite, raye, rajoute un nom. Il prendra deux communistes. Il reçoit Jacques Duclos, le leader du parti, qui parle à nouveau du retour en France de Maurice Thorez.

De Gaulle reste impassible. Il souhaite, dit-il, simplement écarter Fernand Grenier, qui à Alger a mis en cause la politique du gouvernement à propos du Vercors. Il ne faut jamais rien laisser passer. Il choisit pour le ministère de l'Air Charles Tillon, le fondateur des Francs-tireurs et partisans français, un résistant communiste de la première heure, puis François Billoux, à la Santé publique. Jules Jeanneney, l'ancien président du Sénat, sera ministre d'État, Georges Bidault, le président du CNR, ministre des Affaires étrangères, Pierre Mendès France aura en charge l'Économie nationale, François de Menthon sera à la Justice.

– C'est un gouvernement d'unanimité nationale, dit-il.

Il hausse les épaules quand il lit les premiers commentaires de la presse. Les journaux issus de la Résistance regrettent que ce soit un gouvernement qui fait « place à toutes les tendances politiques ». Eh quoi ! La France n'est-elle pas diverse dans son unité ? Faudrait-il le pouvoir d'un clan ?

Le 9 septembre, il se rend en compagnie de Louis Joxe, secrétaire général du gouvernement, à l'Hôtel Matignon où va se réunir le premier Conseil des ministres. Il aperçoit, flottant au-dessus du porche, un drapeau tricolore surchargé de la croix de Lorraine.

Il s'arrête sur le trottoir de la rue de Varenne.

– Je n'ai cessé de vous le dire, le drapeau national comporte trois couleurs et aucun emblème supplémentaire.

Il entre dans la salle du Conseil.

Chacun ici, dit-il, pourra s'exprimer. Il écoutera tous les avis, et tranchera. Dans quelques semaines, début novembre, une Assemblée consultative élargie à de nouveaux délégués se réunira au palais du Luxembourg. La France, conclut-il, aura ainsi adapté son exécutif et son législatif provisoires à la nouvelle situation.

– La victoire ouvre devant nous un avenir difficile, mais lourd d'espoir. Au travail, messieurs.

Il rentre à pied rue Saint-Dominique. Des passants, surpris, le saluent, l'applaudissent. Il répond d'un hochement de tête. Parfois, quand un groupe de quelques personnes crient : « Vive de Gaulle ! » et l'accompagnent durant quelques pas, il lève à demi les bras.

Il a la certitude que ceux qui le voient, l'écoutent, nouent avec lui, donc avec la France, un lien qui, par son intercession, les unit à tous les autres Français. Il a la conviction que, s'il pouvait s'adresser à chaque citoyen, il tiendrait rassemblé ce peuple qui dès que l'épreuve s'éloigne, dès que l'enthousiasme retombe, se désunit.

Il faut qu'il retarde ce moment que, souvent, il sent déjà venir.

Il s'enferme trois nuits durant pour préparer le discours qu'il doit prononcer au palais de Chaillot devant des milliers de résistants et tous les corps constitués. Il écrit, rature, jette les feuillets sur le sol, apprend chaque phrase de ce texte qui sera retransmis sur toutes les places de Paris, dans toute la France. Il veut que ce soit l'ouverture d'une nouvelle époque. Il faut qu'il réussisse à faire partager sa foi, son espérance en la France et l'ambition qu'il a pour elle.

C'est le mardi 12 septembre. Il écarte l'immense tenture tricolore du bord de scène. Il fait face à la salle debout qui l'ovationne, puis chante *La Marseillaise*. Il est entouré de Georges Bidault et de Jules Jeanneney. Il aperçoit, assis à droite de la scène, les membres du CNR. À lui de parler, de convaincre.

« Ce qu'il nous en a coûté de pertes, de fureur, de larmes... », commence-t-il.

La salle, devant lui, plongée dans l'obscurité, est comme un gouffre immense où sa voix résonne et se répand dans tout le pays.

« La France veut faire en sorte que l'intérêt particulier soit toujours contraint de céder à l'intérêt général, continue-t-il, que les grandes sources de richesse commune soient exploitées et dirigées non point pour le profit de quelques-uns mais pour l'avantage de tous, que les coalitions d'intérêts soient abolies une fois pour toutes et qu'enfin chacun de ses fils, chacune de ses filles puisse vivre, travailler, élever ses enfants dans la sécurité et dans la dignité. »

Il attend que cessent les applaudissements.

« Mais les plus nobles principes du monde ne valent que par l'action », reprend-il.

Il veut une augmentation des salaires et des allocations familiales de plus de 50 %. Il veut la création d'une sécurité sociale, la création de comités d'entreprise, la nationalisation des houillères, du transport aérien, des banques.

Mais cela ne suffira pas.

« Il faut d'abord un vaste et courageux effort national », martèle-t-il.

« Vous tous, croisés à la croix de Lorraine, vous qui êtes le ferment de la Nation... Il vous appartiendra, demain, de l'entraîner vers l'effort et vers la grandeur... »

Il fait un pas en avant. Il entonne *La Marseillaise*.

Et maintenant, il faut parcourir la France. Il se tourne vers Claude Guy, qui lui fait part de ses inquiétudes. Les villes sont pleines d'hommes en armes, dit l'aide de camp. Des miliciens se cachent dans certains quartiers de Toulouse. Marseille est sans police efficace.

– Écoutez, Guy, lance-t-il, j'en ai assez de cette question de sécurité, entendez-vous ? Je ne veux plus qu'on m'en parle.

Il va. Lyon. Marseille. Toulon. Toulouse. Bordeaux. Orléans.

« Ici, devant la statue de la Sainte Libératrice, la statue de Jeanne d'Arc... nous apercevant à quel point nous sommes près les uns des autres, nous allons exprimer cela en chantant pieusement le même chant, notre hymne national, *La Marseillaise*. »

Il va. Besançon. Dôle. Nancy. Lille. Lens. Arras. Le Havre. Rouen. Louviers. Évreux. Lisieux. Caen. Troyes. Chaumont. Luxeuil. Dijon.

Partout il dit la vérité. « Nous sommes une grande nation appauvrie... Certains ont pu croire que le concours des Alliés serait puissant et rapide. Ce sont là des illusions. » Il répète que la guerre sera encore dure et longue. « Je puis vous dire que, depuis le commencement de la bataille de France, nous n'avons pas reçu de nos alliés de quoi armer une seule unité française. » Il évoque « l'Europe une », même si les États de l'Ouest doivent nouer entre eux des rapports particuliers. Partout *La Marseillaise* comme la trame d'une ville à l'autre. Partout encore, il doit marteler : « Vous parlez d'honneur, de liberté, de purification. Et la victoire, qu'en faites-vous ? Ce que je vois, moi, par-devers tout, c'est la France victorieuse. » Il serre les poings, lève le bras : « Nous allons montrer que nous sommes la France. »

Au Sud et dans l'Ouest surtout, il doit affronter les chefs FFI, leur montrer, comme à Marseille ou à Toulouse, où est l'autorité de l'État. Il fait sortir les gendarmes des casernes où les FFI les ont cantonnés. Il rappelle au « colonel Ravanel », héros de la résistance toulousaine, qu'il est le lieutenant Asher. Il nomme « vol et pillage », « abus de pouvoir », « meurtre », ce que l'on désigne sous les mots de « réquisition », « arrestation », « exécution ».

Il fait arrêter sa voiture au centre de Toulouse, malgré les objurgations du préfet qui parle de miliciens armés, de risque d'attentat.

— Pour éviter les attentats, monsieur le Préfet, il suffit d'un peu d'autorité. Et pour acquérir cette autorité, que je ne suis pas certain que vous possédiez, monsieur le Préfet, il convient de la montrer.

Il préside ces défilés militaires « pittoresques ». Mais aucun mépris. Il voit les larmes dans les yeux de ces hommes qui s'essaient à la discipline militaire, qui feront les combattants de la première armée française, où nombreux sont ceux qui s'engagent et qu'il retrouve, quand il les passe en revue, aux côtés du général de Lattre.

Amalgame entre vieux et jeunes soldats, comme en 1791 et 1792. Il lui semble qu'il a eu, autrefois, quand il écrivait *La France et son Armée*, la vision de cela, comme si le destin avait voulu le préparer à sa mission.

Mais il faut aller jusqu'au bout de cet amalgame, imposer la dissolution des milices patriotiques, ces groupes armés que le plus souvent les communistes contrôlent mais que d'autres résistants défendent aussi comme l'expression de leur combat, la garantie de leur autonomie.

Il faut agir avec prudence et autorité, se servir des communistes pour faire plier les communistes. Il reçoit de Moscou un nouveau télégramme de Maurice Thorez, qui ne peut toujours pas rentrer en France puisqu'il est condamné à mort pour désertion et qu'il lui faut donc obtenir une grâce amnistiante. Il lit le texte de Thorez :

« Me référant à vos paroles sur l'union nationale plus que jamais nécessaire, et n'ayant pas reçu de réponse à mes télégrammes antérieurs, je demande à nouveau au gouvernement de faciliter mon retour immédiat en France. »

Donnant, donnant.

Le 24 octobre, le gouvernement adopte une ordonnance permettant d'amnistier les condamnations prononcées par les tribunaux militaires avant le 17 juin 1940...

De Gaulle dicte, le 25, un télégramme pour Robert Garreau, le représentant de la France à Moscou : « L'application de cette ordonnance permettra, sans doute, très prochainement, à M. Maurice Thorez de rentrer en France. Vous êtes autorisé à le lui dire. Toutefois, vous ne pourrez lui accorder le visa nécessaire qu'après réception d'une nouvelle instruction télégraphique... »

C'est le Conseil des ministres du 28 octobre 1944.

De Gaulle reste debout. Dans la nuit, il a appris qu'à Maubeuge et malgré les grâces qu'il a accordées deux condamnés ont été exécutés par les FFI. Ce n'est pas tolérable. Il parle, annonce la dissolution des milices patriotiques. Tout l'armement qui se trouve en possession de particuliers est à verser dans le délai d'une semaine aux commissariats de police et aux brigades de gendarmerie.

Il regarde fixement les deux ministres communistes, François Billoux et Charles Tillon : « Voilà ce que le gouvernement se doit de faire, voilà ce qu'il fera. Maintenant, si vous n'êtes pas d'accord... »

Ils se taisent.

Il a la conviction que la partie est gagnée. Il n'y aura pas de soulèvement communiste en France. Thorez veut rentrer avec la garantie gouvernementale, ce qui signifie aussi que Staline n'a point donné l'ordre d'une stratégie insurrectionnelle !

Thorez invoque l'union nationale ?

Il faut utiliser tous les Français, dès lors qu'ils veulent suivre la bonne direction !

De Gaulle rentre chez lui, à Neuilly, dans cette vaste villa qu'il occupe depuis une dizaine de jours. Il retrouve Yvonne de Gaulle et ses filles, Élisabeth et Anne. Désormais il dîne paisiblement presque tous les soirs avec elles. Yvonne de Gaulle trouve que la villa est « un degré au-dessus de ce qu'elle aurait aimé ». De Gaulle n'a guère le temps de s'attarder à détailler cette maison de deux étages, rectangulaire, en pierres blanches. Deux colonnes de part et d'autre de l'entrée lui donnent une allure classique. Mais ce qui compte, c'est le parc ceint de murs de deux mètres de haut. Anne pourra s'y promener parmi les arbres.

Maison impersonnelle appartenant à la Ville de Paris, dont les Allemands avaient envisagé de faire la résidence de Goering s'il séjournait à Paris. Les pièces sont vastes, dépouillées, les murs nus, le style moderne, anonyme.

Mais quelle autre solution que cette demeure ? Colombey est trop éloigné de Paris. Philippe, conduit sur les lieux par les hasards de la bataille, a constaté que la Boisserie avait été dévastée, vidée de son mobilier. Une partie du toit et des murs d'angle à l'ouest ont été détruits par le feu.

Et puis, dans la villa cossue de Neuilly, on peut donner quelques dîners et réceptions. Le 23 octobre, le jour où les États-Unis, la Grande-Bretagne et l'URSS reconnaissent enfin le gouvernement provisoire, François Mauriac et les diplomates britanniques sont invités.

– Satisfait de cette reconnaissance ? demande l'ambassadeur Duff Cooper.

De Gaulle lui lance un bref coup d'œil.

– Le gouvernement est satisfait qu'on l'appelle par son nom !

Il reçoit aussi chez lui les membres du CNR qui ont demandé audience afin de protester contre la dissolution des milices patriotiques. Il veut témoigner ainsi à ces hommes courageux « égard et amitié ». Il écoute leurs arguments, prend acte de leur position unanime. Il faut, disent-ils, conserver les milices patriotiques. Il secoue la tête. Inacceptable. Une seule armée. Un seul État. Des réformes dans l'ordre et point de révolution.

Ils insistent. Ils élèvent la voix. Il les interrompt.

– De deux choses l'une, ou il n'y a en France qu'un gouvernement, le mien, et vous vous soumettez à mes décisions, ou vous comptez y opposer le vôtre et on verra bien qui l'emportera.

Ils plieront. La France veut des réformes, la justice, une autre organisation sociale mais point de troubles. Certes, les communistes pèsent lourd, mais avec Thorez à leur tête, Thorez tenu par Staline parce qu'il a passé toute la guerre là-bas à l'ombre du

Kremlin sans connaître la résistance, ses périls et sa gloire, ils prêcheront l'unité nationale.

Et puis, Thorez n'est pas amnistié, mais bénéficie seulement d'une *grâce amnistiante*. Nuance humiliante. On peut maintenant télégraphier à Moscou : « En conséquence, vous pouvez lui accorder le visa pour se rendre en France. »

De Gaulle allume une cigarette. Il va et vient dans son bureau du ministère. En obtenant presque sans difficultés la dissolution des milices, il a écarté un obstacle majeur au retour à l'ordre. Il fixe Claude Mauriac tout en lui remettant quelques lettres.

– Les communistes, voyez-vous, dit-il, ne sont pas dangereux... Tout au plus des roseaux peints en fer. On ne fait pas de révolution sans révolutionnaires.

Il s'interrompt, puis lance d'une voix gouailleuse :

– Et il n'y a qu'un seul révolutionnaire en France, c'est moi.

Bref moment de satisfaction et presque de joie, le temps d'une phrase.

Voici le brutal retour des réalités. Des articles, des pamphlets. « Le gouvernement de Gaulle cherche à endormir la Résistance... s'il veut essayer de la tuer, il lui suffit de jouer la nation contre la Résistance, c'est-à-dire qu'il lui suffit sur le plan intérieur de prendre la suite du gouvernement de Pétain. »

Comment peut-on être à ce point incompris par des hommes – tel ce Philippe Viannay, auteur de ces lignes – qui ont montré lucidité et courage ? Viannay a créé le mouvement Défense de la France dans lequel s'est engagée Geneviève de Gaulle, aujourd'hui déportée. Combien de temps encore restera-t-elle vivante ? Il griffonne un mot à sa cousine : « Je vais essayer une intervention par la voie de la Croix-Rouge. »

Puis il revient à ce texte de Viannay. Il se sent atteint au plus profond de lui-même par cette incompréhension, cette suspicion. Peut-être devrait-il déjà se retirer ?

Cette tentation le saisit tout à coup, l'entraîne. Oui, c'est cela. Il est un moment absent. Il faudra qu'il donne des instructions pour que l'on commence des travaux à la Boisserie.

Puis il se reprend, lit une note d'un nouveau chargé de mission, un jeune professeur, Georges Pompidou, recruté par René Brouil-

401

let. Ce dernier, ami de Georges Bidault et recommandé par Michel Debré, est devenu directeur adjoint du cabinet de De Gaulle. Il a recruté Pompidou, un « normalien » comme lui. Ce Pompidou écrit à propos de l'opinion publique : « Ce que les Français de bonne foi attendent donc, c'est que le gouvernement provisoire gouverne... »

De Gaulle hausse les épaules. Pompidou dresse la liste des souhaits des Français. De Gaulle prend la plume, écrit rageusement en marge :

« Ce que les Français de bonne foi attendent, c'est en somme que la France soit aujourd'hui autre chose que ce qu'elle est, c'est-à-dire une nation gravement malade depuis longtemps, sans institutions, sans administration efficiente, sans diplomatie, sans hiérarchie... et entièrement vide d'hommes de gouvernement. »

Il pense à Brossolette, à Moulin, à Cavaillès, à Jacques Bingen, à Scamaroni, à tant d'autres, les meilleurs, morts.

« À cela, ni moi ni personne ne pouvons remédier en deux mois, c'est l'affaire d'un long et dur effort et d'au moins une génération.

« L'effort est commencé. Nous verrons ! »

Mais il éprouve un étrange sentiment. Il passe sa main sur les lettres de soutien qui arrivent chaque jour par centaines. Il y a parmi elles des messages du comte de Paris et du prince Napoléon. Tout le pays semble se rassembler. Cet après-midi, de Gaulle a reçu l'ancien président de la République, Albert Lebrun, « fantôme mélancolique de la IIIᵉ République ». « J'ai toujours été, je suis en plein accord avec ce que vous faites, a dit Lebrun. Sans vous tout était perdu. Grâce à vous tout peut être sauvé. »

Et puis est arrivée ces derniers jours cette ode de Paul Claudel. De Gaulle la relit à haute voix.

« Tout de même, dit la France, je suis sortie !...

« Il y a tout de même une chose qu'ils ne savent pas et que je sais, c'est cette compagnie que je tiens depuis quatre ans avec la mort !

« ... Mais c'est à vous que j'en ai, et c'est vous que j'interroge, mon général. Délivre-moi de cette chose à la fin, ô mon fils, que Dieu t'envoie pour me demander.

« – Et que dois-je donc te demander ? dit le général.

« – La foi.

« Je veux que tu ne doutes pas de ta mère et que tu n'aies pas peur de moi ! Les autres, ça m'est égal, mais dis-moi que ça ne finira pas cette connaissance à la fin qui s'est établie entre nous !

« ... Et le général répond : Femme, tais-toi ! et ne demande pas autre chose que ce que je suis capable de t'apporter.

« – Que m'apportes-tu donc, ô mon fils ?

« Et le général, levant le bras, répond :

« – La volonté ! »

Ce texte l'émeut. Qu'importe après tout que Paul Claudel ait autrefois, il y a longtemps, écrit aussi une ode au maréchal Pétain.

Ce n'est pas cela qui donne à de Gaulle cette impression de malaise. Il l'a dit : « L'immense majorité d'entre nous furent et sont des Français de bonne foi. Il est vrai que beaucoup ont pu se tromper à tel moment ou à tel autre depuis qu'en 1914 commença cette guerre de trente ans. Je me demande même qui n'a jamais commis d'erreur ? »

Ce sentiment étrange qui l'habite, cette inquiétude qui en cette fin de journée d'octobre 1944 le tourmente, alors que tout semble converger vers lui, viennent d'ailleurs.

Il se sent seul. Il ne s'agit pas de l'isolement nécessaire, inéluctable du chef. Il murmure : « Pour ce qui est des rapports humains, mon lot est donc la solitude. »

Ce qu'il ressent, il vient de l'exprimer dans cette correction apportée au texte de Pompidou : « La France est entièrement vide d'hommes de gouvernement. »

Étrange sensation.

Il entend partout les cris répétés de « Vive de Gaulle ». Il se rend à la Comédie-Française pour une soirée organisée par François Mauriac en l'honneur des poètes de la Résistance, et tous les visages, dans la salle, sur scène, sont tournés vers lui. Et dans les lettres des fusillés qu'on lit, c'est parfois son nom qui revient invoqué par les héros, comme leur foi suprême.

Et c'est ce qu'il ressent aussi quand, le 1er novembre, il se rend au mont Valérien puis au château de Vincennes, là où tombèrent des centaines de fusillés.

Il parle dans l'humidité grise de l'automne.

« Ces morts, ces humbles morts, ces martyrs, ces soldats, la terre maternelle enveloppe désormais leur repos. »

Tout à coup, comme une menace, une série d'explosions qui déchirent le silence dans lequel résonnaient ces mots.

De Gaulle reprend :

« Morts massacrés pour la France ! Vous êtes notre deuil et notre orgueil... Mais vous êtes aussi notre lumière, pour nous éclairer tout au long de la route qui mène à notre nouvelle grandeur. »

Il remonte dans la voiture. On lui dit qu'un train de munitions vient d'exploser à Vitry-sur-Seine. On dénombre une trentaine de tués et une centaine de blessés. Les communistes accusent aussitôt « la cinquième colonne fasciste » d'avoir provoqué l'accident, qui serait donc un attentat. De Gaulle ferme à demi les yeux. Il se sent seul malgré les approbations qui l'entourent. Voilà l'origine de ce sentiment étrange qui l'étreint.

– Je suis déjà dans un désert, murmure-t-il.

36.

De Gaulle martèle le bureau de son poing, soulignant chaque mot :

« J'ai trop souffert ! On m'en a trop fait ! On m'a trop tordu et retordu ! »

Il jette un coup d'œil à Claude Mauriac qui vient de déposer sur la table les lettres à signer. C'est la dernière tâche de la journée et déjà le ministère est entré dans la nuit de novembre, silencieuse et dense.

– C'est si beau lorsqu'il fait dire à la France..., murmure de Gaulle.

Il se remet à frapper du poing, élève la voix, scande les vers de Paul Claudel :

« Je suis vieille, on m'en a fait de toutes sortes, jadis, mais je n'étais pas habituée à la honte !... »

Il s'arrête. La honte s'efface-t-elle jamais du front d'un peuple qu'elle a marqué, humilié ? Il a encore dans la tête et les yeux, les acclamations et les images de ces foules auxquelles il vient de s'adresser à Ambérieu, à Annecy, à Albertville, à Chambéry, à Grenoble. Cris d'enthousiasme. « Vive de Gaulle, Vive la France ! » Ferveur. *Marseillaise* chantée à pleins poumons dans cet air vif tombé des cimes. Il a remis la croix de la libération à la ville de Grenoble. Il a évoqué les combattants des Glières et du Vercors. Mais il a vu en traversant ces villes les visages hâves, les silhouettes courbées, ces corps, ces âmes aussi, hélas, marqués par la misère, ces quatre années de honte. La nation trouvera-t-elle en elle la force de se redresser ?

Parfois, déjà, il sent le doute s'insinuer en lui. Il faudrait que ce peuple reste uni.

Le 9 novembre, il monte à la tribune de la nouvelle Assemblée consultative provisoire. Il est loin, le petit hémicycle du palais Carnot, sur le boulevard du bord de mer à Alger. Les 248 délégués siègent dans les ors et la pourpre du palais du Luxembourg. Il les observe, calés dans leurs sièges de sénateurs. Il a fallu plusieurs tours de scrutin pour élire Félix Gouin à la présidence. Ce socialiste occupait déjà les mêmes fonctions à Alger. Les résistants se sont divisés : gens d'Alger opposés à ceux des maquis, communistes ou sympathisants du Front national opposés à tous les autres. Les partis s'affirment, communiste, socialiste, ou naissent : Maurice Schumann va prendre la tête du Mouvement républicain populaire, qui veut regrouper les catholiques.

De Gaulle regarde Gouin. L'homme est courageux. Il a défendu Léon Blum à Riom lors du procès que lui a intenté le gouvernement de Vichy. Mais il a été élu pour la première fois député en 1924 ! C'est un homme de la IIIᵉ République ! Où est le renouveau, si nécessaire, si attendu ?

Il se tourne vers Félix Gouin puis vers les délégués :

– C'est en plein combat et par un immense effort qu'il nous faut renaître et nous renouveler, dit-il. C'est dire qu'il n'y a point d'intérêts, de passions, de querelles qui puissent sans culpabilité grave contrarier l'ascension nouvelle de la France.

Il regagne son bureau au ministère. Déjà la nuit.

Est-ce parce que c'est le mois de novembre, celui où l'on célèbre le souvenir des morts, ou bien parce que ce mois-là une année se tourne pour lui, mais ce mois lui pèse.

« Ce n'est pas drôle d'avoir cinquante-quatre ans », murmure-t-il.

Mais peut-être cette sorte d'effroi et d'horreur qui le saisit vient-il de ce moment où Claude Guy ou l'un de ses autres aides de camp lui annonce que le président Maurice Patin, directeur des Affaires criminelles, est arrivé, qu'il attend d'être reçu.

Oui, voilà ce qui l'étreint chaque jour.

Il regarde Patin s'avancer, les bras chargés de dossiers. Chacun d'eux est une vie. Et il faut la trancher ou la laisser se poursuivre. Il doit exercer son droit de grâce.

Il écoute Patin, la tête dans les mains. Grâce pour ces adolescents qui se sont laissé entraîner. Mais comment être indulgent envers cet officier de marine, Paul Chack, dont il se souvient avoir lu tant de récits héroïques sur les combats de la flotte française durant la Première Guerre mondiale, et Philippe les a lus à son tour, et tant de jeunes gens ? Et Paul Chack a signé avec Hérold-Paquis une affiche invitant les jeunes Français à s'engager dans la milice de Darnand – celle qui massacrait aux Glières – et dans les Waffen SS. Et il a fait précéder son nom de son grade : « capitaine de corvette Paul Chack ». Alors, tuer Paul Chack ?

Horreur.

Il doit parcourir ces destins que le président Patin commente. Parfois, de Gaulle prend les dossiers afin de les examiner chez lui, à Neuilly, 4, rue du Champ-d'Entraînement. Il s'enferme, puis, après plusieurs heures, il va marcher seul dans le parc. Il se sent écrasé, glacé.

Il a fait mettre en place une Haute Cour de justice, qui jugera bientôt ceux qui ont participé à « l'activité des gouvernements ou pseudo-gouvernements qui ont eu leur siège sur le territoire de la métropole depuis le 17 juin 1940 ». Dans chaque département fonctionnent des « Cours spéciales de justice ».

Il marche dans le parc. C'est à lui de prendre l'ultime décision, même si cette charge l'accable. Ces Français qu'il faut tuer, « s'ils furent des coupables, nombre d'entre eux n'ont pas été des lâches ».

Il avance lentement parmi ces feuilles mortes qui couvrent la terre noire. « Un jour, les larmes seront taries, les fureurs éteintes, les tombes effacées. Mais il restera la France. »

En attendant, il doit recevoir le président Patin. Décider.

– Je fusille Paul Chack, dit-il.

Et c'est comme si son cœur éclatait. Il écoute, bouche serrée, René Brouillet, son directeur de cabinet, qui propose de confier le droit de grâce au ministre d'État Jules Jeanneney. De Gaulle secoue la tête.

– Il n'en est pas question, Brouillet. C'est le pouvoir régalien par excellence, la plus haute responsabilité d'un chef d'État, la seule qui ne saurait se déléguer. Songez que de cela et de rien d'autre je n'ai à rendre compte qu'à Dieu.

C'est le 11 novembre 1944. Ce jour des morts pour la patrie. Il regarde devant lui la tombe du soldat inconnu. À ses côtés, Winston Churchill, arrivé hier soir à Paris en compagnie de sa femme, de sa fille et d'Anthony Eden.

Ils ont déjà remonté en voiture l'avenue des Champs-Élysées. Délire de la foule. Cris enthousiastes pour cet homme joufflu qui lève le bras, doigts écartés en forme de V, sa grosse tête ronde écrasée sous la casquette bleue à feuilles de chêne dorées d'officier de la Royal Air Force. De Gaulle l'observe. Churchill a droit à la reconnaissance du pays. Et peut-être la nation, en voyant l'allié s'incliner devant le héros inconnu ou la statue de Clemenceau, oubliera-t-elle la honte de juin 40.

Alors, faste pour Churchill. Baignoire en or au premier étage du Quai d'Orsay, qui lui est tout entier réservé. Escorte de gardes républicains en grand uniforme entourant la voiture découverte, et maintenant descente à pied des Champs-Élysées en compagnie de Duff Cooper, d'Alexander Cadogan et d'Anthony Eden.

De Gaulle marche à ses côtés. La foule crie : « Vive Churchill, Vive de Gaulle, Vive l'Angleterre ! » Puis c'est le défilé des troupes. La musique qui joue *Le Père la Victoire* parce que de Gaulle sait que Churchill connaît cette chanson à la gloire de Clemenceau.

De Gaulle se penche :

– *For you*, dit-il au Premier ministre.

On se rend aux Invalides sur le tombeau de Foch et celui de Napoléon.

– Dans le monde, il n'y a rien de plus grand, murmure Churchill.

Échange de toasts au ministère de la Guerre. Dans mille ans, commence de Gaulle, la France n'aura pas oublié ce qui fut accompli dans cette guerre par le noble peuple que le très honorable Winston Churchill entraîne avec lui vers les sommets d'une des plus grandes gloires du monde. Churchill a les larmes aux yeux.

De Gaulle se souvient, en conviant le Premier ministre à prendre place dans son bureau aux côtés d'Eden et de Bidault, de ces rencontres tumultueuses au 10, Downing Street ou à Marrakech, et de cette humiliante conférence d'Anfa. Tant de conflits. Et maintenant, la France qui peut recevoir chez elle avec faste !

– Je croyais ce matin, dit Churchill, assister à une résurrection.

Mais dans la salle de conférences, de Gaulle, dès les premiers échanges, constate que le Premier ministre se dérobe. De Gaulle l'écoute répondre dans son français chaotique aux questions précises qu'il pose. Bien sûr, Churchill accepte que la France fasse partie de la commission qui va décider du sort de l'Allemagne. Et même que les troupes françaises disposent d'une zone d'occupation après la victoire. Mais cela reste vague, Churchill ne veut pas s'engager aux côtés de la France.

– Nos deux pays nous suivront, insiste de Gaulle. L'Amérique et la Russie entravées par leurs rivalités ne pourront pas passer outre. D'ailleurs, nous aurons l'appui de beaucoup d'États et de l'opinion mondiale qui, d'instinct, redoutent les colosses. En fin de compte, l'Angleterre et la France façonneront ensemble la paix comme deux fois en trente ans elles ont ensemble affronté la guerre.

Churchill voudra-t-il de cet accord qui peut faire de l'Europe la maîtresse du jeu ?

Il hésite d'abord à répondre, parle de l'émotion qu'il a ressentie en se rendant à l'Hôtel de Ville, accueilli par les acclamations des personnalités de la Résistance. Il a pleuré durant toute la cérémonie, avoue-t-il.

– Vos révolutionnaires, on dirait des travaillistes. C'est tant mieux pour l'ordre public, mais c'est dommage pour le pittoresque.

Puis il tire sur son cigare, se penche vers de Gaulle.

– Dans la politique aussi bien que dans la stratégie, reprend-il, mieux vaut persuader les plus forts que de marcher à leur encontre. C'est à quoi je tâche de réussir.

De Gaulle le fixe. Donc, Churchill refuse d'être l'allié de la France, d'ouvrir une voie européenne entre les deux colosses.

– J'ai noué avec Roosevelt des relations personnelles étroites, continue le Premier ministre. Avec lui, je procède par suggestions afin de diriger les choses dans le sens voulu. Pour la Russie, c'est un gros animal qui a eu faim très longtemps. Il n'est pas possible aujourd'hui de l'empêcher de manger, d'autant plus qu'il est parvenu en plein milieu du troupeau des victimes... Quand l'heure viendra de digérer, ce sera pour les Russes assoupis le moment des difficultés. Saint Nicolas pourra peut-être alors ressusciter les pauvres enfants que l'ogre aura mis au saloir...

Et Churchill évoque le moment où, avec Staline, ils se sont partagé les zones d'influence en Europe-Orientale. « En Grèce, nous aurons 90 %, eux 10 % », commente-t-il.

De Gaulle écoute. Rien ne le surprend dans ces propos de Churchill.

« Un État est le plus froid des monstres froids », pense-t-il dans le luxueux train spécial dans lequel il a convié Churchill pour rendre visite aux troupes françaises en Lorraine.

Défilé d'unités chantant avec enthousiasme, combativité de ces soldats venus des FFI.

– Avant mon départ, les gens en Angleterre avaient eu peur, dit Churchill.

– Des FFI, murmure de Gaulle.

– Oui, tout a bien marché.

– On a toujours raison de faire confiance à la France, dit de Gaulle.

Il quitte Churchill. Que serait la France sans une armée ? Il pense au cynisme tranquille et jovial de Churchill. À son refus d'affronter les États-Unis ou la Russie. Décidément, « aucune épreuve ne change la nature de l'homme, aucune crise celle des États ».

Il est à son bureau. Il relit les dépêches qu'on vient de lui apporter. Il veut rester impassible, mais il est bouleversé. Enfin, le glaive de la France n'est plus cette lame brisée, ces tronçons dérisoires. Les troupes de la Ire armée française de De Lattre ont atteint le Rhin au sud-est de Mulhouse, et celles de Leclerc sont entrées dans Strasbourg.

Il se lève. Il parcourt la pièce à pas lents. Il imagine Philippe. Il y a moins de dix semaines, son fils se battait à Paris, aujourd'hui il est à Strasbourg. Demain, en Allemagne. Si Dieu lui prête vie, il aura vécu dans le combat et la victoire. Il dicte un télégramme à Leclerc :

« De Brazzaville à Strasbourg, par le combat de la victoire ! Voilà, mon général, le chemin que vous avez suivi avec nos braves et chers compagnons ! Nous finirons cette guerre d'une manière qui sera digne de la France. »

Il se laisse aller un moment à la joie, à l'orgueil. Il savoure un cigare. C'est son cinquante-quatrième anniversaire, et en même temps la libération de l'Alsace, comme un cadeau.

Il voit entrer Claude Guy qui se glisse dans le bureau comme s'il craignait d'approcher. De Gaulle, d'un regard, l'invite à parler. Le général Diego Brosset, l'un des officiers qui avaient rallié Londres en juin 40, qui s'était distingué en Libye, puis en Italie et en Provence, vient d'être tué en Alsace.

Douleur. Il n'y a pas de moment de joie qui ne se brise sur la mort. Et « la mort a si terriblement frappé la noble et chère phalange qui s'était dès les premiers jours groupée autour de moi », murmure de Gaulle. Il revoit tous ces visages.

– Moi, j'ai perdu avec lui un ami, dit-il.

Il ajoute :

– Tout bas, pour moi-même maintenant, je le remercie de m'avoir si souvent réconforté sur une route difficile, par l'exemple qu'il me donnait.

Abnégation, courage, service de la France. Voilà l'héritage de Brosset, de Moulin, de tous les autres. Et c'est ce legs qu'il doit défendre.

Il monte à la tribune de l'Assemblée consultative. Il regarde les délégués. Ces hommes sont-ils prêts à sacrifier leurs intérêts de clan, de parti, leurs ambitions individuelles pour se mettre au service de la France ?

Il lance : « Rebâtissons notre puissance ! Voilà quelle est désormais la grande querelle de la France. »

Ils applaudissent. Il annonce sa volonté de rencontrer Staline, parce que en Europe la France doit trouver un partenaire. Et que la Russie peut être celui-ci aujourd'hui, comme elle le fut au cours de l'histoire.

Ils approuvent. Mais lui donneront-ils les moyens d'agir ? Ou bien le ligoteront-ils avec une constitution qui, comme celle de la IIIᵉ République, dont il a subi les effets, organise l'impuissance ?

Plus tard, il devra, il le sait, trancher ce nœud gordien.

Mais pour l'heure, partir à Moscou. Il énumère les étapes du voyage : Le Caire, Téhéran, Bakou, Stalingrad, Moscou. Palewski évoque les réticences des pilotes.

– Les pilotes ne veulent pas prendre la responsabilité ? s'exclame-t-il. Quels pilotes ? Mais ce n'est pas vrai ! Écoutez-moi bien, Palewski : foutez-moi la paix une fois pour toutes, je ne veux pas que vous m'emmerdiez avec ces questions de sécurité... Votre proposition me ferait perdre trois jours à l'aller et trois autres au retour.

Il frappe du plat de la main sur le bureau.

– Or, c'est ici que je dois être, à Paris, non en voyage.

Il refuse la suggestion d'Eisenhower de lui prêter un avion long-courrier.

« Vous ne m'en voudrez pas, écrit-il au général américain, si je m'en tiens à mon vieux Lockheed, avec lequel j'ai l'habitude de parcourir des étapes analogues à celles de ce voyage. »

Comment Eisenhower a-t-il pu imaginer un instant qu'il se déplacerait à Moscou dans un avion de l'armée américaine ? !

Il se tait, dans cet avion qui vole vers Le Caire, où le roi Farouk le reçoit, puis vers Téhéran. Parfois, il appelle près de lui Palewski ou Bidault, ou Juin. Quelques mots. Il les sent tendus et curieux. Inquiets aussi. Thorez doit arriver à Paris le 30 novembre. Le parti communiste est le plus puissant parti de France. Et son allégeance à la Russie est totale, on l'a vu en 1939, au moment du pacte germano-soviétique. Le parti n'a été touché par la grâce de la résistance qu'en 1941. Alors, que peut la France ainsi minée face à la Russie communiste dont les troupes marchent sur Vienne et Berlin ?

Il suffit de résister, dit de Gaulle.

Il est reçu, à Téhéran, par le Shah, Mohammed Reza Pahlavi. La ville est occupée par les Russes, les Anglais et les Américains.

« Vous voyez, dit le Shah, où nous en sommes ? »

Résistez, répond de Gaulle.

« La souveraineté peut n'être plus qu'une flamme sous le boisseau, pour peu qu'elle brûle elle sera tôt ou tard ranimée. »

Lorsqu'on essaie d'enfermer un peuple et une nation, à la fin ils brisent les barreaux.

On atterrit le 26 novembre à Bakou. Après deux jours passés dans cette ville, il faut poursuivre le voyage dans un train aux wagons-salons ornés de rideaux verts à pompons. C'est le train du Grand-Duc Nicolas. Il roule à vitesse réduite, le long de la mer Caspienne, au milieu de la plaine blanche. On sert des repas plantureux. Souvent, on s'arrête. De Gaulle revêt sa pelisse, fait quelques pas sur les quais.

– Parfait, ce voyage, dit-il. Mais il ne faudrait pas que la France se mette en révolution pendant ce temps-là.

Une dépêche annonce que Thorez a tenu son premier meeting au Vélodrome d'Hiver. Il a été accueilli aux accents de *Sambre et Meuse*, et il a déclaré : « Mener la guerre jusqu'au bout, jusqu'à Berlin, voilà la tâche unique du moment, la loi pour tout Français. » Thorez joue donc le jeu. Il n'y aura pas de tentative de révolution en France. Staline ne le veut pas. Thorez le déserteur à la tête du parti, et Tillon le résistant au gouvernement, voilà une bonne manière d'enfermer les communistes dans la politique nécessaire à la France.

De Gaulle remonte dans le wagon, s'installe en face de l'ambassadeur Bogomolov, qui est du voyage. On commence à dîner.

– Voyez-vous, monsieur l'ambassadeur, dit de Gaulle, ce qui caractérise les hommes de Vichy, c'est qu'ils ont toujours voulu jouer une carte : tantôt la carte allemande, tantôt la carte anglaise ou américaine, voire même la carte russe.

De Gaulle se penche, saisit la boîte d'allumettes.

– Nous ne jouons pas. Pour nous, il y a la France. Nous n'avons pas de carte anglaise ni même de carte russe.

Il montre les allumettes, allume une cigarette.

– Voyez-vous, monsieur l'ambassadeur, nous avons refait la France avec des bouts d'allumette.

Et il est là, à parcourir au nom de la France les ruines de Stalingrad, puis l'usine de tanks, un des hauts lieux de cette bataille décisive. Elle a recommencé à fonctionner. Il s'adresse aux ouvriers figés, silencieux.

Il retrouve à Moscou, le samedi 2 décembre 1944, à 12 heures, au sortir de la gare de Koursk, où il vient d'être accueilli par Molotov, le ministre des Affaires étrangères – l'homme qui avait signé en 1939 avec Ribbentrop le pacte de non-agression –, la même foule grise.

413

– Ce n'est pas un régime populaire, murmure-t-il. Il n'y a pas d'enthousiasme dans cette masse.

Il se souvient des Champs-Élysées, du désordre joyeux de la foule parisienne hurlant le nom de Churchill.

– Le 11 novembre, à Paris, c'était autre chose, dit-il. Un peuple libre.

Pourtant il sent la contrainte et la peur. Il exige de loger à l'ambassade de France, un bâtiment dévasté par les bombardements, sans chauffage. Mais cette « vie de camp » vaut mieux que la « maison des hôtes de l'URSS » rue Spiridonovska, « truffée de microphones ».

Première réunion au Kremlin. Voici Staline. Si petit, replet, le teint jaune, la voix ténue, à peine perceptible.

De Gaulle s'assied en face de lui, de l'autre côté d'une grande table à tapis vert. Staline commence à tracer des figures géométriques au crayon rouge sur sa feuille de papier. De Gaulle le dévisage. L'homme exprime la fourberie, l'obstination, la dissimulation. « Communiste habillé en maréchal, dictateur tapi dans sa ruse, conquérant à l'air bonhomme. »

Staline se tait. Et pourtant de Gaulle a le sentiment que tout va être dit, dès cette première rencontre. Il va parler clair.

« La frontière géographique et militaire de la France, dit-il, est constituée par le Rhin, et l'occupation de cette ligne est nécessaire à sa sécurité. »

Staline plisse les yeux, ne s'engage pas. La France a-t-elle abordé cette question avec Londres et Washington ? demande-t-il.

On parle des frontières de l'URSS. Là, Staline est précis. Il veut que les frontières de la Pologne subissent un déplacement de l'est vers l'ouest : sa frontière avec l'Allemagne sera sur l'Oder et la Neisse.

En somme, les Russes ont fixé seuls ce qui se passera à l'est et vont discuter de ce qui doit intervenir à l'ouest, commente de Gaulle.

On déjeune à la Spiridonovska.

– Ce doit être bien difficile de gouverner un pays comme la France, dit Staline.

– Oui, et pour le faire je ne puis prendre exemple sur vous, car vous êtes inimitable.

— Thorez..., commence Staline.

Il lève la main, poursuit :

— Ne vous fâchez pas de mon indiscrétion. Je connais Thorez, à mon avis c'est un bon Français. Si j'étais à votre place, je ne le mettrais pas en prison, du moins pas tout de suite.

Le gouvernement français traite les Français d'après les services qu'il attend d'eux, répond de Gaulle. Il ne cesse de regarder ce personnage dont l'attitude exprime tour à tour la vulgarité, la violence et la brutalité, le cynisme cruel et le mépris, mais aussi l'intelligence et la roublardise. Staline porte un uniforme à l'ample vareuse. Il est chaussé de bottes noires en cuir souple. Il paraît assoupi puis tout à coup il s'exclame :

— Ah ! ces diplomates, qu'ils sont ennuyeux, qu'ont-ils à parler ainsi ! Une mitrailleuse ! Voilà ce qu'il faudrait ! Une mitrailleuse sur eux, ils se tairaient vite.

La menace est toujours présente. Dans les toasts qu'il prononce, levant son verre, disant à tel ou tel Soviétique : « Fais ce que tu dois, sinon tu seras pendu comme on fait dans ce pays. »

Mais quel est ce pays ?

De Gaulle assiste au Grand Théâtre à un spectacle de ballet. Il parcourt les galeries du musée des Trophées où sont rassemblées les prises de guerre, de l'uniforme du maréchal von Paulus, le vaincu de Stalingrad, aux drapeaux à croix gammée des divisions allemandes détruites.

Il reçoit à l'ambassade de France les intellectuels et les écrivains amis de la France, et, parmi eux, le général comte Ignatiev, ancien attaché militaire du tsar à Paris.

Ce pays, c'est la Russie, sur laquelle on a collé le masque du communisme qui la déforme et qui l'exprime.

Et quand le masque tombera, il restera la Russie.

Il se rend plusieurs fois au Kremlin. Dîner fastueux. Staline boit, porte de nouveaux toasts, se tourne vers Palewski : « Je bois aux Polonais. On ne cesse jamais, monsieur Palewski, d'être polonais. »

C'est bien la vieille obsession russe, l'éternelle volonté de soumettre la Pologne, qui perce chez Staline. Staline veut que la France reconnaisse le gouvernement polonais prosoviétique qui siège à Lublin, et abandonne le gouvernement polonais installé à Londres.

De Gaulle écoute, impassible.

« Je prends note de votre position, dit-il. Mais je dois vous répéter que le futur gouvernement de la Pologne est l'affaire du peuple polonais et que celui-ci, suivant nous, doit pouvoir s'exprimer par le suffrage universel. »

De Gaulle ne baisse pas les yeux quand Staline le fixe, gronde, peste, laisse entendre qu'il n'y aura pas, si les Français ne reconnaissent pas le gouvernement de Lublin, de pacte franco-soviétique.

Ne pas céder, même quand Staline tente de séduire.

Le régiment Normandie-Niémen est amené à Moscou pour que de Gaulle puisse passer en revue ces aviateurs français. Il est fier de ces hommes, les seuls soldats d'Occident à se battre en Russie. Il les décore dans le froid glacial, puis il se rend à l'ambassade.

Ne pas céder.

Et pourtant, mesurer que les Anglo-Américains, Churchill l'a avoué, accepteront la domination de Moscou sur l'Europe centrale.

Ne pas céder. « Parce que l'avenir dure longtemps. Tout peut un jour arriver, même ceci, qu'un acte conforme à l'honneur et à l'honnêteté apparaisse en fin de compte comme un bon placement politique. »

Ne pas céder. Et, au terme d'une soirée interminable avec projection de films de propagande, dire à Staline : « Je prends congé de vous, le train va m'emmener tout à l'heure. Je ne saurais trop vous remercier... »

Entendre Staline murmurer : « Restez donc, on va projeter un autre film. »

Et s'éloigner. Puis attendre à l'ambassade. À 4 heures du matin, les Russes ont renoncé à leurs exigences. Le gouvernement polonais de Lublin n'est pas reconnu par la France, qui se contentera d'y envoyer un délégué, le capitaine Christian Fouchet. Et le pacte est signé.

Dîner à nouveau, à 5 heures du matin, le 10 décembre.

— Vous avez tenu bon, à la bonne heure, dit Staline. J'aime avoir affaire à quelqu'un qui sache ce qu'il veut, même s'il n'entre pas dans mes vues.

Il bavarde, détendu, amical.

« Après tout, il n'y a que la mort qui gagne », murmure-t-il.

Hitler, au fond, est « un pauvre homme qui ne s'en tirera pas »...
« Si vous, la France, avez besoin de nous, nous partagerons avec
vous jusqu'à notre dernière soupe. »

Puis il se tourne vers l'interprète et, d'une voix dure, lance : « Tu
en sais trop long, toi, j'ai bien envie de t'envoyer en Sibérie ! »

Dernière image de cette aube russe dans les ors médiévaux du
Kremlin, ce 10 décembre 1944 : « Staline est assis, seul à sa table. »
Il s'est remis à manger.

Il est 5 heures du matin, dans l'ambassade de France glaciale. De
Gaulle convoque Fouchet.

« Vous allez partir comme délégué du gouvernement français en
Pologne. Vous porterez un quatrième galon. Ce ne sera ni trop, ni
trop peu. Vous serez un délégué *de facto*. Là-bas, vous allez être la
France pour tous les Polonais et la France pour nos soldats libérés...
Vous me raconterez le plus vite possible... Pour le reste, vous vous
débrouillerez. »

Il a confiance en Fouchet, l'un des premiers à l'avoir rejoint à
Londres.

Il s'interroge, alors qu'il quitte Moscou, le matin même, pour
Bakou – puis ce seront Téhéran, Le Caire, Tunis, Paris enfin –, sur
la manière dont on va accueillir ce pacte d'alliance et d'assistance
mutuelle. Ce traité donne un peu de champ à la France et peut-être
lui permettra-t-il de retrouver sa place parmi les grands.

Il feuillette durant le voyage le roman que l'écrivain Ilya Ehren-
bourg lui a offert. Il s'insitule *La Chute de Paris*. Ce titre l'irrite.
Cette honte pourra-t-elle s'effacer ? Staline, à plusieurs reprises, a
rappelé la défaite de 40. Et Roosevelt – qui vient d'être réélu – en
prend toujours prétexte pour maintenir la France au second rang.

De Gaulle ferme le roman.

– Ah, si nous avions eu 8 000 kilomètres pour reculer, dit-il,
c'est nous qui écririons aujourd'hui *La Chute de Moscou*.

Enfin ! Il est à Orly, ce 16 décembre à 14 h 25. Il aperçoit
Yvonne de Gaulle. Il entend une *Marseillaise* allègre. Il passe en
revue lentement la compagnie qui lui rend les honneurs. La France
en ces visages divers. Il a besoin d'elle.

Mais tout de suite, l'inquiétude. Les Allemands de von Rundstedt ont lancé une offensive dans les Ardennes avec 20 divisions dont 7 blindées. Il sent autour de lui l'angoisse. Les troupes américaines sont enfoncées dans le secteur de Bastogne. Est-il possible qu'il faille envisager un recul, un retour des occupants ?

Au sud, la bataille continue de faire rage autour de Strasbourg.

Il dicte une note pour le général Juin, son chef d'état-major :

« Je tiens à savoir ce qui se passe au point de vue de la contre-offensive allemande et quels sont les pronostics du commandement allié. »

Il imagine Philippe en première ligne sur cette terre gelée. Il lui écrit :

« Mon bien cher Philippe,

« Ce mot pour te dire combien je pense à toi dans les jours glorieux mais difficiles que toi-même et tes camarades traversez en ce moment. L'ennemi prouve par ses attaques qu'il est loin d'être à bout de forces... Mon voyage à Moscou a donné des résultats satisfaisants et qui, je l'espère, se développeront.

« Sache *en confidence* que je compte me rendre dans tes parages pour Noël.

« Au revoir, mon cher petit garçon. Je n'ignore pas ce que tu as su faire à la tête de ton monde et j'en suis fier. Je t'embrasse de tout mon cœur.

Ton papa très affectionné. »

Le 24 décembre 1944, alors qu'il arrive en compagnie du général Leclerc dans ce champ balayé par la bise, de Gaulle voit Philippe dépassant de la tête les autres fusiliers-marins. Les tanks-destroyers, l'automitrailleuse, les jeeps, les half-tracks, les marins de l'unité de son fils forment, avec des troupes et des tanks de l'armée de terre, un carré. De Gaulle avance lentement sur le front des troupes. Il ne peut pas s'arrêter devant Philippe, il le sait. Il le regarde longuement, il dit à mi-voix : « Bonjour. »

Ce sera tout.

Mais l'image du visage de son fils rougi par le froid reste en lui cependant qu'il regarde défiler les blindés. Sur le premier char Sherman, il reconnaît le capitaine de Boissieu, l'un de ceux qui furent si longtemps, avec Billotte, après leur évasion de Poméranie, internés en Russie.

Il songe à ces parades de troupes russes auxquelles il vient d'assister à Moscou. Il a été frappé par la rigidité mécanique des hommes.

Il se sent de ce pays de France. Il se souvient des vers de Claudel :

« Ils ont cru se moquer de moi en disant que je suis une femme ! Le genre de femme que je suis, ils verront, et ce que c'est dans un corps que d'avoir une âme ! »

Dans l'avion qui le ramène à Paris, il écrit les dernières phrases du message radiodiffusé qu'il veut prononcer le 31 décembre 1944.

« Au moment où l'année de la libération s'efface devant l'année de la grandeur... Français, Françaises, que vos pensées se rassemblent sur la France ! Plus que jamais elle a besoin d'être aimée et d'être servie par nous tous qui sommes ses enfants. Et puis, elle l'a tant mérité ! »

37.

De Gaulle se lève, repousse brutalement sa chaise, puis commence à marcher dans le bureau, allant et venant.

– Ils en sont là, murmure-t-il, tout bonnement affolés...

Il allume une cigarette comme s'il voulait chasser cette sensation de dégoût, de mépris, cette colère aussi qui l'ont envahi. Il se penche sur la table basse où le général Juin a déposé une série de cartes. De Gaulle les déroule. L'attaque allemande dans les Ardennes est représentée par de longues flèches noires. Il éloigne la carte. Ce n'est pas le plus inquiétant. Il étudie le secteur au nord et à l'ouest de Strasbourg. D'autres flèches signalent l'avancée allemande. Cette attaque-là représente le vrai péril. Et naturellement, Eisenhower et ses généraux, Devers, Patch, n'ont pas averti de Lattre, ni le gouvernement français de leurs manœuvres de repli. Il a fallu que Juin se rende à l'hôtel Trianon à Versailles, au QG d'Eisenhower, pour qu'il mesure la gravité de la situation, Strasbourg menacé d'être réoccupé par les Allemands, Strasbourg qui a fêté sa libération il y a seulement un mois et qu'Eisenhower est prêt à abandonner. De Lattre a reçu des instructions d'avoir à se retirer.

– Ils en sont là, répète de Gaulle.

Il s'arrête devant la fenêtre. Depuis quelques jours, il a senti monter la panique. Articles angoissés annonçant le retour possible de la terreur nazie. Rumeurs venant jusqu'ici, au ministère de la Guerre, annonçant que Paris pouvait être à nouveau occupé ! Et ces regards qu'il a croisés alors qu'il inaugurait les arbres de Noël du personnel du ministère, les regards de ses proches, inquiets, pleins de questions. Brusque réveil, pour les généraux américains, et pour l'opinion. Mais si Eisenhower imagine qu'on va accepter ses plans, il se trompe.

Il écrit.

« Paris, 1er janvier 1945

« Mon cher général,

« Le général Juin... m'a rendu compte de vos préoccupations... [Vous] envisagez un raccourcissement du front de la VIIe armée américaine. Une telle opération, si elle était poussée jusqu'à la ligne des Vosges, pourrait comporter l'abandon de Strasbourg... Le gouvernement français ne peut évidemment laisser Strasbourg retomber aux mains de l'ennemi sans faire, quant à lui, tout ce qui est possible pour le défendre... Strasbourg peut être défendu... Quoi qu'il advienne, les Français défendront Strasbourg. »

Il faut maintenant avertir de Lattre. Il n'y a pas de respect des ordres du commandement allié qui tienne ! Qui se soucie de la France, du séisme que représenterait la perte de Strasbourg, des représailles que les SS – car ce sont les hommes de Himmler qui attaquent en Alsace – exerceraient sur la population ? Quelle désinvolture, de la part des Américains !

– Ils en sont là...

« Il va de soi que l'armée française ne saurait, elle, consentir à l'abandon de Strasbourg, écrit-il à de Lattre. Dans l'éventualité où les forces alliées se retireraient de leurs positions actuelles, je vous prescris de prendre à votre compte et d'assurer la défense de Strasbourg. »

Il faut que cette lettre soit portée d'urgence à de Lattre par un officier d'état-major.

Mais ce n'est pas tout. Il va télégraphier à Roosevelt. Il faut placer cette belle âme devant ses responsabilités !

Il dicte :

« Le gouvernement français ne peut accepter pour ce qui le concerne une telle retraite, qui ne lui paraît pas stratégiquement justifiée et qui serait déplorable au point de vue de la conduite générale de la guerre comme au point de vue national français. Je vous demande avec confiance d'intervenir dans cette affaire qui risque d'avoir à tous égards de graves conséquences. »

Roosevelt, bien sûr, se défaussera sur Eisenhower.

Il rappelle la secrétaire, dicte à nouveau. Il faut que Churchill soit prévenu.

« Je vous communique le texte d'un télégramme que j'adresse au président Roosevelt. Je vous demande de m'appuyer sur cette très grave affaire. »

Il se sent plus calme. Il faut attendre quelques heures. Mais quelle leçon ! Ces Alliés, prêts à abandonner une ville, une région françaises sans se soucier d'avertir les Français ! Et ils espèrent faire accepter cela !

On lui apporte un télégramme de De Lattre. Il le lit rapidement. De Lattre dit à la fois : « Je veux défendre Strasbourg et j'y appliquerai le maximum de moyens », et qu'il veut agir en accord avec le commandement suprême allié. Il s'agit bien de cela ! Il prend la plume. « J'ai peu apprécié vos dernières communications », écrit-il.

Il soupire. Est-ce la tension trop forte de ces heures ? Il se sent à nouveau habité par le doute. La France est-elle prête à payer le prix de la souveraineté, de la grandeur ?

— C'est maintenant que ça se décide, murmure-t-il.

Il a besoin de parler. Il fait entrer Claude Mauriac. Il commence à signer le courrier. Toutes ces lettres qu'on lui adresse, auxquelles il faut répondre. On le considère comme un faiseur de miracles. Comme s'il était capable, à lui seul, de sortir le pays des difficultés qui l'assaillent.

— Voyez-vous, la grandeur de la France, c'est maintenant que ça se décide, répète-t-il.

Il frappe du poing sur la table.

— C'est facile, l'apparence de la grandeur dans l'euphorie de la Libération. Mais dans les jours d'épreuves que nous vivons maintenant, tout se décide.

Il martèle à nouveau la table.

— La preuve va en être maintenant apportée si nous sommes ou non un grand peuple. Oui, tout se décide, tout se décide – il frappe encore du poing – avec le manque de ravitaillement, le défaut de charbon, les peines multiples de la guerre...

Il se lève. Il va rentrer à Neuilly retrouver les siens. Il serre les dents. Il veut croire.

— Mais les nations comme les hommes vont sans crainte aux combats qui engagent leur honneur et leur vie, dit-il.

Il jette un coup d'œil à Claude Mauriac. Celui-ci paraît rassuré. Il faut toujours en appeler à la volonté, à la dignité. Et dire le vrai.

– Voyez-vous, ajoute-t-il plus bas, il n'y a de réussite qu'à partir de la vérité.

Il se rend dans l'après-midi du 3 janvier 1945 au quartier général d'Eisenhower à Versailles. Il entre, suivi de Juin, dans le vaste salon de l'hôtel Trianon où de grandes cartes sont déployées. Il va dire la vérité. Il voit Churchill assis, arrivé depuis peu de Londres. Le Premier ministre hoche la tête, comme un signe de connivence.

– Si nous étions au Kriegspiel, je pourrais vous donner raison, commence de Gaulle. Mais pour le peuple et les soldats français, le sort de Strasbourg est d'une extrême importance morale. L'évacuer serait pour la France un désastre national. Car l'Alsace lui est sacrée.

– Je crois, comme le général de Gaulle, que ce fait doit entrer dans le jeu, dit Churchill.

Eisenhower est hésitant. De Gaulle le scrute. Sous l'apparente bienveillance, il décèle des menaces. L'armée de De Lattre, si elle agissait seule, pourrait être privée de munitions et d'essence, précise Eisenhower.

De Gaulle se lève. Il parle d'une voix calme. Le peuple français, dans sa fureur, pourrait retirer aux troupes alliées l'usage des chemins de fer et des transmissions. Mais pourquoi imaginer de telles perspectives, n'est-ce pas ?

On s'assied. On prend le thé.

« Ma tâche est compliquée », explique Eisenhower, puis, d'un ton anodin, il ajoute qu'on peut surseoir aux ordres de la retraite. Le général Bedell Smith se rendra sur le front afin de communiquer ces nouvelles instructions. Juin l'accompagnera, précise de Gaulle. « Ce sera pour moi une garantie supplémentaire et la preuve que l'accord est fait. »

D'un hochement de tête, Eisenhower accepte, puis ajoute d'un ton las qu'il doit faire face à mille problèmes, aux rivalités entre les généraux, aux critiques acerbes de Montgomery.

– La gloire se paie, dit de Gaulle. Or, vous allez être vainqueur.

Sur le seuil de l'hôtel Trianon, il serre la main d'Eisenhower. Strasbourg est sauvé. Mais il est amer. Il fait quelques pas en compagnie de Churchill. Il l'écoute parler de son récent voyage en Grèce où les communistes ont attaqué les troupes britanniques, dans le but de s'emparer du pouvoir.

– Ils m'ont tiré dessus avec les armes que je leur avais données, dit Churchill.

– Ce sont là des choses qui arrivent, murmure de Gaulle.

Il devine que le Premier ministre attend de sa part un remerciement, un signe de gratitude pour l'appui qu'il vient de lui apporter dans ce débat avec Eisenhower, mais de Gaulle ne se sent pas capable de prononcer un mot de plus.

Remercier ? Alors qu'il sait que Churchill, Staline et Roosevelt vont se réunir à Yalta dans quelques semaines pour décider du sort de l'Allemagne et de l'Europe, et que, même si Churchill a défendu la présence de la France à cette conférence, il a une fois encore abdiqué devant Roosevelt qui, avec l'appui de Staline, récuse de Gaulle ?

Et il faudrait remercier !

Dire la vérité, plutôt.

Il reçoit un conseiller de Roosevelt, Harry Hopkins, qui tente d'expliquer la position du Président. « Le peuple américain a été très frappé de l'étendue du désastre français en 1940 », dit Hopkins de sa voix traînante.

La défaite encore ! De Gaulle a l'impression qu'on le soufflette. La France se redresse. Elle a des centaines de milliers d'hommes qui combattent. Et la guerre en Alsace est implacable. L'ordre républicain a été rétabli. Et Roosevelt continue d'invoquer les mois de mai et juin 40 ! Ceux de la honte.

Alors, allons au fond !

– Les Français ont l'impression que vous ne considérez plus la grandeur de la France comme nécessaire au monde et à vous-même, dit de Gaulle d'une voix sourde. Si vous avez le désir que les rapports des États-Unis et de la France s'établissent sur des bases différentes, c'est à vous de faire ce qu'il faut. En attendant que vous choisissiez, j'adresse au président Roosevelt le salut de mon amitié à la veille de la conférence où il se rend en Europe.

Les jours suivants, il regarde ces photographies de la conférence de Yalta que publie la presse. Staline impénétrable et distant, Churchill satisfait, souriant comme un enfant, et Roosevelt transi, blotti dans sa cape noire, les traits creusés par la maladie, comme enveloppé dans son rêve. Et derrière ce cliché, cette façade, le « bafouillage » et les rivalités.

Il faut tirer parti de l'absence de la France à cette conférence pour traiter librement de « l'imbroglio européen ».

De Gaulle est surpris et indigné quand il reçoit un message de Roosevelt qui est sur le chemin du retour. Il lit : « Si le général consentait à me rencontrer à Alger... »

À Alger ? À bord de son cuirassé ? Dans un port français, après que Roosevelt a reçu les chefs d'État arabes, le Négus ! Et le chef du gouvernement de la France devrait s'inscrire dans cette série ?

La colère l'emporte. Il lance d'une voix forte : « La souveraineté, la dignité d'une grande nation doivent être intangibles ! »

Il convoque Jefferson Caffery, l'ambassadeur des États-Unis à Paris. Il le toise.

« Malheureusement, je ne puis me rendre à Alger en ce moment et à l'improviste, dit-il. Nous avons invité le Président à venir à Paris, et cela en novembre 1944. Nous avons beaucoup regretté qu'il n'ait pu s'y rendre alors. Nous comprenons très bien que le Président ne puisse passer à Paris maintenant. Si, par la suite, il souhaitait y venir, nous serions très heureux de le recevoir. S'il désire à présent passer à Alger... »

Il s'enferme dans son bureau. Quel « âpre chemin » que celui de la reconquête de la grandeur !

Il se sent seul. Bidault, son propre ministre des Affaires étrangères, regrette le camouflet infligé à Roosevelt, il s'en va répétant, a-t-on rapporté : « Je considère qu'il est fou ! » Bidault ! Le président du CNR. De Gaulle, murmure : « La vérité est que j'ai pris ce que la Résistance m'a donné de mieux », puis, d'un ton las : « La France ne m'a pas donné d'hommes. »

Il feuillette les journaux. Les plus modérés écrivent : « On estime qu'en refusant l'invitation de Roosevelt, de Gaulle a manqué de tact. »

Il ricane. Comme si c'était ainsi qu'il fallait juger des rapports de forces entre nations !

Mais qui partage son analyse ? Il songe à toutes ces séances de l'Assemblée consultative auxquelles il a participé, à ce qu'il a ressenti d'hostilité ou d'incompréhension en écoutant certaines interventions. Qui est réellement avec lui ?

Les communistes ont leurs objectifs et soutiennent toutes les initiatives de Staline. Les gens d'affaires « s'inquiètent de ce qui dérange leurs perspectives de concours américains ». Les notables ? Ils donnent raison à l'étranger pourvu qu'il soit riche et fort. Les « politiques » ? Ils font de Roosevelt le « champion infaillible de la démocratie ».

Alors ?

Il se sent atteint par ce « début de dissentiment ». « Peut-être l'idée qu'il a du rang et des droits de la France n'est-elle pas partagée par beaucoup de ceux qui agissent sur l'opinion. » Qui peut donc le soutenir ?

On entre dans le bureau. On lui rappelle qu'il doit intervenir à l'Assemblée consultative. Il hausse les épaules. Il dit en maugréant :

« J'irai, mais je ne parlerai pas... Ça ne m'intéresse déjà plus ! »

Il lève les yeux. Claude Mauriac est devant lui, emprunté, tenant à la main deux photographies qu'il lui tend d'un geste timide.

De Gaulle reconnaît ce visage aux yeux clos, ce corps raidi, vêtu de noir, couché sur un couvre-lit blanc. Sa mère morte. Ce flot d'émotion tout à coup qu'il faut contenir, ces photos qu'il faut poser loin de soi, sur la table, avec brusquerie, comme si on ne voulait plus les voir, alors qu'il a suffi d'un coup d'œil pour qu'elles soient là, dans le cœur, à jamais.

Il se redresse, lit d'un coup d'œil les titres d'un journal.

— En huit jours, dit-il, les Russes ont franchi la moitié de la distance Varsovie-Berlin.

Il a du mal à parler, comme si les mots s'accrochaient à sa gorge.

— Ce n'est pas possible, l'état-major allemand fait la grève, poursuit-il.

Il tourne la tête. Les deux photographies sont là. Sa mère. Il se souvient de juin 40. Puis de son père.

Il reste quelques instants silencieux. Si la France veut être parmi les vainqueurs, il lui faut prendre un gage pour s'assurer sa place.

Il commence à dicter un télégramme pour de Lattre.

« Mon cher général,

« Il faut que vous passiez le Rhin, même si les Américains ne s'y prêtent pas et dussiez-vous le passer sur des barques. Il y a là une question du plus haut intérêt national. Karlsruhe et Stuttgart vous attendent, si même ils ne vous désirent pas.

« Veuillez croire, mon cher général, à mon entière confiance et en ma fidèle amitié. »

Combien d'hommes vont tomber dans ce dernier assaut ? Il pense à Philippe. Il le cherche des yeux alors qu'il passe en revue les troupes rangées sur la place Kléber à Strasbourg. Il a demandé à ce que l'on convoque son fils. Mais comment le voir dans cette foule d'hommes, d'officiers qui se pressent en ce matin de février ?

Il fait un froid glacial. Le ciel est bas. Les bandes bleues, blanches et rouges des drapeaux tranchent sur les façades noires.

Est-ce parce qu'il ne voit pas Philippe qu'il a le sentiment qu'une fois de plus, comme si le destin leur infligeait cette épreuve, son fils et lui vont se frôler, ne pas pouvoir échanger plus d'un regard, mais cette prise d'armes lui serre le cœur.

Tant de fois en un siècle, des combats, des déchirures, des souffrances, des occupations, des désastres et des victoires, des libérations. Sera-ce toujours ainsi entre la France et l'Allemagne ?

Les fanfares jouent des marches allègres, et tout à coup s'élèvent les sons aigus et presque désespérés des noubas des tirailleurs nord-africains. L'ombre de l'ennemi, encore si dense ici il y a quelque jours, quand la ville était menacée, s'est retirée et cependant l'atmosphère est lourde.

Il s'arrête devant ces combattants de la brigade Alsace-Lorraine que commande l'écrivain André Malraux. À quelques pas de ces FFI qui viennent de s'illustrer dans les combats des Vosges, se tiennent les hommes de De Lattre et de Leclerc.

De Lattre murmure : « D'un bout à l'autre de la hiérarchie, l'impression générale est que la nation les ignore et les abandonne. »

Que répondre ? Il est là pour montrer que la nation soutient et honore ceux qui meurent pour elle, mais la phrase de De Lattre s'est fichée en lui. Maintenant que la dernière offensive allemande a été brisée, qu'on a oublié la panique de ces derniers jours, qui se soucie encore de la guerre, ici, ou de celle qui commence en Indochine, où il faut bien pourtant s'opposer aux Japonais, reconquérir ses droits ? Est-il seul à vouloir que la grandeur soit rendue à la France ?

Il se tourne, à la fin de la prise d'armes, vers un officier de son état-major. Il veut voir Philippe à Colmar. Il veut que son fils participe au déjeuner qui doit rassembler les officiers de De Lattre. Que l'on convoque l'enseigne de vaisseau Philippe de Gaulle !

Les heures passent. Il va de visage en visage. Il remet des décorations. Il donne l'accolade. Autour de lui, c'est le tourbillon des officiers d'état-major, la petite cour dont il sait que de Lattre aime à s'entourer. Le déjeuner se termine. Il quitte Colmar. Il n'a pas vu Philippe, et c'est comme si cette rencontre manquée donnait le ton de ce voyage, qui est pourtant celui de la victoire remportée, contre tous, ennemis et alliés.

Il est morose. C'est la couleur de cet hiver 45, avec cette guerre que l'on croit finie, qui tue et qui prive les Français du nécessaire – le charbon, le pain. Parfois de Gaulle se demande si le lien qui l'unit à la nation n'est pas en train de s'effilocher.

Il lit dans *Combat*, l'un des journaux de la Résistance où écrivent de jeunes hommes talentueux, tel cet Albert Camus, ces lignes qui le meurtrissent : « Le mutisme de De Gaulle, la carence de ses ministres creusent toujours davantage le fossé qui nous sépare du gouvernement provisoire. »

Que voudrait-on qu'il fasse ?

« Ils ne sont pas contents de mes ministres..., s'exclame-t-il. Mais si je les changeais, ce serait la même comédie. »

Là, parmi les hommes de la Résistance, chez les communistes, on s'indigne parce qu'il gracie tel ou tel, le général Dentz, qui commandait en Syrie, qui fit appel à l'aviation allemande pour tirer sur les Français Libres, mais qui avait un passé. On condamne de même la grâce qu'il accorde à Henri Béraud, ce polémiste anglophobe. Et puis il y a, de l'autre côté, la pression morale de ceux qui tentent d'arracher des hommes au peloton d'exécution. Tant de suppliques, de pétitions, de lettres déchirantes ! Il gracie toutes les femmes, la plupart des mineurs, sauf ceux qui ont perpétré des actes barbares.

Et maintenant, il doit trancher le cas de Robert Brasillach. Il lit les articles de François Mauriac qui prend la défense de cet écrivain. Brasillach réclamait pourtant, dans *Je suis partout*, l'exécution de Blum, de Mandel, de Reynaud, exigeant qu'on envoie au poteau ces « traîtres ». Qu'attend-on ? martelait-il.

Et puis, il justifiait les rafles et la persécution des juifs.

Mais pour cet homme-là, les écrivains se liguent.

Il reçoit François Mauriac. Il l'écoute : « Mais vous avez beau dire, argumente Mauriac, ce qu'il y a de meilleur en France ne se console pas de la destruction d'une tête pensante, aussi mal qu'elle ait pensé. N'existe-t-il donc aucune autre peine que la mort ? Les seules exécutions que l'histoire ne pardonne pas à la terreur, ce sont celles des philosophes et des poètes. »

Il ne veut pas répondre. À quoi bon répéter ce qu'il a déjà dit au fils de Mauriac à propos de la grâce accordée à l'écrivain Henri Béraud et refusée au capitaine de corvette Paul Chack : « Il ne s'agit pas pour moi de politique, mais de justice. Intelligence avec l'ennemi ? J'étudie le dossier de près et, pour Chack, qui a donné l'ordre à des Français de s'enrôler dans l'armée allemande, je dis oui, mais pour Béraud, je cherche vainement où il y a eu intelligence et dans quelles conditions... »

Il prend le dossier de Brasillach, condamné à mort le 19 janvier. Il veut en lire chaque pièce.

Cet homme intelligent, ce normalien, cet écrivain, comment pouvait-il écrire de tels appels au meurtre ? Pourquoi un tel aveuglement ? Et quelle influence, quand on a son talent, son prestige ! Et l'homme s'est rendu sur le front de l'Est. On le voit photographié, souriant aux côtés de Doriot qui plastronne en uniforme allemand. N'est-ce pas là une incitation directe à la trahison, à se mettre au service de l'ennemi ? Mais l'homme s'est livré de son plein gré à la justice.

Dans la soirée du 3 février, de Gaulle reçoit chez lui Mᵉ Jacques Isorni, l'avocat de Brasillach. Laisser le défenseur parler, remettre cette pétition en faveur de l'écrivain. L'écouter dire : « Un geste de grâce à propos d'une affaire pure, où il n'y a ni sang, ni argent, pourrait être un signe de réconciliation. »

Ne pas répondre que les mots, quand ils sont lancés par une plume experte et renommée, tuent plus sûrement que les balles, et qu'au fond ce sont les mots qui font et défont les armées, qui dressent les bûchers et les guillotines, absolvent les bourreaux et lancent les tueurs à la chasse aux victimes. De Gaulle reconduit Isorni en silence.

Brasillach est exécuté le 6 février 1945.

Le lendemain, de Gaulle voit dans le regard de Claude Mauriac le désespoir, l'incompréhension et le reproche. Mais qu'était Brasillach, sinon le combattant d'une mauvaise cause ? Ne doivent donc mourir que ceux qui utilisent ce qu'on appelle les armes, et doivent être préservés ceux qui chantent les combats et justifient la barbarie ? Où serait la justice ?

Il pense à Moulin, à Brossolette, à ces écrivains, ces professeurs morts au Vercors, déportés, torturés.

— Eh quoi, dit-il ! Brasillach a été fusillé comme un soldat.

Dans cette guerre, mourir ainsi, c'est presque un privilège.

Mais qui peut mesurer ce qu'il ressent chaque fois qu'il doit ainsi décider de la vie et de la mort ?

Voici deux frères, dont la mère écrit qu'ils se sont fourvoyés dans la milice, qu'ils n'ont fait que porter cet uniforme, croyant servir la France, qu'ils vivent dans la clandestinité, qu'ils rêvent de s'engager.

— Tôt ou tard, dans quelques mois, lorsque les esprits se seront calmés..., dit-il. Qu'ils prennent patience. Il faut que ces deux-là continuent de se cacher en attendant.

Mais quoi qu'il fasse, quoi qu'il dise, il sait qu'il ne peut satisfaire ceux qui exigent plus, ceux qui veulent le pardon pour tous.

Il devine les reproches quand il est debout à la tribune de l'hémicycle du Sénat, devant les délégués de l'Assemblée consultative. Dans la pénombre de l'une des loges réservées à la présidence, il distingue au premier rang Yvonne de Gaulle, accompagnée de Philippe et d'Élisabeth.

Il commence à parler et il sait qu'il va réussir, le temps de son discours, à capter tous les regards, à effacer les critiques, à susciter les applaudissements.

— Messieurs, où est la guerre civile ? s'écrie-t-il.

C'est pourtant ce qu'on avait promis à la France.

Mais il veut aller au-delà du présent, donner les grandes lignes de ce qui devrait être le programme du gouvernement de la France.

– Nous déclarons que l'État doit tenir les leviers de commande. Oui, désormais, c'est le rôle de l'État d'assurer lui-même la mise en valeur des grandes ressources, des sources d'énergie : charbon, électricité, pétrole, ainsi que des principaux moyens de transport : ferrés, maritimes, aériens, et des moyens de transmission... C'est son rôle de disposer du crédit, afin de diriger l'épargne nationale vers les vastes investissements...

Il parle longtemps, des comités d'entreprise, de la réforme profonde de l'éducation, de la sécurité sociale, « de ce manque d'hommes et de ce vide terrible dont souffre la France ».

Il est porté par ses propres mots, par l'espoir.

« S'il arrivait que nous fussions effrayés, dit-il, il suffirait pour nous raffermir d'écouter la voix profonde de notre peuple, comme on entend la rumeur de la mer. Car, entre l'ombre douceureuse du déclin et la claire et brutale lumière du renouveau, nous connaissons le choix de la France. »

Il regagne sa place sous les applaudissements. Et puis, comme le reflux, l'enthousiasme se retire et il se sent las, blessé.

C'est le socialiste Daniel Mayer qui est à la tribune. Il parle d'un ton acerbe. « L'épuration est imparfaite, elle est trop lente, dit-il, l'exercice d'un droit de grâce vient confirmer l'impression désagréable qu'il y a deux sortes de justice... Le pays n'a pas compris la grâce d'Henri Béraud... »

De Gaulle se lève :

– Vous savez quels sont les responsabilités et le caractère du droit de grâce. Vous savez quels sont ces fondements. Il est impossible à celui qui joue...

De Gaulle s'interrompt quelques secondes, puis reprend d'une voix plus forte :

– ... qui joue provisoirement le chef de l'État de s'expliquer sur la façon dont il emploie ce droit de grâce en regard de sa conscience.

– Mon général, je n'ai pas voulu vous gêner, dit Daniel Mayer.

De Gaulle relève la tête, sa voix se fait cinglante.

– Vous ne me gênez aucunement. Je tiens seulement à vous répéter qu'étant donné ce qu'est le droit de grâce peut-être auriez-vous pu nous épargner ce dialogue à propos duquel je ne dois pas discuter.

Il quitte peu après l'hémicycle. Il sent monter le conflit entre lui et les délégués à l'Assemblée consultative. Une délégation d'entre eux demande à être reçue : « Il existe un grave malaise, disent-ils. La raison en est le rôle étroit où l'Assemblée est confinée. »

Il les écoute longuement. Il les observe. C'est sans doute dans la logique des partis politiques, des assemblées, de vouloir conquérir tout le pouvoir, ne rien laisser à l'exécutif, tout dissoudre dans les discussions sans fin. Il se souvient de ces ministères qui se succédaient dans les années 30, de ces ministres de la Guerre qu'il a vus défiler alors qu'il était affecté au secrétariat général de la Défense nationale. Il ne pourra pas, il le sait, accepter un retour à cet état de choses.

– Le peuple est souverain, répond-il. Jusqu'aux futures élections générales, j'ai à répondre du destin du pays, devant lui et devant lui seul.

Il y a des murmures, des protestations.

– Jusqu'aux élections, répète de Gaulle.

Après ? Il hausse les épaules.

Mais pour l'heure, à lui de décider.

« C'est au nom de la France tout entière, non d'une fraction si valable soit-elle », dit-il, qu'il accomplit sa mission.

Ce dimanche, il écoute plusieurs heures durant, dans son bureau de la villa de Neuilly, Pierre Mendès France, le ministre de l'Économie nationale, exposer un projet rigoureux de politique monétaire : échange de billets, lutte contre l'inflation. Il reçoit les contre-propositions de René Pleven, ministre des Finances, qui estime qu'il y a danger à conduire une politique aussi dure.

Il doit trancher. Peut-on se permettre, dans ce pays défait, misérable, cette rigueur qui peut étouffer l'élan, l'espoir ? Peut-on prolonger l'attente de ces millions de salariés qui veulent voir leurs ressources augmenter, l'économie relancée ? Et d'ailleurs, par quels billets remplacera-t-on les anciens ? La France ne dispose pas de moyens d'en imprimer de nouveaux rapidement. Il approuve le plan Pleven.

Il n'est pas étonné quand il reçoit, le 2 avril, la lettre de démission de Mendès France : « J'ai aujourd'hui l'impression de ne pouvoir vous assister utilement dans votre mission », écrit le ministre.

De Gaulle reste un long moment immobile. Mendès France est un homme courageux, vertueux, respectable. Mais voit-il la France telle qu'elle est ? Blessée, avec tant d'efforts à accomplir !

De Gaulle quitte le ministère ce 2 avril.

Il se rend place de la Concorde où il va remettre 134 drapeaux aux colonels des régiments qui viennent d'être reconstitués, et qui défilent maintenant de l'Arc de Triomphe à la place de la République.

La France a de nouveau un glaive. Et elle va devoir le brandir pour achever l'Allemagne nazie, pour sauvegarder ses droits en Indochine contre les Japonais, pour revendiquer ses droits à participer comme une grande nation à la construction de la Paix.

Dans l'après-midi de ce 2 avril, il rejoint l'Hôtel de Ville.

L'émotion le submerge. Sept mois à peine depuis ces heures de la libération de Paris, et un tel chemin parcouru ! Il va remettre la croix de la Libération à la Ville de Paris. Mais il veut marcher au milieu de la foule. Tous ces visages, ces mains qui se tendent, ces cris qui s'élèvent. Il se sent de ce peuple, par tout son être. Et cette adhésion l'oblige. Il ne doit ni composer avec son devoir, ni plier sous son fardeau. Il faut qu'on sache qu'il est ainsi.

Il avance dans la foule. « Me voilà, tel que Dieu m'a fait. »

Ce sont jours de printemps, les premiers depuis cinq ans qui sont radieux. Il traverse le Rhin sur l'un des ponts lancés par les troupes françaises. Il est ému, fier et tendu. Il marche en compagnie de De Lattre et de Juin dans Karlsruhe, dont les rues ne sont plus que des voies pierreuses entre les décombres des maisons détruites.

Il est fasciné par cette Allemagne qui s'enfonce ainsi jusqu'aux derniers de ses soldats dans le désastre. Car elle lutte encore. Or, que serait l'Europe sans l'Allemagne ?

Il le dit. Il lit l'étonnement dans les yeux de ceux qui l'entourent. Mais il faut voir loin ! L'Allemagne, dit-il, est « un grand peuple coupable, certes, et dont la justice exige qu'il soit châtié, mais dont la raison supérieure de l'Europe déplorerait qu'il fût détruit ».

Cette pensée l'obsède. Les Russes sont entrés en Prusse-Orientale. Königsberg, la ville de Kant, est tombée entre leurs mains. Sur la route de retour, il longe les interminables colonnes de camions de l'armée américaine qui se dirigent vers l'est. Voilà les deux nouvelles puissances dont les soldats vont se rencontrer sur l'Elbe. Et la mort de Roosevelt, le 12 avril, ne change rien à cette force matérielle des États-Unis qui a permis la libération de l'Europe et qui maintenant va, comme cherche à le faire la Russie, vouloir imposer son ordre.

Que deviendra l'Europe, enfermée dans cet étau ? Que deviendra la France ?

Il se rend à Royan, où les troupes françaises de Larminat et de Leclerc ont enfin réduit les dernières poches tenues par les Allemands.

Il marche sur le bord de mer.

Les nuages courent à ras des flots, enveloppant de gris les lourds blockhaus que l'ennemi a déposés là comme autant d'énormes bornes de béton marquant la pointe extrême de son avancée.

– La France est malade, dit de Gaulle à mi-voix.

Il ne se soucie pas de savoir si les officiers qui l'entourent l'entendent.

« Elle est comme un corps qui se décompose, poursuit-il. Si je voulais, je pourrais l'enfermer dans un corset orthopédique et, la tenant à bout de bras, lui donner une apparence extérieure de santé. Mais à peine ouvrirais-je les bras et délacerais-je le corset qu'elle tomberait pour ne jamais se relever. Non, certes, je ne ferai jamais cela. »

Il s'arrête, tourné vers l'océan.

– Il faut que sa guérison soit son œuvre. Il faut qu'elle recouvre elle-même la santé. Il est impossible que, dans ce foyer de décomposition, il ne se trouve pas un germe sain, générateur de sa propre résurrection. Mais ce germe, c'est des Français eux-mêmes qu'il doit naître et grandir... Alors seulement, un jardinier désigné par la nation se penchera sur lui. Peu importe qui sera ce jardinier ! Qu'il se nomme de Gaulle ou non...

Il recommence à marcher.

– Si la France ne peut accomplir cet acte d'énergie, si elle ne peut faire cet acte de foi qui conditionne sa résurrection, alors tant pis pour elle! C'est qu'elle ne sera plus digne de subsister!

38.

De Gaulle, d'un geste, invite Jules Jeanneney, ministre d'État, Tixier, ministre de l'Intérieur, René Mayer, ministre des Transports, et le général Kœnig à s'asseoir. Il les regarde l'un après l'autre. Il soupire. Il se sent accablé. Pétain va donc rentrer en France le 26 avril. De Gaulle aurait tant voulu éviter cela. Il pense depuis des semaines que « l'heure de la réconciliation est venue, qu'il n'est plus temps de mettre en relief les raisons que les Français ont de ne pas s'entendre ».

« Pétain n'est pas mon ennemi personnel, dit-il en se levant, en marchant dans la pièce. Je veux rassembler les Français, pas tout à fait jusqu'à Pétain, mais presque, à la limite extrême... »

Il revient à son bureau. Il jette un coup d'œil à ces télégrammes en provenance de Suisse. « Le gouvernement helvétique ne peut s'opposer à la volonté du maréchal Pétain de regagner la France. »

Il soupire à nouveau. Le procès ne pourra pas être évité, et la procédure n'aboutira qu'à ranimer les divisions des Français, à nuire à l'unité nationale. Comme si la nation encore exsangue avait besoin de cela !

Il soulève légèrement les bras :

– Alors, ils nous le rendent, dit-il, il va revenir.

Il veut examiner avec chacun des ministres les conditions du retour de Pétain. Le voyage se fera en train, précise-t-il en regardant René Mayer. Kœnig ira accueillir Pétain à Vallorbe. Le service d'ordre doit empêcher toute manifestation hostile.

Il reste quelques minutes silencieux. Pourquoi ces destins étrangement croisés entre lui et Pétain, depuis le début, quand il est arrivé à Arras, dans ce 33e régiment d'infanterie que commandait le colonel Pétain, et puis ce mois de juin 40, « l'avènement de l'abandon dans l'équivoque d'une gloire sénile » ?

Il se sent étreint par la tristesse, peut-être même le désespoir.

– Échéance lamentable, reprend-il d'une voix sourde. Le Maréchal s'abritait de l'illusion de servir l'intérêt national, sous l'apparence de la fermeté et à l'abri de la ruse. Il n'était plus qu'un jouet, qu'une proie offerte aux intrigues... Que tous les hommes coupables de Vichy soient arrêtés, mais le Maréchal, je ne tenais pas à le rencontrer... Quel dommage...

Il secoue les épaules.

– Il nous aura embêtés jusqu'au bout ! lance-t-il.

Il baisse la tête.

– Il possédait tant de qualités... Pourquoi a-t-il fait tout ce qu'il a fait sous l'Occupation ? C'était un grand homme. Ah ! la vieillesse est un naufrage. Il ne faut pas se laisser vieillir aux affaires.

Il écoute Mayer et Tixier préciser les mesures qu'ils envisagent. Il hoche la tête, se lève, retient un instant Kœnig.

– Je ne veux pas de choses médiocres, dit-il. Qu'il ne lui arrive rien.

Il se retrouve seul. Il regarde ces dossiers ouverts sur la table, devant lui. C'est le présent dans son urgence.

Il y a cette lettre qu'il adresse à de Lattre, dont les troupes viennent d'occuper Stuttgart. Et Eisenhower proteste. Et le nouveau président des États-Unis, Harry Truman, est aussi intervenu. Les Français, disent-ils l'un et l'autre, doivent évacuer la ville. Pourquoi ? Les Alliés n'avaient qu'à convier la France à leurs conférences sur l'avenir de l'Allemagne, sur la délimitation des zones d'occupation. Et les Américains contestent aussi l'avance des troupes françaises dans le Val d'Aoste et dans les vallées alpines, au nord de Nice, vers Tende et La Brigue. Et ce sont encore les États-Unis qui créent des obstacles à l'envoi de troupes en Indochine, où pourtant il s'agit de combattre les Japonais. Quant aux Anglais, ils agissent au Levant, en Syrie, avec l'intention d'effacer la présence française. Et eux aussi veulent empêcher l'envoi de renforts français alors que des émeutes ont éclaté à Damas.

C'est le présent et la nécessité d'agir.

Et pourtant, de Gaulle a de la peine à le faire, non parce qu'il hésite sur les choix à accomplir, tout est clair au contraire.

Il va télégraphier à Truman : « Je dois vous déclarer franchement que je suis heurté par l'attitude de votre gouvernement et ses évidentes conséquences. » Quant à Churchill, après les larmes qu'il a versées le 11 novembre 1944 à l'Hôtel de Ville et ses déclarations d'amitié, voici ce qu'il déclare maintenant à Truman : « Ayant connu de Gaulle pendant cinq longues années, je suis convaincu qu'il est le pire ennemi que puisse avoir la France au milieu de ses malheurs. Je considère que le général de Gaulle constitue l'un des plus grands dangers qui menacent la paix de l'Europe... Aucune entente avec lui ne sera possible... De Gaulle sera toujours un obstacle au rapprochement entre nous et la France... La politique de provocation et de mépris qu'il poursuit actuellement à l'égard de la Grande-Bretagne et des États-Unis... ne peut aboutir qu'à des désastres incalculables. »

Et il faudrait croire qu'en Syrie, l'Angleterre ne joue pas contre la France ! Il va lui répondre. Le message est là, prêt à être signé : « Je crois que cette affaire aurait pu être réglée, déjà, si les gouvernements de Damas et de Beyrouth n'avaient pas eu la possibilité de croire qu'ils pourraient éviter tout engagement en s'appuyant sur vous contre nous. La présence de vos troupes et l'attitude de vos agents les aidaient dans cette politique malheureusement négative. »

Voilà le présent.

Et pourtant, il se sent englué dans le passé. Ce retour de Pétain, ce procès vont faire resurgir toutes les humiliations de la France, ses divisions, et aussi les souvenirs personnels qu'il ne peut chasser – le régiment d'Arras, les salons accueillants où ils se retrouvaient parfois dans cette ville avant 1914, le cabinet du Maréchal, l'École de guerre, les conflits avec lui à propos de *La France et son armée*, et cette dernière poignée de main à Bordeaux, dans la salle à manger de l'hôtel Splendid, en juin 1940.

Plus de quarante ans de relations entre eux. Au fond, son destin s'est fait contre celui de Pétain, contre cette vie égoïste, cette solitude d'homme sans famille, de plus en plus vouée, au fur et à mesure qu'elle se déroulait, que la vieillesse venait, à tout sacrifier à ses satisfactions personnelles. Et pour finir, se servant même de la France, de son malheur, pour servir sa gloire.

Peut-être le choix d'un homme est-il toujours celui-là : vivre pour soi ou bien se donner à une cause.

Il pense à Mussolini, à Hitler, dont on vient d'annoncer la mort, l'un abattu, l'autre choisissant le suicide. Ils ont oublié, et Pétain aussi, à sa manière prudente, calculée, que « les hommes sont des âmes autant que du limon ». Ils ont agi « comme si les autres n'auraient jamais de courage ». C'est cela, leur faute, autant politique que morale.

Il pense aux siens, non seulement à sa famille, mais à ses compagnons, ceux qu'il a décorés de l'ordre de la Libération, « dans l'honneur et par la victoire ». Tous hommes et femmes ayant décidé de servir à en mourir. Si la France est vivante, victorieuse dans ce présent, c'est à eux qu'elle le doit. Il est l'un d'eux.

Il relit le message qu'il adresse à de Lattre.

« L'autorité à Stuttgart comme dans tous les territoires conquis par nos troupes doit être une autorité française. Vous y établirez et y maintiendrez un gouverneur militaire avec une garnison suffisante, et n'accepterez aucun empiétement à ce sujet. »

Il ajoute :

« J'espère venir à Stuttgart prochainement. Mais une visite ne peut y être le terme de notre administration et de notre autorité. »

Il se souvient de ces années qu'il a passées à Trèves, à la tête du 19e bataillon de chasseurs, dans cette armée du Rhin, l'élite de l'armée française, que le monde entier croyait invincible et que devait briser « la foudroyante surprise de la force mécanique allemande ». Et maintenant, voici cette armée qui occupe Stuttgart, Augsbourg, la Forêt-Noire. Il le voulait. Il l'a cru possible en juin 40. C'était un acte de foi autant que de raison. Et cela est advenu. Il ne veut pas se laisser griser par cette joie qui l'envahit, mais chaque heure est radieuse, enivrante. Il se surprend à réciter ces vers de *L'Aiglon*, tant de fois répétés durant ces cinq années incertaines :

> *Je ne veux rien voir que la victoire !*
> *Ne me demandez pas : après ?*
> *Après ! Je veux bien la nuit noire*
> *Et le sommeil sous les cyprès !*

Il reçoit un message : les troupes de Leclerc sont à Berchtes-gaden ! Leclerc va lui offrir le sabre du Führer ! Il ne peut pas rester assis. Il marche lentement dans son bureau, il allume un cigare. Il savoure ce moment. Berchtesgaden ! Le nid d'aigle, symbolisant « l'entreprise de Hitler surhumaine et inhumaine ». Et c'est Leclerc, qui, dans la nuit du Cameroun, en juin 1940, cousait un galon de plus sur la manche de sa veste et partait avec quelques compagnons rallier l'Afrique-Équatoriale à la France Libre, qui a conquis le Berghof !

Comment ne pas croire, comme il l'a pensé dès l'enfance, que la France est « vouée à une destinée éminente et exceptionnelle », qu'elle n'est « réellement elle-même qu'au premier rang » ?

Il dicte un télégramme pour le général de Lattre :

« Je vous ai désigné pour participer à l'acte solennel de la capitu-lation à Berlin. Il est prévu que seuls le général Eisenhower et le représentant du commandement russe signeront comme parties contractantes. Mais vous signerez comme témoin. Vous devrez en tout cas exiger des conditions équivalentes à celles qui seront faites au représentant britannique, à moins que celui-ci ne signe pour Eisenhower. »

Sa voix n'a pas tremblé, et pourtant il lui semble que tout son corps frissonne. La France est à la table des vainqueurs !

Combien étaient-ils, autour de lui, le 18 juin 1940 ?

Il revoit ces premières heures. Il retrouve les mots de Churchill. Quels que soient les péripéties et les conflits qui ont suivi, et cette opposition encore au Levant, ce jeu si tortueux des Britanniques à Damas et à Beyrouth, il n'oubliera pas. Jamais.

Il est ému. Il a la gorge nouée. Il dicte d'une voix rauque un télé-gramme pour Churchill. « Au moment où le canon cesse de tonner sur l'Europe, je tiens à vous adresser ma pensée fidèle d'amitié et d'admiration. Ce qui a été fait ne l'aurait pas été sans vous... »

C'est le 8 mai. Il y a cinq ans jour pour jour, les divisions de pan-zer se concentraient à la veille de l'attaque qui allait décider du sort de la bataille de France.

Et maintenant, le maréchal Keitel s'écrie, en voyant le général de Lattre présent dans la pièce où il va signer la capitulation de l'Alle-magne : « Quoi ? Les Français aussi ? ! »

Oui, la France est là, surgie de l'abîme !

De Gaulle écrit le texte du message qu'il va adresser aux Français et il a dans l'oreille les phrases qu'il prononçait le 18 juin 1940 :

« La guerre est gagnée ! Voici la victoire ! C'est la victoire des nations unies et c'est la victoire de la France !

« L'ennemi allemand vient de capituler... Le commandement français était présent et partie à l'acte de capitulation.

« Honneur ! Honneur pour toujours ! À nos armées et à leurs chefs ! Honneur à notre peuple que des épreuves terribles n'ont pu réduire ni fléchir !... Ah ! Vive la France ! »

Il a le sentiment que ce qu'il vit durant ces heures-là est une grâce. Et que la nation partage cette même impression d'un instant miraculeux.

Il entend le *Cantique du Triomphe* s'amplifier sous les voûtes de Notre-Dame, le 9 mai, pour ce Te Deum solennel qui célèbre la victoire de la France et sa pérennité. Le cantique est repris sur le parvis, dans les rues avoisinantes, se mêlant à *La Marseillaise*. Il se tient debout dans le chœur. Il pense à tous ces hommes, chevaliers, rois, présidents, qui, avant lui, ont occupé cette place qui est maintenant la sienne, dans la continuité nationale.

Il s'arrête sur le parvis. La foule s'étend à perte de vue. L'air est léger, le ciel d'un bleu délavé. Aucune fusillade ne vient coucher ces hommes et ces femmes à terre. C'est un instant d'harmonie et de communion.

Il rentre à Neuilly. Il voit s'avancer vers lui une jeune femme au pas mal assuré. Elle s'appuie au bras d'Yvonne de Gaulle et d'Élisabeth. Il ne voit dans son visage émacié que ses yeux, dont le regard semble fixer au loin quelque chose qu'elle est seule à distinguer. Il serre contre lui sa nièce, Geneviève de Gaulle, qui rentre de Ravensbrück. Des dizaines de milliers d'autres déportés et des millions de prisonniers de guerre arrivent ces jours-ci d'Allemagne.

Elle ne raconte rien. Ce qu'elle a vécu est inscrit dans son corps. Ce qu'elle a appris de l'homme, de sa cruauté et de sa grandeur, est dans son regard.

Il reste assis près d'elle, dans cette paix d'une journée de printemps. Puis, grand bruit à l'entrée du parc. Le capitaine de Boissieu se présente. Il a été chargé par le général Leclerc de convoyer, depuis Berchtesgaden, la voiture blindée de Hitler, le trophée de guerre de la 2ᵉ division blindée. Elle est là, cette machine d'acier brillant. De Gaulle ouvre la portière. Il invite Geneviève de Gaulle à prendre place, là où s'asseyait le Führer. Il fait le tour du véhicule. Alain de Boissieu est aux côtés d'Élisabeth. Un chien gambade dans le parc. Geneviève de Gaulle descend de la voiture, marche lentement entre les arbres.

De Gaulle s'éloigne. Qui pourrait croire, à regarder cette scène, qu'il a fallu tant de sang, tant de hasard, tant de miracles, pour qu'elle soit possible et qu'à sa manière elle résume l'histoire de millions d'hommes durant cette décennie ?

Et puis, trop vite, il ressent que cet instant, comme un mirage, va se dissiper.

C'était la paix. Voici la guerre. Des télégrammes arrivent d'Algérie. Une centaine de colons ont été massacrés dans la région de Sétif-Guelma, Bougie. Des musulmans ont manifesté le jour de la victoire aux cris de : « Algérie indépendante ! » Les rapports soulignent qu'il s'agit sans doute d'un début d'insurrection générale. Le général Duval, qui commande dans la région, a fait intervenir l'artillerie et l'aviation. Des villages ont été rasés. On compterait des milliers de victimes, peut-être 8 000.

De Gaulle est seul. Il se souvient des mesures libérales qu'il a imposées lorsque le gouvernement provisoire siégeait à Alger. Et il se souvient aussi du discours qu'il a prononcé à Brazzaville. On ne pourra plus, il le sait, gouverner ces peuples colonisés comme on l'a fait jusqu'à ce jour. Cela vaut pour l'Indochine, pour la Syrie et le Liban, pour l'Afrique Noire, pour l'Algérie. Mais il veut que cela se fasse dans l'ordre, et non que la France soit ainsi confrontée au chaos d'une révolte, amputée peut-être au profit d'autres puissances. Il faut tenir, pour que ses intérêts soient préservés, pour qu'elle soit maîtresse du rythme des évolutions. Alors oui, il faut couvrir les décisions qu'a prises le général Duval.

Mais c'est comme si le ciel des jours de victoire se voilait, annonçant déjà les orages.

Au Levant, les Anglais profitent des troubles pour tenter de prendre la place de la France. Oubliée, l'émotion du jour de la victoire. Voici revenu le temps de l'affrontement.

De Gaulle reçoit l'ambassadeur britannique. Il toise Duff Cooper : « Nous ne sommes pas, je le reconnais, en mesure de vous faire actuellement la guerre, martèle-t-il, mais vous avez outragé la France et trahi l'Occident, cela ne peut être oublié. »

De Gaulle convoque Bidault. Il lui suffit de quelques mots pour comprendre que le ministre des Affaires étrangères n'a pas la volonté de s'opposer aux Anglais et aux Américains.

S'adresser au pays ? De Gaulle monte à la tribune de l'Assemblée Consultative. Il parle de la victoire. On applaudit. Mais une partie des délégués seulement crient : « Vive la France ! », les autres : « Vive la République ! » Les communistes restent même assis alors que tous leurs collègues se lèvent. Puis, lors des séances suivantes, les délégués communistes dressent le procès de la politique française au Levant. Et Pierre Cot, qui leur est proche, s'en fait le procureur.

De Gaulle écoute ces réquisitoires. Il n'est pas surpris. La victoire célébrée, il devient un personnage encombrant. Il le sent. Il le sait.

Le 13 mai, il examine les résultats des élections municipales. Pour la première fois, comme il l'a imposé par une ordonnance, les femmes votent. Socialistes et communistes ont souvent fait liste commune. On a mis en avant des candidats qui s'étaient illustrés dans la Résistance. Mais rares sont ceux qui ont invoqué le nom de De Gaulle.

Il s'interroge. Est-ce déjà le moment du départ ? Il lit dans les journaux anglais des critiques de plus en plus violentes contre Churchill. On prédit qu'aux prochaines élections, le travailliste Attlee deviendra Premier ministre.

De Gaulle médite, en cette fin du mois de mai 1945. Est-ce que la tâche est terminée ? Quelles institutions donner à cette IVᵉ République qui va surgir des élections générales ?

Il dit : « Le terme de la guerre n'est pas un aboutissement. Pour la IVᵉ République, il n'est qu'un point de départ. »

Peut-on laisser le pays retomber dans le marécage des crises ministérielles ? Ceux qui ont connu cela ne peuvent le vouloir.

Il reçoit Léon Blum, rentré d'Allemagne. L'homme s'est voûté, sa fragilité est encore plus accusée, sa voix plus frêle. Et cependant il émane de son regard une énergie voilée par la sensibilité mais obstinée.

Il s'est assis dans le bureau, jambes croisées. Les fenêtres sont ouvertes. On entend les merles siffler. De Gaulle l'observe. Blum pourrait apporter l'appui des socialistes à l'œuvre de redressement et à de nouvelles institutions. Accepterait-il d'être ministre d'État ?

Blum penche la tête, toussote :

– Je n'ai plus pour très longtemps d'activité. Et je crois que je serai infiniment plus utile en dehors du gouvernement qu'à l'intérieur.

De Gaulle se lève, marche lentement devant les fenêtres.

– Toute ma vie, vous le savez, reprend Blum, l'unité nationale a été mon souci essentiel. Avec vous, mon général, la France a une chance extraordinaire d'unité nationale. Et je peux davantage aider cette chance en agissant au sein du parti socialiste plutôt qu'en me trouvant dans le gouvernement...

Dérobade. Calcul politicien. Blum pense d'abord à son parti.

– Mon refus vous fait de la peine, murmure Blum, j'en suis désolé.

De Gaulle se tourne. Qu'imagine Blum ? Qu'il s'agit, dans cette proposition, de moi et de mes sentiments personnels, de nos relations à lui et à moi ?

– Cela ne me fait pas de peine, cela me gêne ! lance-t-il sèchement.

Il lui semble qu'il revit déjà les temps de l'isolement, comme avant la débâcle, quand il prêchait pour la constitution d'unités blindées.

Les Blum, Herriot – lui aussi revenu d'Allemagne, lui aussi refusant d'entrer au gouvernement – n'ont-ils pas vécu l'impuissance de la IIIe République ? N'ont-ils pas senti la nécessité d'un pouvoir exécutif disposant de la durée, de l'approbation populaire ? Pourquoi refusent-ils l'idée d'un président de la République élu par un collège électoral qui ne soit pas limité aux députés ou aux sénateurs ? Pourquoi ne veulent-ils pas d'un référendum permettant de consulter le peuple ?

Il apprend que Blum a déclaré devant les responsables socialistes : « Aucun homme n'a le droit au pouvoir, mais nous avons, nous, le droit à l'ingratitude. »

On a applaudi Blum à tout rompre parce qu'on a compris qu'il parlait de ce qu'il appelle « le cas de Gaulle ».

Il lit ces déclarations, ces articles. Il est las, tendu. Il marche longuement dans le parc de la villa de Neuilly. Philippe est en permission, dans l'attente d'un départ pour les États-Unis, où il doit suivre des cours de pilotage puisqu'il a choisi de continuer sa carrière dans l'aéronautique navale.

Curieuse idée ! Et qu'est-ce que cette permission qui se prolonge ? « Voilà des jours que tu n'as rien à faire, lui lance-t-il. Il ne s'agirait pas de traîner à droite et à gauche... » Propos injustes. Philippe n'a pas eu de vrai repos depuis plusieurs années, durant lesquelles il a toujours combattu. Mais il a suffi de cette admonestation pour qu'il demande à servir comme instructeur durant sa permission. Et il est trop tard pour le faire revenir sur sa décision.

Regrets. Philippe a été victime de la tension que de Gaulle subit. Mais comment ne pas être irritable devant cette incompréhension qu'à nouveau il sent autour de lui ? La France va-t-elle refuser ces nouvelles institutions qui, à l'évidence, lui sont nécessaires ?

Va-t-elle, sur ce plan-là, comme Herriot et Blum l'ont fait avant 1940, choisir la ligne Maginot et laisser les blindés de Hitler occuper la zone démilitarisée du Rhin ? Ce sont eux aussi qui se sont félicités de l'accord de Munich.

Il se souvient, après avoir reçu Herriot, que cet illustre parlementaire a, en août 1944, déjeuné à Matignon avec Abetz et Laval !

C'est le 18 juin 1945. De Gaulle regarde défiler sur la place de la Concorde l'armée reconstituée. Il y a un mois, il est allé passer en revue les troupes à Stuttgart, et il a vu manœuvrer dans la plaine d'Augsbourg la 2e division blindée.

Ce sont ces tanks qui maintenant défilent, venant des Champs-Élysées, dans le fracas de leur moteur et le grincement de leurs chenilles. Les fanions flottent, tenus bras tendus par le chef de char.

Cet après-midi, il ira se recueillir, en ce jour anniversaire, au mont Valérien, dans la crypte des Fusillés.

Combien d'entre eux eussent été épargnés si ces divisions blindées qui défilent avaient été constituées dans les années d'avant-guerre comme il l'avait demandé ? !

« Alors les armes de la France auraient changé le monde. »

Mais il ne veut pas que l'amertume ou le regret, en ce moment, alors que le soleil inonde la place et que le grand drapeau se déploie sour l'Arc de Triomphe, l'envahissent.

Les tanks passent. Ce sont eux qui sont allés jusqu'à Berchtesgaden.

« Cette guerre et ma querelle se terminent dans l'honneur », pense-t-il. Puis, sans que ses lèvres bougent, gardant les mots dans la gorge, il dit :

« J'ai épongé la défaite. »

Neuvième partie

19 juin 1945 – 20 janvier 1946

Il faut choisir et l'on ne peut être à la fois l'homme des grandes tempêtes et celui des basses combinaisons.

Charles de Gaulle à son fils, janvier 1946.

39.

De Gaulle s'arrête sur le premier des degrés qui conduisent au parvis de la basilique de Lisieux. La foule déborde de toutes parts. Elle recouvre comme une marée joyeuse les ruines de cette ville dont il ne reste que des pierres amoncelées. Il se retourne. Les cris de « Vive de Gaulle, Vive la France » s'élèvent. Des femmes rompent les barrages, courent vers lui. L'une d'elles tient à bout de bras son nouveau-né comme si elle voulait qu'il le touche. Il est ému, gêné. Durant toute la visite de la ville, il a reçu à plusieurs reprises des bouquets de fleurs que lui présentaient des enfants. On a voulu l'embrasser. Il se sent mal à l'aise devant ces actes de dévotion. Mais partout ils se produisent. Il vient d'effectuer, en compagnie du sultan du Maroc Mohammed V, un voyage en Auvergne. Les paysans étaient nombreux sur le bord des routes, la foule dense dans les rues d'Aurillac, de Clermont-Ferrand.

Il a pensé à ce tribunal militaire qui, siégeant dans cette ville, l'avait condamné à mort. Cinq ans plus tard, il est cet homme vers qui les visages se tendent, qu'on interpelle familièrement comme s'il était un membre de la famille.

Il se dirige vers l'entrée de la basilique. Mgr Picaut, l'évêque de Lisieux, l'accueille. Il est petit, digne dans ses vêtements sacerdotaux.

– Vous devez être ému par cet accueil, cette ferveur populaire, ces acclamations touchantes, dit-il. Mais que cela ne vous égare pas. Vous devez vous souvenir que Dieu vous a choisi. Tout ce que vous avez fait, c'est parce que Dieu a voulu que vous le fassiez.

De Gaulle regarde fixement vers le chœur de la basilique.

– C'est le doigt de Dieu qui vous a désigné, continue Mgr Picaut. Vous avez été l'instrument de Dieu et vous devez en remercier la Providence, car sans Dieu vous n'auriez été que poussière.

De Gaulle hésite, puis il avance lentement dans la nef. Quelle est la part de Dieu dans son destin ? dans celui de la France ?

Qui peut répondre ? Il suit l'office que célèbre l'évêque. Il faut prier, et chercher en soi, dans son cœur d'homme, la réponse. Et souvent on n'entend que le silence. Ou ces voix humaines qui crient, avec plus ou moins de force.

Il murmure :

« Ah, si l'on pouvait croire aux lendemains féconds de ces enthousiasmes ! »

Il rentre à Paris. Il fait lourd dans cet été 1945. La ville est comme assoupie. Il lit les rapports des commissaires de la République. Ce n'est pas l'enthousiasme qu'ils évoquent mais, surtout, dans les départements ouvriers, la lassitude des plus pauvres qui se transforme déjà, ici et là, en colère. Et naturellement, les partis politiques, les communistes d'abord, attisent ces premiers foyers de protestation. Ils sont à la tête des anciens prisonniers de guerre qui, depuis trois semaines, manifestent. Et des responsables de la Fédération nationale des prisonniers, par opportunisme, approuvent les défilés, haranguent les anciens prisonniers, oublient qu'ils devraient défendre la politique gouvernementale. De Gaulle convoque l'un de ces hommes. Il reconnaît ce François Mitterrand qu'il a reçu à Alger, bien qu'il fût un ancien pétainiste devenu naturellement « giraudiste ». Henri Frenay, ministre des Prisonniers, a fait de lui le secrétaire général du ministère. Mitterrand, malgré sa superbe, est pâle. Il se soumet, accepte, sous la menace d'être emprisonné, d'écrire une lettre condamnant les manifestations. De Gaulle le suit des yeux alors qu'il s'éloigne.

Il fait entrer peu après l'ambassadeur Léon Noël, un ancien de la France Libre. Il dit au diplomate : « Noël, cet homme que vous venez de voir sortir est méprisable : c'est lui qui a organisé les manifestations de prisonniers, bafouant ainsi l'autorité de l'État et trahissant celui qui fut son ministre, Henri Frenay. J'ai exigé que lui et ses comparses soit donnent leur démission, soit s'engagent par écrit devant moi à mettre fin aux manifestations manipulées par les communistes. Il a cédé, en signant une note invitant les anciens prisonniers à arrêter leur mouvement. »

Mais les communistes s'obstinent. Ils préparent les élections qui ont été fixées au 21 octobre. Ils contestent la décision qu'il a prise, malgré l'hostilité de l'Assemblée consultative, de procéder en même temps que l'élection des députés à un référendum comportant deux questions : l'Assemblée élue sera-t-elle constituante – oui ou non (si le oui l'emporte, cela signifie la fin de la IIIᵉ République) –, et aura-t-elle des pouvoirs limités par le gouvernement dont le chef est élu par l'Assemblée – oui ou non ?

Il l'a répété : « Je souhaite pour ma part que la majorité des Français réponde oui aux deux questions. » Et ça a été une levée de boucliers des partis de « gauche » contre la procédure du référendum.

Alors c'est la guerre contre lui, déjà.

Il allume une cigarette. Il plisse les yeux. Il poursuit la lecture des rapports. Il a un sentiment de dégoût et de mépris.

« Certains partis veulent, et ne s'en cachent plus, discréditer le président du gouvernement provisoire en lui imputant le marasme économique dans lequel le pays se débat... Ils n'hésitent pas à l'accuser d'avoir refusé d'appliquer le programme du Conseil de la Résistance. »

Il s'arrête. Les comités d'entreprise, la nationalisation du transport aérien, des houillères, du crédit, les allocations familiales, la sécurité sociale, les hausses de salaire, qu'est-ce donc que tout cela à leurs yeux ?

Ils l'accusent d'être « un homme des trusts et de la réaction » et de « chercher par le référendum à se faire plébisciter ».

Il faut, disent-ils, qu'il soit « balayé aux prochaines élections ».

Il lit, relit. L'amertume remplit sa bouche.

« Certains, poursuit le rapport du commissaire du département du Nord, reprennent même les arguments du parti communiste contre le général de Gaulle avant le revirement de la Russie : " Thorez nous l'avait bien dit en 1941 : de Gaulle est l'agent du capitalisme international. " »

En Haute-Marne, en Moselle, « des maires demandent le retrait du portrait du général de Gaulle ainsi que les croix de Lorraine se trouvant sur les drapeaux ».

Il se lève, marche lentement dans le bureau. N'est-ce pas Blum qui a dit : « Nous avons le droit à l'ingratitude » ?

Il pense à Churchill, qui vient d'être contraint de démissionner, le 26 juillet, après la victoire des travaillistes, et c'est Attlee, le leader de ce parti, qui lui a succédé.

Il murmure : « Pauvre Churchill. »

Il ne ressent ni colère, ni indignation. Il n'est pas surpris. Tout cela est « conforme à l'ordre des choses humaines ». Commence « le temps de la médiocrité ». Pourquoi serait-il épargné ?

Il s'isole dans sa villa de Neuilly. La tentation du départ revient sans cesse. Ne pas attendre, comme Churchill, qu'un vote le chasse. S'éloigner avant, à l'heure que l'on a choisie.

Il marche dans le parc en tenant Anne par la main. Il a le cœur serré. C'est une jeune fille au regard toujours perdu. Qu'adviendra-t-il d'elle si elle survit à ses parents ? Il la voit si démunie, si dépendante des siens. Il prend une décision. Il visite en compagnie d'Yvonne de Gaulle, près de Saint-Rémy-les-Chevreuse, le château de Vertcœur, à Milon-la-Chapelle. Il parcourt les pièces, le parc. Il pense à ces enfants qui, comme Anne, ne peuvent vivre seuls et qui peut-être, comme elle, un jour, ne pourront plus compter sur leurs proches. Il regarde Yvonne de Gaulle. Pourquoi ne pas acheter ce château, créer une fondation pour une quarantaine de jeunes filles ? Un jour, si Dieu veut que la vie d'Anne se prolonge, elle pourra trouver ici un refuge.

Yvonne de Gaulle l'approuve d'un regard. Il se sent aussitôt apaisé. Ces pauvres jeunes filles seront dans ce château, dominant une vallée, au calme. Quant aux ressources, il y consacrera celles dont il dispose. Qu'y a-t-il de plus important ? Elles sont sans doute insuffisantes, mais, pour cette fondation à laquelle il donnera le nom d'Anne de Gaulle, il imagine que des proches, par leurs dons, apporteront le complément nécessaire. Il se sent déchargé d'un poids, comme si, sans qu'il en ait eu conscience jusque-là, la préoccupation de l'avenir d'Anne avait occupé le fond de son âme.

Il se sent à la fois plus déterminé, plus combatif et plus libre. Il est plus distant des « clameurs des partisans ». « Il n'y a rien à faire avec les politicards », lance-t-il en feuilletant les journaux. On l'accuse d'aspirer à la dictature, d'organiser un plébiscite.

Il se tourne vers Claude Mauriac qui vient d'entrer dans le bureau.

– Il faut que les Français votent oui, oui, dit-il. Ou alors, moi...

Il lève le bras, fait un geste de la main. Oui, il partira.

Il s'étonne lui-même du calme avec lequel il envisage son départ. Il imagine ce qu'a dû ressentir Churchill, averti de sa défaite à Potsdam, en pleine conférence, en présence de Truman et de Staline, de l'obligation où il était de regagner Londres.

Ne jamais se trouver dans une telle situation, et donc « quitter le gouvernail de la France de moi-même, comme je l'avais pris ».

Et puis, tout à coup, les cris de la foule sur la place de l'hôtel de ville de Calais, qu'il traverse lentement à pied. Il vient de parcourir cette ville avec Yvonne de Gaulle née Vendroux. Et maintenant, c'est Jacques Vendroux, son beau-frère, qui est maire de la ville et qui l'accueille sur les marches de la mairie.

Comment ne pas oublier, devant ces cheminements heureux du destin, l'idée du départ ? La fanfare du 51ᵉ régiment d'infanterie joue *La Marseillaise*. Et l'immense foule, silencieuse le temps de l'hymne national, éclate en vivats. Dans le salon de la mairie, tous les notables de la région sont présents. Et il y a aussi ces mères et ces épouses de fusillés qui éclatent en sanglots, qui se serrent contre lui.

Il est bouleversé. Il reconnaît cette salle, celle de son mariage. C'est ici qu'il y a vingt-cinq ans, le maire d'alors prononçait ce discours interminable dont Jacques Vendroux répète la péroraison. « Vous avez pris le flambeau précieux, tout nous persuade que vous le tiendrez jusqu'au bout, vigoureusement et sans faiblir. » Puis, Vendroux ajoute : « Paroles prophétiques que l'histoire de France a confirmées. Calais, aujourd'hui... »

De Gaulle n'écoute plus. De la place monte une rumeur « chaleureuse et confuse ». Que veut vraiment le peuple ?

Cette question ne le quitte plus. Le doute et l'angoisse le pénètrent. Ce peuple n'est-il pas « las, désabusé, divisé » ? Ces acclamations, ces témoignages d'adhésion n'expriment-ils pas autant « sa détresse que son sentiment » ?

Et il y a ceux qui prétendent parler au nom du peuple.

Il est assis en face de Jacques Vendroux. Il a de l'affection pour cet homme courageux et généreux. Souvent, dans les années précédant la guerre, il s'est confié à lui. Il est l'un des seuls auxquels il peut dévoiler toute sa pensée et ses inquiétudes.

– Les partis, commence de Gaulle, manœuvrent en sous-main pour assurer leur implantation en faisant de la démagogie. Or, étant le champion de la France, non point celui d'une classe ou d'un parti, je n'ameute les haines contre personne et je n'ai pas de clientèle qui me serve pour être servie.

Il se lève, fait quelques pas. Le peuple va élire des députés, dit-il. Mais il va régner dans l'Assemblée, si les politiciens d'avant-guerre en deviennent les inspirateurs, un climat de démagogie.

– Les communistes – il a un mouvement des épaules – on, le sait, mènent leur campagne dans la seule perspective de la prise du pouvoir. Léon Blum ne consacre ses dons et son intelligence qu'à poursuivre l'éternelle chimère de la toute-puissance du parti socialiste. Blum aurait bien aimé se rapprocher de moi, mais – de Gaulle secoue la tête – Blum est victime de sa faiblesse et de son dilettantisme qui l'empêchent d'être un grand homme d'État. Herriot ? Il me voue une hostilité viscérale, il brouille les cartes, il ne se fait guère d'illusions en ce qui concerne la résurrection du parti radical. Les jeunes dirigeants du Mouvement républicain populaire...

Ceux-là le soutiennent, oui...

Il lève les deux mains. La foule s'est dispersée. C'est le silence d'une fin d'après-midi estivale qui se retire lentement comme un reflux paisible.

– Le peuple français est ce qu'il est, murmure de Gaulle, non point un autre. S'il ne le veut, nul n'en dispose.

Il se rassied.

– Si la Constituante n'aboutit pas à nous doter des institutions que je souhaite, c'est-à-dire telles que le pays puisse être véritablement gouverné...

Il s'interrompt.

– Il est nécessaire que l'État ait une tête, c'est-à-dire un chef, dit-il d'une voix forte, puis, plus bas : Sinon, la France ne parviendra pas à surmonter les conséquences de ses erreurs passées.

Mais qui veut réellement les examiner ?

Chaque soir, il écoute le récit des audiences du procès Pétain qui s'est ouvert au palais de justice le 23 juillet 1945, devant la Haute Cour. Il veut que l'un ou l'autre des membres de son cabinet y assiste. Claude Mauriac, le colonel Éric Allégret, Alain de Boissieu, qui vient de rejoindre la rue Saint-Dominique, racontent avec émotion ces longues séances où Paul Reynaud, Weygand, Daladier, Gamelin, tous les personnages importants de la France d'avant, viennent témoigner, se disculper, accabler le Maréchal, assis en uniforme, digne... Ses gants blancs voisinent avec son képi, posés sur une petite table. Sa médaille militaire est accrochée à sa vareuse, seule décoration qu'il porte.

– La scène avait une certaine allure.

De Gaulle hausse les épaules.

Est-ce cela qui est important ? Ou bien le fait que ce procès s'enlise, que l'on n'y parle pas de l'essentiel, à savoir l'armistice et les raisons pour lesquelles le Maréchal en fut le partisan déterminé ?

Il s'indigne : « Le prestige du Maréchal a été utilisé par ce maquignon de la politique qu'était Pierre Laval. »

Il fait la moue. On le jugera aussi, puisque l'ancien président du Conseil vient d'être livré aux autorités françaises par l'Espagne où il avait tenté de se réfugier.

– Mais, reprend-il, sans le Maréchal, la flotte et l'Empire auraient continué de combattre aux côtés de l'Angleterre... Cette fiction d'un gouvernement de Vichy qui était à la merci des divisions blindées de Hitler a coupé la France en deux, entretenu l'illusion de la résistance à l'occupant, empêché pendant longtemps l'unité de la Résistance.

Puis il s'emporte.

– Ce procès n'aurait jamais dû avoir lieu sous cette forme. Il valait mieux qu'un maréchal de France n'y soit pas physiquement au banc des accusés. Une condamnation par contumace n'aurait pas eu la même portée. Vraiment, la vieillesse est un naufrage.

D'un mouvement de la main, il indique à de Boissieu qu'il veut rester seul. Trop de souvenirs chaque fois qu'il pense à Pétain. Il n'oublie rien du passé. Et à chaque fois, cette certitude qui surgit : En politique, la grande affaire, c'est de savoir se retirer à temps. » Et, il l'a déjà décidé, si Pétain est condamné à mort comme c'est probable, il le graciera aussitôt.

Il convie les ministres de la Justice et de la Guerre. Il les reçoit séparément.

— Le Maréchal sera vraisemblablement condamné à mort, dit-il. Il faut qu'il soit condamné. Ne cherchons pas à comprendre l'homme. Seule doit compter la raison d'État. Mais il n'est pas question que j'envoie le Maréchal au peloton d'exécution.

Il soupire.

— Les choses me seront facilitées si, Philippe Pétain ayant été condamné, les jurés exprimaient le vœu que la peine fût commuée.

Il a hâte que ce procès se termine, qu'on cesse de voir le Maréchal de France, ce vieillard, en posture d'accusé, et tout cela sans aller jusqu'à la racine des raisons de la défaite, sans en tirer des leçons. Les mêmes qui accablent Pétain – communistes, socialistes, radicaux – ne veulent pas d'institutions qui permettraient à la République de surmonter les crises que toute nation rencontre.

— Ce qui me frappe, moi, dit-il, c'est qu'il n'y en ait pas un, pas un seul, pour se placer au point de vue de l'État... Leur bêtise me consterne, elle m'étonne...

Heureusement, le 15 août, le procès prend fin. De Gaulle peut signer la grâce du Maréchal. Il ordonne que son avion personnel soit mis à la disposition de la justice pour transporter Pétain au fort du Pourtalet, où ont été enfermés sur l'ordre du Maréchal Reynaud, Mandel, Daladier. Puis, quand l'hiver viendra, on déplacera Pétain à l'île d'Yeu, où le climat est plus clément.

Enfin, la page se tourne. Il faut encore juger Laval et Darnand, mais leur condamnation à mort ne fait pas de doute. Ils sont les visages de la trahison. L'un maître d'œuvre, l'autre exécutant des basses besognes « homme de main et de risque », « grand dévoyé de l'action ». Darnand, l'un de ces hommes qui, sans le régime de Vichy et sans les écrivains qui, tel Brasillach, justifiaient du haut de leur notoriété et de leur talent la collaboration, eussent pu servir la patrie. D'ailleurs, Darnand n'avait-il pas été, en 1939, un héros des corps francs ? Et n'avait-il pas proposé, en 1943, de rejoindre la France Libre ?

Il faut fermer ce livre d'où suintent la honte et le sang. Il faut donner à la France une autre image d'elle-même.

Il reçoit André Malraux. Il regarde avec curiosité cet écrivain qui a su combattre, en Espagne, dans les maquis, et à la tête de la brigade Alsace-Lorraine. Gaston Palewski assure que Malraux a, dans le domaine de l'information, de la propagande, de l'enseignement, de la culture, des idées originales, et qu'il devrait faire partie du cabinet du chef du gouvernement pour s'occuper de ces questions.

De Gaulle l'observe silencieusement. L'homme a un visage expressif, un regard d'une intelligence et d'une vivacité fulgurantes.

– D'abord le passé, dit de Gaulle.

– C'est assez simple, commence Malraux, je me suis engagé dans un combat pour, disons, la justice sociale, peut-être plus exactement pour donner aux hommes leur chance... Enfin est arrivée la défaite, et comme beaucoup d'autres j'ai épousé la France.

La voix est tendue, elle exprime une énergie passionnée.

– Dans le domaine de l'histoire, poursuit Malraux, le premier fait capital des vingt dernières années, à mes yeux, c'est le primat de la nation... Quant à la politique, elle implique la création puis l'action d'un État. Sans État, toute politique est au futur et devient plus ou moins une éthique...

L'homme est fascinant. Il est engagé totalement dans tout ce qu'il dit.

– Un État qui n'assure plus la défense de la nation est un État condamné, murmure de Gaulle.

Ce n'est pas une réponse, mais un constat. Il se sent en accord avec les propos de Malraux. L'aide de camp ouvre la porte. De Gaulle se lève, dresse l'index.

– Ne vous y trompez pas, dit-il. La France ne veut plus de révolution. L'heure est passée.

Malraux approuve, dit :

– La vraie Résistance a perdu les deux tiers des siens...

– Je sais, murmure de Gaulle.

Malraux l'intéresse, l'émeut même. Voilà un homme.

Ils sont sur le seuil du bureau.

– Qu'est-ce qui vous a frappé en retrouvant Paris ? demande Malraux.

– Le mensonge, répond de Gaulle.

457

Il médite longuement après le départ de Malraux. Un peuple peut-il entendre la vérité ? Ou bien la politique n'est-elle que le jeu et la mise en scène des mensonges, que ne vient interrompre que la cruauté de la guerre, la brutale irruption de la mort casquée qui, pour un temps, arrache tous les masques, contraint les hommes à affronter la vérité ?

Mais que sera la guerre, demain ?

Il est accablé, désespéré à l'annonce de l'emploi de ces nouveaux engins de mort, les bombes atomiques, qui en quelques secondes vitrifient les cités japonaises de Hiroshima et de Nagasaki. Le Japon capitule. Les forces françaises vont pouvoir reprendre pied en Indochine, malgré ce mouvement révolutionnaire communiste du Viêt-minh. Mais où peut être la joie quand la victoire est acquise dans de telles conditions ?

Il est « ému jusqu'au fond de l'âme » par l'idée que l'homme dispose désormais des moyens de « détruire l'espèce humaine » et qu'il n'a pas hésité à user de ces moyens-là.

Cette pensée ne le quitte plus. Que peut devenir la France dans ce nouveau monde qui naît ?

Il se rend aux États-Unis, rencontre Truman. Il veut que Philippe, en stage de pilotage à Memphis, le rejoigne pour quelques jours à Washington. Ce fils qu'il voit si peu, mais dont il désire qu'il soit là, près de lui, pour être le témoin des événements qui marquent le destin de la France. Et c'est, entre eux, fût-ce par l'échange d'un simple regard, comme un peu de tendresse qui jaillit au milieu des cérémonies officielles, de ces dîners, de ces conversations ou même de cet accueil délirant, un « triomphe », que lui réserve New York sous les cent mille fenêtres de Broadway. Mais que peut la France devant cette puissance qui possède la force économique et, désormais, la puissance militaire absolue ?

Il faut que la France se dote d'une arme équivalente pour pouvoir parler d'égal à égal avec toutes les nations. Il se souvient du temps où il prêchait pour la création de subdivisions blindées et où il se heurtait à l'indifférence et à l'hostilité de ceux qui dirigeaient l'armée et l'État.

Il ne faut pas que cette situation se reproduise. Il faut mettre sur pied dans les plus brefs délais un commissariat à l'énergie atomique.

Tout au long du voyage de retour vers la France, ces pensées sur l'avenir de la France l'obsèdent. Il a dans la tête les acclamations de Washington, de New York, de Chicago, puis de Montréal. On a crié : « *Hello, Charlie !* », « *Long life, France* », on a chanté *La Marseillaise*. Mais qui prêtera encore attention à la France si elle ne marche pas au rythme du présent ?

Il y a l'Empire.

Que deviendra-t-il ? Il a dit à Truman : « Le xxe siècle sera celui de l'indépendance des peuples naguère colonisés. Mais celle-ci ne doit pas être ou paraître acquise contre l'Occident. »

Il doit organiser pour la France ce changement.

Lui en laissera-t-on le temps ? Les institutions lui permettront-elles d'agir ?

Tant à faire !

Et comment le faire seul ? Quels sont les hommes sur lesquels il peut compter ? Et sur quels pays la France peut-elle s'appuyer ?

Il se rend dans ces villes allemandes détruites qu'occupent désormais les troupes françaises. Il est bouleversé par cette vision des ruines, de ce qui est une part d'Europe et d'Occident. Jamais comme à ce retour des États-Unis il n'a ressenti combien ces guerres européennes fratricides ont été suicidaires. Il se rend à Sarrebruck et à Trèves – que de souvenirs ! –, à Baden-Baden, à Mayence. La foule allemande se presse. Où est la discorde ?

« Ici tant que nous sommes, dit-il, nous sortons de la même race. Et nous voici aujourd'hui, entre Européens et Occidentaux. Que de raisons pour que désormais nous nous tenions les uns contre les autres. »

Il voit des Allemands pleurer. « Vous êtes comme nous les enfants de l'Occident et de l'Europe », lance-t-il encore.

Il traverse le Rhin. Il est à Strasbourg. Il ne faut plus que cette ville soit celle de l'affrontement, de la discorde, ville perdue et reconquise, définitivement française. Il faut aller au-delà : « Oui, s'écrie-t-il, le lien de l'Europe occidentale, il est ici, il est le Rhin, qui passe par Strasbourg. »

Tant à faire !

Il rentre à Paris.

Et, sur le bureau, ce rapport du commissaire de la République de

Charente-Maritime. Un dirigeant communiste – Roger Garaudy – a tenu meeting à La Rochelle devant une salle enthousiaste de 1 600 personnes. Il a appelé « tous les républicains à former un bloc aux élections contre le fascisme, pour l'application du programme du CNR et le triomphe de la démocratie ». Et il a condamné de Gaulle qui « s'est laissé guider par des influences néfastes et a préféré la confiance des banques et des trusts à celle du peuple ».

Tant à faire ! Et devoir compter avec ces gens-là ! Devoir réfuter ces arguments-là !

Il est accablé. Il ferme les yeux.

40.

Partir ? De Gaulle, une nouvelle fois, en cette fin de matinée de l'automne 1945, s'interroge. Il regarde, en traversant Paris en voiture, de sa villa de Neuilly à la rue Saint-Dominique, les affiches électorales qui recouvrent les façades, parfois les troncs des arbres. Souvent, on a peint à même la chaussée, en lettres blanches, un « NON » immense. Les communistes se déchaînent depuis qu'il a appelé à voter « oui - oui » aux deux questions du référendum. Sur la première réponse, à l'exception des radicaux, fidèles à la Constitution de la IIIᵉ République, tous les partis sont d'accord. Mais c'est sur le deuxième « oui » qu'on fait campagne. Seul le Mouvement républicain populaire appelle clairement à voter « oui ». « Nous sommes le parti de la fidélité », répète son président Maurice Schumann avec la même flamme qui l'habitait lorsqu'il s'adressait depuis Londres à la France occupée. Le petit parti de l'Union démocratique et socialiste de la Résistance, avec Pleven, Baumel, soutient aussi le « oui ». Mais les socialistes, qui officiellement sont partisans d'une double réponse positive, ne se battent guère. Si bien que ces « NON » communistes s'étalent sur les murs, et que la bataille est, sous l'apparente confusion, claire. « Oui », c'est pour de Gaulle, et « non », c'est contre lui et pour les communistes.

Mais même s'il gagne le référendum, ce qu'il croit, qu'en sera-t-il après ?

Il murmure : « Je saurai quitter les choses avant qu'elles ne me quittent. »

Mais il n'y a de batailles perdues que celles qu'on ne livre pas. Et de toute façon, il ne veut pas partir sur une victoire des communistes. Donc, il faut se battre. Il parle une nouvelle fois à la radio : « Quant au référendum, dit-il, dont l'importance est extrême pour l'avenir de nos institutions, je souhaite de toute mon âme que vous répondiez oui à la première et oui à la seconde question. »

« De toute mon âme ! »

S'il veut avoir la possibilité de partir à son heure, dignement, il faut vaincre. Et l'emporter, c'est aussi se garder la possibilité de rester, de poursuivre sa tâche, « ayant pitié de ce pays » encore « ruiné, décimé, déchiré, encerclé de malveillances ». Deux fers au feu, vieille et inusable loi de la lutte politique.

Mais il faut donc aussi préparer ce départ, sonder les intentions des uns et des autres.

Il reçoit Léon Blum à déjeuner dans la villa de Neuilly. Il a de l'estime et du respect pour cet homme fin, érudit, plus énergique qu'il ne paraît, qui a le souci de la France, même s'il est trop préoccupé de son parti.

Il l'entraîne dans le parc que commencent à recouvrir les feuilles rousses de l'automne.

— Votre parti est fort, très fort, commence de Gaulle... Pour que je puisse entreprendre à la tête du pays une nouvelle étape, il faudrait que ses élus s'y prêtent... L'état d'esprit des partis me fait douter que j'aie demain la faculté de mener les affaires de la France comme je crois qu'elles doivent l'être.

Il s'arrête, fixe Léon Blum.

— J'envisage donc de me retirer. Dans ce cas, j'ai le sentiment que c'est vous qui devrez assumer la charge du gouvernement. Vous êtes le seul homme qui à la fois connaisse le jeu parlementaire, et sache y inscrire une vue d'ensemble à la mesure de la grandeur de la France. Prenez ma place. Vous pouvez être certain qu'alors, je vous faciliterai les choses.

Blum se tait un long moment. Puis il dit seulement :

— Je suis vieux, malade, et j'ai été l'homme le plus haï de France.

Mais il n'a pas du tout contesté l'hypothèse du départ. De Gaulle continue de l'observer. Au contraire, Blum semble considérer ce départ comme souhaitable.

– Que me suggérez-vous, alors ? demande de Gaulle.

– Félix Gouin.

C'est un des socialistes qui ont rejoint Londres. Il est président de l'Assemblée consultative.

– Pourquoi Gouin ? demande de Gaulle.

– Parce que c'est lui qui ressemble le plus à Attlee.

Voilà qui est clair. Pour Blum, il s'agit de réaliser à Paris ce qui s'est produit à Londres, où le travailliste Attlee a succédé à Churchill.

De Gaulle reconduit Blum. Félix Gouin ? Pourquoi pas ?

De Gaulle hausse les épaules. Il n'y a plus qu'à attendre les résultats du vote. Lancer un dernier appel, le 17 octobre, répondre avec vivacité à ceux de ses proches qui évoquent telle ou telle majorité, telle ou telle conséquence du mode de scrutin – un scrutin de liste à la proportionnelle dans le cadre départemental.

– Quand donc comprendrez-vous que mon ambition n'a jamais été d'être le chef d'une majorité ? ! leur dit-il.

Le 21 octobre, de Gaulle vote discrètement en compagnie d'Yvonne de Gaulle. Il met dans une première urne ses réponses au référendum et, dans la seconde, son bulletin pour l'élection des députés.

Puis il bavarde une bonne partie de la journée avec les membres de son cabinet.

– Nous ne le dissimulons pas, dit-il, nous allons vers l'épreuve décisive du système représentatif.

Il n'éprouve aucune anxiété, marchant dans le parc en compagnie de son aide de camp, Claude Guy.

Quand les résultats sont connus, vers le milieu de la nuit, quand on sait qu'à la première question du référendum, le « oui » l'a emporté par 96,4 % des voix, qu'à la seconde c'est encore le « oui » qui rassemble 66,3 % des électeurs, il reste impassible.

Il faut attendre les résultats de l'élection à l'Assemblée, qui sera donc, puisque le « oui » l'a emporté, constituante. Les chiffres tombent enfin : les communistes vont disposer de 152 sièges, les socialistes de 142, et les MRP de 141. On ne compte que 60 députés modérés et 25 radicaux.

De Gaulle va et vient dans la pièce. Il sera plus difficile encore qu'il ne l'escomptait de faire l'unité de la nation. Communistes et socialistes constituent ensemble une majorité. Déjà on rapporte que les communistes demandent à ce que Maurice Thorez, comme leader du groupe le plus nombreux, soit chargé de constituer le gouvernement.

De Gaulle laisse ses collaborateurs s'inquiéter, s'affoler même. Il dit simplement qu'il faut commencer à rassembler les archives afin d'être prêt, le cas échéant, à les déménager du ministère de la Guerre.

Il entend, de son bureau, la voix de Malraux qui analyse et prophétise :

– C'est à l'excès même de leur propagande que les communistes doivent d'avoir soulevé violemment contre eux une partie importante du pays qui, sans cela, aurait été neutre..., explique Malraux. La peur de tous ces froussards qui nous entourent, et qui semble bien devoir être la peur de la nouvelle Assemblée, est ridicule. Il faut oser tenir tête aux communistes, ce n'est pas si difficile, ni si vain. Et bien sûr, il faut accepter d'être traîné dans la boue... Ici, où cela va barder dans les jours qui viennent. Il y aura du sport, je vous l'assure. C'est ma seule excuse, ma seule raison d'être dans ce bureau.

De Gaulle ouvre la porte. Oui, il faut oser résister. Et il croit avoir montré qu'il sait le faire, n'est-ce pas ?

Le 6 novembre, dans le brouhaha qui précède l'ouverture de la première séance de l'Assemblée constituante, il se rend à sa place, au premier rang de l'hémicycle. On le regarde avec une curiosité avide. On s'écarte sur son passage. Il n'est pas de leur monde. Ils le savent. Il le sait. Beaucoup, parmi ces 527 députés, lui sont hostiles. Ils ont fait campagne contre le « fascisme » qui menace, le « plébiscite » caché derrière le référendum. Et maintenant, ils se taisent quand le doyen d'âge fait l'éloge du général de Gaulle, et ils applaudissent à tout rompre quand le doyen critique le bilan de la politique du gouvernement que de Gaulle dirigeait et qui est démissionnaire.

De Gaulle demeure immobile. On élit Félix Gouin à la présidence de l'Assemblée. Il s'agit maintenant de désigner le président du gouvernement. Les regards sont encore plus lourds. « Il éprouve presque physiquement le poids du malaise général. »

De Gaulle se lève, s'en va. Il ne fera pas acte de candidature. Il ne présentera pas de programme. Les députés devront se déterminer eux-mêmes, en conscience. Il faut « qu'on le prenne comme il est ou qu'on ne le prenne pas ». Mais il n'aura aucun geste, aucune parole de séduction. Même s'il décide de quitter le pouvoir, « il doit encore quelque chose à la France et aux Français : partir en homme moralement intact ».

Dans les jours qui suivent, il ne veut pas se mêler à ces « palabres » qui réunissent les nouveaux élus, ni influer sur les uns ou sur les autres.

Il se contente de lire les journaux. Cela suffit ! Il sent cette joie qui sourd ici et là à l'idée de pouvoir enfin se « débarrasser » du général de Gaulle, le tenir à sa merci au nom de la démocratie. On ne sait comment encore y parvenir, mais le but est clair. Les représentants des trois principaux partis se sont réunis en un « concile des trente ». Ils échafaudent des projets. Les communistes répètent qu'ils revendiquent le poste de chef du gouvernement pour Thorez. Les socialistes ne veulent à aucun prix d'un tête-à-tête avec les communistes, et exigent que le MRP soit présent dans le futur gouvernement. Mais qui en sera le chef ? Le MRP exige de Gaulle.

De Gaulle attend. Telle est la réalité politique. En 1920, on a préféré Deschanel à Clemenceau. En 1945, un Attlee à Churchill. Pourquoi le choisirait-on ?

Quelles que soient les péripéties, il est sûr qu'on veut le contraindre à partir. À moins qu'il n'accepte d'être simplement un chef de gouvernement sans pouvoir. Mais qu'ils osent, devant le pays, le renvoyer, choisir Thorez ou Gouin contre de Gaulle ! Qu'ils osent.

Il est serein. Il passe de longs moments dans la villa de Neuilly. Il sait bien que la partie n'est pas tout à fait jouée. Et il ressent, à voir ces députés incertains, divisés, effrayés à l'idée d'avoir à rejeter de Gaulle, une sorte de jubilation. Qu'ils osent, et dans quelques mois il sera celui vers qui se tournera tout le pays !

Il sourit à Yvonne de Gaulle alors qu'ils reçoivent l'ambassadeur du Canada à Paris : « J'irai au Canada, dit-il à sa femme, je pêcherai des poissons et vous les ferez cuire. » Les jours passent et l'indécision de l'Assemblée à élire un chef de gouvernement suscite de plus en plus d'étonnement, de critique dans l'opinion.

C'est le 11 novembre 1945. Il se rend à l'arc de triomphe de l'Étoile. Il y retrouve Henri Frenay, ministre démissionnaire. Il devine l'émotion de cet homme, fondateur de *Combat*, devant ces quinze cercueils qui sont déposés autour du monument, chaque mort symbolisant un moment de la lutte française, chacun représentant un des groupes, un des territoires qui ont pris part à ce combat. Il y a parmi eux Boutie Diasso Kal, tirailleur de Haute-Volta, et Hedhili ben Salem ben Hadj Mohammed Amar, tirailleur tunisien, et Berthie Albrecht, l'amie de Frenay, résistante exécutée par les Allemands, et tous les autres visages de cette lutte. Le froid est vif. Les veuves sont enveloppées dans les tulles noirs de leur chagrin. Ces cercueils seront bientôt portés au mont Valérien.

De Gaulle ranime la flamme qui vacille sous l'Arc de Triomphe. La sonnerie aux morts et *La Marseillaise* étreignent le cœur.

« Morts pour la France... ramenés par tous les chemins de nos douleurs et de notre victoire, voici donc ces morts revenus ! commence de Gaulle dans le silence que froisse parfois le mouvement du grand drapeau tricolore.

« Il faut que nous acceptions de nous unir fraternellement, poursuit-il, afin de guérir la France blessée. Fraternellement, c'est-à-dire en taisant d'absurdes querelles... »

Mais l'Assemblée ne se décide pas. Les conciliabules et les marchandages continuent. Le 13 novembre, de Gaulle reçoit à déjeuner Churchill, de passage à Paris.

Eh oui, ils sont l'un et l'autre en costume civil. Ils ont « déposé » l'uniforme. Ils bavardent longuement, dans le calme de cette maison entourée d'un parc qui semble à mille lieues de cette Assemblée qui a enfin décidé de désigner aujourd'hui le chef du gouvernement.

De Gaulle raccompagne Churchill. Il est 15 h 30. Peu après, on lui annonce que l'Assemblée nationale constituante l'a désigné, à l'unanimité des 527 votants, chef du gouvernement. Durant un court instant, il éprouve un sentiment de joie et de fierté. Il écrit rapidement une déclaration : « Pour le citoyen que je suis, le vote de l'Assemblée nationale est un honneur extrême. » Mais que les députés ne se trompent pas : « Je ne me croirais pas le droit de former ni de diriger un gouvernement qui ne serait pas assuré de cette autorité, de cette cohésion, de cette indépendance. C'est là une question de conscience. »

La joie s'est déjà dissipée. C'est un nouveau bras de fer qui commence. Il lit les discours qui ont été prononcés à l'Assemblée. Seul le MRP a réellement choisi de Gaulle. Les socialistes se sont ralliés à ce vote pour éviter le tête-à-tête avec les communistes. Et ces derniers n'ont pas voulu demeurer isolés.

Comment pourrait-il être dupe ? Il sourit en lisant le message enthousiaste de Churchill qui, rappelant que, selon la phrase de Plutarque, « l'ingratitude envers les grands hommes est la marque des peuples forts », ajoute : « Plutarque a menti. »

Le soir, il accueille Jacques Vendroux. Son beau-frère vient d'être élu député MRP de Calais. Jacques Vendroux est ému. Il arrive, dit-il, de l'Assemblée. C'était une séance historique, émouvante. Certains députés avaient les larmes aux yeux, précise-t-il.

De Gaulle le prend par le bras, l'entraîne au salon.

— Bien entendu, je suis sensible à ce geste, dit-il. Mais l'avenir du pays n'importe plus que les témoignages de reconnaissance de ses notables qui pensent s'être ainsi acquittés de leur dette.

Il secoue la tête.

— Ils veulent me faire comprendre, la page étant tournée, que désormais on ne demande pas mieux que je reste aux affaires, mais à condition de me plier à la volonté des partis. En réalité, je les gêne parce qu'ils savent que je n'accepterai jamais de participer à un régime d'Assemblée. Je vais essayer de former un gouvernement qui en soit un. S'ils n'acceptent pas de se ranger à mes vues, ils se passeront de moi.

Il fait quelques pas.

— Churchill a déjeuné ici... Il sait bien, lui aussi, que la seule menace d'un danger conduit les gens à rechercher l'abri d'un chef. Il ne se fait guère plus d'illusions que moi sur le sort que lui réserve le retour aux habitudes du temps de paix.

Mais il faut aller jusqu'au bout, même si le scepticisme l'habite. Il reçoit Maurice Thorez. Il observe cet homme corpulent, au visage massif, au front haut et qui parle avec précision. C'est un lutteur adroit qui sait contenir sa violence. De Gaulle l'écoute.

– Les communistes exigent..., commence Thorez.

De Gaulle tourne la tête, regarde cette fin de matinée grise du 15 novembre.

Thorez poursuit. Le parti communiste demande que l'un des siens soit chargé de l'un des ministères clés, Guerre, Affaires étrangères ou Intérieur. De Gaulle se lève. Il a déjà reçu Daniel Mayer, représentant des socialistes, et Maurice Schumann, au nom du MRP.

Il refuse, dit-il à Thorez tout en le reconduisant jusqu'à la porte de son bureau. Crise, déjà.

Qu'on achève donc de rassembler les archives, de préparer les caisses en vue du départ.

Il va et vient dans son bureau. Thorez imaginait-il qu'il puisse céder à ses exigences ? Thorez obéit-il à une injonction directe de Staline, qui est engagé, ces jours-ci, dans une épreuve de force avec les États-Unis à propos des armes atomiques dont Washington veut conserver tous les secrets ? Et les commentateurs évoquent déjà la possibilité d'une guerre entre les États-Unis et l'URSS. Staline veut-il, par Thorez interposé, faire de la France une tête de pont ? Ou bien y déclencher la guerre civile ?

Tout cela est possible.

À 19 heures, ce 15 novembre, de Gaulle ouvre la lettre que lui adresse Thorez, rendue publique au même instant. Le dirigeant communiste s'indigne du refus que de Gaulle lui a opposé : « En invoquant des arguments qui mettent en cause le caractère national de notre parti et de sa politique, ce qui est blessant, le parti communiste ayant eu 75 000 de ses membres fusillés. »

Habile. De Gaulle repousse la lettre. 75 000 fusillés ! Il hausse les épaules. Peu importe le nombre, sans doute moins de 10 000, mais ce sang est bien celui d'hommes qui ont résisté. Mais pour la France. Et non pour la stratégie de Staline, complice de celle de Hitler entre 1939 et 1941, et aujourd'hui au service exclusif des intérêts impérialistes de la Russie.

Il va répondre à Thorez : « Je ne saurai admettre en aucune façon que la conversation d'ordre d'ailleurs très élevé que nous avons eue ce matin... puisse comporter en quoi que ce soit un outrage pour la mémoire d'aucun Français mort pour la France. »

Il va reprendre l'initiative, écrire au président de l'Assemblée.

« J'ai l'honneur de remettre à l'Assemblée nationale constituante le mandat qu'elle m'a confié. »

Aux députés de se déterminer.

Mais il faut que le pays sache quel est l'enjeu.

Le 17 novembre, il décide de s'exprimer à la radio.

Autour de lui, au ministère, pendant que les techniciens s'affairent, il perçoit la tension. On entasse des dossiers, on remplit des caisses. On chuchote. On parle de coup de force possible des communistes.

Il lit rapidement les messages que lui adresse Vincent Auriol, l'ancien ministre de Blum. Pourquoi ne pas découper en plusieurs départements le ministère de la Guerre, et confier l'un d'eux, l'armement par exemple, à un communiste ? Et ainsi satisfaire et neutraliser le PCF ?

Peut-être, en effet, une idée de compromis. Mais d'abord, alerter le pays. Parler.

« Je me suis trouvé devant l'exigence des chefs d'un des trois partis principaux... Je ne croyais pas pouvoir leur confier aucun des trois leviers qui commandent la politique étrangère, savoir : la diplomatie qui l'exprime, l'armée qui la soutient, la police qui la couvre... Et agissant autrement, j'aurais risqué de ne pas répondre à la politique française d'équilibre entre deux très grandes puissances... Il n'y avait là, vous le voyez, d'outrage pour personne, mais simplement un haut intérêt d'État... Quant à moi, je me tiendrais pour indigne d'être le chef du gouvernement de la France si je méconnaissais, pour la commodité d'une combinaison, cette donnée de suprême intérêt national... Dans cette situation, le juge est tout trouvé, c'est l'Assemblée nationale constituante... Si sa décision doit être d'appeler quelqu'un d'autre que moi à diriger les affaires de la patrie, je quitterai sans aucune amertume le poste auquel, dans les plus graves périls de son histoire, j'ai cherché à la bien servir depuis cinq ans et cinq mois... »

Il est serein. Il a dit les faits tels qu'ils sont. Peu importe que *L'Humanité* dénonce « la dictature de De Gaulle » ! Il est sûr que les communistes vont plier, puisque les socialistes refusent de se séparer du MRP, qui lui-même n'accepte que de Gaulle comme chef du gouvernement !

Mais il attend sans illusion. Les députés vont sans doute l'élire à nouveau, tout en cherchant à le priver de tous pouvoirs réels. Ce sera à chaque instant une nouvelle bataille. Il en perçoit les premiers échos alors même que, le 19 novembre, l'Assemblée se réunit pour, en fait, le désigner.

Des troupes encerclent le Palais-Bourbon. Dans les rues, la police a établi de nombreux barrages. Ici et là, on crie : « Vive de Gaulle ! » Il y a quelques échauffourées.

De Gaulle lit le discours de Jacques Duclos. Le communiste est agressif. « Le moment est venu pour les républicains de cette assemblée de se compter... Libre à certains de démissionner... et puis de s'accrocher au pouvoir en s'abaissant à faire de la procédure, c'est, entre nous soit dit, tourner le dos à la grandeur... »

Le socialiste André Philip évoque, lui, un « mandat impératif » pour le chef du gouvernement ! Et les communistes s'abstiennent sur les motions qui proposent de reconduire de Gaulle ou votent contre.

Mais ils plieront. Par 358 voix contre 39 – les communistes s'abstiennent –, de Gaulle reçoit mission de former le gouvernement.

Les communistes détiendront quatre ministères : l'Économie nationale avec Billoux ; le Travail avec Croizat ; l'Armement avec Tillon et la Production industrielle avec Marcel Paul. Et ils disposeront d'un ministre d'État, Maurice Thorez. Auriol, Francisque Gay et Jacquinot auront le même titre au nom des socialistes, des MRP et des modérés. Bidault sera aux Affaires étrangères, Pleven aux Finances, André Malraux à l'Information.

De Gaulle reçoit Edmond Michelet. Ce catholique, résistant depuis juin 40, a été déporté à Dachau.

– Je me suis laissé dire, commence de Gaulle, que vous avez réussi, à Dachau, à vivre en bonne intelligence avec les communistes, sans pour autant vous plier à leurs désirs. C'est bien.

Il observe Michelet, dont tout le visage, encore juvénile, marque l'étonnement.

– On m'a dit aussi que, au moment de la libération du camp, vous aviez pu vous entendre avec les militaires, c'étaient pourtant des Américains, et avec de Lattre. Bon. Je donne l'Armement à un communiste, Tillon. Puisque vous êtes habitué à travailler avec eux, voulez-vous prendre les Armées ?

– Je n'étais que sergent-major, mon général, et...
– Et alors ? Maginot ne l'était même pas...

Il ne ressent rien quand il apprend que l'Assemblée, à l'unanimité une nouvelle fois, a voté la confiance au nouveau gouvernement. Que signifient ces 527 voix dont la majorité sont pleines d'arrière-pensées ?

Il a fallu dix-sept jours pour que la France réussisse à se donner un gouvernement ! Comme à l'époque sombre qu'il a connue avant guerre ! Voilà ce qui compte.

Il veut cependant essayer d'agir, tant qu'il le peut.

Dans un silence tendu, qu'il sent presque hostile, il monte à la tribune de l'Assemblée le 23 novembre pour présenter le programme du gouvernement.

« Les hommes qui composent ce gouvernement, dit-il, ont pu être, hélas, comme notre peuple lui-même, âprement divisés par l'effet des événements qui trop longtemps ont déchiré le corps et l'âme de la patrie. On n'est pas infaillible quand on est malheureux... »

On l'applaudit. Combien de temps encore ?

Il rentre à Neuilly. Il relit l'article que François Mauriac a publié dans *Le Figaro*. Chaque mot lui en paraît juste : « À quoi bon se boucher les yeux ? L'Assemblée a envisagé d'écarter l'homme dont l'ombre s'étend sur elle et l'empêche de respirer... "Mandat-Impératif", a dit André Philip. Sur ce mot-là, j'ai failli perdre toute espérance. On jurerait que l'Assemblée aujourd'hui a pris de loin ses précautions... Les députés savent bien quelle vague de stupeur déferlerait sur ce pays recru de fatigue et de tristesse, si cet homme s'en allait... Mais l'essentiel, pour les députés, c'est de pouvoir dire : "Il a voulu partir, nous ne l'avons pas chassé." Alors, ce serait l'heure de Pilate. Alors, nous nous retrouverions entre nous, entre gens de même taille. Il n'y aurait plus sur notre horizon, debout à son poste de vigie, ce personnage étrange, qui n'est à la mesure de personne, qui finissait par nous fatiguer avec sa " grandeur ". »

Fin novembre 1945, il regarde les ministres qui se sont rassemblés autour de lui pour la photo traditionnelle. Soustelle, ministre de la France d'outre-mer, est au fond, près de Malraux. Thorez, raide et sévère, est au premier rang, entre Auriol et Bidault. Jules Moch, ministre des Travaux publics et des Transports, sourit joyeusement. Pleven est sur la dernière marche, aux côtés de Michelet.

Moment étrange. Il se souvient de cette photographie du 6 juin 1940. Il était en uniforme, dans ce dernier ministère Paul Reynaud.

Le temps a passé, si vite, et pourtant lourd des événements les plus tragiques sans doute de l'histoire humaine.

Il regarde ces ministres. La France a-t-elle pris la mesure de ce qui s'est produit ? Ces hommes sont-ils prêts à adapter le pays et ses institutions au monde nouveau ?

Il en doute.

Et lui, de combien de temps dispose-t-il pour cette tâche ?

Il vient d'avoir, hier, cinquante-cinq ans.

41.

De Gaulle repousse les journaux d'un mouvement brusque. Il se lève, marche à grands pas dans son bureau.

– Ce sont des lâches, dit-il, des lâches.

Il regarde Palewski et Claude Mauriac. Palewski, d'une voix hésitante, reprend son récit.

– Je m'en fous, lance de Gaulle en l'interrompant.

Bien sûr, il comprend cette stratégie des différents partis. Ils ont dû s'incliner, l'accepter comme chef du gouvernement, voter la confiance, et maintenant il ne se passe pas de jour qu'ils ne multiplient les critiques.

Les socialistes d'abord, pour attirer des adhérents, se montrer plus à gauche que les communistes, ces derniers pour ne pas se laisser « attaquer à gauche », comme dit Jacques Duclos, le plus talentueux et le plus tortueux de leurs orateurs. Quant aux MRP, ils ne veulent pas se couper d'une opinion dont ils imaginent qu'elle devient critique à l'égard du gouvernement et même du général de Gaulle.

– Passé la tourmente, murmure de Gaulle, ce malheureux peuple est en train de retourner à la vachardise et à la veulerie qui l'ont fait s'enfoncer en 1940.

Mais, il le reconnaît, jamais la vie quotidienne n'a été aussi difficile. Les coupures d'électricité sont encore plus longues. Certaines denrées essentielles continuent de manquer et l'inflation des prix de détail atteint 5 à 6 % par mois. Alors, il n'est pas étonnant que les fonctionnaires aient constitué un cartel, qu'ils décident de se mettre en grève, que postiers et enseignants manifestent. Mais comment accepter qu'à l'Assemblée, les députés socialistes combattent la politique du gouvernement ? ! Alors que les représentants de leur parti en sont membres ? Ce n'est plus un régime parlementaire, mais un gouvernement d'Assemblée.

De Gaulle n'acceptera pas cela. Jamais.

Il regarde l'un après l'autre, ce vendredi matin, 18 décembre, les ministres assis autour de la table du Conseil. Il a noté qu'au meeting tenu par les fonctionnaires au Vélodrome d'Hiver, le représentant du syndicat CGT, dirigé par les communistes, a eu une attitude modérée, condamnant la grève. Il fixe Thorez :

– C'est un choix courageux, dit-il, et un bon calcul.

Puis il hausse la voix :

– Écoutez-moi, vous appartenez à des partis différents. Vous êtes nécessairement en concurrence entre deux élections... Je ne suis pas sûr que le meilleur calcul pour vous soit de vous séparer de l'intérêt général...

Il s'interrompt. Peuvent-ils comprendre cela ? Les journaux rapportent que les socialistes ont déclaré : « Nous allons pratiquer la politique du strapontin. » Quant aux communistes, ils jouent sur les deux tableaux : ils se présentent en défenseurs du gouvernement, et en même temps, à l'Assemblée, ils soutiennent les revendications des grévistes !

Comment cela pourrait-il continuer ?

Il se rend à l'Assemblée, intervient dans le débat. De la tribune, il perçoit ces regards hostiles ou ironiques. Il distingue, en haut et à droite de l'hémicycle, le visage de son beau-frère, Jacques Vendroux.

– Voilà les deux questions que je pose, dit-il. L'Assemblée voudra-t-elle manifester sa confiance au gouvernement... Et voudra-t-elle par-dessus toutes les revendications légitimes... considérer d'abord l'intérêt général de la nation ?

Les députés se soumettent. Mais pour combien de temps ?

Il regagne Neuilly. Il faut, dit-il à Yvonne de Gaulle, que les travaux commencés à Colombey pour remettre la Boisserie en état, soient accélérés. Il faudra bientôt quitter le gouvernement et cette villa. Car l'hostilité et la défiance qu'il sent monter des rangs des partis lui sont insupportables. Les MRP ? Ils se dérobent. Ils sont hésitants. Georges Bidault s'en va répétant partout qu'il désapprouve la politique étrangère, par trop intransigeante, du Général. Et c'est le ministre des Affaires étrangères !

– Les requins se mettent à manger les apôtres ! lance de Gaulle. Et quelle confiance peut-il avoir en ses ministres ?

– Au lieu de m'obéir, dit-il, ils sont à plat ventre devant leurs partis. Et on ne peut servir à la fois la France et son parti.

Il est tendu et détaché. L'engrenage tourne. Il ira jusqu'à son terme. Il fait ce qu'il doit. Il inaugure l'École nationale d'administration, dont les principes et l'organisation ont été définis par Michel Debré. Peut-être la France possédera-t-elle désormais un corps de hauts fonctionnaires recrutés démocratiquement par concours, et soucieux de servir l'État.

Il s'adresse à la nation : « Indépendance, production, unité, voilà le but que nous nous sommes fixé depuis qu'en juin 1940, l'éclair terrible du désastre nous a montré d'une part l'abîme et d'autre part le chemin. »

Mais il a le sentiment que les mots qu'il prononce glissent sur le pays, sans plus l'atteindre, comme si l'apathie, le pessimisme avaient gagné toute la société, lasse, déçue. Est-ce le temps des abandons, des reniements déjà ?

« Plus d'espoir, ni de courage, ni de volonté », dit Claude Mauriac.

De Gaulle l'interroge.

« La guerre rôde aux portes de cette neuve paix qui n'arrive pas à faire croire en elle », poursuit Claude Mauriac.

De Gaulle se tait. Qui le soutient dans ses efforts pour faire entendre la voix de la France dans le monde, alors que les Trois Grands continuent de se réunir sans elle, à Berlin, à Moscou, pour discuter de l'avenir de l'Europe ? Sans elle, sans elle ! Et comment pourrait-elle parler haut alors qu'elle se divise à nouveau ?

– Les conditions dans lesquelles j'ai consenti à revenir ne me garantissent pas l'indépendance nécessaire pour gouverner et risquent de compromettre tout ce que je représente, dit-il.

Il apprend que la Commission de la Constitution, créée par l'Assemblée nationale et présidée par le socialiste André Philip,

475

semble ne se donner qu'un seul objectif : limiter les prérogatives du futur président de la République, dont ces députés imaginent qu'il sera le général de Gaulle.

On veut lui retirer le droit de grâce. Il ne présidera pas le Conseil de la défense nationale. On hésite même à lui accorder le droit de désigner le président du Conseil. On n'est d'accord que pour lui accorder des « fonctions représentatives ».

« Un cochon à l'engrais », a dit autrefois Bonaparte parlant du rôle que Sieyès espérait le voir jouer après le 18 Brumaire.

Et l'on voudrait qu'il accepte cela ? Pour avoir le plaisir de vivre dans un palais, entouré d'honneurs ? Couvrant de son nom une politique impuissante ? À moins qu'on ne veuille le pousser à chercher à installer, par la menace d'un coup de force, un pouvoir autoritaire.

Ils n'ont pas compris qu'entre ces deux voies, il en est une autre, la sienne, celle de rechercher l'assentiment de la nation à un projet au service de tous, pour le bien et la grandeur de la nation. Et s'il faut, pour obtenir cela, se retirer, attendre que le peuple le rappelle, il n'hésitera pas.

Son choix est déjà fait. Il le sait.

Mais il veut savoir jusqu'où ils iront.

Il convoque François de Menthon, un député MRP qui est le rapporteur de la Commission de la Constitution. Ce professeur de droit fut garde des Sceaux dans le précédent gouvernement. De Gaulle l'interroge sur les travaux préparatoires à la Constitution.

De Menthon secoue la tête, dit d'une voix sèche :

– Vous n'avez pas à vous mêler du débat, n'étant pas vous-même constituant.

Voilà. Ce n'est donc plus qu'une question de jours. Ils veulent l'humilier, le contraindre à capituler.

À 7 heures du matin, le 1er janvier 1946, de Gaulle entend le téléphone sonner dans la villa de Neuilly. Teitgen, le garde des Sceaux, est au bout du fil. Il explique que, lors de la discussion des crédits de la Défense nationale, les socialistes ont demandé une réduction de 20 % de ce budget pour « gaspillage et gabegie ».

De Gaulle a une moue de mépris. La manœuvre socialiste est habile.

De Gaulle est de fait le ministre de la Guerre, et un communiste,

Tillon, est ministre de l'Armement, Michelet, un MRP, ministre des Armées. Tillon et Michelet défendent leur budget, ils sont donc en difficulté face à la demande, démagogique, des socialistes. Quant à de Gaulle, il est directement mis en cause.

– Eh bien, je viendrai, dit de Gaulle.

Puis il téléphone à André Philip, qui préside le groupe socialiste.

– Si vous maintenez votre demande, dit de Gaulle, je pose la question de confiance.

– C'est la troisième fois en huit jours que vous nous en menacez, répond Philip. C'est une question trop grave pour qu'on la pose de son lit, sans s'être rasé et sans avoir consulté aucun membre du gouvernement.

De Gaulle raccroche. Qui lui a jamais parlé ainsi ?

Ils viennent de franchir la ligne.

Il se rend à l'Assemblée. Dès qu'il pénètre dans l'hémicycle, des murmures s'élèvent. Il sent la haine se refermer sur lui. Quand des députés socialistes ou communistes interviennent pour réclamer la réduction des crédits militaires, on se penche pour le regarder. On se pousse du coude. On se tape sur les cuisses. On jubile. Mais il n'a jamais été aussi calme.

Il écoute Duclos qui, de sa voix rocailleuse, annonce à la fois que les communistes « voteront avec les socialistes » et qu'il ne faut pas « attacher à ce vote un caractère politique ».

– Jésuite, murmure de Gaulle.

Le système du mensonge qui conduit à la décadence s'est donc remis en place.

Il monte à la tribune.

« Levez le voile, dites si, oui ou non, le gouvernement a votre confiance. S'il l'a, continuons le chemin ensemble aussi longtemps que possible. S'il ne l'a pas, vous allez le marquer par un vote. »

Un silence pesant s'est établi dans l'hémicycle. Il cherche des yeux le visage de Jacques Vendroux. Il a besoin de reconnaître un ami dans cette Assemblée où les adversaires masqués le guettent.

– Je parle pour l'avenir, reprend-il.

Il élève la voix.

– Je vous le dis en conscience, et sans doute est-ce la dernière fois que je parle dans cette enceinte...

Ont-ils entendu ?

– Il y a deux conceptions. Elles ne sont pas conciliables. Veut-on un gouvernement qui gouverne, ou bien veut-on une Assemblée omnipotente déléguant un gouvernement pour accomplir ses volontés ? Personnellement, je suis convaincu que cette deuxième solution ne répond en rien aux nécessités du pays dans lequel nous vivons ni à celles de la période où nous sommes...

Ils ne vont pas oser refuser la confiance au gouvernement. Il le devine en descendant de la tribune, en voyant comment les députés s'écartent de lui avec une sorte d'inquiétude, de peur même. Mais sa décision est prise.

Il retrouve le capitaine Alain de Boissieu, qui, le 3 janvier, doit épouser Élisabeth de Gaulle.

Ils sont seuls dans son bureau, rue Saint-Dominique. De Gaulle allume un cigare. Il a déjà abandonné ces lieux.

– Voyez-vous, Boissieu, dit-il, si votre mariage n'était pas dans quelques jours, j'aurais quitté les affaires dès maintenant. Ce débat à l'Assemblée constituante sur le budget de la Défense fut lamentable, les partis recommencent comme avant guerre, ils veulent coloniser l'État et n'acceptent pas l'autorité d'un gouvernement.

Il veut oublier tout cela pour quelques heures. Il oublie. Si belle, Élisabeth, près de lui, digne, noble, altière et douce, entrant à son bras dans la chapelle du couvent de Notre-Dame-de-Sion, rue Notre-Dame-des-Champs. Quand elle sortira, elle sera Madame Alain de Boissieu.

Philippe est là aussi, revenu pour quelques jours des États-Unis.

De Gaulle est ému au-delà de ce qu'il pouvait imaginer. Tant de souvenirs lui reviennent. Il songe à son mariage, quand il voyait s'avancer en l'église Notre-Dame de Calais, blanche elle aussi comme Élisabeth ce 3 janvier 1946, Yvonne Vendroux.

Le fleuve de la vie a suivi son cours. Mais Anne est absente, comme un creux de douleur dans ce jour de joie.

Puis, quand la cérémonie nuptiale est terminée et qu'il se retrouve avec quelques invités dans la villa de Neuilly, les préoccupations reviennent. Il entraîne Alain de Boissieu dans l'embrasure d'une fenêtre. Il va probablement quitter le pouvoir, dit-il. Mais il veut se donner le temps de réfléchir encore. Il faut aussi que les Français comprennent qu'il n'agit pas sur un mouvement d'humeur en fonction d'une circonstance particulière, comme ce débat sur les crédits de la Défense. Il va donc se retirer quelques jours au cap d'Antibes, en compagnie d'Yvonne de Gaulle, de son frère Pierre, de Jacques Vendroux et de sa femme. Qu'Alain de Boissieu et sa femme partent tranquillement au Maroc en voyage de noces, et qu'ils ne soient pas surpris de la nouvelle de sa démission qui leur parviendra sans doute là-bas.

Il va d'un invité à l'autre. Il est serein. Heureux même, à l'idée de se retrouver avec les siens, loin de ces rumeurs, loin du pouvoir.

Les siens : sa petite patrie au sein de la patrie.

La mer borde le parc de cette villa Sous-le-Vent au cap d'Antibes. De Gaulle marche d'un pas vif, respirant cet air salé que parfume l'odeur des eucalyptus. Il lit les journaux. Il est si loin de ce qu'ils rapportent.

Souvent, il aperçoit des hommes qui jouent aux pêcheurs ou aux cantonniers. Et quelquefois, il les interpelle, amusé qu'ils se mettent au garde-à-vous.

– Dire qu'il n'y aura jamais moyen d'être seul, dit-il. Il en surgit de partout... Derrière les arbres, dans les barques, un de ces jours j'en trouverai un sous ma baignoire.

Il rit, invite Jacques Vendroux et Pierre de Gaulle à l'accompagner.

– Je suis venu ici, dit-il, pour que les Français comprennent bien... que si je quitte les affaires, c'est après mûre réflexion.

Mais y a-t-il encore à réfléchir ? Il montre les journaux. Les dirigeants des partis contestent son autorité. Que pourrait-il faire, entravé à chaque instant par les manœuvres de partis rivaux ?

Il est apaisé. Il veut visiter La Turbie, et du Trophée des Alpes, élevé par Auguste qui est au flanc du village, il contemple ce paysage où la grandeur romaine a laissé son empreinte. Des photographes surgissent. Il faut quitter les lieux.

On fait une promenade en mer.

Il fait beau. Le ciel de ces premiers jours de janvier est presque blanc à force d'être limpide. Parfois, le vent se lève, mais il marche quand même le long de la mer, tenant le bord de son feutre gris, le cigare aux lèvres, une canne à la main.

Puis, la nuit tombe. Il lit les Mémoires du cardinal de Retz, ceux de Saint-Simon et de von Bülow.

Le 13 janvier 1946, c'est le jour du retour à Paris.

Dans le salon de l'automotrice présidentielle, après le dîner, de Gaulle interroge Pierre de Gaulle et Jacques Vendroux. Sa décision est prise mais il veut entendre leur avis. Pierre estime qu'un départ dans les circonstances actuelles serait mal compris. Il faudrait, argumente-t-il, s'appuyer sur l'opinion, peut-être provoquer de nouvelles élections et en sortir renforcé. Jacques Vendroux a un point de vue contraire. Les députés, dit-il, il les côtoie. Ils sont prêts à toutes les manœuvres et à toutes les trahisons. Mieux vaut partir. Les partis vont démontrer leur impuissance. La parenthèse sera brève. Le peuple rappellera alors le général de Gaulle.

De Gaulle reste silencieux. Et s'il n'en était pas ainsi ? Si le pays, au contraire, tolérait ce régime d'Assemblée ? Si la parenthèse ouverte ne se refermait plus, s'il restait à jamais éloigné du pouvoir, la France s'enfonçant dans la médiocrité ?

C'est un risque. Mais il doit le courir.

— J'ai remis le train sur les rails, dit-il, on veut m'empêcher de le conduire comme il faut. Au régime des partis, puisqu'on le veut, de faire ses preuves.

Il se lève.

— Ils s'imaginent qu'on peut gouverner avec des palabres. Eh bien, qu'ils essaient !

Il regarde la France défiler, dans cette nuit du retour. Il a donné des ordres pour que l'automotrice s'arrête avant Paris. Il veut rentrer dans la discrétion. À l'aube du 14 janvier 1946, au kilomètre 7, entre Alfortville et Maisons-Alfort, il saute sur le ballast. Il est surpris de reconnaître, aux côtés de Luizet, le préfet de police, Jules Moch, ministre des Transports, qui, apprenant son arrivée, a jugé de son devoir de l'accueillir.

— Puisque vous êtes venu, dit de Gaulle, montez dans ma voiture. J'ai quelque chose à vous apprendre, dites à votre chauffeur de suivre jusqu'à la rue Saint-Dominique.

Il fait froid. Il prend une couverture, en couvre ses genoux et ceux de Jules Moch. Il le regarde. Il va lui confier un secret, dit-il, qu'il ne pourra répéter qu'à Léon Blum.

– Eh bien, voilà : j'ai voulu réfléchir dans le calme, loin de tous et de tout. Depuis le début de cette expérience, je me sens en porte à faux...

Il parle calmement. Comme il se sent léger d'avoir pris cette décision ! Il évoque les critiques, les manœuvres, la haine même qu'il a ressentie dans l'hémicycle.

– Je ne me sens pas fait pour ce genre de combat. Je ne veux pas être attaqué, critiqué, contesté chaque jour par des hommes qui n'ont d'autre titre que d'avoir su se faire élire dans un tout petit coin de la France. J'ai pris du champ à Antibes, ces huit jours pour réfléchir... Puisque je ne puis gouverner comme je le veux, c'est-à-dire pleinement, plutôt que de me laisser ligoter, plutôt que de voir démembrer mon pouvoir, je m'en vais.

Il se tourne vers Jules Moch, qui, penché, commence à répondre.

– Aucun suffrage n'a manqué au gouvernement, dit le ministre. Vous n'avez pas le droit de partir. Il ne fallait pas entrer dans le jeu parlementaire, il y a un mois. Mais puisque vous y êtes entré...

De Gaulle secoue la tête. Il dit simplement que la consigne de silence doit être gardée jusqu'au dimanche 20 janvier. Il assistera à toutes les séances de l'Assemblée et aux Conseils prévus jusqu'à cette date, comme si de rien n'était.

Jules Moch répète :

– Vous n'avez pas le droit de partir. Il faut continuer à jouer le jeu parlementaire.

On arrive rue Saint-Dominique.

De Gaulle pose sa main sur celle de Jules Moch.

– Vous avez peut-être raison, dit-il d'une voix grave.

Il fixe Jules Moch.

– Mais je n'imagine pas Jeanne d'Arc mariée, mère de famille et, qui sait, trompée par son mari.

42.

« Je m'en vais », murmure de Gaulle.

Il a besoin de répéter ces mots, pour lui-même. Sa décision est irrévocable. Il n'éprouve aucun regret. Il se sent au contraire libéré et il a hâte que cette semaine s'achève, qu'enfin, le dimanche 20 janvier, il puisse annoncer au Conseil des ministres qu'il s'en va. Mais jusque-là, il doit assumer ses fonctions sans rien laisser paraître de sa décision.

C'est de là que naît la tension qu'il éprouve depuis qu'il a retrouvé son bureau, revu ces visages familiers, son directeur de cabinet Gaston Palewski, Claude Mauriac, Claude Guy. Il est déjà au-delà du 20 janvier, et il piétine encore ici. Et cela va durer une semaine.

Il fait entrer Vincent Auriol, qui a assuré l'intérim des affaires durant l'absence du chef du gouvernement. Auriol expose les questions en suspens, exige des réponses immédiates.

– Ça va, oui, s'il le faut, je regarderai cela, marmonne de Gaulle.

Il ne peut en dire plus.

Mais il veut laisser le pays en ordre, tenter d'aplanir les diffi cultés.

Il veut recevoir ce soir les trois ministres d'État chez lui, à Neuilly, pour leur demander de mettre fin à cette guerre entre partis gouvernementaux, à leur concurrence, afin d'œuvrer ensemble pour le bien du pays.

Il dit cela à Thorez, Francisque Gay, Auriol assis autour de lui. Mais il sent qu'il parle avec détachement, comme s'il n'était plus qu'un spectateur déjà. Ces trois hommes, le communiste énergique, le chrétien à la voix fluette et à l'apparence frêle, le socialiste solide et rocailleux comme un paysan de la Garonne, lui paraissent si différents de lui, enfermés chacun dans leur monde, Thorez, peut-être, s'élevant le plus, comme il le dit, au-dessus des « petites discussions de boutique » – mais Thorez, le véritable adversaire.

Il regarde cet homme du Nord au tempérament sanguin. Une force, mais il n'y a pas péril. À moins que la guerre ne se déclenche, que les Russes n'envahissent l'Europe occidentale. Mais alors, toute la scène serait bouleversée, et c'en serait fini des jeux parlementaires.

Ce sont eux qu'il ne supporte plus.

Le 16 janvier, il est dans l'hémicycle. Édouard Herriot parle d'une voix enflammée. Chaque mot est une flèche à la pointe trempée dans le fiel, et les députés d'applaudir, de ricaner. Herriot s'indigne, en comédien roué. Quoi, dit-il, on a régularisé au *Journal officiel* des décorations – dans l'ordre de la Légion d'honneur – attribuées par le général Giraud à des officiers et soldats tombés lors des combats de novembre 1942 contre les Américains, en Afrique du Nord ! C'est une « injure à l'égard de nos Alliés, et la glorification d'une bataille néfaste à la patrie ». Applaudissements à tout rompre.

De Gaulle se lève, lentement. Il reste à son banc. C'est lui qu'Herriot vise, c'est lui qu'en frappant des mains à tout rompre, les députés veulent souffleter. Il regarde longuement Herriot, cet homme qui, à la veille de la libération de Paris, déjeunait avec Abetz et Laval ! Cet homme auquel, après avoir étudié son dossier, de Gaulle a rendu, mais sans l'élever à un grade supérieur, la croix de la légion d'honneur qu'Herriot avait renvoyée à Vichy. Et à ce moment-là, il a senti le dépit d'Herriot. Cet homme, maintenant, donne des leçons de résistance, de patriotisme !

De Gaulle commence à parler. Il a l'impression d'avoir la bouche pleine d'une salive âcre, comme la tristesse et le dégoût.

« Le gouvernement de la République, commence-t-il, n'a pas jugé en conscience devoir arracher du cercueil de pauvres morts et de la poitrine de malheureux estropiés les décorations obtenues dans des conditions affreuses mais dont ils n'étaient pas responsables. »

Il s'interrompt, parcourt du regard l'hémicycle. Il sait bien que l'intervention d'Herriot n'a qu'un but, le mettre en difficulté, l'accuser. Ces légions d'honneur ne sont évidemment qu'un prétexte.

– M. Édouard Herriot, reprend-il d'un ton plus fort, m'excusera de lui répondre avec d'autant plus de clarté et de simplicité qu'avec Vichy, depuis 1940, je ne me suis pas borné, moi, à échanger des lettres et des messages, mais que tout de suite, j'ai procédé à des coups de canon.

Comment continuer de côtoyer ces hommes-là et dépendre d'eux alors que les « partis pris et les rancœurs politiques » altèrent leurs âmes jusqu'au fond ?

Il ne peut plus se taire, attendre. Il faut que fuse parfois, comme pour se libérer, avec tel ou tel, René Mayer, Edmond Michelet, Louis Joxe, Francisque Gay, André Malraux, un « Je fous le camp », « Je m'en vais », un « J'en ai assez, dimanche prochain je vous convoque pour vous dire que je m'en vais ».

Il fait les cent pas dans son bureau. Il allume cigarette sur cigarette. Ces quelques jours n'en finissent pas de durer. Il dit à Francisque Gay :

– On me prête en général une qualité : l'intelligence. Or, comment peut-on me supposer assez intelligent pour penser que je veuille faire un coup d'État comme certains le prétendent ? L'ère des coups d'État est passée : cela constitue un anachronisme et ne correspond nullement à mon tempérament.

– Mais après vous, mon général ?

– Après moi ? Cela ne me regarde pas, vous ferez ce que vous considérez avoir à faire.

Il observe Francisque Gay. Le député MRP paraît inquiet, évoque la difficulté de constituer un gouvernement.

De Gaulle sourit : « Mais voyons, avant huit jours, en délégation, ils me demanderont de revenir et, cette fois-ci, je reviendrai à mes conditions. »

Il dit cela.

Et, les mots prononcés, que Francisque Gay a écoutés avec une sorte d'effarement, il sait bien que ce n'est là que la plus improbable des hypothèses. Il joue avec elle. Il imagine. Mais ce n'est pas cette hypothèse qui a le plus de chances de se réaliser. Est-ce Clemenceau qui aimait à répéter : « Les cimetières sont pleins d'hommes irremplaçables » ?

On ne le rappellera pas : il sera couvert d'outrages, d'injures, de calomnies. On jettera sur lui la cendre de l'oubli.

– Les Français ont peut-être besoin de plusieurs années de vachardise, dit-il à Robert Lacoste, l'un de ses anciens ministres socialistes.

Il commence à écrire la lettre qu'il va adresser à Félix Gouin le dimanche 20 janvier. Il veut qu'elle soit la plus anodine possible. La France n'a pas besoin d'un déchirement de plus. Il veut partir dans le silence.

« Monsieur le Président,

« Je vous serais reconnaissant de bien vouloir faire connaître à l'Assemblée nationale constituante que je me démets de mes fonctions de président du gouvernement provisoire de la République.

« Depuis le jour même où j'ai assumé la charge de diriger le pays vers sa libération, sa victoire et sa souveraineté, j'ai considéré que ma tâche devait prendre fin lorsque serait réunie la représentation nationale et que les partis se trouveraient ainsi en mesure d'assumer leurs responsabilités...

« Si j'ai accepté de demeurer à la tête du gouvernement après le 13 novembre 1945, c'était à la fois pour répondre à l'appel unanime de l'Assemblée et pour ménager une transition nécessaire.

« Cette transition est aujourd'hui réalisée... »

On ne pourra pas lui reprocher d'aviver les passions ! Il va souhaiter pleine réussite au gouvernement qui lui succédera !

Il relit la lettre. Il aurait tant à dire !

Il reçoit Malraux, l'écoute improviser une diatribe contre les partis, une lettre qui serait l'équivalent de ses appels de juin et juillet 1940.

De Gaulle secoue la tête. Il se souvient des vers d'Alfred de Vigny.

« Le silence seul est grand, murmure-t-il, le reste est faiblesse. Il faut être pittoresque dans ses actes. En partant sans me retourner, j'emporte avec moi mon mystère. »

Mais ce sont des mots. En fait, il ne peut plus accepter ce climat d'hostilité qui remplit l'hémicycle, ces regards, ces attaques.

– Je ne suis pas fait pour ce système, dit-il. Je m'use dans ces escarmouches parlementaires... Il faut que je m'en aille, que je me réserve pour les grandes circonstances qui se préparent. Si un conflit éclate avec l'URSS, je serai seul capable de recréer l'unanimité nationale et d'éviter la guerre civile...

Il va recevoir, ce samedi 19 janvier, les commissaires de la République, réunis à sa demande autour du ministre de l'Intérieur. Avant de se rendre dans la salle où ils l'attendent, il confie : « Vous voyez, ce qu'il faudrait à ce pays, c'est un roi. » Il sourit devant l'étonnement qui s'inscrit sur le visage de Robert Prigent, le ministre de la Population, avec qui il vient de passer un long moment dans son bureau. « Oui, Prigent, un grand type qu'on sort comme cela, de temps en temps, dans les grands moments difficiles... C'est ce qu'il faudrait... Mais cela a été cassé et cela ne se refait pas... »

Les commissaires de la République se lèvent lorsqu'il entre en compagnie de Tixier, le ministre de l'Intérieur.

– Je m'en vais, dit-il brutalement.

Les hauts fonctionnaires paraissent éberlués.

– Je m'en vais, je me retire, j'ai accompli ma mission. J'ai remis en place les institutions républicaines. Elles n'ont plus qu'à fonctionner.

Dans le silence, l'un des commissaires intervient.

– Mon général, puisque vous allez partir, que devons-nous faire, nous, commissaires de la République, qui avons été nommés par vous ?

– Les hommes ne comptent pas, seul l'État compte. Vous devez rester à votre poste.

C'est fait. Il lit le texte de la lettre qui va être portée à chacun des vingt et un ministres, les convoquant pour un Conseil tenu demain, dimanche 20 janvier, à 12 heures, salle des Armures, au ministère de la Guerre, rue Saint-Dominique.

Un seul point à l'ordre du jour : « Communication du général de Gaulle ».

Ils sont là quand il entre dans la salle. Il a voulu revêtir son uniforme. Il n'est déjà plus le chef du gouvernement en costume croisé bleu. Il est redevenu le général de Gaulle, celui du 18 juin 1940 et du 25 août 1944. Il les dévisage. Peut-être ont-ils compris, à ce simple changement vestimentaire, l'objet de ce Conseil. Et puis, aucun fauteuil n'a été placé autour de la table, sur laquelle ne se trouvent ni papier, ni sous-main, ni crayon, ni cendrier.

Il leur serre la main. Il regrette l'absence de Bidault, d'Auriol, de Jacquinot. Point de discussion, d'effusion. Il croise les bras. Il parle en détachant chaque mot. Il regarde droit devant lui, au-dessus de ces hommes, et ses yeux se perdent dans ces forêts sombres que représentent les grandes tapisseries des Gobelins accrochées aux murs.

— Ma mission est terminée, dit-il. J'avais entrepris de libérer la France avec l'armée française, sous l'autorité d'un gouvernement français. La France est libérée, le gouvernement français est installé dans la capitale, la légalité républicaine est rétablie. La tâche que je m'étais assignée est accomplie.

Maintenant, il les regarde. Ils ont tous compris.

— Le régime exclusif des partis est reparu, reprend-il. Je le réprouve, mais, à moins d'établir par la force une dictature dont je ne veux pas et qui sans doute tournerait mal, je n'ai pas les moyens d'empêcher cette expérience. L'action que vous menez à l'intérieur du gouvernement ne correspond pas à l'idée que je me fais de la solidarité gouvernementale nécessaire à l'autorité de l'État... Vous épousez les querelles de vos partis respectifs. Ce n'est pas ainsi que je comprends les choses.

Il arrête un instant son regard sur chacun de ces visages. Ils paraissent attristés, presque penauds.

— Il me faut donc me retirer.

Il tourne le dos, serre rapidement la main de ses collaborateurs et s'en va.

Dans son bureau, au premier étage, il range quelques dernières affaires dans sa serviette. Il s'assure que le colonel Bonneval, son officier d'ordonnance, a bien retiré le fanion du 507ᵉ régiment de chars, celui de 1940, et l'épée de Hitler, prise de guerre que Leclerc lui a offerte.

Il descend d'un pas rapide le grand escalier, s'arrête un instant sur le perron.

Il se souvient de son arrivée ici, en juin 40, puis de son retour le 25 août 1944. Reviendra-t-il jamais ?

— Je vais à Neuilly, dit-il à Louis Joxe, qui l'a accompagné. Je ne verrai personne.

Il monte dans sa voiture.

Il se tourne au moment où la voiture s'engage dans la rue Saint-Dominique, pour voir une fois encore la façade de l'hôtel de Brienne.

Une nouvelle étape de sa vie, commencée ici en juin 1940, se termine ici, le dimanche 20 janvier 1946.

Il n'a aucun regret.

Il a choisi.

« On ne peut être à la fois l'homme des grandes tempêtes et des basses combinaisons. »

OUVRAGES DE CHARLES DE GAULLE

La Discorde chez l'ennemi. (Librairie Berger-Levrault, 1924, Librairie Plon, 1972)

Le Fil de l'épée. (Librairie Berger-Levrault, 1932, Librairie Plon, 1971)

Vers l'armée de métier. (Librairie Berger-Levrault, 1934, Librairie Plon, 1971)

La France et son armée. (Librairie Plon, 1938 et 1971)

Trois études. (Librairie Berger-Levrault, 1945, Librairie Plon, 1971)

Mémoires de guerre. (Librairie Plon, 1954, 1956, 1959)
       * L'Appel 1940-1942
      ** L'Unité 1942-1944
     *** Le Salut 1944-1946

Discours et messages. (Librairie Plon, 1970)
         * Pendant la Guerre (Juin 1940-Janvier 1946)
        ** Dans l'Attente (Février 1946-Avril 1958)
       *** Avec le Renouveau (Mai 1958-Juillet 1962)
      **** Pour l'Effort (Août 1962-Décembre 1965)
     ***** Vers le Terme (Janvier 1966-Avril 1969)

Mémoires d'espoir. (Librairie Plon, 1970 et 1971)
        * Le Renouveau (1958-1962)
       ** L'Effort (1962-....)

Articles et écrits. (Librairie Plon, 1975)

Lettres, notes et carnets. (Librairie Plon, 1980, 1981, 1982, 1983, 1984, 1985, 1986, 1987 et 1997)
         1905-1918
         1919-Juin 1940
         Juin 1940-Juillet 1941
         Juillet 1941-Mai 1943
         Juin 1943-Mai 1945
         Mai 1945-Juin 1951
         Juin 1951-Mai 1958
         Juin 1958-Décembre 1960
         Janvier 1961-Décembre 1963
         Janvier 1964-Juin 1966
         Juillet 1966-Avril 1969
         Mai 1969-Novembre 1970
         Compléments 1924-1970

Table

Du même auteur

Romans

Napoléon
 I. Le Chant du départ, Laffont, 1997.
 II. Le Soleil d'Austerlitz, Laffont, 1997.
 III. L'Empereur des rois, Laffont, 1997.
 IV. L'Immortel de Sainte-Hélène, Laffont, 1997.
De Gaulle
 I. L'Appel du destin, Laffont, 1998.
La Machinerie humaine, suite romanesque.
• La Fontaine des Innocents, Fayard, 1992, et Le Livre de Poche.
• L'Amour au temps des solitudes, Fayard, 1993, et Le Livre de Poche
• Les Rois sans visage, Fayard, 1994, et Le Livre de Poche.
• Le Condottiere, Fayard, 1994, et Le Livre de Poche.
• Le Fils de Klara H., Fayard, 1995, et Le Livre de Poche.
• L'Ambitieuse, Fayard, 1995, et Le Livre de Poche.
• La Part de Dieu, Fayard, 1996, et Le Livre de Poche.
• Le Faiseur d'or, Fayard, 1996.
• La Femme derrière le miroir, Fayard, 1997.
• Le Jardin des oliviers, Fayard, à paraître en 1999.
La Baie des Anges, suite romanesque.
 I. La Baie des Anges, Laffont, 1975.
 II. Le Palais des Fêtes, Laffont, 1976.
 III. La Promenade des Anglais, Laffont, 1976.
Les hommes naissent tous le même jour, suite romanesque.
 I. Aurore, Laffont, 1978.
 II. Crépuscule, Laffont, 1979.
Le Cortège des vainqueurs, Laffont, 1972.
Un pas vers la mer, Laffont, 1973.
L'Oiseau des origines, Laffont, 1974.
Que sont les siècles pour la mer, Laffont, 1977.
Une affaire intime, Laffont, 1979.
France, Grasset, 1980, et Le Livre de Poche.
Un crime très ordinaire, Grasset, 1982, et Le Livre de Poche.
La Demeure des puissants, Grasset, 1983.
Le Beau Rivage, Grasset, 1985, et Le Livre de Poche.
Belle Époque, Grasset, 1986, et Le Livre de Poche.
La Route Napoléon, Laffont, 1987, et Le Livre de Poche.
Une affaire publique, Laffont, 1989, et Le Livre de Poche.
Le Regard des femmes, Laffont, 1991, et Le Livre de Poche.

Histoire, essais

L'Italie de Mussolini, Perrin, 1964 et 1982, et Marabout.
L'Affaire d'Éthiopie, Le Centurion, 1967.
Gauchisme, réformisme et révolution, Laffont, 1968.
Maximilien Robespierre. Histoire d'une solitude, Perrin, 1968 et 1998.

Histoire de l'Espagne franquiste, Laffont, 1969.

Cinquième colonne, 1939-1940, Plon, 1970 et 1980, éd. Complexe, 1984.

Tombeau pour la Commune, Laffont, 1971.

La Nuit des Longs Couteaux, Laffont, 1971.

La Mafia, mythe et réalités, Seghers, 1972.

L'Affiche, miroir de l'histoire, Laffont, 1973 et 1989.

Le Pouvoir à vif, Laffont, 1978.

Le xxᵉ siècle, Perrin, 1979.

Garibaldi, la force d'un destin, Fayard, 1982 et 1997.

La Troisième Alliance, Fayard, 1984.

Les idées décident de tout, Galilée, 1984.

Le Grand Jaurès, Laffont, 1984 et 1994.

Lettre ouverte à Robespierre sur les nouveaux Muscadins, Albin Michel, 1986.

Que passe la Justice du Roi, Laffont, 1987.

Jules Vallès, Laffont, 1988.

Les Clés de l'histoire contemporaine, Laffont, 1989.

Manifeste pour une fin de siècle obscure, Odile Jacob, 1990.

La gauche est morte, vive la gauche, Odile Jacob, 1990.

L'Europe contre l'Europe, Le Rocher, 1992.

Une femme rebelle. Vie et mort de Rosa Luxemburg, Presses de la Renaissance, 1992.

Jè. Histoire modeste et héroïque d'un homme qui croyait aux lendemains qui chantent, Stock, 1994.

Politique-fiction

La Grande Peur de 1989, Laffont, 1966.

Guerre des gangs à Golf-City, Laffont, 1991.

Conte

La Bague magique Casterman, 1981.

En collaboration

Au nom de tous les miens, de Martin Gray, Laffont, 1971, et Le Livre de Poche

Cet ouvrage a été réalisé par la
SOCIÉTÉ NOUVELLE FIRMIN-DIDOT
Mesnil-sur-l'Estrée
pour le compte des Éditions Robert Laffont
24, avenue Marceau, 75008 Paris
en janvier 2000

Imprimé en France
Dépôt légal : juin 1998
N° d'édition : 40658/11 - N° d'impression : 49698